2026
판례·기출
증보판

조충환·양건

형법각론 Ⅰ

개정 형법·최신 판례 및 기출문제 완벽 반영

경찰승진·채용·간부·수사경과 / 해경승진·채용·간부
법원직·검찰직·승진 / 철도경찰·마약수사

조충환·양건 편저

동영상강의 www.pmg.co.kr

조충환·양건

SPA 형법

PREFACE

이 책의 머리말

2026 SPA 형법 판례·기출증보판을 출간하면서

이번 2026 판례·기출증보판에서는 최근의 출제경향을 반영하여 다음과 같은 사안에 중점을 두었습니다.

첫째, 기출문제 반영

작년 SPA 형법 출간 이후의 2024년 기출문제(법원행정고등고시, 경위공채, 순경 1차·2차, 경력채용, 9급 검찰·마약수사·철도경찰, 9급 법원서기보, 7급 검찰, 해경 순경·수사·경위·경장 등)와 2025년 기출문제(변호사시험)를 전부 비교·분석하여 본문에 수정·교체·추가·기출표기를 하였고 기출문제(객관식)에도 추가하였습니다.

둘째, 판례 반영

최근 판례(2025.1.1. 대법원 판례공보 및 미간행판례)까지 빠짐없이 반영하였으며, 최근의 출제경향에 맞추어 기존 판례의 일부를 수정·교체·추가하였고, 판례마다 기출표기를 최신순으로 정리하였습니다.

셋째, 반복학습

본문 ⇨ 확인학습(OX문제) ⇨ 기출문제의 3단계 방식으로 편집하여 기본서, 판례집, 요약집(Sub-note), OX문제집, 객관식문제(기출문제)집을 별개로 공부하지 않고도, SPA 형법 1회독시 3회 이상의 반복학습의 효과로 한번에 형법을 끝낼 수 있도록 하였습니다.

넷째, 강약과 시간절약

법조문, 이론, 판례를 사안마다 키워드와 기출표기를 색표기하여 중요도를 파악하고, 반복학습시 시간을 단축하도록 하였습니다.

SPA 형법을 이해 위주로 반복학습하신다면 본 교재 한 권만으로도 어느 시험에서든지 고득점으로 합격·승진하는 데 아무런 지장이 없을 것이라 확신합니다.
우리 모두 어려운 시기에 무엇보다도 건강에 유의하시고 초지일관하시길 바라며, 수험생 여러분의 조기 합격과 승진을 믿고 간절히 기원합니다.

2025. 2.

공편저자 조충환·양건

CONTENTS

이 책의 차례

형법각론 I

Part 01 개인적 법익에 대한 죄

제1장 생명과 신체에 대한 죄

제2장 자유에 대한 죄

제3장 명예와 신용에 대한 죄

제4장 사생활의 평온에 대한 죄

제5장 재산에 대한 죄

형법각론 Ⅱ

Part 02 사회적 법익에 대한 죄

제1장 공공의 안전과 평온에 대한 죄

제2장 공공의 신용에 대한 죄

제3장 사회의 도덕에 대한 죄

CONTENTS

이 책의 차례

Part 03 국가적 법익에 대한 죄

제1장 국가의 존립과 권위에 대한 죄

제2장 국가의 기능에 대한 죄

개인적 법익에 대한 죄

CHAPTER 01

생명과 신체에 대한 죄

단원 advice

본장에서는 ㉠ 살인의 죄 중 사람의 시기, 고의 인정 여부, 죄수론, 존속살해죄, 자살방조죄, ㉡ 상해와 폭행의 죄 중 상해 인정 여부, 폭행 인정 여부, 특수폭행, 중상해죄, 상해죄의 동시범특례, ㉢ 과실치사상의 죄 중 업무상 과실치사상죄 등이 출제빈도가 높다.

제1절 살인의 죄(보호법익 : 사람의 생명)

1 보통살인죄

제250조 제1항 사람을 살해한 자는 사형·무기 또는 5년 이상의 징역에 처한다.

미수범 처벌(제254조), 예비·음모 처벌(제255조)

(1) **객 체** : 살아 있는 사람(태아 ⇨ 낙태죄의 객체, 사체 ⇨ 사체유기·손괴죄의 객체)

관련판례

1. 형법상 사람의 시기(始期)는 규칙적인 진통을 동반하면서 태아가 태반으로부터 이탈하기 시작한 때, 즉 분만이 개시된 때이다〔진통설(분만개시설) : 대판 1982.10.12, 81도2621 예 조산원이 분만 중인 태아를 질식사에 이르게 한 경우 ⇨ 업무상 과실치사죄〕. 14. 법원직, 15. 경찰승진, 17·20. 수사경과, 21. 해경승진
2. 제왕절개수술의 경우 '의학적으로 제왕절개수술이 가능하였고 규범적으로 수술이 필요하였던 시기(時期)'는 판단하는 사람 및 상황에 따라 다를 수 있어 분만개시 시점, 즉 사람의 시기(始期)도 불명확하게 되므로 이 시점을 분만의 시기(始期)로 볼 수는 없다(대판 2007.6.29, 2005도3832). 17. 순경 2차, 18. 변호사시험, 20. 해경승진·수사경과, 22. 경찰간부, 23. 경찰승진, 24. 경력채용

(2) **행 위** : 살해(수단·방법에 제한 ×)

관련판례

- **부작위에 의한 살인죄**

1. 미성년자를 감금한 후 단지 그 상태를 유지하였을 뿐인데도 피감금자가 사망한 경우에는 감금치사죄에 해당하나, 그 감금상태가 계속된 어느 시점에서 살해의 범의가 생겨 위험발생을 방지함이 없이 그대로 방치하여 사망하게 한 경우 ⇨ 부작위에 의한 살인죄(대판 1982.11.23, 82도2024) 11. 순경 2차
2. 어린 조카(10세)를 저수지로 데리고 가서 미끄러지기 쉬운 제방쪽으로 유인하여 함께 걷다가 물에 빠진 조카를 방치하여 익사하게 한 경우(대판 1992.2.11, 91도2951) 14. 법원행시, 19. 법원직

(3) 주관적 구성요건요소 : 고의(범의)

살인죄의 범의는 반드시 살해목적이나 계획적인 살해의도가 있어야 인정되는 것은 아니고, 자기의 행위로 인한 사망의 결과를 발생시킬 만한 가능 또는 위험이 있음을 인식하거나 예견하면 족하고 그 인식 · 예견은 확정적인 것(확정적 고의)은 물론 불확정적인 것(미필적 고의)이라도 인정된다(대판 2006.4.14, 2006도734). 18. 순경 3차, 21. 수사경과, 22. 경력채용, 23. 경찰승진 피고인이 살인의 범의를 부인할 경우, 범행 당시 살인의 범의가 있었는지 여부는 피고인이 범행에 이르게 된 경위, 범행의 동기, 준비된 흉기의 유무 · 종류 · 용법, 공격의 부위와 반복성, 사망의 결과발생가능성 정도 등 범행 전후의 객관적인 사정을 종합하여 판단할 수밖에 없다(대판 2006.4.14, 2006도734). 14. 순경 1차, 16. 순경 2차, 19. 7급 검찰, 21. 경찰승진 · 해경 1차, 22. 해경간부 · 해경 2차 아동학대살해죄에서 살해의 범의의 인정 기준은 살인죄에서의 범의의 인정 기준과 같다고 보아야 한다(대판 2024.7.11, 2024도2940).

관련판례

- **살인죄의 고의가 인정되는 경우**

1. 소란을 피우는 피해자를 말리다가 피해자가 욕하는 데 격분하여 예리한 칼로 피해자의 왼쪽 가슴부분에 길이 6cm, 깊이 17cm의 상처 등이 나도록 찔러 곧바로 좌측심낭까지 절단된 경우(대판 1991.10.22, 91도2174) 15. 경찰승진, 20. 해경승진, 21. 수사경과, 22. 해경 2차
2. 강도가 베개로 피해자의 머리부분을 약 3분간 누르던 중 피해자가 저항을 멈추고 사지가 늘어졌음에도 계속 눌러 사망하게 한 경우(대판 2002.2.8, 2001도6425 ∴ 강도살인죄 ○, 강도치사죄 ×) 14. 경찰승진, 15. 순경 1차, 20. 수사경과 · 해경승진
3. 형수를 향하여 살의를 갖고 몽둥이로 힘껏 내리쳤으나 형수의 등에 업힌 조카의 머리부분에 맞아 조카가 현장에서 즉사한 경우, 조카에 대한 살인죄가 성립한다(대판 1984.1.24, 83도2813). 14. 순경 1차, 19. 7급 검찰, 20. 수사경과
4. 인체급소를 잘 알고 있는 무술교관출신이 무술의 방법으로 울대(성대)를 가격하여 사망하게 한 경우(대판 2000.8.18, 2000도2231), 건장한 체격의 군인이 왜소한 자를 폭행하고, 특히 급소인 목을 부러질 정도로 세게 졸라 사망하게 한 경우(대판 2001.3.9, 2000도5590) 16. 경찰승진, 20. 해경승진, 24. 경력채용
5. 총알이 장전되어 있는 엽총의 방아쇠를 잡고 있다가 총알이 발사되어 사망한 경우(대판 1997.2.25, 96도3364) 18. 수사경과, 21. 해경 1차, 22. 해경간부 · 해경 2차
6. 甲은 남편의 전처 소생의 딸 乙(9세)을 야산으로 데려가 목을 졸라 실신시킨 후 그대로 버려둔 채 혼자서 내려왔으며, 그 이후 乙이 스스로 깨어나서 내려 온 경우 甲은 살인미수죄가 성립한다(대판 1994.12.22, 94도2511). 11. 7급 검찰, 20. 수사경과
7. 교통사고를 가장하여 보험금을 수령하고, 범행은폐목적으로 승용차에 태운 후 고의로 승용차를 저수지에 추락시켜 사망하게 한 경우(대판 2001.11.27, 2001도4392) 11. 7급 검찰
8. 가로 15cm, 세로 16cm, 길이 153cm, 무게 7kg의 각이 진 목재로 길바닥에 누워 있던 피해자의 머리를 때려 피해자가 외상성뇌지주막하출혈로 사망한 경우(대판 1998.6.9, 98도980) 10. 경찰승진
9. 범행현장에 있던 생선회용 식칼로 피해자의 왼쪽 겨드랑이 부분을 가슴 쪽으로 향하여 깊이 찔러 1시간 내에 사망케 한 경우(대판 1983.9.13, 94도2511), 범행현장에서 피해자로부터 폭행을 당하자 범의가 순간적으로 발생하여 소지하고 간 길이 30cm의 과도로 피해자를 힘껏 찔러 사망케 한 경우

(대판 1987.12.8, 87도2195), 13. 수사경과 술에 취한 채 시내버스를 탈취해 운전하여 시위진압 중인 기동대원을 향해 돌진하여 사망하게 한 경우(대판 1988.6.14, 88도692)

- **살인죄의 고의가 부정되는 경우**

1. 적재된 임산물에 대한 부정성 여부를 조사하기 위하여 화물자동차의 승강구에 뛰어올라 정차를 명하는 경찰관을 폭행하여 추락시켜 사망케 한 경우(대판 1957.5.24, 4290형상56) 14. 순경 1차, 20. 해경승진
2. 피고인의 구타행위로 상해를 입은 피해자가 정신을 잃고 빈사상태에 빠지자 사망한 것으로 오인하고, 자신의 행위를 은폐하고 피해자가 자살한 것처럼 가장하기 위하여 피해자를 베란다 밑 약 13m 아래의 바닥으로 떨어뜨려 사망케 한 경우(대판 1994.11.4, 94도2361 ∴ 포괄하여 상해치사죄 1죄) 10 · 14. 경찰승진

---

(4) 죄 수

① 사람을 살해한 자가 그 사체를 다른 장소로 옮겨 유기하였을 때에는 별도로 사체유기죄가 성립하고, 이와 같은 사체유기를 불가벌적 사후행위로 볼 수는 없다(대판 1997.7.25, 97도1142). 17. 순경 2차, 18. 7급 검찰, 19. 경찰승진, 20 · 21. 수사경과 · 해경승진

▶ **비교판례** : 甲이 A를 살해함에 있어 나중에 사체의 발견이 불가능 또는 심히 곤란하게 하려는 의사로 인적이 드문 장소로 A를 유인하여 그곳에서 살해하고 사체를 그대로 방치한 채 도주한 경우 ⇨ 살인죄 ○, 사체은닉죄 ×(대판 1986.6.24, 86도891) 12. 법원행시, 19. 변호사시험

② 살해의 목적으로 동일인에게 일시 장소를 달리하고 수차에 걸쳐 단순한 예비행위를 하거나 또는 공격을 가하였으나 미수에 그치다가 드디어 그 목적을 달성한 경우 ⇨ 포괄하여 살인기수죄 일죄(대판 1965.9.28, 65도695) 13. 순경 1차

③ 독립행위가 사망의 결과에 원인이 된 것이 분명한 경우에는 각 행위를 모두 기수범으로 처벌한다고 하여 어떤 모순이 있을 수 없으므로 이미 총격을 받은 피해자에 대한 확인사살도 살인죄가 성립한다(대판 1980.5.20, 80도306). 12. 법원행시

④ 동일한 장소에서 동일한 방법으로 시간적으로 접착된 상황에서 권총으로 처와 자식들에게 각기 실탄 1발씩을 순차로 발사하여 살해한 경우 ⇨ 포괄일죄 ×, 살인죄의 경합범 ○(대판 1991.8.27, 91도1637) 17. 법원직, 22. 경력채용

2 존속살해죄

제250조 제2항 자기 또는 배우자의 직계존속을 살해하는 자는 사형 · 무기 또는 7년 이상의 징역에 처한다.

미수범 처벌(제254조), 예비 · 음모 처벌(제255조)

(1) 존속살해죄의 성격

행위의 대상에 대한 특수한 신분관계로 형이 가중되는 가중적 구성요건이고, 행위자의 신분으로 형이 가중되는 부진정신분범이다.

(2) **행위의 객체** : 자기 또는 배우자의 직계존속

① **직계존속** : 직계존속[(외)부모·(외)조부모·(외)증조부모]이란 사실상의 개념이 아니라 민법에 의한 법률상의 개념이다. 21. 경찰승진, 24. 해경경위 그러나 법률상 개념이라 하여 반드시 가족관계등록부의 기재가 기준이 되는 것은 아니다(대판 1983.6.28, 83도996).

㉠ 사실상 부자관계(혼인 외의 출생자)의 경우에는 인지절차를 거치지 않는 한 직계존속이 아니다(예 혼인 외 출생자가 인지 전의 부 살해 ⇨ 보통살인죄).

KEY point 혼인 외 출생자와 생모와의 관계

혼인 외 출생자라 하더라도 생모 사이는 출생으로 당연히 법률상 친자관계가 인정되므로 생모는 인지 전이라도 본죄의 객체가 된다(혼인 외 출생자가 그 생모를 살해 ⇨ 존속살해죄 : 대판 1980.9.9, 80도1731). 16. 순경 2차, 18. 순경 3차, 21. 수사경과·해경 1차, 22. 해경간부·해경 2차, 23. 경찰승진·해경승진

㉡ 타인 사이라 할지라도 합법절차에 의하여 입양관계가 성립하면 법률상 직계존속이 된다(예 양자가 양부모 살해 ⇨ 존속살해죄).

타가에 입양된 자와 실부모와의 관계 : 실부모도 본죄의 객체가 된다(다수설, 타인의 양자로 입양된 자가 실부모를 살해한 경우 ⇨ 존속살해죄 ; 대판 1967.1.31, 66도1483). 24. 해경경위

관련판례

1. 자기집 문 앞에 버려진 아이(피고인)를 주어다 기르고 남편과의 친생자인 것처럼 출생신고를 하였으나 입양요건을 갖추지 않았다면 모자관계가 성립되지 않으므로 피고인이 동녀를 살해하여도 존속살해죄로 처벌할 수 없다(대판 1981.10.13, 81도2466). 17. 순경 1차, 20. 해경승진
2. 甲女는 남편과 공동으로 乙을 입양할 의사로 친생자로 출생신고를 하고 양육하여 오다가 남편이 사망한 후에도 계속하여 피고인을 양육하여 왔는데, 성인이 된 乙이 甲女를 살해한 경우 존속살해죄가 성립한다(대판 2007.11.29, 2007도8333 ∵ 허위의 친생자 출생신고는 법률상의 친자관계인 양친자관계를 공시하는 입양신고의 기능을 하게 되므로 乙은 甲의 양자임). 12. 사시, 24. 해경경위
3. 생부가 혼인 외의 자를 혼인 중의 출생자로 호적신고한 경우 ⇨ 친생자 출생신고로서는 무효이나 인지신고로서는 유효하므로 생부를 살해하면 존속살해죄가 성립한다(대판 1971.11.15, 71다1983). 02. 사시·9급 검찰

② **배우자** : 배우자도 법률상 개념을 말하며 사실혼관계에 있는 자는 포함되지 아니한다.

(3) **처벌** : 사형·무기 또는 7년 이상의 징역

행위객체가 존속일 때 가중처벌조항이 있는 경우 16. 순경 2차, 17. 경찰승진, 21. 해경승진, 24. 해경수사
존속살해죄, 존속상해죄(중상해죄·상해치사죄), 존속폭행죄(폭행치사상죄), 존속학대·유기죄(유기·학대치사상죄), 존속체포·감금죄(중체포·감금죄, 체포·감금치사상죄), 존속협박죄 등이다(과실치사상죄, 명예훼손죄, 약취·유인죄 ⇨ 존속가중처벌규정 ×).

3 영아살해죄(제251조) : 삭제(2023.8.8) 24. 경력채용

4 촉탁 · 승낙살인죄

제252조 제1항 사람의 촉탁이나 승낙을 받아 그를 살해한 자는 1년 이상 10년 이하의 징역에 처한다.

미수범 처벌 ○(제254조), 예비 · 음모 처벌 ×

5 자살교사 · 방조죄

제252조 제2항 사람을 교사하거나 방조하여 자살하게 한 자도 제1항의 형에 처한다.

미수범 처벌 ○(제254조), 예비 · 음모 처벌 ×

(1) **의 의** : 사람을 교사 또는 방조하여 자살하게 함으로써 성립하는 범죄(자살관여죄)

(2) **행 위** : 자살을 교사 또는 방조

① **자살교사** : 자살 의사 없는 타인에 대하여 자살을 결심하게 하는 행위(예 교사의 방법이 기만적이거나 위력적일 때 ⇨ 위계 · 위력에 의한 살인죄 성립)

② **자살방조** : 이미 자살을 결심하고 있는 자에 대하여 자살을 용이하게 하여 주는 행위

관련판례

1. 자살의 의미를 이해할 능력이 없고 피고인의 말이라면 무엇이나 복종하는 7세, 3세 남짓된 어린자식들에 대하여 함께 죽자고 권유하여 물속에 따라 들어오게 하여 결국 익사하게 한 경우 ⇨ 살인죄(범의 ○), 자살교사죄 ×, 위계에 의한 살인죄 ×(대판 1987.1.20, 86도2395) 14. 경찰간부, 15. 수사경과, 15 · 19. 법원직, 23. 해경승진 · 순경 1차, 24. 해경간부, 22 · 24. 경찰승진
2. 자살방조죄는 자살하려는 사람의 자살행위를 도와주어 용이하게 실행하도록 함으로써 성립되는 것으로서, 그 방법에는 자살도구인 총, 칼 등을 빌려주거나 독약을 만들어 주거나 조언 또는 격려를 한다거나 기타 적극적 · 소극적 · 물질적 · 정신적 방법이 모두 포함될 수 있으나, 자살방조죄가 성립하기 위해서는 그 방조 상대방의 구체적인 자살의 실행을 원조하여 이를 용이하게 하는 행위의 존재 및 그 점에 대한 행위자의 인식이 요구된다(대판 2005.6.10, 2005도1373 예 피고인이 인터넷 사이트 내 자살관련 카페 게시판에 청산염 등 자살용 유독물의 판매광고를 한 행위가 단지 금원편취 목적의 사기행각의 일환으로 이루어졌고, 변사자들이 다른 경로로 입수한 청산염을 이용하여 자살한 경우 ⇨ 자살방조죄 ×). 16. 법원행시, 20. 해경승진, 21. 수사경과, 22. 해경 2차, 24. 해경간부 · 경찰승진 · 경력채용
3. 피해자가 피고인과 말다툼을 하다가 '죽고 싶다.' 또는 '같이 죽자.'고 하며 피고인에게 기름을 사오라고 하자 피고인이 휘발유 1병을 사다주었는데 피해자가 몸에 휘발유를 뿌리고 불을 붙여 자살한 경우 자살방조죄가 성립한다(대판 2010.4.29, 2010도2328). 19. 법원직, 20. 수사경과, 22. 경력채용, 24. 해경간부

(3) **주관적 구성요건**

자살방조죄가 성립하기 위해서는 그 방조 상대방의 구체적인 자살의 실행을 원조하여 이를 용이하게 하는 행위의 존재 및 그 점에 대한 행위자의 인식이 요구된다(대판 2005.6.10, 2005도1373). 12. 법원행시, 14. 경찰간부, 24. 해경간부

6 위계 · 위력에 의한 살인죄

제253조 위계 또는 위력으로 사람의 촉탁 또는 승낙을 받아 그를 살해하거나 자살을 결의하게 하는 자는 제250조의 예(살인죄 · 존속살해죄의 예 ○, 제252조 제2항 자살교사죄의 예 ×)에 의한다. 16. 순경 2차, 20. 수사경과, 22. 경찰승진, 23 · 24. 해경승진

미수범 처벌 ○(제254조), 예비 · 음모 처벌 ○(제255조)

7 살인예비 · 음모죄

제255조 제250조(보통살인 · 존속살해)와 제253조(위계 · 위력에 의한 살인죄)의 죄를 범할 목적으로 예비 또는 음모한 자는 10년 이하의 징역에 처한다. 20. 경찰간부

촉탁 · 승낙살인(제252조 제1항), 자살교사 · 방조(제252조 제2항) ⇨ 예비 · 음모 × 20. 경찰간부

관련판례

1. 살인예비죄가 성립하기 위하여는 살인죄를 범할 목적 외에도 살인의 준비에 관한 고의가 있어야 하며, 22. 경찰승진, 23. 해경승진 · 순경 1차 나아가 실행의 착수까지에는 이르지 아니하는 살인죄의 실현을 위한 준비행위가 있어야 한다. 여기서의 준비행위는 물적인 것에 한정되지 아니하며 특별한 정형이 있는 것도 아니지만, 단순히 범행의 의사 또는 계획만으로는 그것이 있다고 할 수 없고 객관적으로 보아서 살인죄의 실현에 실질적으로 기여할 수 있는 외적 행위를 필요로 한다(대판 2009.10.29, 2009도7150 예 甲이 乙을 살해하기 위하여 丙, 丁 등을 고용하면서 그들에게 대가의 지급을 약속한 경우, 甲에게는 살인죄를 범할 목적 및 살인의 준비에 관한 고의뿐만 아니라 살인죄의 실현을 위한 준비행위를 하였음을 인정할 수 있다. ∴ 살인예비죄). 16. 법원행시, 17. 순경 1차, 18. 변호사시험 · 순경 3차, 21. 해경승진 · 해경 1차, 22. 해경간부 · 해경 2차, 23. 순경 2차, 23 · 24. 경찰승진
2. 살해하려고 낫을 들고 피해자에게 다가서려고 하였으나 제3자가 제지하여 살인 목적 달성 × ⇨ 살인미수 ○(대판 1986.2.25, 85도2773 ∵ 실행착수 ○ ⇨ 미수 ○, 예비 ×) 13. 순경 1차, 18. 수사경과, 20. 해경승진
3. 살해의 용도에 공하기 위한 흉기를 준비하였다 하더라도 그 흉기로서 살해할 대상자가 확정되지 아니한 한 살인예비죄로 다스릴 수 없다(대판 1959.9.1, 4292형상387). 15. 순경 1차, 21. 해경승진
4. 채무의 존재가 명백하고 존재하는 상속인에게 채권존재를 확인할 방법이 확보되어 있는 경우에 채무를 면탈할 의사로 채권자를 살해한 경우 ⇨ 강도살인죄 ×(대판 2004.6.24, 2004도1098; 대판 2010.9.30, 2010도7405 ∵ 일시적으로 채권자 측의 추급을 면한 것에 불과하여 재산상 이익의 지배가 채권자 측으로부터 범인 앞으로 이전되었다고 보기 어려움 예 차용증서는 없지만 대여금채권자의 처가 채권의 존재를 알고 있는 경우에 채무자가 채무지급을 면할 목적으로 채권자를 망치로 때려 살해한 경우) 17. 경찰승진, 18. 7급 검찰, 19. 경찰간부, 20. 법원행시, 18 · 21. 수사경과, 15 · 21. 순경 1차
5. 전문의 甲이 보호자의 간청에 따라 치료를 요하는 자기 환자 乙의 치료를 중단하고 퇴원을 허용하는 조치를 취함으로써 乙을 사망에 이르게 한 경우 甲은 (작위에 의한) 살인죄의 방조범이 된다(서울대 보라매병원사건 : 대판 2004.6.24, 2002도995). 15. 경찰간부, 18. 순경 1차, 21. 변호사시험 · 해경승진

확인학습(다툼이 있는 경우 판례에 의함)

1 조산원이 분만이 개시된 후 분만 중인 태아를 질식사에 이르게 한 경우에는 업무상 과실치사죄가 성립한다. (　)
14. 법원직, 15. 경찰승진, 20. 수사경과, 21. 해경승진

2 제왕절개 수술의 경우 '의학적으로 제왕절개 수술이 가능하였고 규범적으로 수술이 필요하였던 시기(時期)'를 분만의 시기(始期)로 볼 수 있다. (　)
17. 순경 2차, 18. 변호사시험, 20. 수사경과 · 해경승진, 22. 경찰간부, 16 · 21 · 23. 경찰승진

3 피고인이 범행 당시 살인의 범의는 없었고 단지 상해 또는 폭행의 범의만 있었을 뿐이라고 다투는 경우에 피고인에게 범행 당시 살인의 범의가 있었는지 여부는 피고인이 범행에 이르게 된 경위, 범행의 동기, 준비된 흉기의 유무 · 종류 · 용법, 공격의 부위와 반복성, 사망의 결과발생 가능성 정도 등 범행 전후의 객관적인 사정을 종합하여 판단할 수밖에 없다. (　)
16. 순경 2차, 19. 7급 검찰, 21. 경찰승진 · 해경 1차

4 살인죄에 있어 고의는 반드시 살해의 목적이나 계획적인 의도가 있어야 하며, 사망의 결과에 대한 예견 또는 인식이 불확정적이라면 살인의 범의를 인정할 수 없다. (　)
18. 순경 3차, 21. 수사경과, 16 · 23. 경찰승진

5 소란을 피우는 피해자를 말리다가 피해자가 욕하는데 격분하여 예리한 칼로 피해자의 왼쪽 가슴부분에 길이 6cm, 깊이 17cm의 상처 등이 나도록 찔러 곧바로 좌측심낭까지 절단된 경우 피고인에게 살인의 고의가 인정된다. (　)
14. 순경 1차, 15. 경찰승진, 20. 해경승진, 21. 수사경과

6 강도가 베개로 피해자의 머리부분을 약 3분간 누르던 중 피해자가 저항을 멈추고 사지가 늘어졌음에도 계속 눌러 사망하게 한 경우 살인죄의 고의가 인정되지 않는다. (　)
14. 경찰승진, 15. 순경 1차, 20. 수사경과 · 해경승진

7 형수를 향하여 살의를 갖고 몽둥이를 힘껏 내리쳤으나 형수의 등에 업힌 조카의 머리부분에 맞아 조카가 현장에서 즉사한 경우, 조카에 대한 살인죄가 성립한다. (　)
14. 순경 1차, 19. 7급 검찰, 20. 수사경과

8 사람을 살해한 자가 그 사체를 다른 장소로 옮겨 유기하였을 때에는 이와 같은 사체유기는 불가벌적 사후행위에 해당하므로 별도로 사체유기죄가 성립하지 아니한다. (　)
15. 순경 1차, 17. 순경 2차, 18. 7급 검찰, 15 · 19. 경찰승진, 20 · 21. 해경승진

9 혼인 외의 출생자가 인지하지 않은 생모를 살해하면 보통살인죄가 성립한다. (　)
16. 순경 2차, 18. 순경 3차, 21. 해경 1차 · 수사경과, 22 · 23. 경찰승진

Answer 1. ○ 2. × 3. ○ 4. × 5. ○ 6. × 7. ○ 8. × 9. ×

10 사실상 동거하는 남녀 사이에 분만된 영아를 남자가 치욕을 은폐하기 위해 살해한 경우에는 (보통) 살인죄를 구성한다. ( ) 10. 경찰승진, 18. 법원행시 · 순경 3차, 21. 해경승진

11 자살의 의미를 이해할 능력이 없고 피고인의 말이라면 무엇이나 복종하는 7세, 3세 남짓된 어린 자식들에 대하여 함께 죽자고 권유하여 물속에 따라 들어오게 하여 결국 익사하게 한 경우 자살교사죄에 해당한다. ( ) 14. 경찰간부, 19. 법원직, 23. 순경 1차, 24. 해경간부, 22 · 24. 경찰승진

12 자살방조죄는 자살하려는 사람의 자살행위를 도와주어 용이하게 실행하도록 함으로써 성립되는 것으로서, 그 방법에는 자살도구인 총, 칼 등을 빌려주거나 독약을 만들어 주거나 조언 또는 격려를 한다거나 기타 적극적, 소극적, 물질적, 정신적 방법이 모두 포함될 수 있다. ( ) 16. 법원행시, 19. 경찰승진

13 인터넷 사이트 내 자살 관련 카페 게시판에 청산염 등 자살용 유독물의 판매광고를 한 행위가 단지 금원 편취목적의 사기행각의 일환으로 이루어졌고, 자살자들이 다른 경로로 입수한 청산염을 이용하여 자살하였다면 자살방조에 해당한다. ( ) 15. 순경 1차, 16. 법원행시, 20. 해경승진, 24. 해경간부, 21 · 24. 경찰승진

14 乙은 甲과 말다툼을 하다가 '죽고 싶다', '같이 죽자'고 하며 甲에게 기름을 사오라고 하였고, 甲이 휘발유 1병을 사다주자 乙은 몸에 휘발유를 뿌리고 불을 붙여 자살하였다. 甲에게 자살방조죄가 성립할 수 있다. ( ) 14. 경찰간부, 16. 법원행시, 19. 법원직, 20. 수사경과, 24. 해경간부

15 살인예비죄가 성립하기 위해서는 살인죄의 실현을 위한 준비행위가 있어야 하는데, 여기서 준비행위는 객관적으로 보아 살인죄의 실현에 실질적으로 기여할 수 있는 외적 행위임을 요하지 아니하고 단순히 범행의 의사 또는 계획만으로도 족하다. ( ) 18. 변호사시험 · 순경 3차, 23. 순경 1차 · 2차, 23 · 24. 경찰승진

16 甲이 乙을 살해하기 위하여 丙, 丁 등을 고용하면서 그들에게 대가의 지급을 약속한 경우, 甲에게 살인예비죄가 성립하지 않는다. ( ) 16. 법원행시, 17. 순경 1차

17 존속살해죄와 촉탁 · 승낙살인죄는 예비 · 음모를 처벌하는 규정이 없다. ( ) 09. 순경, 20. 경찰간부

18 위계 또는 위력으로써 자살을 결의하게 한 때에는 형법 제252조 제2항 자살교사죄의 예에 의하여 처벌한다. ( ) 16. 순경 2차, 20. 수사경과, 22. 경찰승진

Answer 10. ○ 11. × 12. ○ 13. × 14. ○ 15. × 16. × 17. × 18. ×

CHAPTER 01

기출문제

01 **살인의 죄에 관한 설명 중 가장 적절한 것은?**(다툼이 있는 경우 판례에 의함) **15. 순경 1차, 20. 수사경과**

① 제왕절개 수술의 경우 '의학적으로 제왕절개 수술이 가능하였고 규범적으로 수술이 필요하였던 시기(時期)'를 분만의 시기(始期)로 볼 수 없다.

② 사람을 살해한 자가 그 사체를 다른 장소로 옮겨 유기하였을 때에는 이와 같은 사체유기는 불가벌적 사후행위에 해당하므로 별도로 사체유기죄가 성립하지 않는다.

③ 강도가 베개로 피해자의 머리부분을 약 3분간 누르던 중 피해자가 저항을 멈추고 사지가 늘어졌음에도 계속 눌러 사망하게 한 경우 살인죄의 고의가 인정되지 않는다.

④ 위계 또는 위력으로써 자살을 결의하게 한 때에는 형법 제252조 제2항 자살교사죄의 예에 의하여 처벌한다.

⑤ 간첩이 간첩행동을 저해하는 자를 살해할 의도로 권총을 휴대하고 남하하였다 하더라도 살해대상인물이 결정되지 않은 이상 살인예비죄로 처단할 수 있다.

해설 ① ○ : 대판 2007.6.29, 2005도3832
② × : 사체유기죄 ○(대판 1997.7.25, 97도1142 ∵ 불가벌적 사후행위 ×)
③ × : ~ 고의가 인정된다(대판 2002.2.28, 2001도6425 ∴ 강도살인죄 ○, 강도치사죄 ×).
④ × : ~ 때에는 형법 제250조(살인죄, 존속살해죄)의 예에 의한다(제253조).
⑤ × : 살인예비죄 ×(대판 1959.12.18, 4292형상677)

02 **다음의 설명 중 가장 적절한 것은?**(다툼이 있는 경우 판례에 의함) **21. 경찰승진**

① 피고인이 범행 당시 살인의 범의는 없었고 단지 상해 또는 폭행의 범의만 있었을 뿐이라고 다투는 경우에 피고인에게 범행 당시 살인의 범의가 있었는지 여부는 피고인이 범행에 이르게 된 경위, 범행의 동기, 준비된 흉기의 유무・종류・용법, 공격의 부위와 반복성, 사망의 결과발생 가능성 정도 등 범행 전후의 객관적인 사정을 종합하여 판단할 수밖에 없다.

② 형법 제250조 제2항 존속살해죄의 직계존속은 법률상 존속뿐만 아니라 사실상의 존속을 포함한다.

③ 피고인이 인터넷 사이트 내 자살 관련 카페 게시판에 청산염 등 자살용 유독물의 판매광고를 한 행위가 단지 금원 편취 목적의 사기행각의 일환으로 이루어졌고, 변사자들이 다른 경로로 입수한 청산염을 이용하여 자살한 사정 등이 있다고 하더라도 피고인의 행위는 자살방조에 해당한다.

④ 제왕절개 수술의 경우 '의학적으로 제왕절개 수술이 가능하였고 규범적으로 수술이 필요하였던 시기'를 분만의 시기로 볼 수 있다.

Answer 01. ① 02. ①

해설 ① ○ : 대판 2006.4.14, 2006도734
② × : ~ 직계존속은 사실상의 개념이 아니라 법률상의 개념이다. 따라서 사실상의 존속을 포함하지 않는다.
③ × : 자살방조죄 ×(대판 2005.6.10, 2005도1373)
④ × : ~ 볼 수 없다(대판 2007.6.29, 2005도3832).

03 **살인의 죄에 대한 설명으로 가장 적절하지 않은 것은?**(다툼이 있는 경우 판례에 의함) 19. 경찰승진

① 피고인이 7세, 3세 남짓된 어린자식들에 대하여 함께 죽자고 권유하여 물속에 따라 들어오게 하여 결국 익사하게 하였다면 비록 피해자들을 물속에 직접 밀어서 빠뜨리지 않았다고 하더라도 자살의 의미를 이해할 능력이 없고, 피고인의 말이라면 무엇이나 복종하는 어린 자식들을 권유하여 익사하게 한 이상 살인죄가 성립한다.
② 살인예비죄가 성립하기 위해서는 살인죄의 실현을 위한 준비행위가 있어야 하는데, 여기서 준비행위는 객관적으로 보아 살인죄의 실현에 실질적으로 기여할 수 있는 외적 행위임을 요하지 아니하고 단순히 범행의 의사 또는 계획만으로도 족하다.
③ 자살방조죄는 자살하려는 사람의 자살행위를 도와주어 용이하게 실행하도록 함으로써 성립되는 것으로서, 그 방법에는 자살도구인 총, 칼 등을 빌려주거나 독약을 만들어 주거나 조언 또는 격려를 한다거나 기타 적극적, 소극적, 물질적, 정신적 방법이 모두 포함될 수 있다.
④ 사람을 살해한 후에 그 사체를 다른 장소로 옮겨 유기하였다면 살인죄 외에 사체유기죄가 성립하고, 이와 같은 사체유기를 불가벌적 사후행위로 볼 수는 없다.

해설 ① 대판 1987.1.20, 86도2395
② × : ~ 행위임을 요하고, 단순히 범행의 ~ 계획만으로는 부족하다(대판 2009.10.29, 2009도7150).
③ 대판 2005.6.10, 2005도1373
④ 대판 1997.7.25, 97도1142

04 **살인의 죄에 대한 설명이다. 아래 ㉠부터 ㉣까지의 설명 중 옳고 그름의 표시(○, ×)가 바르게 된 것은?**(다툼이 있는 경우 판례에 의함) 18. 순경 3차

㉠ 살인죄에 있어 고의는 반드시 살해의 목적이나 계획적인 의도가 있어야 하며, 사망의 결과에 대한 예견 또는 인식이 불확정적이라면 살인의 범의를 인정할 수 없다.
㉡ 피고인이 피해자를 살해하기 위하여 사람들을 고용하면서 그들에게 대가지급을 약속한 행위만으로는 살인죄의 실현을 위한 준비행위에 이르렀다고 볼 수 없으므로 살인예비죄의 성립을 인정할 수 없다.
㉢ 직계존비속관계는 법률상의 관계를 의미하므로 혼인 외의 출생자가 인지하지 않은 생모를 살해하더라도 존속살해죄가 성립하지 않는다.
㉣ 사실상 동거하는 남녀 사이에 분만된 영아를 남자가 살해한 경우에는 영아살해죄를 구성한다.

Answer 03. ② 04. ③

① ㉠(○), ㉡(○), ㉢(×), ㉣(×)　　② ㉠(×), ㉡(×), ㉢(○), ㉣(○)
③ ㉠(×), ㉡(×), ㉢(×), ㉣(×)　　④ ㉠(×), ㉡(○), ㉢(×), ㉣(×)

해설 ㉠ × : 살인죄의 범의(고의)는 반드시 살해목적이나 계획적인 살해의도가 있어야 인정되는 것은 아니고, 자기의 행위로 인한 사망의 결과를 발생시킬 만한 가능 또는 위험이 있음을 인식하거나 예견하면 족하고 그 인식・예견은 확정적인 것(확정적 고의)은 물론 불확정적인 것(미필적 고의)이라도 인정된다(대판 2006.4.14, 2006도734).
㉡ × : 살인예비죄 ○(대판 2009.10.29, 2009도7150)
㉢ × : 존속살해죄 ○(대판 1980.9.9, 80도1731)
㉣ × : 영아살해죄가 삭제(2023. 8. 8)되어 살인죄에서 영아는 사람이므로 (보통)살인죄를 구성한다.

05 **살인의 죄에 대한 설명으로 가장 적절한 것은?**(다툼이 있는 경우 판례에 의함)

22. 경찰승진, 23・24. 해경승진

① 살인예비죄가 성립하기 위하여는 살인죄를 범할 목적이 있으면 족하고, 살인의 준비에 관한 고의까지 있어야 하는 것은 아니다.
② 자살의 의미를 모르는 4세 유아에게 '함께 죽자'고 권유하여 익사하게 하였다면 위계에 의한 살인죄가 성립한다.
③ 혼인 외의 자(子)가 자신의 생모인 것을 알면서 그녀를 살해한 경우에는 존속살해죄가 성립하지 않는다.
④ 위계 또는 위력으로써 자신의 직계존속의 승낙을 받아 그를 살해한 때에는 존속살해죄의 예에 의해 처벌한다.

해설 ① × : ~ 목적 외에도 ~ 고의가 있어야 한다(대판 2009.10.29, 2009도7150).
② × : 살인죄 ○, 위계에 의한 살인죄 ×(대판 1987.1.20, 86도2395)
③ × : 존속살해죄 ○(대판 1980.9.9, 80도1731)
④ ○ : 제253조

06 **살인의 죄에 관한 설명 중 가장 적절하지 않은 것은?**(다툼이 있는 경우 판례에 의함)　22. 경력채용

① 살인죄의 고의는 반드시 살해의 목적이나 계획적인 의도가 있어야 하며, 사망의 결과에 대한 예견 또는 인식이 불확정적이라면 살인의 범의를 인정할 수 없다.
② 피해자가 이전부터 피해자의 자녀문제와 고부갈등, 경제적 어려움 등으로 인해 피고인과 가정불화 등이 계속 있는 상황에서 사건 당일 피고인과 말다툼을 하다가 "죽고 싶다" 또는 "같이 죽자"라고 하며 피고인에게 기름을 사오라고 하자 피고인이 휘발유 1병을 사다 주었는데 그 직후에 피해자가 몸에 휘발유를 뿌리고 불을 붙여 자살한 경우 자살방조죄가 성립한다.
③ 혼인 외의 출생자와 생모 간에는 생모의 인지나 출생신고를 기다리지 않고 자의 출생으로 당연히 법률상의 친족관계가 생기므로 혼인 외의 자가 생모를 살해한 때에는 존속살해죄가 성립한다.

Answer 05. ④　06. ①

④ 피고인이 휴대하고 있던 권총에 실탄 6발을 장전하여 처와 자식들의 머리에 각기 1발씩 순차로 발사하여 처와 자식들을 살해한 경우, 단일한 범의로 동일한 장소에서 동일한 방법으로 시간적으로 접착된 상황에서 처와 자식들을 살해하였다고 하더라도 피해자들의 수에 따라 수개의 살인죄를 구성한다.

해설 ① × : ~ 의도가 있어야 인정되는 것은 아니고, 사망의 ~ 있다(대판 2006.4.14, 2006도734).
② 대판 2010.4.29, 2010도2328
③ 대판 1980.9.9, 80도1731
④ 대판 1991.8.27, 91도1637

07 살인의 죄에 대한 설명 중 가장 적절한 것은?(다툼이 있는 경우 판례에 의함) 23. 경찰승진

① 사람의 시기(始期)는 규칙적인 진통을 동반하면서 분만이 개시된 때를 말하는데, 제왕절개 수술의 경우에는 '의학적으로 제왕절개 수술이 가능하였고 규범적으로 수술이 필요하였던 시기'를 분만의 시기로 볼 수 있다.
② 살인죄의 고의는 살해의 목적이나 계획적인 의도가 있어야만 인정되고, 사망의 결과에 대한 예견 또는 인식이 불확정적인 경우에는 살인의 범의가 인정될 수 없다.
③ 혼인 외의 출생자와 생모 간에는 생모의 인지나 출생신고를 기다리지 않고 당연히 법률상의 친족관계가 성립하므로 혼인 외의 자가 생모를 살해한 때에는 존속살해죄가 성립한다.
④ 살인예비죄가 성립하기 위해서는 살인죄의 실현을 위한 준비행위가 있어야 하는데, 이때 준비행위는 객관적으로 보아 살인죄의 실현에 실질적으로 기여할 수 있는 외적 행위일 필요는 없고, 단순한 범행의 의사 또는 계획이면 족하다.

해설 ① × : ~ 볼 수 없다(대판 2007.6.29, 2005도3832).
② × : ~ 의도가 있어야 인정되는 것은 아니고, 사망의 ~ 불확정적이라도 인정된다(대판 2006.4.14, 2006도734).
③ ○ : 대판 1980.9.9, 80도1731
④ × : ~ (2줄) 외적 행위임을 요하고, 단순한 ~ 계획만으로는 부족하다(대판 2009.10.29, 2009도7150).

Answer 07. ③

제2절 상해와 폭행의 죄

1 상해의 죄

(1) 상해죄

제257조 제1항 사람의 신체를 상해한 자는 7년 이하의 징역, 10년 이하의 자격정지 또는 1천만원 이하의 벌금에 처한다.

미수범 처벌(제257조 제3항), 상습범 가중처벌(제264조), 반의사불벌죄 × 20. 해경승진

① **객체** : 타인의 신체(태아 ⇨ 객체 ×, 태아를 사망에 이르게 한 경우 ⇨ 임산부에 대한 상해× : 판례)

자상은 원칙적으로 죄가 되지 않는다(병역의무 기피목적 자상은 처벌).

② **행위** : 상해죄에서 상해는 피해자의 신체의 완전성을 훼손하거나 생리적 기능에 장애를 초래하였는지 객관적·일률적으로 판단할 것이 아니라 피해자의 신체·정신상의 구체적인 상태나 신체·정신상의 변화와 내용 및 정도를 종합적으로 고려하여 판단하여야 한다(대판 2017.6.29, 2017도3196). 19. 경찰승진, 24. 경찰간부·해경순경

관련판례

• **상해를 인정한 경우**

1. 오랜 시간(4시간 30분 동안) 폭행·협박을 이기지 못하고 실신하여 범인이 불러온 구급차 안에서야 정신을 차린 경우 ⇨ 상해죄(대판 1996.12.10, 96도2529 ∵ 외부적 상처가 발생하지 않았어도 생리적 기능에 훼손을 입음) 19. 9급 검찰·순경 2차, 21. 해경 2차, 24. 해경간부·경찰간부·경찰승진·경력채용
2. 미성년자의 추행행위로 인해 외음부에 염증이 발생한 경우(대판 1996.11.22, 96도1395), 강제추행과정에서 젖가슴에 약 10일간의 치료를 요하는 좌상을 입고, 그 압통·종창을 치료하기 위하여 주사를 맞고 3일간 투약한 경우(대판 2000.2.11, 99도4794), 강간과정에서 물리적 충돌로 인한 우측 슬관절 부위 찰과상(대판 2005.5.26, 2005도1039) ⇨ 상해 ○ 20. 수사경과·해경승진, 24. 경찰간부
3. 수면제와 같은 약물을 투약하여 피해자를 일시적으로 수면 또는 의식불명 상태에 이르게 한 경우에도 약물로 인하여 피해자의 건강상태가 불량하게 변경되고 생활기능에 장애가 초래되었다면 자연적으로 의식을 회복하거나 외부적으로 드러난 상처가 없더라도 이는 강간치상죄나 강제추행치상죄에서 말하는 상해에 해당한다(대판 2017.6.29, 2017도3196). 17. 순경 2차, 18. 변호사, 19. 순경 1차, 22. 경찰간부
4. 상해는 신체의 완전성을 훼손하거나 생리적 기능장애를 초래하는 것으로, 생리적 기능에는 육체적 기능뿐만 아니라 정신적 기능도 포함된다(대판 1999.1.26, 98도3732 ∴ 외상 후 스트레스장애 ⇨ 상해 ○). 20·23. 경찰간부, 24. 해경간부
5. ① 타인의 신체에 폭행을 가하여 보행불능, 수면장애, 식욕감퇴 등 기능의 장애를 일으킨 때(대판 1969.3.11, 69도161), 19. 9급 검찰, 20. 해경승진, 22. 경력채용 ② 난소의 제거로 임신불능인 상태에 있는 부녀의 자궁을 적출한 경우(대판 1993.7.27, 92도2345), 15. 순경 2차, 19. 수사경과, 21. 해경 2차, 22. 경력채용, 24. 경찰승진 ③ 성경험을 가진 여자의 특이체질로 인해 새로 형성된 처녀막이 강간으로 파열된 경우(대판 1995.7.25, 94도1351), 12. 순경 1차, 14. 경찰승진 ④ 피고인이 강간하려고 피해자의 반항을 억압하는

과정에서 주먹으로 피해자의 얼굴과 머리를 몇 차례 때려 피해자가 코피를 흘리고 콧등이 부은 경우(대판 1991.10.22, 91도1832) ⇨ 상해 ○ 24. 경찰간부

• **상해를 인정하지 않은 경우**

1. 태아를 사망에 이르게 하는 행위가 임산부 신체의 일부를 훼손하는 것이라거나 태아의 사망으로 인하여 그 태아를 양육·출산하는 임산부의 생리적 기능이 침해되어 임산부에 대한 상해가 된다고 볼 수는 없다(대판 2007.6.29, 2005도3832 예 산부인과 의사 甲의 업무상 과실로 임신 32주의 임산부 A의 배 속에 있는 태아를 사망에 이르게 한 경우 ⇨ 업무상 과실치상죄 × ∵ 태아는 임산부의 신체의 일부 ×). 19. 법원행시, 20. 법원직·해경승진, 20·21. 수사경과, 21·22. 순경 1차, 23. 경력채용, 21·24. 경찰승진, 24. 경찰간부
2. 피해자의 음모의 모근 부분을 남기고 모간 부분만을 일부 잘라냄으로써 음모의 전체적인 외관에 변형이 생긴 경우 ⇨ 강제추행치상죄 ×(대판 2000.3.23, 99도3099 ∵ 신체의 외모에 변화가 생겼다고 하더라도 신체의 생리적 기능에 장애 초래 × ⇨ 상해 ×) 14. 경찰간부·수사경과, 15. 경찰승진, 19. 9급 검찰, 20. 해경승진, 24. 경력채용
3. 피해자로부터 신용카드를 강취하고 비밀번호를 알아내는 과정에서 피해자에게 입힌 상처가 극히 경미하여 일상생활에 지장을 초래하지 않았고 그 회복을 위하여 치료행위가 특별히 필요하지 않아 자연적으로 치유될 수 있는 정도(대판 2003.7.11, 2003도2313 ∴ 강도상해죄 ×) 19. 경찰승진, 21. 해경 1차 예 강간과정에서 피해자가 손바닥에 약 2cm 정도의 상처를 입은 경우(대판 1987.10.26, 87도1880), 자동차사고로 약 1주일간의 치료를 요하는 요추부 통증상을 입은 경우(대판 2000.2.25, 99도3910), 강간도중 흥분하여 피해자의 왼쪽 어깨를 입으로 빨아서 생긴 동전크기 정도의 반상출혈상(대판 1986.7.8, 85도2042) ⇨ 상해 × 17. 경찰간부, 18. 법원행시, 20. 수사경과, 24. 해경순경

---

③ **주관적 구성요건** : 상해죄가 성립하기 위해서는 상해의 고의와 신체의 완전성을 해하는 행위 및 이로 인하여 발생하는 인과관계 있는 상해의 결과가 있어야 한다(대판 1982.12.28, 82도2588). 19. 9급 검찰·마약수사, 20. 해경승진, 24. 해경순경

관련판례

상해죄의 성립에는 상해의 원인인 폭행에 대한 인식이 있으면 충분하고 상해를 가할 의사의 존재까지는 필요하지 않다(대판 2000.7.4, 99도4341). 18. 순경 2차, 21. 수사경과·경찰승진·해경 1차·2차

---

④ **죄 수**

㉠ 상해를 입힌 행위가 동일한 일시, 장소에서 동일한 목적으로 저질러진 것이라 하더라도 피해자를 달리하고 있으면 피해자별로 각각 별개의 상해죄를 구성한다(대판 1983.4.26, 83도524 ∴ 실체적 경합범 ○, 상상적 경합 ×). 17. 순경 1차, 24. 경찰승진·해경순경

㉡ 피고인의 협박사실행위가 피고인에게 인정된 상해사실과 같은 시간, 같은 장소에서 동일한 피해자에게 가해진 경우에는 특별한 사정이 없는 한 상해의 단일 범의하에서 이루어진 하나의 폭언에 불과하여 위 상해죄에 포함되는 행위라고 봄이 상당하다(대판 1976.12.14, 76도3375). 07. 법원행시·법원직

㉢ 공사현장 출입구 앞 도로 한복판을 점거하고 공사차량의 출입을 방해하던 피고인의 팔과 다리를 잡고 도로 밖으로 옮기려고 한 경찰관의 행위는 적법한 공무집행에 해당하므로 경찰관의 팔을 물어뜯은 피고인의 행위는 공무집행방해죄 및 상해죄가 성립한다(대판 2013.9.26, 2013도643 ∴ 공무집행방해치상죄 ×). 18. 경찰간부

(2) 존속상해죄

제257조 제2항 자기 또는 배우자의 직계존속을 상해한 때에는 10년 이하의 징역 또는 1천 5백만원 이하의 벌금에 처한다.

미수범 처벌(제257조 제3항), 상습범 가중처벌(제264조)

관련판례

피고인은 호적부상 피해자와 모 사이에 태어난 친생자로 등재되어 있으나 피해자가 집을 떠난 사이 모가 타인과 정교관계를 맺어 피고인을 출산하였다면 피고인과 피해자 사이에는 친자관계가 없으므로 존속상해죄는 성립될 수 없다(대판 1983.6.28, 83도996). 06. 법원행시, 20. 경찰승진

(3) 중상해죄 · 존속중상해죄

제258조 제1항 · 제2항 사람의 신체를 상해하여 생명(신체 ×)에 대한 위험을 발생하게 하거나, 불구 또는 불치나 난치병에 이르게 한 자는 1년 이상 10년 이하의 징역에 처한다.
제258조 제3항 자기 또는 배우자의 직계존속에 대해 중상해죄(제258조 제1항 · 제2항)를 범한 때에는 2년 이상 15년 이하의 징역에 처한다. 〈개정 2016. 1. 6〉

미수범 처벌 ×, 상습범 가중처벌(제264조)

관련판례

1. 1~2개월간 입원할 정도로 다리가 부러진 상해 또는 3주간의 치료를 요하는 우측흉부자상은 중상해에 해당하지 않는다(대판 2005.12.9, 2005도7527). 15. 경찰승진 · 순경 2차, 20. 해경승진, 21 · 22. 해경 2차
2. 피해자를 협박하여 피해자가 자기 콧등을 길이 2.5cm, 깊이 0.56cm 절단함으로써 안면불구가 된 경우 ⇨ 중상해죄(대판 1970.9.22, 70도1638 ∵ 간접정범) 19 · 22. 경력채용, 24. 법원행시 · 경위공채
3. 치아 2개 정도 빠진 경우 ⇨ 중상해 ×(대판 1960.2.29, 4292형상413), 실명케 한 경우 ⇨ 중상해 ○(대판 1960.4.6, 4292형상395)

형법상 '중'자가 붙은 범죄 17. 경찰승진, 18. 수사경과, 21. 해경간부

• **중상해죄**(제258조 제1항), **중유기죄**(제271조 제4항), **중권리행사방해죄**(중강요죄 ; 제326조)	생명(신체 ×)에 대한 위험 발생
• **중손괴죄**(제368조 제1항)	생명 · 신체에 대한 위험 발생
• **중체포죄, 중감금죄**(제277조)	가혹행위(생명에 대한 위험 발생 ×)

(4) 특수상해죄

① 단체 또는 다중의 위력을 보이거나 위험한 물건을 휴대하여 상해죄, 존속상해죄, 중상해죄, 존속중상해죄를 범할 때에는 특수상해죄·존속상해죄·중상해죄·존속중상해죄로 가중처벌된다(제258조의 2).

② 특수상해·존속상해 ⇨ 미수처벌 ○, 특수중상해·존속중상해 ⇨ 미수처벌 ×(제258조의 2)

관련판례

1. 甲이 길이 140cm, 지름 4cm인 대나무로 乙의 머리를 여러 차례 때려 대나무가 부러졌고, 두피에 표재성 손상을 입어 사건 당일 병원에서 봉합술을 받은 경우, 위 대나무가 '위험한 물건'에 해당한다(대판 2017.12.28, 2015도5854 ∴ 특수상해죄 ○). 21. 순경 1차
2. 특수폭행치상죄의 경우 형법 제258조의 2의 특수상해죄의 신설에도 불구하고 종전과 같이 형법 제257조 제1항의 상해죄(특수상해죄 ×)의 예에 의하여 처벌하는 것으로 해석하여야 한다(대판 2018.7.24, 2018도3443). 19. 순경 1차·9급 철도경찰, 21. 해경간부, 22. 변호사시험, 23. 경찰간부, 24. 법원행시

(5) 상해치사죄·존속상해치사죄

제259조 제1항 사람의 신체를 상해하여 사망에 이르게 한 자는 3년 이상의 유기징역에 처한다.
제259조 제2항 자기 또는 배우자의 직계존속에 대하여 상해치사의 죄를 범한 때에는 무기 또는 5년 이상의 징역에 처한다.

관련판례

1. 상해를 가해 피해자가 빈사상태에 빠지자 사망한 것으로 오인하고 범행을 은폐하기 위해 베란다로 옮긴 후 떨어뜨려 사망하게 한 경우 ⇨ 포괄하여 상해치사죄(대판 1994.11.4, 94도2361) 14. 경찰승진, 15. 순경 2차, 19. 9급 검찰, 22. 변호사시험
2. 교사자가 피교사자에 대하여 상해 또는 중상해를 교사하였는데 피교사자가 이를 넘어 살인을 실행한 경우에, 교사자에게 피해자의 사망이라는 결과에 대하여 과실 내지 예견가능성이 있는 때에는 상해치사죄의 죄책을 지울 수 있다(대판 2002.10.25, 2002도4089). 13. 경찰간부, 16. 수사경과
3. 결과적 가중범인 상해치사죄의 공동정범은 폭행 기타의 신체침해 행위를 공동으로 할 의사가 있으면 성립되고 결과를 공동으로 할 의사는 필요 없으며, 여러 사람이 상해의 범의로 범행 중 한 사람이 중한 상해를 가하여 피해자가 사망에 이르게 된 경우 나머지 사람들은 사망의 결과를 예견할 수 없는 때가 아닌 한 상해치사의 죄책을 면할 수 없다(대판 2000.5.12, 2000도742). 10. 경찰승진, 12. 경찰간부, 19. 법원행시

⑹ 상해의 동시범 특례

제263조 독립행위가 경합하여 상해의 결과를 발생하게 한 경우에 있어서 원인된 행위가 판명되지 아니한 때에는 공동정범의 예에 의한다. 17. 순경 1차, 18. 변호사시험, 19 · 21. 경찰승진, 24. 해경승진

① **의의** : 동시범이란 2인 이상이 의사 연락 없이 동시 또는 이시에 동일한 행위 객체에 대해 구성요건적 결과를 실현하는 경우를 말한다(의사연락 ○ ⇨ 공동정범).

㉠ 동시범은 각자 단독정범에 불과하므로 자기의 행위에 의해 발생된 결과에 대해서만 책임을 진다. 만약 결과발생의 원인된 행위가 밝혀지지 않는 경우에는 각 행위자를 미수범으로 처벌한다(제19조).

㉡ 그런데 형법 제263조는 상해의 동시범에 대한 특례를 인정하여 상해의 원인된 행위가 판명되지 아니한 때에는 각자를 미수범으로서가 아니라 상해기수의 공동정범으로 처벌하도록 함으로써 개인책임의 원칙에 대한 예외를 인정하고 있다.

② **법적 성질** : 형법 제263조는 피고인에게 자기의 행위로 상해의 결과가 발생하지 않았음을 증명할 거증책임을 지우는 거증책임전환규정으로 이해함이 다수설이다(즉, 검사의 거증책임 부담원칙의 예외). 19. 9급 검찰, 20. 해경승진

③ **적용요건** : 독립행위의 경합은 2개 이상의 행위가 서로 의사연락 없이 같은 객체에 대하여 행하여지는 것을 말한다. 이시의 독립행위가 경합한 때도 본조가 적용된다고 함이 판례의 태도이다[▶ 가해행위를 한 것 자체가 불분명한 경우 ⇨ 본조 적용 ×(대판 1984.5.15, 84도488)]. 18. 변호사시험, 19. 순경 2차, 20. 해경승진, 21. 수사경과 · 순경 1차

④ **효 과**

㉠ **원인된 행위가 판명된 경우** : 각 행위자는 독립하여 그 원인행위에 따라 처벌된다.

예 甲과 乙이 의사연락 없이 우연히 A를 각각 폭행하여 상해의 결과가 발생한 경우, 상해가 甲의 폭행에 의한 것으로 밝혀진 경우 ⇨ 甲은 **폭행치상죄**, 乙은 **폭행죄** 20. 변호사시험, 21. 해경 1차 · 순경 2차, 22. 경찰승진, 24. 해경승진

㉡ **원인된 행위가 판명되지 아니한 경우** : 공동정범의 예에 의한다(제263조). 이는 공동정범으로 처벌된다는 것이 아니고, 각자를 제19조에 의해 미수범으로 처벌하는 것이 아니라 제30조에 의해 정범(기수범)으로 처벌한다는 의미이다.

예 위의 예에서 상해의 원인이 판명되지 아니한 경우 ⇨ 甲과 乙은 각자 상해죄로 처벌

⑤ **특례의 적용범위** : 폭행치사(대판 1970.6.30, 70도991), 상해치사(대판 1985.5.14, 84도2118), 상해행위나 폭행행위가 경합하여 사망의 결과가 발생한 때(대판 2000.7.28, 2000도2466)에도 적용된다.

관련판례

1. 시간적 차이가 있는 독립된 상해행위나 폭행행위가 경합하여 사망의 결과가 일어나고 그 사망의 원인된 행위가 판명되지 않은 경우에는 공동정범의 예에 의하여 처벌할 것이다(대판 2000.7.28, 2000도2466 ▶ **주의** : 동시범 ⇨ 공동가공의사 × ⇨ 공동정범 성립 ×). 18. 수사경과, 19. 법원행시, 20. 해경승진, 18 · 22. 경찰간부, 23. 순경 1차 · 2차

2. 상해나 폭행치상의 요소를 포함하더라도 그 보호법익을 달리하는 강간치상죄나 강도치상죄에는 본 조의 적용이 없다. 유추해석을 인정하는 결과가 되기 때문이다(강간치상죄 ⇨ 적용 × : 대판 1984. 4.24, 84도372). 14. 경찰간부, 19. 경력채용 · 9급 검찰, 20. 해경승진, 24. 법원행시

2 폭행의 죄

(1) 폭행죄

제260조 제1항 사람의 신체에 대하여 폭행을 가한 자는 2년 이하의 징역, 500만원 이하의 벌금, 구류 또는 과료에 처한다.

미수범 처벌 ×, 반의사불벌죄 ○(제260조 제3항) 17. 순경 1차, 18. 순경 2차 · 수사경과, 20. 경찰승진

관련판례

폭행죄에서 말하는 '폭행'이란 사람의 신체에 대하여 육체적 · 정신적으로 고통을 주는 유형력을 행사함을 뜻하는 것으로서 반드시 피해자의 신체에 접촉함을 필요로 하는 것은 아니다(대판 2016. 10.27, 2016도9302). 23. 해경 3차, 24. 경찰간부

1. 피해자에게 근접하여 욕설을 하면서 때릴 듯이 손발이나 물건을 휘두르거나 던지는 행위를 한 경우에 직접 피해자의 신체에 접촉하지 않더라도 ⇨ 폭행죄 ○(대판 1990.2.13, 89도1406) 18. 변호사시험 · 순경 2차, 19. 경찰간부, 20. 순경 1차, 22. 9급 검찰 · 해경 2차, 23. 경력채용, 24. 해경승진 · 법원행시 · 경위공채
2. 형법 제260조에 규정된 폭행죄는 사람의 신체에 대한 유형력의 행사를 가리키며, 그 유형력의 행사는 신체적 고통을 주는 물리력의 작용을 의미하므로 신체의 청각기관을 직접적으로 자극하는 음향도 경우에 따라서는 유형력에 포함될 수 있다. 16 · 17. 경찰승진 · 수사경과 거리상 멀리 떨어져 있는 사람에게 전화기를 이용하여 전화하면서 고성을 내거나 그 전화 대화를 녹음 후 듣게 하는 경우, 특수한 방법으로 수화자의 청각기관을 자극하여 수화자로 하여금 고통스럽게 느끼게 할 정도의 음향을 이용하였다(신체에 대한 유형력의 행사 ○)는 등의 특별한 사정이 없는 한 폭행죄에 있어서의 신체에 대한 유형력의 행사를 한 것으로 보기 어렵다(대판 2003.1.10, 2000도5716). 20. 순경 1차, 22. 9급 검찰 · 해경 2차, 23. 해경 3차, 24. 경찰간부 · 경찰승진 · 해경승진 · 경력채용 · 해경수사
3. 甲이 자신의 차를 가로막고 서 있는 乙을 향해 차를 조금씩 전진시키고, 乙이 뒤로 물러나면 다시 차를 전진시키는 방식의 운행을 반복한 경우 ⇨ 특수폭행죄 ○(대판 2016.10.27, 2016도9302 ∵ 피해자의 신체에 대한 접촉이 없다 하더라도 부딪칠 듯이 자동차를 조금씩 반복적으로 전진시키는 행위는 폭행죄의 폭행에 해당한다.) 18. 경찰승진, 19. 순경 2차, 21. 법원행시, 23. 경찰간부 · 변호사시험
4. 남의 집 마당에 비닐봉지에 넣어둔 인분을 던지거나(대판 1977.2.8, 75도2673), 24. 해경수사 방문을 열어주지 않으면 죽여버린다고 폭언을 하면서 잠긴 방문을 발로 차는 것(대판 1984.2.14, 83도3186), 20. 경찰승진, 21. 법원행시, 22. 순경 1차, 24. 해경승진 단순히 눈을 부릅뜨고 "이 십팔놈아, 가면 될 것 아니냐."라고 욕설을 한 경우(대판 2001.3.9, 2001도277) ⇨ 폭행죄 ×(∵ 사람의 신체에 대한 유형력 행사 ×)

5. 안수기도를 하면서 가슴과 배를 반복하여 누르거나 때린 경우 ⇨ 폭행 ○(대판 1994.8.23, 94도1484)
6. 폭행에 해당하지 않는 경우 : 뺨을 꼬집고 주먹으로 쥐어박는 자를 부둥켜 안은 경우(대판 1977.2.8, 76도3758), 시비를 만류하면서 조용히 이야기하자며 팔을 2~3회 끌어당긴 경우(대판 1986.10.14, 86도1796) 18. 수사경과, 23. 해경 3차, 24. 경찰간부 · 해경수사
7. 공무원의 직무수행에 대한 비판이나 시정 등을 요구하는 집회 · 시위 과정에서 일시적으로 상당한 소음이 발생하였다는 사정만으로는 공무집행방해죄에서의 음향으로 인한 폭행이 인정되지 않는다(대판 2009.10.29, 2007도3584). 22. 9급 검찰 · 마약수사, 23. 경찰승진, 24. 해경승진
8. 폭력행위 등 처벌에 관한 법률 제2조 제2항 제1호의 '2명 이상이 공동하여 폭행의 죄를 범한 때'란 수인 사이에 공범관계가 존재하고, 수인이 동일 장소에서 동일 기회에 상호 다른 자의 범행을 인식하고 이를 이용하여 폭행의 범행을 한 경우임을 요한다. 따라서 폭행 실행범과의 공모사실이 인정되더라도 그와 공동하여 범행에 가담하였거나 범행장소에 있었다고 인정되지 아니하는 경우에는 공동하여 죄를 범한 때에 해당하지 않고, 여러 사람이 공동하여 범행을 공모하였다면 그중 2인 이상(1인 이상 ×)이 범행장소에서 실제 범죄의 실행에 이르렀어야 나머지 공모자에게도 공모공동정범이 성립할 수 있을 뿐이다(대판 2023.8.31, 2023도6355). 23. 경력채용, 24. 변호사시험 · 법원행시

반의사불벌죄 : 본죄는 피해자의 명시적인 불처벌 의사가 있으면 처벌하지 못한다.

관련판례

1. 폭행죄는 피해자의 명시한 의사에 반하여 공소를 제기할 수 없는 반의사불벌죄로서 피해자가 사망한 후에는 그 상속인이 피해자를 대신하여 처벌불원의 의사표시를 할 수 없다(대판 2010.5.27, 2010도2680). 20. 순경 1차, 21. 경찰승진 · 해경 1차, 23. 해경 3차, 24. 경찰간부
2. 군인 등이 대한민국의 국군이 군사작전을 수행하기 위한 근거지에서 군인 등을 폭행했다면 그곳이 대한민국의 영토 내인지, 외국군의 군사기지인지 등과 관계없이 군형법 제60조의 6 제1호에 따라 형법 제260조 제3항(반의사불벌죄)이 적용되지 않는다(대판 2023.6.15, 2020도927). 24. 법원행시

---

(2) 존속폭행죄

> **제260조 제2항** 자기 또는 배우자의 직계존속에 대하여 폭행죄(제260조 제1항)를 범한 때에는 5년 이하의 징역 또는 700만원 이하의 벌금에 처한다.

부진정신분범, 미수범 처벌 ×, 반의사불벌죄 ○(제260조 제3항) 15 · 20. 경찰승진

(3) 특수폭행죄

> **제261조** 단체 또는 다중의 위력을 보이거나 위험한 물건을 휴대하여 폭행죄(제260조)를 범한 때에는 5년 이하의 징역 또는 1천만원 이하의 벌금에 처한다.

미수범 처벌 ×, 반의사불벌죄 × 20. 경찰승진, 24. 해경승진

① 단체 또는 다중의 위력을 보이는 폭행

㉠ **단체** : 단체란 공동목적을 가진 다수인의 계속적 · 조직적 결합체를 말한다. 공동목적은 합법적이건 불법적이건 불문한다.

㉡ **다중** : '다중'이라 함은 단체를 이루지 못한 다수인의 집합을 말하는 것으로, 이는 결국 집단적 위력을 보일 정도의 다수 혹은 그에 의해 압력을 느끼게 해 불안을 줄 정도의 다수를 의미한다(대판 2006.2.10, 2005도174).

㉢ **위력** : '위력'이라 함은 사람의 의사를 제압하기에 족한 세력을 지칭하는 것으로서 상대방의 의사가 현실적으로 제압될 것을 요하지는 않는다고 할 것이지만 상대방의 의사를 제압할 만한 세력을 인식시킬 정도는 되어야 한다(대판 2006.2.10, 2005도174). 20. 순경 2차

② 위험한 물건의 휴대에 의한 폭행

㉠ **위험한 물건** : 위험한 물건이란 그 성질이나 사용방법에 따라서는 사람의 생명 · 신체에 해를 줄 수 있는 물건을 말하며 동산이어야 한다.

관련판례

위험한 물건인지의 여부는 물건의 객관적 성질과 그 사용방법을 종합하여 구체적인 사안에 따라서 사회통념에 비추어 그 물건을 사용하면 그 상대방이나 제3자가 곧 위험성을 느낄 수 있으리라고 인정되는 물건인가의 여부에 따라 판단해야 한다(대판 1981.7.28, 81도1046).

• **위험한 물건에 해당하지 않는 경우**

1. 식칼로 자신을 찌르려는 자로부터 그 식칼을 뺏은 다음 훈계하면서 그 칼의 칼자루 부분으로 그 자의 머리를 가볍게 친 경우(대판 1989.12.22, 89도1570) 13. 변호사시험 · 수사경과
2. 경륜장 사무실에서 술에 취해 소란을 피우면서 '소화기'를 집어던졌지만 특정인을 겨냥하여 던진 것이 아닌 경우, 위 '소화기'는 '위험한 물건'에 해당하지 않는다(대판 2010.4.29, 2010도930). 20. 순경 2차, 21. 해경 1차, 24. 순경 1차
3. 소형승용차(라노스)로 중형승용차(쏘나타)를 충격할 당시 두 차량 모두 정차하여 있다가 막 출발하는 상태로서 차량 속도가 빠르지 않았으며 상대방 차량의 손괴 정도가 그다지 심하지 아니하고 피해자들이 입은 상해의 정도가 비교적 경미한 경우에 있어서 위 소형승용차(대판 2009.3.26, 2007도3520) 13. 변호사시험 · 법원행시, 21. 해경 1차, 22. 7급 검찰, 24. 해경간부 · 순경 1차
4. 당구공으로 피해자의 머리를 툭툭 건드린 정도에 불과한 경우의 당구공(대판 2008.1.17, 2007도9624) 09. 순경, 13. 변호사시험, 18. 수사경과 당구큐대로 머리 부위를 가볍게 톡톡 때리고 배 부위를 1회 밀어 폭행한 경우(대판 2004.5.10, 2004도176) 21. 해경 1차, 22. 7급 검찰, 24. 순경 1차
5. 쇠파이프(길이 2m, 직경 5cm)로 머리를 구타당하자 이에 대항하여 휘두른 각목(길이 1m, 직경 5cm ; 대판 1981.7.28, 81도1046) 08. 순경

• **위험한 물건에 해당하는 경우**

1. 공기총에 실탄을 장전하지 아니하였다고 하더라도 범행현장에서 공기총과 함께 실탄을 소지하고 있었고 언제든지 실탄을 장전하여 발사할 수도 있었던 경우의 공기총(대판 2002.11.26, 2002도4586) 08. 순경, 13. 변호사시험, 22. 7급 검찰

2. 피고인이 피해자와 사이에 운전 중 발생한 시비로 한차례 다툼이 벌어진 직후 피해자가 계속하여 피고인이 운전하던 자동차를 뒤따라온다고 보고 순간적으로 화가 나 피해자에게 겁을 주기 위하여 자동차를 정차한 후 4 내지 5m 후진하여 피해자가 승차하고 있던 자동차와 충돌한 경우 피고인 운전의 자동차는 '위험한 물건'에 해당한다(대판 2010.11.11, 2010도10256). 13. 법원행시
3. 최루탄과 최루분말은 사회통념에 비추어 상대방이나 제3자로 하여금 생명 또는 신체에 위험을 느낄 수 있도록 하기에 충분한 물건으로서 '위험한 물건'에 해당한다(대판 2014.6.12, 2014도1894). 21. 해경 1차, 22. 7급 검찰, 24. 해경간부 · 순경 1차
4. 농약을 먹이려 하고 당구큐대로 폭행한 경우(대판 2002.9.6, 2002도2812), 13. 수사경과 삽날 길이 21cm 가량의 야전삽(대판 2001.11.30, 2001도5268), 13. 수사경과 칼, 가위, 유리병, 각종 공구, 자동차 등은 물론 화학약품 또는 사주된 동물(대판 2002.9.6, 2002도2812) 24. 해경간부
5. 길이 150cm, 지름 7cm의 쇠파이프와 길이 100cm, 굵기 4cm 내지 5cm의 각목(대판 1999.11.9, 99도4146)

㉡ **휴대** : 위험한 물건의 "휴대"라 함은 ⓐ 범죄현장에서 사용할 의도 아래 위험한 물건을 몸 또는 몸 가까이에 소지하는 것을 말한다(대판 1992.5.12, 92도381 예 자기가 기거하는 장소에 위험한 물건을 보관 ⇨ 휴대 ×). 22. 경찰간부 ⓑ 반드시 범행 이전부터 몸에 지녀야 하는 것이 아니라 범행현장에서 범행에 사용하기 위해 위험한 물건을 집어들거나 피해자에게 던진 경우에도 휴대가 된다(대판 1982.2.23, 81도3074). ⓒ 또한 범행 현장에서 범행에 사용하려는 의도 아래 흉기 등 위험한 물건을 소지하거나 몸에 지닌 이상 그 사실을 피해자가 인식하거나 실제로 범행에 사용하였을 것까지 요구되는 것은 아니다(대판 2007.3.30, 2007도914). 13. 사시, 20. 순경 2차, 22. 경찰승진 · 해경간부, 24. 변호사시험

관련판례

형법 제258조의 2 제1항, 제257조 제1항, 제284조, 제283조 제1항은 위험한 물건을 휴대하여 사람의 신체를 상해한 자를 특수상해죄로, 사람을 협박한 자를 특수협박죄로 각 처벌하도록 규정하고 있다. 여기서 위험한 물건을 '휴대하여'는 범행 현장에서 사용하려는 의도 아래 위험한 물건을 소지하거나 몸에 지니는 경우를 의미한다. ① 피고인이 범행 현장에서 범행에 사용하려는 의도 아래 위험한 물건을 소지하거나 몸에 지닌 이상 피고인이 이를 실제로 범행에 사용하였을 것까지 요구되지는 않는다. ② 또한 위험한 물건을 휴대하였다고 하기 위하여는, 피고인이 범행 현장에 있는 위험한 물건을 사실상 지배하면서 언제든지 그 물건을 곧바로 범행에 사용할 수 있는 상태에 두면 충분하고, 피고인이 그 물건을 현실적으로 손에 쥐고 있는 등 피고인과 그 물건이 반드시 물리적으로 부착되어 있어야 하는 것은 아니다(대판 2024.6.13, 2023도18812).

1. 범행현장에서 과도를 호주머니 속에 지니고 있었던 때(피해자가 과도의 존재를 인식 ×, 실제로 범행에 사용 ×) ⇨ 휴대 ○ (대판 1984.4.10, 84도353) 19. 순경 2차, 21. 법원행시 · 해경 1차, 24. 해경승진
2. 강간범이 범행현장에서 범행에 사용하려는 의도 아래 흉기 등 위험한 물건을 지닌 이상 그 사실을 피해자가 인식하거나 실제로 범행에 사용하지 않은 경우도 성폭력범죄의 처벌 등에 관한 특례법 제4조 제1항 소정의 '흉기나 그 밖의 위험한 물건을 지닌 채 강간죄를 범한 자'에 해당한다(대판 2004.6.11, 2004도2018). 18. 변호사시험

3. '휴대하여'란 소지뿐만 아니라 널리 이용한다는 뜻도 포함하고 있다(대판 1997.5.30, 97도597 예 견인료 납부를 요구하며 승용차 앞을 가로막는 피해자를 승용차 앞 범퍼 부분으로 들이받고 진행하여 땅바닥에 넘어뜨린 경우 ⇨ 특수폭행죄) 13. 변호사시험 · 법원행시, 15. 법원직, 24. 해경간부
4. 마약사범이 범행 현장에서 버리려고 비닐봉지에 담아 둔 칼을 들고 있다가 체포된 경우 ⇨ 휴대 ×(대판 2008.7.24, 2008도2794 ∵ 범행 현장에서 사용할 의도 아래 흉기를 휴대하였다고 볼 수 없음) 09. 경찰승진, 21. 법원행시
5. 자동차를 이용하여 다른 사람의 자동차 2대를 손괴한 경우, 그 자동차의 소유자 등이 실제로 해를 입거나 입을 만한 위치에 있지 아니한 경우 ⇨ 특수손괴죄(대판 2003.1.24, 2002도758) 13. 법원행시, 15. 수사경과
6. 甲, 乙, 丙이 흉기를 휴대하여 타인의 건조물에 침입하기로 공모한 다음, 甲, 乙은 건물로부터 30 내지 50미터 떨어진 차량에서 흉기를 보관한 채 망을 보고, 丙은 흉기를 소지하지 아니하고 건조물에 침입한 경우 ⇨ 특수주거침입죄 ×(대판 1994.10.11, 94도1991 ∵ 특수주거침입죄의 성립 여부는 직접 건조물에 들어간 범인(丙)의 흉기휴대 여부에 따라 결정 ⇨ 丙이 흉기휴대 ×) 15. 법원직
7. 청산염 2g 정도를 협박편지에 동봉 우송하여 피해자에게 도달하게 한 경우(대판 1985.10.8, 85도1851), 범행과는 전혀 무관하게 우연히 이를 소지한 경우(대판 1990.4.24, 90도401 예 甲은 버섯을 채취하기 위해 칼을 가지고 산으로 가던 중 乙의 주거에 침입하였지만, 주거침입에 사용할 의도는 가지고 있지 않았던 경우) ⇨ 휴대 × 08. 경찰승진, 13. 법원행시
8. 고속도로상에서 타인의 승용차에 바짝 따라붙거나 앞으로 몰고가 급제동을 하거나 옆으로 바짝 밀어붙여 진로를 방해하거나 급제동 · 급차선 변경을 하게 하고 중앙분리대와 충돌할 위험에 처하게 한 경우 ⇨ 특수폭행죄(대판 2001.2.23, 2001도271)
9. 피고인이 깨어진 유리조각을 들고 피해자의 얼굴에 던진 경우 ⇨ 위험한 물건 휴대 ○(대판 1982.2.23, 81도3074) 02. 사시, 05. 순경

형법상 '특수'자가 붙은 범죄 07 · 08. 법원행시, 13. 법원직

• **특수공무방해죄**(제144조) • **특수상해죄**(제258조의 2) • **특수폭행죄**(제261조) • **특수체포 · 감금죄**(제278조) • **특수협박죄**(제284조) • **특수주거침입죄**(제320조) • **특수강요죄**(제324조 제2항) • **특수공갈죄**(제350조의 2) • **특수손괴죄**(제369조)	단체 또는 다중의 위력을 보이거나 위험한 물건을 휴대하여 ….
• **특수도주죄**(제146조)	수용설비 · 기구를 손괴하거나 사람에게 폭행 · 협박을 가하거나 2인 이상이 합동하여 ….
• **특수절도죄**(제331조)	• 야간에 문호 또는 장벽 기타 건조물의 일부를 손괴하고 …. • 흉기를 휴대하거나 2인 이상이 합동하여 ….
• **특수강도죄**(제334조)	• 야간에 사람의 주거 등에 침입하여 …. • 흉기를 휴대하거나 2인 이상이 합동하여 ….

(4) 폭행치사상죄

제262조 제260조(폭행)와 제261조(특수폭행)의 죄를 지어 사람을 사망이나 상해에 이르게 한 경우에는 제257조부터 제259조까지의 예에 따른다.

특수폭행치상죄의 경우 형법 제258조의 2의 특수상해죄의 신설에도 불구하고 종전과 같이 형법 제257조 제1항의 상해죄의 예에 의하여 처벌하는 것으로 해석하여야 한다(대판 2018.7.24, 2018도3443). 19. 순경 1차 · 철도경찰, 23. 경찰간부, 24. 법원행시

관련판례

• **폭행치사죄를 인정한 경우**

1. 빚 독촉을 하다가 멱살을 잡고 대드는 피해자 A의 손을 뿌리치고 그를 뒤로 밀어 넘어뜨려 A의 등에 업힌 B(생후 7개월)에게 상해를 입혀 사망에 이르게 하였다면 B(A ×)에 대한 폭행치사죄가 성립한다(대판 1972.11.28, 72도2201). 13. 경찰승진, 16. 변호사시험, 19. 9급 검찰
2. 피고인들에게 폭행당하고 화장실에 숨어 있던 피해자가 피고인들이 화장실 문을 지키고 당구큐대로 문을 쳐 부수자 창밖으로 숨으려다가 실족사한 경우(폭행치사죄의 공동정범 : 대판 1990.10.16, 90도1786) 01. 법원행시, 04. 경찰승진
3. 안수기도를 하던 중 주먹과 손바닥으로 가슴과 배를 반복하여 누르거나 때려 사망한 경우(대판 1994.8.23, 94도1484) 08. 경찰승진

   교통사고 등의 발생 없이 운행 중인 자동차의 운전자를 폭행하거나 협박하여 운전자나 승객 또는 보행자 등을 상해나 사망에 이르게 하였다면 이로써 특정범죄가중법 제5조의 10 제2항의 구성요건을 충족한다(대판 2015.3.26, 2014도13345 ∵ 특가법 제5조의 10 제2항의 죄는 추상적 위험범이자 결과적 가중범임).

   예 1. 신호대기를 위하여 정차 중인 대리운전기사의 얼굴을 2회 때리고 목을 졸라 14일간의 치료가 필요한 기타 유리체 장애 등의 상해를 가한 경우 ⇨ 특가법 제5조의 10 제2항의 폭행치상죄 ○). 16. 변호사시험, 21. 경찰간부

   2. 甲이 운행 중인 오토바이 운전자인 乙을 폭행하여 乙에게 상해를 가한 경우 ⇨ 특정범죄 가중처벌 등에 관한 법률 위반(운전자폭행 등)죄 ×〔대판 2022.4.28, 2022도1013 ∵ 특정범죄 가중처벌 등에 관한 법률 제5조의 10(운행 중인 자동차의 운전자를 폭행 · 협박하거나 이로 인하여 상해 또는 사망에 이르게 한 경우를 가중처벌)의 '자동차'는 도로교통법상의 자동차를 의미하고 도로교통법상 원동기장치자전거는 '자동차'에 포함되지 않는다.〕

• **폭행치사죄를 부정한 경우**

1. 삿대질을 피하려고 뒷걸음치다가 넘어져 두개골 골절로 사망한 경우(대판 1990.9.25, 90도1596)
2. 자기의 앞가슴을 잡고 있는 피해자의 손을 떼어내기 위해 피해자의 손을 뿌리치자 넘어지면서 머리를 부딪쳐 사망한 경우(대판 1987.10.26, 87도464)
3. 사병 甲이 속칭 '생일빵'을 한다는 명목으로 동료 A를 폭행하여 사망케 한 경우(대판 2010.5.27, 2010도2680) ⇨ 폭행죄 ○(∵ 사회상규에 위배되지 아니하는 정당행위 ×), 폭행치사죄 ×(∵ 인과관계 ○, 예견가능성 ×) 18. 경찰승진

(5) 상습폭행죄

제264조 상습적으로 폭행죄(제260조 제1항), 존속폭행죄(제260조 제2항) 또는 특수폭행죄(제261조)를 범한 때에는 그 죄에 정한 형의 2분의 1까지 가중한다. 16. 경찰승진

반의사불벌죄 ×

관련판례

1. 직계존속인 피해자를 폭행하고, 상해를 가한 것이 존속에 대한 동일한 폭력습벽의 발현에 의한 것으로 인정되는 경우, 그중 법정형이 더 중한 상습존속상해죄에 나머지 행위들을 포괄시켜 하나의 죄만이 성립한다(대판 2003.2.28, 2002도7335). 19. 경찰승진, 20. 법원직·수사경과·순경 2차, 23. 경력채용, 24. 법원행시·경위공채
2. 피고인이 상습으로 甲을 폭행하고, 어머니 乙을 존속폭행한 경우, 피고인에게 폭행 범행을 반복하여 저지르는 습벽이 있고 이러한 습벽에 의하여 단순폭행, 존속폭행 범행을 저지른 사실이 인정된다면 단순폭행, 존속폭행의 각 죄별로 상습성을 판단할 것이 아니라 포괄하여 그중 법정형이 가장 중한 상습존속폭행죄만 성립할 여지가 있다(대판 2018.4.24, 2017도10956). 22. 경찰승진, 23. 순경 1차·2차
3. 상해죄 및 폭행죄의 상습범에 관한 형법 제264조에서 말하는 '상습'이란 위 규정에 열거된 상해 내지 폭행행위의 습벽을 말하는 것이므로, 열거되지 아니한 다른 유형의 범죄(예 재물손괴와 주거침입)까지 고려하여 상습성의 유무를 결정하여서는 아니 된다(대판 2018.4.24, 2017도21663). 20. 경찰간부, 22. 경찰승진·해경간부
4. 형법 제264조는 상습특수상해죄를 범한 때에 형법 제258조의 2 제1항(특수상해죄)에서 정한 법정형(1년 이상 10년 이하의 징역)의 단기와 장기를 모두 가중하여 1년 6개월 이상 15년 이하의 징역에 처한다는 의미로 새겨야 한다(대판 2017.6.29, 2016도18194). 19. 법원행시

확인학습(다툼이 있는 경우 판례에 의함)

1 오랜 시간 동안의 협박과 폭행을 이기지 못하고 실신하여 범인들이 불러온 구급차 안에서야 정신을 차리게 된 경우, 외부적으로 어떤 상처가 발생하지 않았기 때문에 신체에 대한 상해가 있었다고 볼 수 없다. ( ) 19. 9급 검찰 · 순경 2차, 21. 해경 2차, 24. 경찰간부 · 해경간부 · 경찰승진

2 난소를 이미 제거하여 임신불능 상태에 있는 피해자의 자궁을 적출했다 하더라도 그 경우 자궁을 제거한 것이 신체의 완전성을 해한 것이거나 생활기능에 아무런 장애를 주는 것이 아니고 건강상태를 불량하게 변경한 것도 아니라고 할 것이므로 상해에 해당한다고 볼 수 없다. ( ) 15. 순경 2차, 19. 수사경과, 21. 해경 2차, 24. 경찰승진

3 피해자의 음모의 모근 부분을 남기고 모간 부분만을 일부 잘라냄으로써 음모의 전체적인 외관에 변형이 생겼다면 강제추행치상죄의 상해에 해당한다. ( ) 14. 경찰간부, 15. 경찰승진, 16. 수사경과, 19. 9급 검찰, 20. 해경승진

4 피해자로부터 신용카드를 강취하고 비밀번호를 알아내는 과정에서 피해자에게 입힌 상처가 일상생활에 지장을 초래하지 않았고 그 회복을 위하여 치료행위가 특별히 필요하지 않은 경우에는 강도상해죄의 상해에 해당되지 않는다. ( ) 10. 7급 검찰, 19. 경찰승진, 21. 해경 1차

5 수면제와 같은 약물을 투약하여 피해자를 일시적으로 수면 또는 의식불명 상태에 이르게 한 경우에도 약물로 인하여 피해자의 건강상태가 불량하게 변경되고 생활기능에 장애가 초래되었다면 자연적으로 의식을 회복하거나 외부적으로 드러난 상처가 없더라도 이는 강간치상죄나 강제추행치상죄에서 말하는 상해에 해당한다. ( ) 17. 순경 2차, 19. 순경 1차, 22. 경찰간부

6 태아를 사망에 이르게 하는 행위는 임산부에 대한 상해가 된다. ( ) 20. 법원직, 21. 수사경과, 22. 순경 1차, 23. 경력채용, 24. 경찰간부 · 경찰승진

7 상해죄의 성립에는 상해의 원인인 폭행에 대한 인식만으로는 부족하고 상해를 가할 의사의 존재까지 필요하다. ( ) 18. 순경 2차, 21. 해경 1차 · 2차 · 경찰승진

8 1~2개월간 입원할 정도로 다리가 부러진 상해 또는 3주간의 치료를 요하는 우측흉부자상은 중상해에 해당한다. ( ) 15. 경찰승진 · 순경 2차, 20. 해경승진, 21. 해경 2차

9 피고인의 구타행위로 상해를 입은 피해자가 정신을 잃고 빈사상태에 빠지자 사망한 것으로 오인하고 자신의 행위를 은폐하고 피해자가 자살한 것처럼 가장하기 위하여 피해자를 베란다 아래의 바닥으로 떨어뜨려 사망케 한 경우 포괄하여 단일의 살인죄에 해당한다. ( ) 14. 경찰승진, 15. 순경 2차, 19. 9급 검찰

10 상해죄의 동시범 규정은 가해행위를 한 것 자체가 분명하지 않은 사람에게도 적용된다. ( ) 18. 변호사시험 · 수사경과, 19. 9급 검찰 · 순경 2차, 20. 해경승진, 21. 순경 1차

Answer 1. × 2. × 3. × 4. ○ 5. ○ 6. × 7. × 8. × 9. × 10. ×

11 시간적 차이가 있는 독립된 상해행위나 폭행행위가 경합하여 사망의 결과가 일어나고 그 사망의 원인된 행위가 판명되지 않은 경우에도 공동정범의 예에 의하여 처벌한다. (　)
18. 수사경과, 19. 경찰승진·법원행시, 20. 해경승진, 22. 경찰간부, 23. 순경 1차·2차

12 피해자에게 근접하여 욕설을 하면서 때릴 듯이 손발이나 물건을 휘두르거나 던지는 행위를 한 경우에 직접 피해자의 신체에 접촉하지 않았다고 하여도 피해자에 대한 유형력의 행사로서 폭행에 해당한다. (　)
15. 경찰승진, 18. 변호사시험·경찰간부, 20. 순경 2차, 22. 9급 검찰, 23. 경력채용

13 거리상 멀리 떨어져 있는 사람에게 전화기를 이용하여 전화하면서 고성을 내거나 그 전화 대화를 녹음 후 듣게 하는 경우 원칙적으로 신체에 대한 유형력의 행사로서 폭행에 해당된다. (　)
17. 경찰승진, 18. 경찰간부, 20. 순경 1차

14 신체의 청각기관을 직접적으로 자극하는 음향도 경우에 따라서는 폭행에 포함될 수 있다. (　)
17. 수사경과, 20. 순경 1차, 21. 경찰승진

15 폭행죄는 피해자의 명시한 의사에 반하여 공소를 제기할 수 없는 반의사불벌죄로서 피해자가 사망한 후에는 그 상속인이 피해자를 대신하여 처벌불원의 의사표시를 할 수 없다. (　)
20. 순경 1차, 21. 해경 1차·경찰승진, 23. 해경 3차, 24. 경찰간부

16 경륜장 사무실에서 술에 취해 소란을 피우면서 '소화기'를 집어던졌지만 특정인을 겨냥하여 던진 것이 아닌 경우, 위 '소화기'는 '위험한 물건'에 해당하지 않는다. (　) 20. 순경 2차, 21. 해경 1차

17 견인료납부를 요구하며 피고인의 승용차 앞을 가로막는 피해자를 승용차 앞범퍼로 들이받은 경우 이는 위험한 물건의 휴대에 해당한다. (　) 13. 변호사시험·법원행시, 15. 법원직, 24. 해경간부

18 피고인이 폭력행위 당시 과도를 범행현장에서 호주머니 속에 지니고 있었더라도 그 사실을 피해자가 몰랐다거나 실제로 범행에 사용하지 않았다면 '위험한 물건의 휴대'에 해당하지 않는다. (　)
15. 법원직, 21. 법원행시·수사경과·해경 1차, 22. 경찰승진

19 빚 독촉을 하다가 멱살을 잡고 대드는 피해자 A의 손을 뿌리치고 그를 뒤로 밀어 넘어뜨려 A의 등에 업힌 B(생후 7개월)에게 상해를 입혀 그로 말미암아 그를 사망케 한 경우 피고인이 폭행을 가한 대상자와 그 폭행의 결과 사망한 대상자가 서로 다른 인격자이므로 폭행치사죄에 해당하지는 않는다. (　)
13. 경찰승진, 16. 변호사시험, 19. 9급 검찰

20 직계존속인 피해자를 폭행하고, 상해를 가한 것이 존속에 대한 동일한 폭력습벽의 발현에 의한 것으로 인정되는 경우, 피고인에게 상습존속폭행죄와 상습존속상해죄가 각각 별도로 성립한다. (　)
19. 경찰승진, 20. 법원직·수사경과, 23. 순경 1차·2차·경력채용

21 상해죄 및 폭행죄의 상습범에 관한 형법 제264조에서 말하는 '상습'이란 동 규정에 열거된 상해 내지 폭행행위의 습벽을 말하고, 동 규정에 열거되지 아니한 다른 유형의 범죄까지 고려하여 상습성의 유무를 결정하여서는 안 된다. (　)
20. 경찰간부, 22. 경찰승진·해경간부

Answer 11. ○ 12. ○ 13. × 14. ○ 15. ○ 16. ○ 17. ○ 18. × 19. × 20. × 21. ○

CHAPTER 01

기출문제

01 **상해에 대한 설명으로 옳지 않은 것은?**(다툼이 있는 경우 판례에 의함)

19. 9급 검찰·마약수사, 20. 해경승진

① 상해죄가 성립하기 위해서는 상해의 고의와 신체의 완전성을 해하는 행위 및 이로 인하여 발생하는 인과관계 있는 상해의 결과가 있어야 한다.

② 신체의 외모에 변화가 생겼다고 하더라도 생리적 기능에 장애를 초래하지 아니한 이상 강제추행치상죄에서의 상해에 해당한다고 할 수 없다.

③ 오랜 시간 동안의 협박과 폭행을 이기지 못하고 실신하여 범인들이 불러온 구급차 안에서야 정신을 차리게 되었더라도 외부적으로 어떤 상처가 발생하지 않았다면 생리적 기능의 훼손이 있다고 할 수 없으므로 상해가 인정되지 아니한다.

④ 타인의 신체에 폭행을 가하여 보행불능, 수면장애, 식욕감퇴 등 기능의 장해를 일으킨 때에는 외관상 상처가 없더라도 상해를 입힌 경우에 해당한다.

해설 ① 대판 1982.12.28, 82도2588 ② 대판 2000.3.23, 99도3099

③ ×: 오랜 시간 동안의 협박과 폭행을 이기지 못하고 실신하여 범인들이 불러온 구급차 안에서야 정신을 차리게 되었다면, 외부적으로 어떤 상처가 발생하지 않았다고 하더라도 생리적 기능에 훼손을 입어 신체에 대한 상해가 있었다고 봄이 상당하다(대판 1996.12.10, 96도2529).

④ 대판 1969.3.11, 69도161

02 **상해의 죄에 관한 설명으로 가장 적절하지 않은 것은?**(다툼이 있는 경우 판례에 의함) 24. 경찰간부

① 甲이 강간하려고 A의 반항을 억압하는 과정에서 주먹으로 A의 얼굴과 머리를 몇 차례 때려 A가 코피를 흘리고 콧등이 부은 경우라도, A가 병원치료를 받지 않아도 일상생활에 지장이 없고 또 자연적으로 치료될 수 있는 것이라면, 甲의 행위로 인해 A의 신체의 완전성이 손상되고 생활기능에 장애가 왔다거나 건강상태가 불량하게 변경되었다고 보기 어려워 강간치상죄의 '상해'에 해당하지 않는다.

② 상해죄에서 '상해'는 피해자의 신체의 완전성을 훼손하거나 생리적 기능에 장애를 초래하였는지를 객관적·일률적으로 판단할 것이 아니라 피해자의 신체·정신상의 구체적인 상태나 신체·정신상의 변화와 내용 및 정도를 종합적으로 고려하여 판단하여야 한다.

③ 피고인으로부터 왼쪽 젖가슴을 꽉 움켜잡힘으로 인하여 왼쪽 젖가슴에 약 10일간의 치료를 요하는 좌상을 입고, 심한 압통과 약간의 종창이 있어 그 치료를 위하여 병원에서 주사를 맞고 3일간 투약을 한 경우, 피해자는 위와 같은 상처로 인하여 신체의 건강상태가 불량하게 변경되고 생활기능에 장애가 초래되었다 할 것이어서 이는 강제추행치상죄에 있어서의 '상해'의 개념에 해당한다 할 것이다.

Answer 01. ③ 02. ①

④ 오랜 시간 동안의 협박과 폭행을 이기지 못하고 실신한 피해자가 범인들이 불러온 구급차 안에서야 정신을 차리게 되었다면, 비록 외부적으로 어떤 상처가 발생하지 않았다고 하더라도 생리적 기능에 훼손을 입어 신체에 대한 '상해'가 있었다고 봄이 상당하다.

해설 ① ×: ~(2줄) 콧등이 부은 경우, 비록 A가 병원치료를 받지 않아도 일상생활에 지장이 없고 또 자연적으로 치료될 수 있는 것이라 하더라도 강간치상죄의 '상해'에 해당한다(대판 1991.10.22, 91도1832).
② 대판 2017.6.29, 2017도3196
③ 대판 2000.2.11, 99도4794
④ 대판 1996.12.10, 96도2529

03

동시범의 특례(형법 제263조)**에 관한 설명 중 옳지 않은 것을 모두 고른 것은?**(다툼이 있는 경우 판례에 의함)

20. 변호사시험, 21. 해경 1차

㉠ A가 甲으로부터 폭행을 당하고 얼마 후 함께 A를 폭행하자는 甲의 연락을 받고 달려 온 乙로부터 다시 폭행을 당하고 사망하였으나 사망의 원인행위가 판명되지 않았다면, 형법 제263조가 적용되어 甲과 乙은 폭행치사죄의 공동정범의 예에 의해 처벌된다.
㉡ A가 행인 甲으로부터 상해를 입은 후 얼마 지나지 않아 다시 다른 행인 乙로부터 상해를 입고 사망하였으나 사망의 원인행위가 판명되지 않았다면, 형법 제263조가 적용되어 甲과 乙은 상해치사죄의 공동정범의 예에 의해 처벌된다.
㉢ A가 甲으로부터 폭행을 당하고 얼마 후 乙이 甲과 의사연락 없이 A를 폭행하자 A가 乙의 계속되는 폭행을 피하여 도로를 무단횡단하다 지나가던 차량에 치어 사망하였다면, 형법 제263조가 적용되어 甲과 乙은 폭행치사죄의 공동정범의 예에 의해 처벌된다.
㉣ A가 甲이 운전하는 차량에 의해 교통사고를 당한 후 얼마 지나지 않아 다시 乙이 운전하는 차량에 의해 교통사고를 당하고 사망하였으나 사망의 원인행위가 판명되지 않았다면, 형법 제263조가 적용되어 甲과 乙은 교통사고처리특례법위반(치사)죄의 공동정범의 예에 의해 처벌된다.

① ㉠, ㉢ ② ㉡, ㉣ ③ ㉠, ㉡, ㉢
④ ㉠, ㉢, ㉣ ⑤ ㉡, ㉢, ㉣

해설 ㉠ ×: 제263조 적용 ×, 공동정범 ○〔대판 1985.12.10, 85도1892 ∵ 甲과 乙 간에 공범관계에 있어 공동가공의 의사가 있음(연락을 받고 달려옴)〕
㉡ ○: 대판 2000.7.28, 2000도2466
㉢ ×: 甲 ⇨ 폭행죄, 乙 ⇨ 폭행치사죄(대판 1996.5.10, 96도529 ∵ A는 乙의 폭행을 피하려다 사망한 것으로 원인행위가 판명되었으므로 제263조가 적용되지 않고 각자 원인대로 처벌됨)
㉣ ×: 甲과 乙의 행위는 교통사고처리특례법위반(업무상 과실치사)죄에 해당되어 제263조가 적용되지 않고 각자 원인대로 처벌된다.

Answer 03. ④

04 **형법 제263조(동시범)에 대한 설명으로 옳지 않은 것은?**(다툼이 있는 경우 판례에 의함)

19. 9급 검찰 · 마약수사, 20. 해경승진

① 시간적 차이가 있는 독립된 상해행위나 폭행행위가 경합하여 사망의 결과가 일어나고 그 사망의 원인된 행위가 판명되지 아니한 경우에는 공동정범의 예에 의하여 처벌한다.

② 처음에는 甲이, 그 다음에는 甲의 연락을 받고 온 乙과 丙이 함께 잡귀를 물리친다면서 피해자의 팔과 다리를 붙잡고 배와 가슴을 손과 무릎으로 힘껏 누르고 밟아 피해자가 복강내출혈로 사망에 이르렀으나 원인행위가 판명되지 아니한 경우에는 동시범의 문제가 발생하지 않는다.

③ 피고인은 자신의 행위와 상해의 결과 사이에 개별 인과관계가 존재하지 않음을 입증하더라도 상해의 결과에 대한 책임에서 벗어날 수 없다.

④ 형법 제263조는 상해와 폭행죄에 관한 특별규정으로서 그 보호법익을 달리하는 강간치상죄에는 적용할 수 없다.

해설 ① 대판 2000.7.28, 2000도2466
② 대판 1985.12.10, 85도1892(∵ 공범관계에 있어 공동가공의 의사가 있었다면, 처음부터 동시범 등의 문제는 제기될 수 없음)
③ ×: ~ 입증하면 ~ 수 있다(∵ 거증책임전환규정설 : 다수설).
④ 대판 1984.4.24, 84도372

05 **폭행의 죄에 관한 설명으로 가장 적절하지 않은 것은?**(다툼이 있는 경우 판례에 의함)

23. 해경 3차, 24. 경찰간부

① 폭행죄에서 말하는 '폭행'이란 사람의 신체에 대하여 육체적 · 정신적으로 고통을 주는 유형력을 행사함을 뜻하는 것으로서 반드시 피해자의 신체에 접촉함을 필요로 하는 것은 아니다.

② 폭행죄는 피해자의 명시한 의사에 반하여 공소를 제기할 수 없는 반의사불벌죄로서, 피해자가 사망한 경우, 그 상속인이 피해자를 대신하여 처벌불원의 의사표시를 할 수 없다.

③ 甲이 전화기를 이용하여 전화하면서 고성을 내거나 그 전화대화를 녹음 한 후 A에게 듣게 한 경우, 甲이 A의 청각기관을 자극하거나 고통을 느끼게 할 정도의 특수한 방법을 사용하였다는 특별한 사정이 없는 한 신체에 대한 유형력을 행사한 것으로 볼 수 없다.

④ 상대방의 시비를 만류하면서 조용히 얘기나 하자며 그의 팔을 2, 3회 끌은 행위는, 사람의 신체에 대한 불법한 공격으로 형법 제260조 제1항 소정의 폭행죄에 해당한다.

해설 ① 대판 2016.10.27, 2016도9302
② 대판 2010.5.27, 2010도2680
③ 대판 2003.1.10, 2000도5716
④ ×: ~ (2줄) 불법한 공격이라 할 수 없어 형법 제260조 제1항 소정의 폭행죄에 해당하지 않는다(대판 1986.10.14, 86도1796).

Answer 04. ③ 05. ④

06 폭행에 대한 설명으로 옳지 않은 것은?(다툼이 있는 경우 판례에 의함)

22. 9급 검찰·마약수사, 24. 해경승진

① 피해자에게 근접하여 욕설을 하면서 때릴 듯이 손발을 휘두르거나 물건을 던지는 행위는 직접 피해자의 신체에 접촉하지 않더라도 이는 피해자에 대한 불법한 유형력의 행사로서 폭행에 해당한다.

② 피고인이 피해자에게 욕설을 한 것만을 가지고 당연히 폭행을 한 것이라고 할 수는 없을 것이고, 피해자 집의 대문을 발로 찬 것이 막바로 또는 당연히 피해자의 신체에 대하여 유형력을 행사한 경우에 해당한다고 할 수도 없다.

③ 공무원의 직무 수행에 대한 비판이나 시정 등을 요구하는 집회·시위 과정에서 일시적으로 상당한 소음이 발생하였다는 사정만으로도 공무집행방해죄에서의 음향으로 인한 폭행이 인정된다.

④ 거리상 멀리 떨어져 있는 사람에게 전화기를 이용하여 전화하면서 고성을 내거나 그 전화대화를 녹음 후 듣게 하더라도 수화자의 청각기관을 자극하여 그 수화자로 하여금 고통스럽게 느끼게 할 정도의 음향이 아닌 경우에는 신체에 대한 유형력의 행사를 한 것으로 보기 어렵다.

해설 ① 대판 1990.2.13, 89도1406
② 대판 1991.1.29, 90도2153
③ ×: ~ 폭행이 있었다고 할 수는 없다. 그러나 집회·시위과정에서 음향을 이용하여 청각기관을 직접 자극하는 경우 그것이 의사전달 수단으로서 합리적 범위를 넘어서 상대방에게 고통을 줄 의도로 음향을 이용하였다면 이를 공무집행방해죄의 폭행으로 인정할 수 있다(대판 2009.10.29, 2007도3584).
④ 대판 2003.1.10, 2000도5716

07 폭행죄에 대한 설명으로 가장 적절하지 않은 것은?(다툼이 있는 경우 판례에 의함)

20. 순경 2차

① 흉기 기타 위험한 물건을 휴대하여 폭행을 저지르는 경우 그 범죄와 전혀 무관하게 우연히 이를 소지하게 된 경우까지 포함하는 것은 아니지만, 범행현장에서 범행에 사용하려는 의도 아래 흉기 등 위험한 물건을 소지하거나 몸에 지닌 이상 그 사실을 피해자가 인식하거나 실제로 범행에 사용하였을 것까지 요구되지 않는다.

② 특수폭행죄에서 다중의 위력을 보인다는 것은 위력을 상대방에게 인식시키는 것을 말하고 상대방의 의사가 현실적으로 제압될 것을 요하지 않으며 상대방의 의사를 제압할 만한 세력을 인식시킬 정도에 이르지 않아도 족하다.

③ 단순폭행, 존속폭행의 범행이 동일한 폭행 습벽의 발현에 의한 것으로 인정되는 경우, 그중 법정형이 더 중한 상습존속폭행죄에 나머지 행위를 포괄하여 하나의 죄만 성립한다.

④ 甲은 경륜장 사무실에서 소화기들을 던지며 소란을 피웠는데 특정인을 겨냥하여 던진 것으로는 보이지 아니하는 점, 피해자들이 상해를 입지 않은 점 등의 여러 사정을 종합하면, 이때 '소화기'는 '위험한 물건'에 해당하지 않는다.

Answer 06. ③ 07. ②

해설 ① 대판 2007.3.30, 2007도914
② ×: '위력'이라 함은 사람의 의사를 제압하기에 족한 세력을 지칭하는 것으로서 상대방의 의사가 현실적으로 제압될 것을 요하지는 않는다고 할 것이지만 상대방의 의사를 제압할 만한 세력을 인식시킬 정도는 되어야 한다(대판 2006.2.10, 2005도174).
③ 대판 2003.2.28, 2002도7335
④ 대판 2010.4.29, 2010도930

08 **다음 설명 중 옳지 않은 것은 모두 몇 개인가?**(다툼이 있는 경우 판례에 의함) 21. 법원행시

㉠ 마약사범이 비닐봉지에 담아 버리려고 했던 칼을 소지해 집을 나서다가 체포된 경우, 폭력행위 등 처벌에 관한 법률 제7조(우범자)에서 말하는 '위험한 물건의 휴대'에 해당한다고 보기 어렵다.
㉡ 폭력 행위 당시 과도를 호주머니 속에 지니고 있었던 것에 불과한 이상, 이는 위험한 물건을 휴대한 경우에 해당한다고 보기 어렵다.
㉢ 직계존속인 피해자를 폭행하고, 상해를 가한 것이 존속에 대한 동일한 폭력습벽의 발현에 의한 것으로 인정되는 경우, 상습존속상해죄와 상습존속폭행죄가 각 성립하고, 위 두 죄는 실체적 경합범 관계에 있다.
㉣ 만나주지 않는다는 이유로 시정된 탁구장문과 주방문을 부수고 주방으로 들어가 방문을 열어주지 않으면 모두 죽여버린다고 폭언하면서 시정된 방문을 수회 발로 찬 행위는 피해자들 신체에 대한 유형력의 행사로는 볼 수 없어 폭행죄에 해당한다고 보기 어렵다.
㉤ 피해자를 부딪칠 듯이 차를 조금씩 전진시키는 것을 반복하는 행위는 폭행죄에 해당한다고 할 수 없다.
㉥ 형법 제263조(동시범)는 '독립행위가 경합하여 상해의 결과를 발생하게 한 경우 공동정범의 예에 의한다'고 규정하고 있다.

① 없 음　② 1개　③ 2개
④ 3개　⑤ 4개

해설 ㉠ ○: 대판 2008.7.24, 2008도2794(∵ 범행 현장에서 사용할 의도 아래 위험한 물건을 휴대 ×)
㉡ ×: 위험한 물건을 휴대 ○(대판 1984.4.10, 84도353)
㉢ ×: 상습존속상해죄(포괄일죄) ○, 실체적 경합범 ×(대판 2003.2.28, 2002도7335)
㉣ ○: 대판 1984.2.14, 83도3186
㉤ ×: ~ 해당한다(대판 2016.10.27, 2016도9302).
㉥ ×: ~ 발생하게 한 경우에 있어서 원인된 행위가 판명되지 아니한 때에는 공동정범의 예에 의한다(제263조).

Answer 08. ⑤

09 **상해와 폭행의 죄에 관한 설명으로 가장 적절한 것은?**(다툼이 있는 경우 판례에 의함) 19. 순경 2차

① 피해자의 신체에 대한 접촉이 없다 하더라도 부딪칠 듯이 자동차를 조금씩 반복적으로 전진시키는 행위는 폭행죄의 폭행에 해당한다.

② 상해죄의 동시범 특례(형법 제263조)는 상해의 결과가 발생하였으나 그 상해가 어느 사람의 가해행위로 인한 것인지가 분명치 않은 경우뿐만 아니라 가해행위를 한 것 자체가 분명치 않은 경우에도 적용된다.

③ 상해는 신체의 완전성을 훼손하거나 생리적 기능에 장애를 초래하는 것을 의미하므로, 피고인의 협박과 폭행으로 피해자가 실신하였더라도 외부적으로 어떤 상처가 발생하지 않았다면 상해가 있다고 볼 수 없다.

④ 피고인이 폭력행위 당시 과도를 범행현장에서 호주머니 속에 지니고 있었더라도 그 사실을 피해자가 몰랐다거나 실제로 범행에 사용하지 않았다면 '위험한 물건의 휴대'에 해당하지 않는다.

해설 ① ○ : 대판 2016.10.27, 2016도9302
② × : 가해행위를 한 것 자체가 분명치 않은 경우에는 적용 ×(대판 1984.5.15, 84도488)
③ × : ~ 실신하였다면 외부적으로 ~ 발생하지 않았다고 하더라도 ~ 볼 수 있다(대판 1996.12.10, 96도2529).
④ × : 위험한 물건의 '휴대'에 해당 ○(대판 1984.4.10, 84도353)

10 **상해와 폭행의 죄에 대한 설명 중 가장 적절한 것은?**(다툼이 있는 경우 판례에 의함) 20. 경찰승진

① 형법의 폭행죄, 존속폭행죄, 특수폭행죄는 모두 미수범 처벌규정이 없으며, 피해자의 명시한 의사에 반하여 공소를 제기할 수 없다.

② 甲과 乙이 독립하여 A를 살해하고자 총을 쏘아 탄환 하나가 A의 다리에 적중하여 A가 상해를 입었는데, 甲과 乙 중 누구의 탄환인지 밝혀지지 않은 경우 甲과 乙에게 형법 제263조의 동시범이 성립하지 않는다.

③ 甲은 A와 어머니 B 사이에서 태어난 친생자로 호적부상 등재되어 있으나 사실은 A가 수년간 집을 떠나 있는 사이에 B가 C와 정교관계를 맺어 甲을 출산한 경우 甲이 A에게 상해를 가하면 甲에게 존속상해죄가 성립한다.

④ 甲이 "방문을 열어주지 않으면 죽여버린다."고 방 안에 있는 A에게 폭언을 하면서 잠긴 방문을 발로 차는 경우 폭행죄가 성립한다.

해설 ① × : 폭행죄, 존속폭행죄 ⇨ 반의사불벌죄 ○(제260조 제3항), 특수폭행죄 ⇨ 반의사불벌죄 ×
② ○ : 제19조(독립행위의 경합) 적용 ⇨ 둘다 미수범으로 처벌, 살인죄 ⇨ 제263조(동시범) 적용 ×
③ × : 존속상해죄 ×(대판 1983.6.28, 83도996 ∵ 친자관계 ×)
④ × : 폭행죄 ×(대판 1984.2.14, 83도3186 ∵ 사람의 신체에 대한 유형력 행사 ×)

Answer 09. ① 10. ②

11 상해와 폭행의 죄에 관한 설명으로 가장 적절하지 않은 것은?(다툼이 있는 경우 판례에 의함)

22. 순경 1차

① 형법은 태아를 임산부 신체의 일부로 보거나, 낙태행위가 임산부의 태아양육, 출산기능의 침해라는 측면에서 임산부에 대한 상해죄를 구성하는 것으로 보지는 않는다고 해석된다.

② 다방종업원 숙소에 이르러 종업원들 중 1인이 자신을 만나주지 않는다는 이유로 시정된 탁구장문과 주방문을 부수고 주방으로 들어가 방문을 열어주지 않으면 모두 죽여버린다고 폭언하면서 시정된 방문을 단순히 수회 발로 찬 甲의 행위도 종업원들의 신체에 대한 유형력의 행사로 볼 수 있어 폭행죄에 해당한다.

③ 식당의 운영자인 甲이 식당 밖에서 당겨 열도록 표시되어 있는 출입문을 열고 음식배달차 밖으로 나가던 중 이웃가게 손님으로 마침 위 식당 출입문 앞쪽 길가에서 있던 A의 오른발 뒤꿈치 부위를 위 출입문 모서리 부분으로 충격하여 상해를 입게 한 행위는 업무상 과실치상죄의 성립을 인정할 수 없다.

④ 甲이 상습으로 A를 폭행하고, 어머니 B를 존속폭행하였다는 내용으로 기소된 사안에서, 甲에게 폭행 범행을 반복하여 저지르는 습벽이 있고 이러한 습벽에 의하여 단순폭행, 존속 폭행범행을 저지른 사실이 인정된다면 단순폭행, 존속폭행의 각 죄별로 상습성을 판단할 것이 아니라 포괄하여 그중 법정형이 가장 중한 상습존속폭행죄만 성립할 여지가 있다.

해설 ① 대판 2007.6.29, 2005도3832
② ×: 폭행죄 ×(대판 1984.2.14, 83도3186 ∵ 종업원들의 신체에 대한 유형력 행사 ×)
③ 대판 2009.10.29, 2009도5753(∵ 피고인이 그 업무상 하여야 할 구체적이고도 직접적인 주의의무를 위반한 때에 해당한다고 보기 어렵고, 단순히 일상생활상의 주의의무를 위반한 경우에 불과함)
④ 대판 2018.4.24, 2017도10956

12 상해와 폭행에 관련된 설명으로 옳은 것은?(다툼이 있는 경우 판례에 의함)

23. 경찰간부

① 甲이 자신의 차를 가로막는 A를 부딪히지는 않은 채 부딪칠 듯이 차를 조금씩 전진시키는 것을 반복하는 행위는 A에 대해 위법한 유형력을 행사한 것으로 보기 어렵다.

② 특수폭행치상의 경우 형법 제258조의 2(특수상해)가 신설되었으므로 특수상해죄의 예에 의하여 처벌해야 한다.

③ 甲과 乙이 공동하여 A를 폭행한 경우 A의 명시한 의사에 반하여 甲과 乙에 대한 공소를 제기할 수 없다.

④ 강간범죄의 피해자가 겪은 불안, 불면, 악몽, 자책감, 우울감정, 대인관계 회피 등의 증상은 외상 후 스트레스 장애(PTSD)로서 강간치상죄의 상해에 포함된다.

해설 ① ×: ~ 행사한 것으로 보아야 한다(대판 2016.10.27, 2016도9302 ∴ 특수폭행죄 ○).
② ×: 특수폭행치상죄의 경우 형법 제258조의 2의 특수상해죄의 신설에도 불구하고 종전과 같이 형법 제257조 제1항의 상해죄(특수상해죄 ×)의 예에 의하여 처벌하는 것으로 해석하여야 한다(대판 2018.7.24, 2018도3443).

Answer 11. ② 12. ④

③ ×: ~ 제기할 수 있다(폭력행위 등 처벌에 관한 법률 제2조 제4항 ∵ 공동 폭행·협박 ⇨ 반의사불벌죄 ×).
④ ○: 대판 1999.1.26, 98도3732

13 다음 중 가장 적절한 것은?(다툼이 있는 경우 판례에 의함) 23. 순경 2차

① 폭행치사죄와 상해치사죄까지 형법 제263조(동시범)를 적용하면 피고인에게 불리한 유추적용이 되므로 동 규정의 적용은 배제되어야 한다.
② 공무집행방해죄에서의 '폭행'은 사람에 대한 유형력의 행사로 족하고 반드시 그 신체에 대한 것임을 요하지 아니하며, 또한 추상적 위험범으로서 구체적으로 직무집행의 방해라는 결과발생을 요하지도 아니한다.
③ 살인예비죄가 성립하기 위한 '준비행위'는 물적인 것에 한정되지 아니하며 특별한 정형이 있는 것도 아니어서 단순히 범행의 의사 또는 계획만으로도 충분하므로, 객관적으로 보아 살인죄의 실현에 실질적으로 기여할 수 있는 외적 행위를 필요로 하는 것은 아니다.
④ 甲이 상습으로 A를 폭행하고, 자신의 어머니 B를 존속폭행하였다는 내용으로 기소된 사안에서, 甲에게 폭행 범행을 반복하여 저지르는 습벽이 있고 이러한 습벽에 의하여 단순폭행, 존속폭행 범행을 저지른 사실이 인정된다면 단순폭행, 존속폭행의 각 죄별로 상습성을 판단하여야 한다.

해설 ① ×: 폭행치사죄와 상해치사죄에도 제263조(동시범)가 적용된다(대판 2000.7.28, 2000도2466).
② ○: 대판 2018.3.29, 2017도21537
③ ×: ~ (2줄) 있는 것도 아니지만 단순히 범행의 의사 또는 계획만으로는 그것이 있다고 할 수 없고, 객관적으로 보아 살인죄의 실현에 실질적으로 기여할 수 있는 외적 행위를 필요로 한다(대판 2009.10.29, 2009도7150).
④ ×: ~ (3줄) 각 죄별로 상습성을 판단할 것이 아니라 포괄하여 그중 법정형이 가장 중한 상습존속폭행죄만 성립한다(대판 2018.4.24, 2017도10956).

14 폭행의 죄에 있어서 '위험한 물건'에 해당하는 것은?(다툼이 있는 경우 판례에 의함) 24. 순경 1차

① 국회의원이 한미 자유무역협정 비준동의안의 국회 본회의 심리를 막기 위하여 의장석 앞 발언대 뒤에서 CS최루분말 비산형 최루탄 1개를 터뜨리고 최루탄 몸체에 남아있는 최루분말을 국회부의장에게 뿌린 경우, 그 최루탄과 최루분말
② 당구장에서 피해자가 시끄럽게 떠든다는 이유로, 주먹으로 피해자의 얼굴 부위를 1회 때리고 당구대 위에 놓여있던 당구공으로 피해자의 머리 부위를 툭툭 건드린 경우, 그 당구공
③ 경륜장 사무실에서 술에 취해 소란을 피우면서 소화기를 집어 던졌지만, 특정인을 겨냥하여 던진 것이 아니어서 피해자들이 상해를 입지 않은 경우, 그 소화기

Answer 13. ② 14. ①

④ 이혼 분쟁 과정에서 자신의 아들을 승낙 없이 중형자동차에 태우고 떠나려고 하는 피해자들 일행을 상대로 급하게 추격 또는 제지하는 과정에서 소형자동차로 중형자동차를 충격하였으나, 차량 속도가 빠르지 않았으며 상대방 차량의 손괴 정도나 피해자들이 입은 상해의 정도가 경미한 경우, 그 소형자동차

해설 • **'위험한 물건'** ○ : ① 대판 2014.6.12, 2014도1894
• **'위험한 물건'** × : ② 대판 2008.1.17, 2007도9624 ③ 대판 2010.4.29, 2010도930 ④ 대판 2009.3.26, 2007도3520

15 **상해와 폭행의 죄에 관한 다음 설명 중 가장 옳지 않은 것은?**(다툼이 있는 경우 판례에 의함)

24. 법원행시

① 직계존속인 피해자를 폭행하고, 상해를 가한 것이 존속에 대한 동일한 폭력 습벽의 발현에 의한 것으로 인정되는 경우, 그중 법정형이 더 중한 상습존속상해죄에 나머지 행위들을 포괄시켜 하나의 죄만이 성립한다.

② 군인 등이 대한민국의 국군이 군사작전을 수행하기 위한 근거지에서 군인 등을 폭행했다면 그곳이 대한민국의 영토 내인지, 외국군의 군사기지인지 등과 관계없이 군형법 제60조의 6 제1호에 따라 형법 제260조 제3항이 적용되지 않는다.

③ 특수폭행치상의 경우 형법 제258조의2(특수상해)의 신설에도 불구하고 종전과 같이 상해를 규율한 형법 제257조 제1항의 예에 의하여 처벌하는 것으로 해석함이 타당하다.

④ 형법 제263조의 동시범 규정은 강간치상죄에는 적용할 수 없으나, 상해치사죄에는 적용된다.

⑤ 피고인이 상습으로 甲을 단순폭행하고, 어머니인 乙을 존속 폭행한 경우 각 범행이 동일한 폭행 습벽의 발현에 의한 것으로 인정되는 경우, 그중 법정형이 더 중한 상습존속폭행죄에 나머지 행위를 포괄하여 하나의 죄만이 성립한다고 봄이 타당하나, 만일 乙이 제1심판결 선고 전에 처벌을 원하지 않는다는 의사를 밝힌 경우에는 상습존속폭행죄에 대하여 공소기각 판결을 선고하여야 한다.

해설 ① 대판 2003.2.28, 2002도7335
② 대판 2023.6.15, 2020도927
③ 대판 2018.7.24, 2018도3443
④ 대판 1984.4.24, 84도372
⑤ × : ~ (3줄) 성립한다고 봄이 타당하므로, 만일 乙이 제1심판결 선고 전에 처벌을 원하지 않는다는 의사를 밝힌 경우에도 상습존속폭행죄에 대하여 공소기각 판결을 선고할 수 없다(대판 2018.4.24, 2017도10956 ∵ 상습존속폭행죄 ⇨ 반의사불벌죄 ×).

Answer 15. ⑤

16 **상해와 폭행의 죄에 관한 설명으로 옳지 않은 것만을 모두 고른 것은?**(다툼이 있는 경우 판례에 의함)

24. 경위공채

> ㉠ 甲이 A의 빰을 1회 때리고 오른손으로 목을 쳐서 A로 하여금 그대로 뒤로 넘어지면서 머리를 땅바닥에 부딪치게 하여 A에게 두부손상을 가하고 그로 인해 A가 병원에서 입원치료를 받다가 합병증으로 사망한 경우, 그러한 甲의 범행으로 인하여 두부손상이 발생하였고 이를 치료하는 과정에서 직접사인이 된 합병증이 유발되었다 하더라도, 합병증의 유발에 A의 기왕의 간경화 등 질환이 영향을 미쳤다면, 甲의 범행과 A의 사망 사이에 인과관계를 인정할 수 없고, 사망의 결과에 대한 예견가능성도 부정된다.
> ㉡ 甲이 직계존속인 A를 2회 폭행하고, 4회 상해를 가한 것이 존속에 대한 동일한 폭력습벽의 발현에 의한 것으로 인정되는 경우, 그 중 법정형이 더 중한 상습존속상해죄에 나머지 행위들을 포괄시켜 하나의 죄만이 성립한다.
> ㉢ 甲이 A를 협박하여 A로 하여금 자상케 한 경우, 甲에게 상해의 결과에 대한 인식이 있고 그 협박의 정도가 A의 의사결정의 자유를 상실케 함에 족한 것인 이상 甲에 대하여 상해죄를 구성한다.
> ㉣ 甲이 A의 신체에 공간적으로 근접하여 고성으로 폭언이나 욕설을 하거나 동시에 손발이나 물건을 휘두르거나 던지는 행위는 직접 피해자의 신체에 접촉하지 않았다 하더라도 이는 A에 대한 불법한 유형력의 행사로서 폭행에 해당될 수 있다.

① ㉠　　② ㉠, ㉡, ㉢　　③ ㉠, ㉡　　④ ㉡, ㉢, ㉣

해설 ㉠ × : 인과관계 ○, 예견가능성 ○(대판 2012.3.15, 2011도17648 ∴ 상해치사죄 ○)
㉡ ○ : 대판 2003.2.28, 2002도7335
㉢ ○ : 대판 1970.9.22, 70도1638
㉣ ○ : 대판 1990.2.13, 89도1406

Answer 16. ①

제3절 과실치사상의 죄

1 과실치상죄

제266조 제1항 과실로 인하여 사람의 신체를 상해에 이르게 한 자는 500만원 이하의 벌금, 구류 또는 과료에 처한다.
제266조 제2항 본죄는 피해자의 명시한 의사에 반하여 공소를 제기할 수 없다.

미수범 처벌 ×, 반의사불벌죄 ○ 20. 해경승진

2 과실치사죄

제267조 과실로 인하여 사람을 사망에 이르게 한 자는 2년 이하의 금고 또는 700만원 이하의 벌금에 처한다.

미수범 처벌 ×, 반의사불벌죄 × 20. 해경승진

3 업무상 과실치사상 · 중과실치사상죄

제268조 업무상 과실 또는 중대한 과실로 사람을 사망이나 상해에 이르게 한 자는 5년 이하의 금고 또는 2천만원 이하의 벌금에 처한다.

반의사불벌죄 × 13. 법원행시, 24. 해경승진

관련판례

1. 안수기도를 하면서 고령의 여자 노인(84세)이나 나이 어린 여자 아이(11세)의 배와 가슴부분을 세게 때려 죽음에 이르게 한 경우 ⇨ 중과실치사죄(대판 1997.4.22, 97도538) 14. 수사경과, 17. 7급 검찰, 19. 9급 검찰
2. ① 업무상 과실치상죄의 '업무'란 사람의 사회생활면에서 하나의 지위로서 계속적으로 종사하는 사무로, 수행하는 직무 자체가 위험성을 갖기 때문에 안전배려를 의무의 내용으로 하는 경우는 물론 사람의 생명 · 신체의 위험을 방지하는 것을 의무의 내용으로 하는 업무도 포함한다(대판 2022.12.1, 2022도11950 예 공휴일 또는 야간에 구치소에 수용된 수용자들의 생명 · 신체의 위험을 방지할 의무를 직무로서 수행하는 교도관들의 업무 ⇨ 업무상 과실치사죄의 업무 ○ : 대판 2007.5.31, 2006도3493). 12. 사시 · 경찰승진, 24. 해경승진
   ② 골프와 같은 개인 운동경기에서, 경기에 참가하는 자는 자신의 행동으로 인해 다른 사람이 다칠 수도 있으므로 경기규칙을 준수하고 주위를 살펴 상해의 결과가 발생하는 것을 미연에 방지해야 할 (업무상 ×) 주의의무가 있고, 경기보조원은 경기 참가자들의 안전을 배려하고 그 생명 · 신체의 위험을 방지할 업무상 주의의무를 부담한다(대판 2022.12.1, 2022도11950).

관련판례

• (업무상) **과실치사상죄를 인정한 경우**

1. 화물차를 주차하고 적재함에 적재된 토마토 상자를 운반하던 중 적재된 상자 일부가 떨어지면서 지나가던 피해자에게 상해를 입힌 경우, 교통사고처리특례법에 정한 '교통사고'〔차의 교통(사람 또는 물건의 이동이나 운송)으로 인하여 사람을 사상하거나 물건을 손괴하는 것〕에 해당하지 않아 (형법상) 업무상 과실치상죄가 성립한다(대판 2009.7.9, 2009도2390). 12. 경찰승진·순경 3차, 16·19. 수사경과, 22. 해경간부, 24. 경찰간부·해경승진·해경경위
2. 환자의 주치의 겸 정형외과 전공의 甲이 같은 과 수련의 乙의 처방에 대한 감독의무를 소홀히 한 나머지, 환자가 수련의 乙의 잘못된 처방으로 인하여 상해를 입게 된 경우(대판 2007.2.22, 2005도9229) 13. 법원직, 15. 경찰간부, 16. 사시·9급 검찰
3. 간호사에게 혈액봉지의 교체를 일임한 것이 관행에 따른 것이라는 이유만으로 정당화될 수는 없고, 인턴은 혈액봉지가 바뀐 것에 대한 과실책임을 면할 수 없다(대판 1998.2.27, 97도2812). 14. 7급 검찰, 15. 수사경과, 16. 경찰승진, 17. 경찰간부, 24. 해경간부
   ▶ **비교판례** : 간호사가 의사의 처방에 의한 정맥주사(Side Injection 방식)를 의사의 입회 없이 간호실습생에게 실시하게 하여 의료사고가 발생한 경우, 그 사고에 대한 의사의 과실은 부정된다(대판 2003.8.19, 2001도3667). 18. 법원행시, 22. 변호사시험, 21·24. 경찰간부
4. 골프경기를 하던 중 골프공을 쳐서 아무도 예상하지 못한 자신의 등 뒤편으로 보내어 등 뒤에 있던 경기보조원(캐디)에게 상해를 입힌 경우에는 주의의무를 현저히 위반하여 사회적 상당성의 범위를 벗어난 행위로서 과실치상죄가 성립한다(대판 2008.10.23, 2008도6940). 14. 사시, 16. 경찰승진, 21. 해경간부
5. 원칙적으로 도급인에게는 수급인의 업무와 관련하여 사고방지에 필요한 안전조치를 취할 주의의무가 없으나, 법령에 의하여 도급인에게 수급인의 업무에 관하여 구체적인 관리·감독의무 등이 부여되어 있거나 도급인이 공사의 시공이나 개별 작업에 관하여 구체적으로 지시·감독하였다는 등의 특별한 사정이 있는 경우에는 도급인에게도 수급인의 업무와 관련하여 사고방지에 필요한 안전조치를 취할 주의의무가 있다(대판 2009.5.28, 2008도7030). 14. 9급 철도경찰, 16. 법원행시, 17. 변호사시험, 21. 해경간부, 22. 경찰승진, 24. 해경경위
6. 산후조리원에 입소한 신생아가 계속하여 잦은 설사 등의 이상증세를 보임에도 불구하고, 산후조리원의 신생아 집단관리를 맡은 책임자인 甲이 의사 등의 진찰을 받도록 하지 않아 신생아가 사망한 경우 ⇨ 업무상 과실치사죄 ○(대판 2007.11.16, 2005도1796) 16. 7급 검찰·철도경찰, 19. 수사경과, 22. 해경간부
7. 골프장의 경기보조원이 골프 카트에 승객들을 태우고 진행하기 전에 안전 손잡이를 잡도록 고지하지도 않고, 또한 승객들이 안전 손잡이를 잡았는지 확인하지도 않은 상태에서 만연히 출발하였으며, 각도 70°가 넘는 우로 굽은 길을 속도를 충분히 줄이지 않고 급하게 우회전하여 상해를 입게 한 경우 ⇨ 업무상 과실치상죄(대판 2010.7.22, 2010도1911) 12. 순경 3차, 16. 9급 검찰·수사경과
8. 공사감리자가 관계 법령과 계약에 따른 감리업무를 소홀히 하여 건축물 붕괴 등으로 인하여 사상의 결과가 발생한 경우에는 업무상 과실치사상의 죄책을 면할 수 없다(대판 2010.6.24, 2010도2615). 12. 경찰승진, 19. 수사경과, 22. 해경간부, 24. 해경경위
9. 정신병 환자에게 투여한 치료제의 부작용으로 발생한 저혈압을 치유하기 위하여 포도당약을 과다히 주사하여 환자가 전해질 이상 등으로 쇼크로 사망한 경우 환자의 주치의사는 업무상 과실치사죄의 책임을 면할 수는 없다(대판 1994.12.9, 93도2524). 06·07·09. 경찰승진

10. 간호사가 수술 직후의 환자에 대한 진료를 보조하면서 1시간 간격으로 4회 활력징후를 측정하라는 담당의사의 지시에 따르지 아니하였고 그 후 위 환자가 과다출혈로 사망한 경우 ⇨ 업무상 과실치사죄(대판 2010.10.28, 2008도8606) 19. 수사경과, 22. 해경간부
11. 전격성 간염의 경과를 보이는 입원환자를 직접 관찰하거나 진단하지 않고 간호사로 하여금 신경안정제를 투여하게 한 종합병원 야간 당직의사에게 업무상 과실이 인정된다(대판 2007.9.20, 2006도9435).
12. 함께 술을 마신 후 만취된 사람을 방 안에 혼자 눕혀 놓고 촛불을 끄지 않고 나오는 바람에 화재가 발생하여 사망한 경우 과실치사의 책임을 진다(대판 1994.8.26, 94도1291).

• (업무상) **과실치사상죄를 부정한 경우**

1. 건물 소유자가 안전배려나 안전관리 사무에 계속적으로 종사하거나 그러한 계속적 사무를 담당하는 지위를 가지지 않은 채 단지 건물을 비정기적으로 수리하거나 건물의 일부분을 임대하였다는 사정만으로는 건물 소유자의 위와 같은 행위가 업무상 과실치상죄의 '업무'에 해당한다고 보기 어렵다(대판 2017.12.5, 2016도16738). 15. 9급 검찰·마약수사, 20. 해경승진, 22. 변호사시험·경찰승진
2. 상무이사인 현장소장이 현장에서의 공사감독을 전담하였다면, 사장에게 자신의 직접적인 지휘·감독을 받지 않는 회사직원 혹은 고용한 노무자들이 저지른 안전수칙 위반사고에 대하여 일일이 세부적인 안전대책을 강구하여야 하는 구체적이고 직접적인 주의의무는 인정되지 않는다(대판 1989.11.24, 89도1618). 14. 경찰간부, 24. 해경간부

   ▶ **유사판례** : 호텔을 경영하는 회사에 대표이사가 따로 있고 담당업무에 대한 실무자 및 소방법상 방화관리자까지 선정되어 있다면, 회사의 업무에 전혀 관여하지 않는 소위 회장에게는 종업원의 부주의와 호텔구조상 결함으로 발생, 확대된 화재에 대한 구체적·직접적 주의의무가 없다(대판 1986.7.22, 85도108). 14. 경찰간부, 18. 법원행시

3. 술을 마시고 찜질방에 들어온 甲이 찜질방 직원 몰래 후문으로 나가 술을 더 마신 다음 후문으로 다시 들어와 발한실(發汗室)에서 잠을 자다가 사망한 경우, 위 찜질방 직원 및 영업주가 공중위생영업자로서의 업무상 주의의무를 위반하였다고 볼 수 없다(대판 2010.2.11, 2009도9807). 14. 사시, 16. 경찰간부·경찰승진, 21. 해경간부
4. 한의사인 甲이 피해자에게 문진하여 과거 봉침을 맞고도 별다른 이상반응이 없었다는 답변을 듣고 알레르기 반응검사를 생략한 채 환부에 봉침시술을 하였는데, 피해자가 위 시술 직후 쇼크반응을 나타내는 등 상해를 입은 경우(대판 2011.4.14, 2010도10104 ∵ 과실 ×, 인과관계 ×) 13. 사시·순경 1차, 14. 9급 철도경찰, 15. 경찰간부
5. 병원 인턴인 피고인이, 응급실로 이송되어 온 익수(溺水)환자 甲을 담당의사 乙의 지시에 따라 구급차에 태워 다른 병원으로 이송하던 중 산소통의 산소잔량을 체크하지 않은 과실로 산소 공급이 중단된 결과 甲을 폐부종 등으로 사망에 이르게 한 경우 ⇨ 무죄 ○, 업무상 과실치사죄 ×(대판 2011.9.8, 2009도13959) 12. 경찰간부, 14. 사시, 16. 7급 검찰·철도경찰
6. 건설회사가 건설공사 중 타워크레인의 설치작업을 전문업자에게 도급주어 타워크레인 설치작업을 하던 중 발생한 사고에 대하여 건설회사의 현장대리인에게 업무상 과실이 인정되지 않는다(대판 2005.9.9, 2005도3108). 15. 순경 3차, 16. 경찰간부·수사경과, 22. 해경 2차
7. 내과의사가 신경과 전문의에 대한 협의진료 결과와 환자에 대한 진료경과 등을 신뢰하여 뇌혈관계통 질환의 가능성을 염두에 두지 않고 내과 영역의 진료행위를 계속하다가 환자의 뇌지주막하출혈

을 발견하지 못하여 식물인간 상태에 이르게 한 경우 내과의사의 업무상 과실이 인정되지 않는다(대판 2003.1.10, 2001도3292). 17. 수사경과, 22. 해경 2차, 24. 경찰간부

8. 야간 당직간호사가 담당 환자의 심근경색 증상을 당직의사에게 제대로 보고하지 않아 당직의사가 필요한 조치를 취하지 못한 채 환자가 사망한 경우 ⇨ 당직의사 ⇨ 업무상 과실 ×(대판 2007.9.20, 2006도294 ▶ **주의** : 당직간호사 ⇨ 업무상 과실 ○) 16. 경찰간부, 17. 수사경과, 18. 경찰승진
9. 수술 도중에 수술 메스가 부러지자 담당의사가 부러진 메스조각을 찾아 제거하려고 노력을 다하였으나 찾지 못하자 메스조각의 정확한 위치와 이동상황을 파악한 후 재수술을 할 생각으로 수술 부위를 봉합한 경우에 담당의사의 업무상 과실을 인정할 수 없다(대판 1999.12.10, 99도3711). 16. 경찰간부, 17. 수사경과, 22. 해경 2차
10. 지하철 공사구간 현장안전업무 담당자인 甲이 공사현장에 인접한 기존의 횡단보도 표시선 안쪽으로 돌출된 강철빔 주위에 라바콘 3개를 설치하고 신호수 1명을 배치하였는데, 피해자가 위 횡단보도를 건너면서 강철빔에 부딪혀 상해를 입은 경우(대판 2014.4.10, 2012도11361 ∵ 업무상 주의의무 위반 ×) 15. 경찰간부, 18. 경찰승진
11. 교사가 징계목적으로 학생들의 손바닥을 때리기 위해 회초리를 들어 올리는 순간 이를 구경하기 위해 옆으로 고개를 돌려 일어나는 다른 학생의 눈을 찔러 그로 하여금 우안 실명의 상해를 입게 한 경우 업무상 과실치상죄에 해당하지 않는다(대판 1985.7.9, 84도822). 16. 경찰간부, 22. 해경 2차
12. 소아외과 의사가 5세의 급성 림프구성 백혈병 환자의 항암치료를 위하여 쇄골하 정맥에 중심정맥도관을 삽입하는 수술을 하는 과정에서 환자의 우측 쇄골하 부위를 주사바늘로 10여 차례 찔러 환자가 우측 쇄골하 혈관 및 흉막 관통상에 기인한 외상성 혈흉으로 인한 순환혈액량 감소성 쇼크로 사망한 경우, 담당 소아외과 의사에게 형법 제268조의 업무상 과실이 없다(대판 2008.8.11, 2008도3090). 12. 경찰간부
13. 담임교사가 유리창을 청소할 때는 교실안쪽에서 닦을 수 있는 유리창만을 닦도록 지시하였는데도 유독 피해자만이 수업시간이 끝나자마자 베란다로 넘어 갔다가 밑으로 떨어져 사망한 경우(대판 1989.3.28, 89도108) 10. 법원행시, 21. 해경간부
14. 음식 배달을 위하여 식당의 여닫이 출입문을 밀다가 출입문 밖에 서있던 피해자의 발뒷꿈치를 충격하여 상해를 입힌 경우 ⇨ 업무상 과실치상죄 ×(대판 2009.10.29, 2009도5753 ∵ 피고인이 그 업무상 하여야 할 구체적이고도 직접적인 주의의무를 위반한 때에 해당한다고 보기 어렵고, 단순히 일상생활상의 주의의무를 위반한 경우에 불과함) 21. 해경간부, 22. 순경 1차
15. 마취통증의학과 의사인 피고인이 수술실에서 환자인 피해자 甲(73세)에게 마취시술을 시행한 다음 간호사 乙에게 환자의 감시를 맡기고 수술실을 이탈하였는데, 이후 甲에게 저혈압이 발생하고 혈압 회복과 저하가 반복됨에 따라 乙이 피고인을 수회 호출하자, 피고인은 수술실에 복귀하여 甲이 심정지 상태임을 확인하고 마취해독제 투여, 심폐소생술 등의 조치를 취하였으나, 甲이 심정지 등으로 사망에 이르게 된 경우 ⇨ 업무상 과실치사죄 ×(대판 2023.8.31, 2021도1833 ∵ 피고인의 업무상 과실로 甲이 사망하게 되었다는 점이 합리적인 의심의 여지가 없을 정도로 증명되었다고 보기 어렵다.)

CHAPTER

01 기출문제

01 다음 중 甲에게 업무상 과실치상죄가 성립하는 것은 모두 몇 개인가?(다툼이 있는 경우 판례에 의함)

15. 경찰간부

㉠ 한의사인 甲이 피해자에게 문진하여 과거 봉침을 맞고도 별다른 이상반응이 없었다는 답변을 듣고 알레르기 반응검사를 생략한 채 환부에 봉침시술을 하였는데, 피해자가 위 시술 직후 쇼크반응을 나타내는 등 상해를 입은 경우
㉡ 甲이 화물차를 주차하고 적재함에 적재된 토마토 상자를 운반하던 중 적재된 상자 일부가 떨어지면서 지나가던 피해자에게 상해를 입힌 경우
㉢ 환자의 주치의 겸 정형외과 전공의 甲이 같은 과 수련의 乙의 처방에 대한 감독의무를 소홀히 한 나머지, 환자가 수련의 乙의 잘못된 처방으로 인하여 상해를 입게 된 경우
㉣ 지하철 공사구간 현장안전업무 담당자인 甲이 공사현장에 인접한 기존의 횡단보도 표시선 안쪽으로 돌출된 강철빔 주위에 라바콘 3개를 설치하고 신호수 1명을 배치하였는데, 피해자가 위 횡단보도를 건너면서 강철빔에 부딪혀 상해를 입은 경우

① 1개 ② 2개 ③ 3개 ④ 4개

해설
- **업무상 과실치상죄** ○ : ㉡ 대판 2009.7.9, 2009도2390 ㉢ 대판 2007.2.22, 2005도9229
- **업무상 과실치상죄** × : ㉠ 대판 2011.4.14, 2010도10104 ㉣ 대판 2014.4.10, 2012도11361(∵ 업무상 주의의무 위반 ×)

02 업무상 과실치사상죄에 대한 다음 설명 중 옳지 않은 것은 모두 몇 개인가?(다툼이 있는 경우 판례에 의함)

16. 경찰간부, 17. 수사경과, 22. 해경 2차

㉠ 수술 도중에 수술 메스가 부러지자 담당의사가 부러진 메스조각을 찾아 제거하려고 노력을 다하였으나 찾지 못하자 메스조각의 정확한 위치와 이동상황을 파악한 후 재수술을 할 생각으로 수술 부위를 봉합한 경우에 담당의사의 업무상 과실을 인정할 수 없다.
㉡ 야간 당직간호사가 담당 환자의 심근경색 증상을 당직의사에게 제대로 보고하지 않아 당직의사가 필요한 조치를 취하지 못한 채 환자가 사망한 경우 당직간호사에게 업무상 과실을 인정할 수 없다.
㉢ 내과의사가 신경과 전문의에 대한 협의진료 결과와 환자에 대한 진료경과 등을 신뢰하여 뇌혈관계통 질환의 가능성을 염두에 두지 않고 내과 영역의 진료행위를 계속하다가 환자의 뇌지주막하출혈을 발견하지 못하여 식물인간 상태에 이르게 한 경우 내과의사의 업무상 과실이 인정된다.

Answer 01. ② 02. ④

㉣ 교사가 징계목적으로 학생들의 손바닥을 때리기 위해 회초리를 들어 올리는 순간 이를 구경하기 위해 옆으로 고개를 돌려 일어나는 다른 학생의 눈을 찔러 그로 하여금 우안 실명의 상해를 입게 한 경우 업무상 과실치상죄에 해당한다.
㉤ 건설회사가 건설공사 중 타워크레인의 설치작업을 전문업자에게 도급주어 타워크레인 설치작업을 하던 중 발생한 사고에 대하여 건설회사의 현장대리인에게 업무상 과실이 인정된다.

① 1개 ② 2개 ③ 3개 ④ 4개

해설 ㉠ ○ : 대판 1999.12.10, 99도3711
㉡ × : 당직간호사 ⇨ 업무상 과실 ○, 당직의사 ⇨ 업무상 과실 ×(대판 2007.9.20, 2006도294)
㉢ × : ~ 인정되지 않는다(대판 2003.1.10, 2001도3292).
㉣ × : ~ 해당하지 않는다(대판 1985.7.9, 84도822).
㉤ × : ~ 인정되지 않는다(대판 2005.9.9, 2005도3108).

03 **다음 설명 중 옳지 않은 것은 모두 몇 개인가?**(다툼이 있는 경우 판례에 의함) 21 · 22. 해경간부

㉠ 골프경기를 하던 중 골프공을 쳐서 아무도 예상하지 못한 자신의 등 뒤편으로 보내어 등 뒤에 있던 경기보조원(캐디)에게 상해를 입힌 경우에는 주의의무를 현저히 위반하여 사회적 상당성의 범위를 벗어난 행위로서 중과실치상죄가 성립한다.
㉡ 도급인이 수급인에게 공사의 시공이나 개별 작업에 관하여 구체적으로 지시 · 감독하였더라도, 법령에 의하여 도급인에게 구체적인 관리 · 감독의무가 부여되어 있지 않다면 도급인에게는 수급인의 업무와 관련하여 사고방지에 필요한 안전조치를 해야 할 주의의무가 없다.
㉢ 술을 마시고 찜질방에 들어온 甲이 찜질방 직원 몰래 후문으로 나가 술을 더 마신 다음 후문으로 다시 들어와 발한실에서 잠을 자다가 사망한 경우, 위 찜질방 직원 및 영업주가 공중위생업자로서의 업무상 주의의무를 위반하였다고 볼 수 없다.
㉣ 단지 건물의 소유자로서 건물을 비정기적으로 수리하거나 건물의 일부분을 임대하였다는 사정만으로는 업무상 과실치상죄에 있어서의 '업무'로 보기 어렵다.
㉤ 공사감리자가 관계 법령과 계약에 따른 감리업무를 소홀히 하여 건축물 붕괴 등으로 인하여 사상의 결과가 발생한 경우에는 업무상 과실치사상의 죄책을 면할 수 없다.

① 2개 ② 3개 ③ 4개 ④ 5개

해설 ㉠ × : 과실치상죄 ○, 중과실치상죄 ×(대판 2008.10.23, 2008도6940).
㉡ × : ~ 지시 · 감독하였더라면, ~ 부여되어 있지 않더라도 ~ 주의의무가 있다(대판 2009.5.28, 2008도7030).
㉢ ○ : 대판 2010.2.11, 2009도9807
㉣ ○ : 대판 2017.12.5, 2016도16738
㉤ ○ : 대판 2010.6.24, 2010도2615

Answer 03. ①

04 업무상 과실치사상죄에 관한 설명으로 가장 적절하지 않은 것은?(다툼이 있는 경우 판례에 의함)

24. 경찰간부

① 초등학교 6학년생이 수영장 안에 엎어져 있는 것을 수영장 안전요원이 발견하여 인공호흡을 실시한 뒤 의료기관에 후송하였으나 후송도중 사망한 경우, 그 사망의 원인이 구체적으로 밝혀지지 않은 상태에서 수영장 안전요원과 수영장 관리책임자에게 업무상 주의의무를 게을리한 과실이 있다고 볼 수 없다.

② 화물차주 甲이 화물차를 주차하고 적재함에 적재된 토마토상자를 운반하던 중 적재된 상자 일부가 떨어지면서 지나가던 A에게 상해를 입힌 경우, 교통사고처리특례법에 정한 '교통사고'에 해당하여 업무상 과실치상죄가 성립한다.

③ 내과의사가 신경과 전문의에 대한 협의진료결과와 환자에 대한 진료경과 등을 신뢰하여 뇌혈관계통 질환의 가능성을 염두에 두지 않고 내과 영역의 진료행위를 계속하다가 환자의 뇌지주막하 출혈을 발견하지 못하여 식물상태에 이르게 한 경우, 업무상 주의의무위반이 인정되지 않는다.

④ 간호사가 의사의 처방에 의한 정맥주사(Side Injection 방식)를 의사의 입회 없이 간호실습생에게 실시하게 하여 의료사고가 발생한 경우, 그 사고에 대한 의사의 과실은 부정된다.

해설 ① 대판 2002.4.9, 2001도6601

② ×: ~ (3줄) 교통사고처리특례법에 정한 '교통사고'에 해당하지 않아 형법상 업무상 과실치상죄가 성립한다(대판 2009.7.9, 2009도2390).

③ 대판 2003.1.10, 2001도3292

④ 대판 2003.8.19, 2001도3667

Answer 04. ②

제4절 낙태의 죄

주의 : 헌법재판소가 임산부의 자기낙태죄(제269조 제1항)와 의사낙태죄(제270조 제1항 : 임신한 여성의 촉탁 또는 승낙을 받아 낙태하게 한 의사를 처벌)에 대해 헌법불합치결정을 선고하면서 개정시한(2020년 12월 31일)을 정하여 입법 개선을 촉구하였으나(헌재결 2018.4.11, 2017헌바127), 21. 경찰승진 개정시한까지 법개정이 이루어지지 않아 위의 두 조항은 효력을 잃었습니다. 향후 법개정이 이루어지면 사이트(www.pmg.co.kr 박문각 경찰)에 자세한 내용을 정오표로 올려 드리겠습니다.

관련판례

산부인과 원장 A는 인터넷 낙태수술 광고를 보고 연락한 여성 B와 B의 어머니 C로부터 낙태 시술을 요청받고, 2019년 3월 B에 대해 낙태시술을 했다. A는 임신 34주의 태아를 제왕절개 방식으로 꺼낸 뒤 물 속에 담가 숨을 쉬지 못하게 하는 방법으로 살해한 경우 ⇨ 업무상 촉탁낙태죄 ×(∵ 헌법재판소가 헌법불합치 결정을 내린 업무상 촉탁낙태죄는 소급해 효력이 없으므로 이를 근거로 낙태시술을 한 의사를 처벌하지 못한다), 살인죄 ○(대판 2021.2.25, 2020도12108)

제5절 유기와 학대의 죄

1 유기의 죄

(1) 단순유기죄

제271조 제1항 나이가 많거나 어림, 질병 그 밖의 사정으로 도움이 필요한 사람을 법률상 또는 계약상 보호할 의무가 있는 자가 유기한 경우에는 3년 이하의 징역 또는 500만원 이하의 벌금에 처한다.

미수범 처벌 ×, 상습범 가중처벌 × 20. 수사경과

① **보호법익** : 피유기자의 생명·신체의 안전(추상적 위험범)

② **주체** : 부조를 요하는 자를 보호할 법률상·계약상 의무 있는 자(사회상규상 의무 있는 자 ×) 15·17. 경찰승진, 18. 경찰간부, 16·20. 수사경과

관련판례

1. 유기죄의 보호의무는 법률상·계약상 보호의무에 한하지 사회상규(사무관리·관습·조리)상의 보호의무는 인정할 수 없다(대판 1977.1.11, 76도3419). 16. 경찰승진, 20. 경찰간부, 21. 해경간부
2. 형법 제271조 제1항에서 말하는 '법률상 보호의무'에 민법 제826조 제1항에 근거한 부부 간의 부양의무도 포함되며, 혼인의 의사가 있고 혼인생활의 실체가 존재한다면 사실혼 관계에서도 보호의무가 인정된다. 다만, 동거 또는 내연관계를 맺은 사정만으로는 사실혼 관계를 인정할 수 없다〔대판 2008.2.14,

2007도3952 예 4년여 동안 동거하기도 하면서 내연관계를 맺어온 내연녀가 치사량의 필로폰을 복용하여 부조를 요하는 상태에 있었음에도 돌보지 않아 사망한 경우(동거남의 죄책) ⇨ 유기치사죄 ×]. 21. 경찰간부, 20 · 24. 9급 검찰 · 마약수사 · 해경 1차, 24. 경찰승진 · 경위공채

3. 유기죄에 관한 형법 제271조 제1항의 '계약상 의무'는 계약에 기한 주된 급부의무가 부조를 제공하는 것인 경우에 반드시 한정되지 아니하며, 계약의 해석상 계약관계의 목적이 달성될 수 있도록 상대방의 신체 또는 생명에 대하여 주의와 배려를 한다는 부수적 의무의 한 내용으로 상대방을 부조하여야 하는 경우를 배제하는 것은 아니라고 할 것이다. 단지 위와 같은 부수의무로서의 민사적 부조의무 또는 보호의무가 인정된다고 해서 형법 제271조 소정의 '계약상 의무'가 당연히 긍정된다고는 말할 수 없다(대판 2011.11.24, 2011도12302 예 자신의 주점에 손님으로 와서 수일 동안 식사는 한 끼도 하지 않은 채 계속하여 술을 마시고 만취한 피해자를 방치하여 저체온증 등으로 사망에 이르게 한 경우 계약상의 부조의무를 부담하므로 유기치사죄가 성립한다). 17. 수사경과, 21. 경찰간부, 22 · 24. 경찰승진, 24. 9급 검찰 · 마약수사
4. 강간치상범이 실신상태에 있는 피해자를 방치하고 도주하였더라도 유기죄는 성립하지 않는다(대판 1980.6.24, 80도726 ∵ 이미 다른 범죄로 위험발생 ○, 별도의 보호의무 발생 × ∴ 포괄하여 강간치상죄 일죄). 21. 경찰간부 · 9급 검찰 · 마약수사, 22. 해경간부, 23. 변호사시험, 24. 해경승진 · 경찰승진
5. 경찰관은 경찰관직무집행법 등에 의하여 머리를 심하게 다친 상태로 경찰서에 누워 있는 사람을 구조할 법률상 의무가 있기 때문에 유기죄의 주체가 될 수 있다(대판 1972.6.27, 72도863). 17. 법원행시, 20. 경찰간부 · 해경승진, 21. 9급 검찰 · 마약수사, 24. 경위공채
6. 술에 취한 甲과 乙이 우연히 같은 길을 가다가 개울로 떨어져 甲은 가까스로 귀가하고 乙은 머리를 다쳐 앓다가 추운 날씨에 심장마비로 사망한 경우 甲은 무죄이다(대판 1977.1.11, 76도3419 ∵ 법률상 · 계약상 보호의무 ×). 16. 경찰승진, 17. 법원행시, 20 · 21. 수사경과, 24. 해경승진
7. 유기죄에서의 유기행위는 도움이 필요한 자를 보호 없는 상태로 둠으로써 생명 · 신체를 위태롭게 하는 것이므로 작위뿐만 아니라 부작위에 의하여도 성립하며, 유기를 당한 사람의 생명 · 신체에 위험을 발생하게 할 가능성이 있으면 유기행위의 요건은 충족되고 반드시 보호의 가능성이 전혀 없을 것을 요하는 것은 아니다(대판 2015.11.12, 2015도6809 전원합의체). 25. 변호사시험

---

③ **주관적 구성요건** : 유기죄는 행위자가 요부조자에 대한 보호책임의 발생 원인이 된 사실이 존재한다는 것을 인식하고 이에 기한 부조의무를 해태한다는 의식이 있음을 요한다(대판 1988.8.9, 86도225). 16. 경찰승진, 20. 9급 검찰 · 마약수사 그러나 살인 · 상해의 고의로 유기하면 살인죄 · 상해죄만 성립한다(∵ 보충관계).

관련판례

甲은 호텔 객실에서 애인인 乙女에게 성관계를 요구하였는데, 乙女는 그 순간을 모면하기 위하여 甲이 모르는 사이에 7층 창문에서 뛰어내리다가 중상을 입었다. 그러나 이 사실을 모르는 甲이 빈사상태의 乙女를 방치하고 혼자서 호텔을 나온 경우 ⇨ (중)유기죄 ×(대판 1988.8.9, 86도225 ∵ 유기의 고의 ×)
16. 수사경과, 17. 경찰승진, 20. 경찰간부 · 해경 1차, 22. 해경간부

(2) 존속유기죄(가중처벌, 부진정신분범)

제271조 제2항 자기 또는 배우자의 직계존속에 대하여 제1항의 죄(단순유기)를 지은 경우에는 10년 이하의 징역 또는 1천 500만원 이하의 벌금에 처한다.
제272조 【영아유기】 삭제(2023. 8 8)

(3) 중유기 · 중존속유기죄

제271조 제3항 제1항의 죄(단순유기)를 지어 사람의 생명(신체 ×)에 위험을 발생하게 한 경우에는 7년 이하의 징역에 처한다. 17. 경찰승진, 20. 해경 1차, 21. 경찰간부 · 수사경과, 24. 9급 검찰 · 마약수사
제271조 제4항 제2항의 죄(존속유기)를 지어 사람의 생명에 위험을 발생하게 한 경우에는 2년 이상의 유기징역에 처한다.

1. 구체적 위험범(생명에 대한 구체적 위험이 발생한 때 본죄 성립)
2. 부진정결과적 가중범(생명에 대한 구체적 위험을 과실로 발생하게 한 경우뿐 아니라 이에 관한 고의가 있는 때에도 본죄 성립)

(4) 유기치사상죄 · 존속유기치사상죄

유기죄 또는 존속유기죄를 범하여 사람을 사상에 이르게 함으로써 성립하는 결과적 가중범이다(제275조).

관련판례

1. 종교상 이유로 수혈을 거부하여 딸(11세)을 사망하게 한 어머니에 대해 유기치사죄가 성립한다(대판 1980.9.24, 79도1387 ∵ 요부조자를 위험한 장소에 두고 떠난 것이나 다름이 없음). 15. 경찰승진, 17. 법원행시, 20. 9급 검찰 · 마약수사, 20 · 21. 수사경과, 24. 해경승진 · 경위공채
2. 유기치사상죄에서 유기행위와 피해자의 사상이라는 결과 사이에 제3자의 행위가 일부 기여하였다고 할지라도 유기행위로 초래된 위험이 사상이라는 결과로 현실화된 경우라면 상당인과관계를 인정할 수 있다(대판 2015.11.12, 2015도6809 전원합의체). 22. 해경간부, 24. 9급 검찰 · 마약수사
3. 손님을 초대하여 술을 마시며 담소하다가 손님이 (청산가리) 음독증세를 일으킨 경우에 즉시 병원으로 가서 치료를 받게 하지 않아 손님이 사망한 경우(즉시 병원에 옮겼을지라도 결국 사망하게 되는 것이 밝혀짐), 유기행위와 피해자의 사망 간에는 상당인과관계가 없다(대판 1967.10.31, 67도1151).

2 학대의 죄

(1) 단순학대죄(진정신분범) · 존속학대죄(부진정신분범)

제273조 제1항 자기의 보호 또는 감독을 받는 사람을 학대한 자는 2년 이하의 징역 또는 500만원 이하의 벌금에 처한다.
제273조 제2항 자기 또는 배우자의 직계존속에 대하여 전항(단순학대)의 죄를 범한 때에는 5년 이하의 징역 또는 700만원 이하의 벌금에 처한다.

① **주체** : 타인을 보호 · 감독하는 자(진정신분범)
② **객체** : 행위자의 보호 · 감독을 받은 자

관련판례

1. 학대죄는 자기의 보호 또는 감독을 받는 사람에게 육체적으로 고통을 주거나 정신적으로 차별대우를 하는 행위가 있음과 동시에 범죄가 완성되는 상태범 또는 즉시범(계속범 ×)이다(대판 1986.7.8, 84도2922). 18. 경찰간부, 19. 경찰승진, 20. 수사경과, 21. 순경 1차 · 해경간부
2. 학대란 육체적으로 고통을 주거나 정신적으로 차별대우를 하는 행위를 가리키고, 이러한 학대행위는 단순히 상대방의 인격에 대한 반인륜적 침해만으로는 부족하고, 적어도 유기에 준할 정도에 이르러야 한다〔대판 2000.4.25, 2000도223 예 자기의 딸과 성관계를 시작하여(당시 12세) 처녀막 파열의 상처를 입히고 비정상적인 관계가 8년간 지속된 경우 ⇨ 미성년자의제강간치상죄 ○, 학대죄 ×〕. 18. 경찰간부, 21. 수사경과 · 9급 검찰 · 마약수사 · 법원행시 · 해경간부 · 경찰승진, 24. 경위공채
3. 4세된 아들을 대소변 못가린다는 이유로 닭장에 가두고 구타 ⇨ 학대죄 ○(대판 1969.2.4, 68도1793 ∵ 징계권 행사 ×) 15. 경찰승진, 16. 수사경과, 21. 해경간부
4. 아동복지법 제3조 제7호는 아동학대의 주체를 '보호자를 포함한 성인'으로 제한하고 있으나, 아동복지법 제17조(누구든지 다음 각호의 어느 하나에 해당하는 행위를 하여서는 아니 된다.)에서 금지하고 있는 행위 중 '아동학대'에 해당하는 행위의 경우 성인이 아니라고 하여 금지행위규정 및 처벌규정의 적용에서 배제된다고 할 수는 없다(대판 2020.10.15, 2020도6422). 21. 법원행시, 22. 순경 2차
5. 아동복지법상 금지되는 정서적 학대행위란, 정신적 폭력이나 가혹행위로서 아동의 정신건강 또는 복지를 해치거나 정신건강의 정상적 발달을 저해할 정도 혹은 그러한 결과를 초래할 위험을 발생시킬 정도에 이르는 것을 말한다(대판 2020.3.12, 2017도5769 예 보육교사인 피고인이 강압적이고 부정적인 태도를 보이며 4세인 피해아동을 높이 78cm에 이르는 교구장 위에 약 40분 동안 앉혀놓는 행위를 한 것이 피해아동에 대한 정서적 학대에 해당한다). 22. 순경 2차
6. 아동학대범죄의 처벌 등에 관한 특례법(2014. 1. 28. 제정, 2014. 9. 29. 시행)은 제34조 제1항(공소시효의 정지와 효력)의 소급적용에 관하여 명시적인 경과규정을 두고 있지 않지만, 동법 시행일 당시 범죄행위가 종료되었으나 아직 공소시효가 완성되지 않은 아동학대범죄에 대해서도 적용된다(대판 2021.2.25, 2020도3694). 22. 순경 2차
7. ① 아동복지법상 금지되는 신체적 학대행위란 '신체적 폭력이나 가혹행위로서 아동의 신체건강 또는 복지를 해치거나 정상적 신체발달을 저해할 정도 혹은 그러한 결과를 초래할 위험을 발생시킬 정도에 이르는 것'을 말하며, 반드시 아동에 대한 신체적 학대의 목적이나 의도가 있어야만 인정

되는 것은 아니고 자기의 행위로 아동의 건강 및 발달을 저해하는 결과가 발생할 위험 또는 가능성이 있음을 미필적으로 인식하면 충분하다(대판 2024.10.8, 2021도13926).

② 교사가 법령에서 정하는 바에 따라 아동인 학생을 교육하는 행위는 학생이 인격을 도야하고 자주적 생활능력과 민주시민의 자질을 갖추게 하는 등으로 학생의 복지에 기여하는 행위에 해당하므로, 특별한 사정이 없는 한 이를 두고 아동복지법이 금지하는 '학대행위'로 평가할 수 없다. 따라서 교사가 아동인 학생을 교육하는 과정에서 학생에게 신체적 고통을 느끼게 하였더라도, 그 행위가 법령에 따른 교육의 범위 내에 있다면 아동복지법 제17조 제3호를 위반하였다고 할 수 없다(대판 2024.10.8, 2021도13926).

③ 교사의 아동인 학생에 대한 지도행위가 법령과 학칙의 취지에 따른 것으로서 객관적으로 타당하다고 인정된다면 여전히 법령에 따른 교육행위의 범위에 속하는 것이고, 구 초·중등교육법 시행령 제31조 제8항에 따라 금지되는 체벌에 해당하지 않는 한 지도행위에 다소의 유형력이 수반되었다는 사정만으로 달리 볼 수 없다(대판 2024.10.8, 2021도13926 예 초등학교 담임교사인 피고인이 교실에서 피해아동이 율동시간에 율동을 하지 않는다는 이유로 "야 일어나."라며 소리를 지르고 피해아동의 팔을 위로 세게 잡아 일으키려 한 경우 ⇨ 신체적 학대행위 ×).

(2) 아동혹사죄

> **제274조** 자기의 보호 또는 감독을 받는 16세 미만의 자를 그 생명 또는 신체에 위험한 업무에 사용할 영업자 또는 그 종업자에게 인도한 자는 5년 이하의 징역에 처한다. 그 인도를 받은 자도 같다. 19. 경찰승진

진정신분범, 필요적 공범(대향범)

(3) 학대치사상죄·존속학대치사상죄

학대 또는 존속학대를 범하여 사람을 사상에 이르게 함으로써 성립하는 결과적 가중범이다(제275조).

CHAPTER 01

기출문제

01 **다음 설명 중 가장 옳은 것은?**(다툼이 있는 경우 판례에 의함) 17. 경찰승진, 20. 경찰간부

① 甲은 호텔에 함께 투숙한 애인 A녀에게 성관계를 요구하였고 A녀는 그 순간을 모면하기 위하여 甲이 전혀 모른 사이에 7층에서 뛰어내려 중상을 입고 생명이 위독하게 되었는데 그 사실을 전혀 모르는 甲이 빈사상태의 A녀를 방치하고 혼자서 호텔에서 나온 경우 중유기죄가 성립한다.

② 형법 제271조 제1항의 죄(단순유기죄)를 범하여 사람의 생명·신체에 대한 위험을 발생하게 한 때에는 중유기죄로서 가중처벌된다.

③ 유기죄의 보호의무는 법률이나 계약에 제한되지 않고 사무관리·관습·조리에 의해서도 가능하다는 것이 판례의 태도이다.

④ 경찰관은 경찰관직무집행법 등에 의하여 머리를 심하게 다친 상태로 경찰서에 누워 있는 사람을 구조할 법률상 의무가 있기 때문에 유기죄의 주체가 될 수 있다.

⑤ 유기죄는 형법상 상습범에 관한 가중처벌 규정이 있다.

해설 ① ×: 유기죄 ×(대판 1988.8.9, 86도225 ∵ 유기의 고의 ×)
② ×: ~ 사람의 생명(신체 ×)에 대한 ~ 된다(제271조 제3항).
③ ×: 법률상·계약상 보호의무에 한하지 사회상규(사무관리·관습·조리)상의 보호의무는 인정할 수 없다(대판 1977.1.11, 76도3419).
④ ○: 대판 1972.6.27, 72도863 ⑤ ×: 상습범 가중처벌 규정 ×

02 **유기와 학대의 죄에 대한 설명 중 옳지 않은 것을 모두 고른 것은?**(다툼이 있는 경우 판례에 의함) 18. 경찰간부, 19. 경찰승진

㉠ 자기의 보호 또는 감독을 받는 16세 미만의 자를 그 생명 또는 신체에 위험한 업무에 사용할 영업자 또는 그 종업자에게 인도한 자는 형법 제274조 아동혹사죄에 해당한다.
㉡ 학대죄는 자기의 보호 또는 감독을 받는 사람에게 육체적으로 고통을 주거나 정신적으로 차별대우를 하는 행위가 있음과 동시에 범죄가 완성되는 상태범 또는 즉시범이라 할 것이다.
㉢ 형법 제273조 제1항에서 말하는 '학대'라 함은 육체적으로 고통을 주거나 정신적으로 차별대우를 하는 행위를 가리키고, 이러한 학대행위는 단순히 상대방의 인격에 대한 반인륜적 침해만으로는 부족하고 적어도 유기에 준할 정도에 이르러야 한다.
㉣ 계약상 부수의무로서의 민사적 부조의무 또는 보호의무가 인정되는 경우 형법상 유기죄의 '계약상 의무'는 당연히 긍정된다고 할 것이다.
㉤ 형법은 유기죄에 있어서 법률상, 계약상 또는 사회상규상 의무있는 자를 유기죄의 주체로 규정하고 있다.
㉥ 4세인 아들이 대소변을 가리지 못한다고 닭장에 가두고 전신을 구타한 사안에서 판례는 학대죄를 인정하였다.

Answer 01. ④ 02. ④

① ㉠, ㉡ ② ㉠, ㉣ ③ ㉢, ㉥ ④ ㉣, ㉤

해설 ㉠ ○ : 제274조 ㉡ ○ : 대판 1986.7.8, 84도2922 ㉢ ○ : 대판 2000.4.25, 2000도223
㉣ × : 계약상 부수의무로서의 민사적 부조의무 또는 보호의무가 인정된다고 해서 형법 제271조 소정의 '계약상 의무'가 당연히 긍정된다고는 말할 수 없고, 사정을 고려하여 위 '계약상 부조의무'의 유무를 신중하게 판단하여야 한다(대판 2011.11.24, 2011도12302).
㉤ × : 현행 형법은 부조를 요하는 자를 보호할 법률상 또는 계약상 의무 있는 자만을 유기죄의 주체로 규정하고 있다(제271조 제1항). ㉥ ○ : 대판 1969.2.4, 68도1793

03 유기의 죄에 대한 설명으로 옳지 않은 것은?(다툼이 있는 경우 판례에 의함) 20. 9급 검찰·마약수사

① 사실혼 관계에 있는 사람들 사이에서 유기죄가 성립하기 위해서는 단순한 동거 또는 간헐적인 정교관계를 맺고 있다는 사정만으로는 부족하고, 그 당사자 사이에 혼인 의사가 있고 사회관념상 혼인생활의 실체가 존재하여야 한다.
② 수혈이 최선의 치료방법이라는 의사의 권유에도 불구하고 어머니가 종교적 신념을 이유로 사망의 위험이 예견되는 딸에 대한 수혈을 거부함으로써 딸을 사망에 이르게 한 경우 유기치사죄가 성립한다.
③ 유기죄가 성립하기 위해서는 행위자가 요부조자에 대한 보호책임의 발생원인이 된 사실이 존재한다는 것을 인식하고 이에 기한 부조의무를 해태한다는 의식이 있음을 요한다.
④ 자신의 주점에 손님으로 와서 수일 동안 식사는 한 끼도 하지 않은 채 계속하여 술을 마시고 만취한 피해자를 방치하여 저체온증 등으로 사망에 이르게 한 경우 유기치사죄가 성립하지 않는다.

해설 ① 대판 2008.2.14, 2007도3952 ② 대판 1980.9.24, 79도1387 ③ 대판 1988.8.9, 86도225
④ × : 유기치사죄 ○(대판 2011.11.24, 2011도12302 ∵ 계약상의 부조의무 부담함)

04 유기죄에 대한 설명으로 옳지 않은 것은?(다툼이 있는 경우 판례에 의함) 21. 경찰간부

① 유기죄에서의 '계약상 의무'는 반드시 계약에 기한 주된 급부 의무에 한정되지 아니하며, 계약 상대방의 신체 또는 생명에 대한 주의와 배려라는 부수적 의무의 한 내용으로 상대방을 부조하여야 하는 경우를 배제하는 것은 아니다.
② 강간치상의 범행을 저지른 자가 그 범행으로 인하여 실신 상태에 있는 피해자를 구호하지 아니하고 방치한 경우, 강간치상죄만 성립하고 유기죄는 성립하지 아니한다.
③ 유기죄의 법률상 보호의무 가운데는 민법상 부부간의 부양의무도 포함되며, 법률상 부부는 아니지만 사실혼 관계에 있는 경우에도 당사자 사이에 주관적 혼인의사와 객관적 혼인생활의 실체가 존재한다면 보호의무가 인정될 수 있다.
④ 유기죄를 범하여 사람의 생명 또는 신체에 대하여 위험을 발생하게 한 때에는 중유기죄로 가중처벌된다.

Answer 03. ④ 04. ④

해설 ① 대판 2011.11.24, 2011도12302
② 대판 1980.6.24, 80도726
③ 대판 2008.2.14, 2007도3952
④ ×：~ 사람의 생명(신체 ×)에 대하여 ~ 가중처벌된다(제271조 제3항).

05 학대의 죄에 관한 설명 중 가장 적절하지 않은 것은?(다툼이 있는 경우 판례에 의함) 22. 순경 2차

① 아동학대범죄의 처벌 등에 관한 특례법(2014. 1. 28. 제정, 2014. 9. 29. 시행)은 제34조 제1항(공소시효의 정지와 효력)의 소급적용에 관하여 명시적인 경과규정을 두고 있지 않지만, 동법 시행일 당시 범죄행위가 종료되었으나 아직 공소시효가 완성되지 않은 아동학대범죄에 대해서도 적용된다.
② 아동복지법 제71조 제1항에 따라 처벌되는 동법 제17조 제2호 금지행위(아동에게 음란한 행위를 시키거나 이를 매개하는 행위 또는 아동에게 성적 수치심을 주는 성희롱 등의 성적 학대행위)의 처벌대상은 아동의 복지를 보장하는 동법의 취지에 비추어 성인에게만 한정된다.
③ 친아버지가 자신의 아들(만 1세)을 양육하면서 집안 내부에 먹다 남은 음식물 쓰레기, 소주병, 담배꽁초가 방치된 상태로 청소를 하지 않아 악취가 나는 비위생적인 환경에서 제대로 세탁하지 않아 음식물이 묻어 있는 옷을 입히고, 목욕을 주기적으로 시키지 않아 몸에서 악취를 풍기게 하는 등의 행위를 한 경우, 생존에 필요한 최소한의 보호를 하였거나 아들에게 애정을 표현했다는 사정이 있더라도 이는 아들에 대한 방임행위에 해당한다.
④ 어린이집 보육교사가 아동(만 4세)이 창틀에 매달리는 등 위험한 행동을 한다는 이유로 그를 안아 바닥에서 약 78cm 높이의 교구장(110cm×29cm×63cm) 위에 올려둔 후 교구장을 1회 흔들고, 아동의 몸을 잡고는 교구장 뒤 창 쪽으로 흔들어 보이는 등 약 40분 동안 앉혀둔 경우, 이는 비록 안전을 위한 조치라 할지라도 아동에 대한 학대행위에 해당한다.

해설 ① 대판 2021.2.25, 2020도3694
② ×：아동복지법 제3조 제7호는 아동학대의 주체를 '보호자를 포함한 성인'으로 제한하고 있으나, 아동복지법 제17조(누구든지 다음 각호의 어느 하나에 해당하는 행위를 하여서는 아니 된다.)에서 금지하고 있는 행위 중 '아동학대'에 해당하는 행위의 경우 성인이 아니라고 하여 금지행위규정 및 처벌규정의 적용에서 배제된다고 할 수는 없다(대판 2020.10.15, 2020도6422).
③ 대판 2020.9.3, 2020도7625
④ 대판 2020.3.12, 2017도5769

06 유기죄에 대한 설명으로 옳지 않은 것은?(다툼이 있는 경우 판례에 의함) 24. 9급 검찰·마약수사

① 사실혼 관계가 인정되는 경우에도 민법 규정의 취지 및 유기죄의 보호법익에 비추어 법률상 보호의무의 존재를 긍정하여야 한다.
② 형법 제271조 제3항의 중유기죄는 유기죄를 지어 사람의 생명 또는 신체에 위험을 발생하게 한 경우에 성립한다.

Answer 05. ② 06. ②

③ 유기죄의 계약상 의무는 계약에 기한 주된 부조의무에 한정되지 아니하며, 계약의 목적달성을 위해 상대방의 생명·신체에 주의와 배려를 한다는 부수의무로서의 민사적 부조의무 또는 보호의무를 배제하는 것은 아니다.

④ 유기치사상죄에서 유기행위와 피해자의 사상이라는 결과 사이에 제3자의 행위가 일부 기여하였다고 할지라도 유기행위로 초래된 위험이 사상이라는 결과로 현실화된 경우라면 상당인과관계를 인정할 수 있다.

해설 ① 대판 2008.2.14, 2007도3952

② ×: ~ 사람의 생명(신체 ×)에 위험을 발생하게 한 경우에 성립한다(제271조 제3항).

③ 대판 2011.11.24, 2011도12302

④ 대판 2015.11.12, 2015도6809 전원합의체(형법 제275조 제1항의 유기치사·치상죄는 결과적 가중범이므로, 위 죄가 성립하려면 유기행위와 사상의 결과 사이에 상당인과관계가 있어야 하며 행위시에 결과의 발생을 예견할 수 있어야 한다. 다만, 유기행위가 피해자의 사상이라는 결과를 발생하게 한 유일하거나 직접적인 원인이 된 경우뿐만 아니라, 그 행위와 결과 사이에 제3자의 행위가 일부 기여하였다고 할지라도 유기행위로 초래된 위험이 그대로 또는 그 일부가 사상이라는 결과로 현실화된 경우라면 상당인과관계를 인정할 수 있다.)

07 **유기와 학대의 죄에 관한 설명으로 옳지 않은 것은?**(다툼이 있는 경우 판례에 의함) 24. 경위공채

① 甲이 동거 또는 내연관계를 맺어온 내연녀 A가 치사량의 필로폰을 복용하여 부조를 요하는 상태에 있었음에도 돌보지 않아 A가 사망한 경우, 단순한 동거 또는 내연관계를 맺은 사정만으로는 사실혼 관계라고 볼 수 없으므로 유기치사죄가 성립하지 않는다.

② 경찰관 甲이 술에 만취된 A가 향토예비군 4명에게 경찰지구대로 운반되어 나무의자 위에 눕혀졌을 때 숨을 가쁘게 쿨쿨 내뿜고 자신의 수족과 의사도 자제할 수 없는 상태인 요부조자라는 점을 충분히 인식하였음을 인정할 수 있었는데도 3시간여 동안이나 아무런 구호조치를 취하지 않은 경우, 유기죄의 고의를 인정할 수 있다.

③ 형법 제273조 제1항에서 말하는 '학대'는 단순히 상대방의 인격에 대한 반인륜적 침해만으로는 부족하고, 이러한 학대행위는 적어도 유기에 준할 정도에 이르러야 한다.

④ 생모 甲이 사망의 위험이 예견되는 딸 A(11세)에 대하여 최선의 치료방법이라는 의사의 권유에도 수혈을 완강히 거부하고 방해하여 A가 사망한 경우, 甲의 행위는 결과적으로 요부조자를 위험한 장소에 두고 떠난 경우나 다름이 없으나, 그 이유가 甲 자신의 종교적 신념이나 후유증 발생 염려로 인한 것이었고 A 또한 수혈을 거부하였다면 이는 정당행위에 해당한다.

해설 ① 대판 2008.2.14, 2007도3952

② 대판 1972.6.27, 72도863

③ 대판 2000.4.25, 2000도223

④ ×: ~ (3줄) 다름이 없다 할 것이고, 그 이유가 甲 자신의 종교적 신념이나 후유증 발생 염려로 인한 것이었고 A 또한 수혈을 거부하였다고 하더라도 정당행위에 해당하지 않는다(대판 1980.9.24, 79도1387 ∴ 유기치사죄 ○).

Answer 07. ④

CHAPTER 02

자유에 대한 죄

본장에서는 ㉠ 협박죄 중 협박 해당 여부, 고의, 기수시기, ㉡ 체포·감금죄 중 감금의 개념, 감금 해당 여부, 죄수론, ㉢ 약취·유인죄 중 미성년자 약취·유인죄, ㉣ 강간과 추행죄 중 폭행·협박의 개념, 실행의 착수시기, 죄수론, 성폭력특별법 관련판례 등이 출제빈도가 높다.

제1절 협박의 죄

제283조【협박, 존속협박】 ① 사람을 협박한 자는 3년 이하의 징역, 500만원 이하의 벌금, 구류 또는 과료에 처한다.
② 자기 또는 배우자의 직계존속에 대하여 제1항의 죄를 범한 때에는 5년 이하의 징역 또는 700만원 이하의 벌금에 처한다.
제284조【특수협박】 단체 또는 다중의 위력을 보이거나 위험한 물건을 휴대하여 전조 제1항, 제2항의 죄를 범한 때에는 7년 이하의 징역 또는 1천만원 이하의 벌금에 처한다.

1. (존속)협박죄 ⇨ 반의사불벌죄 ○(제283조 제3항), 특수(상습)협박죄 ⇨ 반의사불벌죄 × 21. 수사경과, 20·21·23. 경찰승진
2. 협박죄, 존속협박죄, 특수협박죄 ⇨ 미수범 처벌(제286조), 상습범 가중처벌(제285조) 16. 순경 1차, 18. 수사경과

(1) 객 체 : 사람

협박죄는 자연인만을 그 대상으로 예정하고 있을 뿐 법인은 협박죄의 객체가 될 수 없다(대판 2010.7.15, 2010도1017 예 채권추심회사의 지사장이 자신의 횡령행위에 대한 민·형사상 책임을 모면하기 위하여 회사 본사에 '회사의 내부비리 등을 관계 기관에 고발하겠다.'는 취지의 서면을 보내는 한편, 위 회사 대표이사의 처남으로서 경영지원본부장인 피해자 A에게 전화를 걸어 위 서면의 내용과 같은 취지로 발언한 경우 ⇨ A에 대한 협박죄 ○, 회사 본사에 대한 협박죄 ×). 17. 경찰간부, 18. 순경 1차, 20. 경찰승진, 21. 수사경과·해경승진·해경 1차, 22. 해경간부, 24. 해경경위

(2) 행 위

협박죄에 있어서 협박이라 함은 일반적으로 보아 사람으로 하여금 공포심을 일으킬 수 있을 정도의 해악을 고지하는 것을 의미하므로, 그러한 해악의 고지는 구체적이어서 해악의 발생이 일응 가능한 것으로 생각될 수 있을 정도일 것을 필요로 한다(대판 1995.9.29, 94도2187). 20. 경찰승진·순경 2차, 19·21. 수사경과, 22. 해경간부, 24. 경위공채

관련판례

1. 피해자와 언쟁 중 "입을 찢어 버릴라."라고 말한 경우 ⇨ 협박 ×(대판 1986.7.22, 86도1140 ∵ 단순한 감정 섞인 욕설에 불과) 15·18. 수사경과, 16·23. 경찰승진, 24. 경위공채

2. 甲이 같은 동리에 사는 동년배 간에 동장직을 못하게 하였다는 불만의 표시로 '두고보자.'라는 말을 한 경우 ⇨ 협박 ×(대판 1974.10.8, 74도1892 ∵ 단순한 폭언에 불과) 09. 경찰승진, 15. 수사경과
3. 甲은 乙의 처와 통화하기 위하여 야간에 전화를 하였는데 남편 乙이 받자 20분 내지 30분 동안 아무 말도 하지 않고 있다가 전화를 끊어버리거나 어떤 때에는 "한번 만나자, 나한테 자신 있나."라고 말한 경우 ⇨ 협박 ×(대판 1985.7.5, 85도638 ∵ 피해자의 감정을 자극하는 폭언을 한 정도에 그칠 뿐이므로) 08. 경찰승진, 23. 해경승진

---

① 피해자 본인이나 그 친족뿐만 아니라 그 밖의 '제3자'에 대한 법익 침해를 내용으로 하는 해악을 고지하는 것이라고 하더라도 피해자 본인과 제3자가 밀접한 관계에 있어 그 해악의 내용이 피해자 본인에게 공포심을 일으킬 만한 정도의 것이라면 협박죄가 성립할 수 있다. 이때 '제3자'에는 자연인뿐만 아니라 법인도 포함된다(대판 2010.7.15, 2010도1017). 17·18. 순경 1차, 20. 경찰간부·법원직, 21. 수사경과·해경승진, 22. 변호사시험, 23. 7급 검찰, 24. 해경간부·경찰승진

② 고지된 해악의 내용이 일반적으로 사람으로 하여금 공포심을 일으키기에 충분한 것이어야 한다(대판 2022.12.15, 2022도9187). 다만, 해악의 내용이 경미하여 상대방이 전혀 개의치 않을 정도인 경우에는 협박에 해당하지 않는다(대판 2005.3.25, 2004도8984).

관련판례

1. 피고인이 혼자 술을 마시던 중 甲정당이 국회에서 예산안을 강행처리하였다는 것에 화가 나서 공중전화를 이용하여 경찰서에 여러 차례 전화를 걸어 전화를 받은 각 경찰관에게 경찰서 관할구역 내에 있는 甲정당의 당사를 폭파하겠다는 말을 한 경우 ⇨ 각 경찰관에 대한 협박죄 ×(대판 2012.8.17, 2011도10451 ∵ 피고인은 甲정당에 관한 해악을 고지한 것이므로 각 경찰관 개인에 관한 해악을 고지하였다고 할 수 없고, 다른 특별한 사정이 없는 한 일반적으로 甲정당에 대한 해악의 고지가 각 경찰관 개인에게 공포심을 일으킬 만큼 서로 밀접한 관계에 있다고 보기 어려움) 16. 수사경과, 18. 순경 1차, 21. 법원직·해경승진, 20·23. 7급 검찰, 24. 경찰승진
2. 피고인이 피해자와 술을 마시던 중 화가 나 횟집 주방에 있던 회칼 2자루를 들고 나와 죽어버리겠다며 자해하려고 한 경우 ⇨ 협박죄(대판 2011.1.27, 2010도14316 ∵ 피고인의 행위는 단순한 자해행위 시늉에 불과한 것이 아니라 피고인의 요구에 응하지 않으면 피해자에게 어떠한 해악을 가할 듯한 위세를 보인 행위로서 협박에 해당한다.) 18. 경찰승진, 18·19. 수사경과, 21. 해경 2차
3. "앞으로 수박이 없어지면 네 책임으로 한다."고 말한 것은 해악의 고지라고 보기 어렵고, 가사 다소간의 해악의 고지에 해당한다고 가정하더라도 정당한 훈계의 범위를 벗어난 것이 아니라면 정당행위로서 위법성이 없다(대판 1995.9.29, 94도2187). 15. 경찰승진, 16. 순경 1차, 24. 해경간부·경위공채
4. 피고인이 피해자의 장모가 있는 자리에서 서류를 보이면서 "피고인의 요구를 들어주지 않으면 서류를 세무서로 보내 세무조사를 받게 하여 피해자를 망하게 하겠다."라고 말하여 피해자의 장모로 하여금 피해자에게 위와 같은 사실을 전하게 하고, 그 다음날 피해자의 처에게 전화를 하여 "며칠 있으면 국세청에서 조사가 나올 것이니 그렇게 아시오."라고 말한 경우, 위 각 행위는 협박죄에 있어서 해악의 고지에 해당한다(대판 2007.6.1, 2006도1125). 14. 법원직, 23. 해경승진, 24. 해경경위
5. 국회의원 입후보예정자가 선거관리위원회 직원으로부터 공직선거법 위반행위와 관련한 전화를 받아 5분 이상 지속하여 통화를 하면서 위 직원의 단속으로 선거에 영향을 받게 될 경우 자신의 지위에서

동원할 수 있는 다양한 수단을 이용하여 위 직원의 신체나 사회적 지위 등에 위해를 가하겠다는 내용으로 말한 경우 ⇨ 협박죄 ○(대판 2005.3.25, 2004도8984)

③ 협박죄에 있어서의 해악을 가할 것을 고지하는 행위는 통상 언어에 의하는 것이나 경우에 따라서는 한마디 말도 없이 거동에 의하여서도 고지할 수 있는 것이다(대판 1975.10.7, 74도2727 예 한마디 말도 없이 가위로 목을 찌를 듯이 겨눈 경우, 19. 경력채용, 17·20. 수사경과 상대방에게 대항하기 위하여 깨어진 병으로 피해자를 찌를 듯이 겨누어 대항한 경우; 대판 1991.5.28, 91도80).

관련판례

1. 조상천도제를 지내지 아니하면 좋지 않은 일이 생긴다는 취지의 해악의 고지는 길흉화복이나 천재지변의 예고로서 행위자에 의하여 직접·간접적으로 좌우될 수 없는 것이고, 가해자가 현실적으로 특정되어 있지도 않으며 해악의 발생가능성이 합리적으로 예견될 수 있는 것이 아니므로 협박으로 평가될 수 없다(대판 2002.2.8, 2000도3245). 16. 순경 1차, 18. 수사경과, 20. 법원직, 21. 해경 2차, 22. 해경간부, 24. 경찰승진·해경경위
2. 제3자로 하여금 해악을 가하도록 하겠다는 방식으로도 해악의 고지는 얼마든지 가능하지만, 고지자가 제3자의 행위를 사실상 지배하거나 제3자에게 영향을 미칠 수 있는 지위에 있는 것으로 믿게 하는 명시적·묵시적 언동을 하였거나 제3자의 행위가 고지자의 의사에 의하여 좌우될 수 있는 것으로 상대방이 인식한 경우에 한한다(대판 2006.12.8, 2006도6155). 12. 법원행시, 14. 법원직, 18. 수사경과, 24. 해경간부·경력채용

(3) 주관적 구성요건 : 고의

본죄의 고의는 행위자가 상대방으로 하여금 공포심을 일으킬 수 있는 정도의 해악을 고지한다는 것을 인식·인용하는 것을 그 내용으로 하고 고지한 해악을 실제로 실현할 의도나 욕구는 필요로 하지 않는다(대판 1991.5.10, 90도2102). 17. 경찰간부, 21. 해경 1차, 23. 경찰승진, 24. 경력채용·해경경위

관련판례

1. 피고인이 피해자인 누나의 집에서 갑자기 자신의 몸에 연소성이 높은 고무놀을 바르고 라이터로 불을 켜는 시늉을 하면서 이를 말리려는 피해자 등에게 가위, 송곳을 휘두르면서 "방에 불을 지르겠다. 가족 전부를 죽여 버리겠다."고 소리친 경우 ⇨ 협박죄 ○(대판 1991.5.10, 90도2102) 14. 9급 검찰, 14·15. 경찰승진, 17. 경찰간부
2. 甲은 경찰서에 연행되어 혐의사실을 추궁당하며 뺨까지 맞자 술김에 흥분하여 항의조로 "너희들 목을 자른다. 내 동생을 시켜서라도 자른다."라고 소리친 경우 ⇨ 협박죄 ×(대판 1972.8.29, 72도1565 ∵ 피고인에게 협박죄를 구성할 만한 해악을 고지할 의사 ×) 11. 경찰승진, 13. 수사경과
3. 피고인이 자신의 동거남과 성관계를 가진 바 있던 피해자에게 "사람을 사서 쥐도 새도 모르게 파묻어 버리겠다. 너까지 것 쉽게 죽일 수 있다."라고 말한 경우, 이는 언성을 높이면서 말다툼으로 흥분한 나머지 단순히 감정적인 욕설 내지 일시적 분노의 표시를 한 것에 불과하고 해악을 고지한다는 인식을 갖고 한 것이라고 보기 어렵다(대판 2006.8.25, 2006도546 ∴ 협박죄 ×). 17. 경찰간부, 20. 해경 1차

(4) 기수시기

관련판례

협박죄는 위험범으로서 협박죄의 기수에 이르기 위하여 상대방이 현실적으로 공포심을 일으킬 것을 요하지 않는다〔대판 2007.9.28, 2007도606 전원합의체 예 정보보안과 소속 경찰관이 자신의 지위를 내세우면서 타인의 민사분쟁에 개입하여 빨리 채무를 변제하지 않으면 상부에 보고하여 문제를 삼겠다고 말한 경우, 객관적으로 상대방이 공포심을 일으키기에 충분한 정도의 해악의 고지에 해당하므로, 상대방이 그 의미를 인식한 이상, 상대방이 현실적으로 공포심을 일으켰는지 여부와 관계없이 협박죄의 기수가 된다. 경찰관의 행위는 정당행위 ×(정당한 직무집행 ×, 목적달성 위한 상당한 수단으로 인정 ×)〕. 18. 순경 1차, 19. 순경 2차, 20. 7급 검찰, 21. 수사경과 · 경찰승진, 23. 법원직, 24. 경찰간부 ∴ 협박죄의 미수범 처벌조항은 해악의 고지가 ① 현실적으로 상대방에게 도달하지 아니한 경우나, ② 도달은 하였으나 상대방이 이를 지각하지 못하였거나, ③ 고지된 해악의 의미를 인식하지 못한 경우 등에 적용될 뿐이다(대판 2007.9.28, 2007도606 전원합의체). 18 · 19. 수사경과, 20. 경찰간부, 23. 법원직 · 경찰승진 · 순경 2차, 24. 해경승진 · 경력채용

(5) 위법성

해악의 고지가 있다 하더라도 그것이 사회의 관습이나 윤리관념 등에 비추어 볼 때에 사회통념상 용인할 수 있을 정도의 것이라면 협박죄는 성립하지 아니한다(대판 1998.3.10, 98도70). 15. 경찰승진, 16. 수사경과, 20. 경찰간부 · 법원직

관련판례

1. 친권자가 자에게 야구방망이로 때릴 듯이 "죽여버린다."고 말한 경우 ⇨ 협박죄 ○(대판 2002.2.8, 2001도6468 ∵ 협박 그 자체로 인격성장에 장애가 될 가능성 ⇨ 교양권행사 ×) 12. 9급 검찰 · 경찰간부, 15. 경찰승진, 17 · 20. 수사경과
2. 사채업자인 피고인이 채무자 甲에게 채무를 변제하지 않으면 甲이 숨기고 싶어하는 과거 행적과 사채를 쓴 사실 등을 남편과 시댁에 알리겠다는 등의 문자메시지를 발송한 경우 ⇨ 협박죄 ○(대판 2011.5.26, 2011도2412 ∵ 정당행위 ×) 19. 수사경과, 21. 해경 2차, 24. 경찰승진 · 경위공채
3. 권리행사나 직무집행의 일환으로 상대방에게 일정한 해악을 고지한 경우, 그 해악의 고지가 정당한 권리행사나 직무집행으로서 사회상규에 반하지 아니하는 때에는 협박죄가 성립하지 아니하나, 외관상 권리행사나 직무집행으로 보이더라도 실질적으로 권리나 직무권한의 남용이 되어 사회상규에 반하는 때에는 협박죄가 성립한다고 보아야 할 것인바, 구체적으로는 그 해악의 고지가 정당한 목적을 위한 상당한 수단이라고 볼 수 있으면 위법성이 조각되지만, 위와 같은 관련성이 인정되지 아니하는 경우에는 그 위법성이 조각되지 아니한다(대판 2007.9.28, 2007도606 전원합의체). 20. 순경 2차
4. 같은 집에 세들어 사는 A녀(20세)가 자신의 남편과 불륜관계에 있다는 사실을 알고 피고인이 A녀의 아버지와 언니에게 "빨리 일을 해결해야 할 것 아닌가, 그렇지 않으면 처녀를 간통죄로 고소하겠다. 당신 딸이 가정파괴범이다. 시집을 보내려고 하느냐, 안보내려고 하느냐."고 말한 경우 ⇨ 협박죄 ×(대판 1998.3.10, 98도70 ∵ 사회통념상 용인할 수 있을 정도의 것임) 13. 법원행시, 14. 경찰간부, 23. 해경승진

5. 공군 중사가 상관인 피해자에게 그의 비위 등을 기록한 내용을 제시하면서 자신에게 폭언한 사실을 인정하지 않으면 그 내용을 상부기관에 제출하겠다는 취지로 말한 사안에서 공군 중사에게는 군형법상 상관협박죄가 성립한다(대판 2008.12.11, 2008도8922). 20. 순경 2차
6. 계약금과 잔금을 지불하였는데 여관을 명도받지 못하자 "여관을 명도해 주든가 명도소송비용을 내놓지 않으면 고소하여 구속시키겠다."고 말한 경우 ⇨ 매수인으로서 정당한 권리행사로 사회통념상 용인될 정도의 것 ⇨ 협박 ×(대판 1984.6.26, 84도648)
7. 권리행사의 일환으로 상대방에게 일정한 해악을 고지한 경우에도, 그러한 해악의 고지가 사회의 관습이나 윤리관념 등에 비추어 사회통념상 용인할 수 있는 정도이거나 정당한 목적을 위한 상당한 수단에 해당하는 등 사회상규에 반하지 아니하는 때에는 협박죄가 성립하지 아니한다(대판 2022.12.15, 2022도9187 예 임금이 체불된 근로자인 피고인들이 사무실 임대료를 내지 못할 정도로 재정상태가 좋지 않는 등 A회사의 경영상황이 우려되고 대표이사 겸 최대 주주인 乙의 경영능력이 의심받던 상황에서, 乙을 만나 '사임제안서'를 전달한 경우 ⇨ 협박죄 × ∵ 피고인들의 '사임제안서' 전달행위를 협박죄에서의 '협박'으로 볼 수 없고, 설령 '협박'에 해당하더라도 사회통념상 용인할 수 있는 정도이거나 이 사건 회사의 경영 정상화라는 정당한 목적을 위한 상당한 수단에 해당하여 사회상규에 반하지 아니한다고 봄이 타당하다). 23. 순경 2차

---

(6) **죄수 및 타죄와의 관계**

① 협박을 수단으로 한 다른 범죄가 성립하면 협박죄는 다른 범죄에 흡수됨.

예 협박하여 재물갈취 ⇨ 협박죄 × 공갈죄 ○, 협박하여 강제로 자동차에 밀어 넣고 운전한 경우 ⇨ 협박죄 × 감금죄 ○(대판 1982.6.22, 82도705) 12. 법원행시, 14 · 17. 경찰승진, 23. 해경승진

② 살해의 해악을 고지하여 협박한 후 다시 주먹과 발로 수회 구타하여 상해를 입힐 경우 ⇨ 협박죄와 상해죄의 경합범(대판 1982.6.8, 82도486) 13. 수사경과

③ 슈퍼마켓 사무실에서 식칼을 들고 피해자를 협박하고 매장을 돌아다니며 손님을 내쫓은 경우 ⇨ 협박죄와 업무방해죄의 실체적(상상적 ×) 경합(대판 1991.1.29, 90도2445) 07. 7급 검찰, 20. 순경 2차

기출지문 확인학습(다툼이 있는 경우 판례에 의함)

1 협박죄는 자연인만을 그 대상으로 예정하고 있을 뿐 법인은 협박죄의 객체가 될 수 없다. ( )
17. 경찰간부, 18. 순경 1차, 20. 경찰승진, 21. 해경승진 · 해경 1차 · 수사경과, 22. 해경간부

2 제3자에 대한 법익 침해를 내용으로 하는 해악을 고지하는 것이라고 하더라도 피해자 본인과 제3자가 밀접한 관계에 있어 그 해악의 내용이 피해자 본인에게 공포심을 일으킬만한 정도의 것이라면 협박죄가 성립할 수 있다. 이때 제3자에는 자연인뿐만 아니라 법인도 포함된다. ( )
17 · 18. 순경 1차, 20. 경찰간부 · 법원직, 22. 변호사시험, 23. 7급 검찰, 24. 해경간부 · 경찰승진

3 협박죄가 성립하기 위하여는 적어도 발생 가능한 것으로 생각될 수 있는 정도의 구체적인 해악의 고지가 있어야 한다. ( ) 14. 경찰간부, 16 · 18. 수사경과, 17 · 20. 경찰승진

4 조상천도제를 지내지 아니하면 좋지 않은 일이 생긴다는 취지의 해악의 고지는 협박으로 평가될 수 없다. ( ) 16. 순경 1차, 18. 수사경과, 20. 법원직, 21. 경찰승진 · 해경 2차

5 피고인이 혼자 술을 마시던 중 甲정당이 국회에서 예산안을 강행처리하였다는 것에 화가 나서 공중전화를 이용하여 경찰서에 여러 차례 전화를 걸어 전화를 받은 각 경찰관에게 경찰서 관할구역 내에 있는 甲정당의 당사를 폭파하겠다는 말을 한 사안에서, 피고인의 행위는 각 경찰관에 대한 협박죄를 구성한다. ( ) 16 · 18. 순경 1차, 20 · 23. 7급 검찰, 17 · 24. 경찰승진

6 협박죄가 성립하기 위해서는 행위자가 해악의 내용을 실현할 수 있는 위치에 있어야 하고 고지한 해악을 실제로 실현할 의도나 욕구가 필요하다. ( )
17. 경찰간부, 20. 수사경과, 21. 해경 1차, 20 · 23. 경찰승진

7 공포심을 일으킬만한 해악을 고지함으로써 상대방이 그 의미를 인식한 이상, 상대방이 현실적인 공포심을 일으켰는지 여부와 관계없이 기수에 이른다. ( )
18 · 19. 순경 1차 · 2차, 20. 7급 검찰, 17 · 21. 경찰승진, 23. 법원직, 24. 경찰간부

8 협박죄의 미수범 처벌조항은 해악의 고지가 현실적으로 상대방에게 도달하지 아니한 경우나, 도달은 하였으나 상대방이 이를 지각하지 못하였거나 고지된 해악의 의미를 인식하지 못한 경우 등에 적용될 뿐이다. ( ) 19. 수사경과, 20. 경찰간부, 20 · 23. 법원직, 21 · 23. 경찰승진, 23. 순경 2차

9 폭행죄는 미수범 처벌규정이 없으나, 협박죄의 미수범은 처벌된다. ( ) 16. 순경 1차, 18. 수사경과

10 협박죄, 존속협박죄, 특수협박죄, 상습협박죄는 피해자의 명시한 의사에 반하여 공소를 제기할 수 없다. ( ) 16. 사시, 21. 수사경과, 20 · 21. 경찰승진

Answer 1. ○ 2. ○ 3. ○ 4. ○ 5. × 6. × 7. ○ 8. ○ 9. ○ 10. ×

CHAPTER 02

기출문제

01 **협박죄에 대한 설명 중 가장 옳지 않은 것은?**(다툼이 있는 경우 판례에 의함) 20. 경찰간부

① 해악의 고지가 있다 하더라도 그것이 사회의 관습이나 윤리관념 등에 비추어 볼 때 사회통념상 용인할 수 있을 정도의 것이라면 협박죄는 성립하지 않는다.

② 제3자에 대한 법익 침해를 내용으로 하는 해악을 고지하더라도 피해자 본인과 제3자가 밀접한 관계에 있어 그 해악의 내용이 피해자 본인에게 공포심을 일으킬 만한 정도의 것이라면 협박에 해당한다.

③ 협박죄는 사람의 의사결정의 자유를 보호법익으로 하는 위험범이라 봄이 상당하므로, 해악의 고지가 상대방에게 도달은 하였으나 상대방이 이를 지각하지 못하였거나 고지된 해악의 의미를 인식하지 못한 경우라도 협박죄의 기수를 인정할 수 있다.

④ 형법 제284조(특수협박죄)에 대하여는 형법 제283조 제3항(반의사불벌규정)이 적용되지 않는다.

해설 ① 대판 1998.3.10, 98도70
② 대판 2010.7.15, 2010도1017
③ ×: ~ 못한 경우라면 협박죄의 미수(기수 ×)를 인정할 수 있다(대판 2007.9.28, 2007도606 전원합의체).
④ 옳다.

02 **협박죄에 관한 설명 중 가장 적절한 것은?**(다툼이 있는 경우 판례에 의함) 20. 수사경과

① 협박죄가 성립하기 위해서는 고지한 해악을 실제로 실현할 의도나 욕구가 필요하다.

② 일반적으로 사람으로 하여금 공포심을 일으킬 수 있는 정도의 해악을 고지함으로써 상대방이 그 의미를 인식한 이상 상대방이 현실적으로 공포심을 일으켰는지 여부와 관계없이 협박죄의 기수에 이르는 것으로 보아야 한다.

③ 친권자가 자(子)에게 야구방망이로 때릴 듯한 태도를 취하면서 "죽여 버린다."고 말한 경우에는 이를 교양권의 행사라고 볼 수 있으므로 협박죄를 구성하지 않는다.

④ 협박죄에 있어서의 해악을 가할 것을 고지하는 행위는 통상 언어에 의하는 것이므로, 한마디 말도 없이 거동에 의하여서는 어떠한 경우에도 해악의 고지가 성립할 수 없다.

해설 ① ×: ~ 욕구를 필요로 하지 않는다(대판 1991.5.10, 90도2102).
② ○: 대판 2007.9.29, 2007도606 전원합의체
③ ×: 협박죄 ○(대판 2002.2.8, 2001도6468 ∵ 교양권의 행사 ×)
④ ×: ~ 거동에 의하여서도 고지할 수 있다(대판 1975.10.7, 74도2727).

Answer 01. ③ 02. ②

03 협박죄에 대한 설명 중 가장 적절하지 않은 것은?(다툼이 있는 경우 판례에 의함) 18. 순경 1차

① 협박죄는 자연인만을 그 대상으로 예정하고 있을 뿐 법인은 협박죄의 객체가 될 수 없다.

② 협박죄의 미수범 처벌조항은 해악의 고지가 현실적으로 상대방에게 도달하지 아니한 경우나, 도달은 하였으나 상대방이 이를 지각하지 못하였거나 고지된 해악의 의미를 인식하지 못한 경우 등에 적용될 뿐이다.

③ 피고인이 혼자 술을 마시던 중 甲정당이 국회에서 예산안을 강행처리하였다는 것에 화가 나서 공중전화를 이용하여 경찰서에 여러 차례 전화를 걸어 전화를 받은 각 경찰관에게 경찰서 관할구역 내에 있는 甲정당의 당사를 폭파하겠다는 말을 한 경우, 피고인의 행위는 각 경찰관에 대한 협박죄를 구성한다.

④ 피해자 본인이나 그 친족뿐만 아니라 그 밖의 제3자에 대한 법익 침해를 내용으로 하는 해악을 고지하는 것이라고 하더라도 피해자 본인과 제3자가 밀접한 관계에 있어 그 해악의 내용이 피해자 본인에게 공포심을 일으킬 만한 정도의 것이라면 협박죄가 성립할 수 있다. 이때 제3자에는 자연인뿐만 아니라 법인도 포함된다.

해설 ① 대판 2010.7.15, 2010도1017 ② 대판 2007.9.28, 2007도606 전원합의체
③ ×：협박죄 ×(대판 2012.8.17, 2011도10451) ④ 대판 2010.7.15, 2010도1017

04 협박의 죄에 대한 설명으로 가장 적절하지 않은 것은?(다툼이 있는 경우 판례에 의함)
19. 경찰승진, 21. 해경 2차

① 조상천도제를 지내지 아니하면 좋지 않은 일이 생긴다는 취지의 해악의 고지는 길흉화복이나 천재지변의 예고로서 행위자에 의하여 직접·간접적으로 좌우될 수 없는 것이고 가해자가 현실적으로 특정되어 있지도 않으며 해악의 발생가능성이 합리적으로 예견될 수 있는 것이 아니므로 협박으로 평가될 수 없다.

② 피해자 본인이나 그 친족뿐만 아니라 그 밖의 제3자에 대한 법익 침해를 내용으로 하는 해악을 고지하는 것이라고 하더라도 피해자 본인과 제3자가 밀접한 관계에 있어 그 해악의 내용이 피해자 본인에게 공포심을 일으킬 만한 정도의 것이라면 협박죄가 성립할 수 있다. 이때 제3자에는 자연인뿐만 아니라 법인도 포함된다.

③ 협박죄는 사람의 의사결정의 자유를 보호법익으로 하는 위험범이라 봄이 상당하므로, 해악의 고지가 상대방에 도달은 하였으나 상대방이 이를 지각하지 못하였거나 고지된 해악의 의미를 인식하지 못한 경우라도 협박죄의 기수를 인정할 수 있다.

④ 사채업자인 피고인이 채무자 甲에게 채무를 변제하지 않으면 甲이 숨기고 싶어하는 과거 행적과 사채를 쓴 사실 등을 남편과 시댁에 알리겠다는 등의 문자메시지를 발송한 행위는 정당행위에 해당하지 않아 협박죄가 성립한다.

⑤ 피고인이 피해자와 술을 마시던 중 화가 나 횟집 주방에 있던 회칼 2자루를 들고 나와 죽어버리겠다며 자해하려고 하였다면 협박죄가 성립하지 아니한다.

Answer 03. ③ 04. ③⑤

해설 ① 대판 2002.2.8, 2000도3245
② 대판 2010.7.15, 2010도1017
③ ×: ~ (3줄) 인식하지 못한 경우라면 협박죄의 미수(기수 ×)에 불과하다(대판 2007.9.28, 2007도606 전원합의체).
④ 대판 2011.5.26, 2011도2412(∵ 정당행위 ×)
⑤ ×: ~ 협박죄가 성립한다(대판 2011.1.27, 2010도14316).

05 **협박의 죄에 대한 설명으로 가장 적절하지 않은 것은?**(다툼이 있는 경우 판례에 의함) 21. 경찰승진

① 정보보안과 소속 경찰관이 자신의 지위를 내세우면서 타인의 민사분쟁에 개입하여 빨리 채무를 변제하지 않으면 상부에 보고하여 문제를 삼겠다고 말한 것은 객관적으로 상대방이 공포심을 일으키기에 충분한 정도의 해악의 고지에 해당하므로 상대방이 그 의미를 인식한 이상 현실적으로 피해자가 공포심을 일으키지 않았다 하더라도 협박죄는 기수에 이른다.
② 협박죄의 미수범 처벌조항은 해악의 고지가 현실적으로 상대방에게 도달하지 아니한 경우나, 도달은 하였으나 상대방이 이를 지각하지 못하였거나 고지된 해악의 의미를 인식하지 못한 경우 등에 적용될 뿐이다.
③ 협박죄는 피해자의 명시한 의사에 반하여 공소를 제기할 수 없는 범죄이나, 존속협박죄는 그러하지 아니하다.
④ 조상천도제를 지내지 아니하면 좋지 않은 일이 생긴다는 취지의 해악의 고지는 협박으로 평가될 수 없다.

해설 ① 대판 2007.9.28, 2007도606 전원합의체
② 대판 2007.9.28, 2007도606 전원합의체
③ ×: 협박죄, 존속협박죄 ⇨ 반의사불벌죄 ○(제283조 제3항), 특수협박죄 ⇨ 반의사불벌죄 ×
④ 대판 2002.2.8, 2000도3245

06 **다음 중 협박죄가 성립하는 것으로 가장 옳은 것은?**(다툼이 있는 경우 판례에 의함) 23. 해경승진

① 피고인이 피해자의 장모가 있는 자리에서 서류를 보이면서 "피고인의 요구를 들어주지 않으면 서류를 세무서로 보내 세무조사를 받게 하여 피해자를 망하게 하겠다"라고 말하여 피해자의 장모로 하여금 피해자에게 위와 같은 사실을 전하게 하고, 그 다음날 피해자의 처에게 전화를 하여 "며칠 있으면 국세청에서 조사가 나올 것이니 그렇게 아시오."라고 말한 경우
② 甲은 乙女에게 "자동차에 타라. 타지 않으면 가만있지 않겠다."고 협박하면서 乙女를 자동차 뒷좌석에 강제로 밀어 넣고 20여 분간 자동차를 운전한 경우
③ 甲은 乙의 처와 통화하기 위하여 야간에 전화를 하였는데 남편 乙이 받자 20분 내지 30분 동안 아무 말도 하지 않고 있다가 전화를 끊어버리거나 어떤 때에는 "한번 만나자, 나한테 자신 있나."라고 말한 경우

Answer 05. ③ 06. ①

④ 같은 집에 세들어 사는 20세의 미혼의 처녀가 자신의 남편과 불륜관계에 있다는 사실을 알고 피고인이 그 처녀의 아버지와 언니에게 "빨리 일을 해결해야 할 것 아닌가, 그렇지 않으면 처녀를 간통죄로 고소하겠다. 당신 딸이 가정 파괴범이다. 시집을 보내려고 하느냐 안 보내려고 하느냐."고 말한 경우

해설 • **협박죄** ○ : ① 대판 2007.6.1, 2006도1125
• **협박죄** × : ② 협박죄 ×, 감금죄 ○(대판 1982.6.22, 82도705) ③ 대판 1985.7.5, 85도638(∵ 협박 ×) ④ 대판 1998.3.10, 98도70(∵ 사회통념상 용인할 수 있을 정도 ⇨ 위법성조각)

07 협박죄에 관한 설명으로 가장 적절한 것은?(다툼이 있는 경우 판례에 의함) 24. 경찰승진

① 공중전화를 이용하여 경찰서에 여러 차례 전화를 걸어 전화를 받은 각 경찰관에게 경찰서 관할구역 내에 있는 A정당의 당사를 폭파하겠다는 말을 한 경우, 다른 특별한 사정이 없는 한 A정당에 대한 해악의 고지가 각 경찰관 개인에게 공포심을 일으킬 만큼 서로 밀접한 관계가 있으므로 협박에 해당한다.
② 협박죄에서 말하는 협박은 피해자와 밀접한 관계에 있는 제3자에 대한 해악도 포함되나 이때 제3자에는 자연인만 해당하고 법인은 포함되지 아니한다.
③ 해악의 발생이 직접 간접적으로 행위자에 의하여 좌우될 수 없는 것도 협박에 포함된다.
④ 사채업자인 피고인 甲이 채권추심과정에서 채무자 A에게 채무를 변제하지 않으면 A가 숨기고 싶어하는 과거 행적과 사채를 쓴 사실 등을 남편과 시댁에 알리겠다는 등의 문자 메시지를 발송한 경우, 甲에게 협박죄가 성립한다.

해설 ① × : ~ (3줄) 공포심을 일으킬 만큼 서로 밀접한 관계에 있다고 보기 어려워 협박에 해당하지 않는다(대판 2012.8.17, 2011도10451).
② × : ~ 자연인뿐만 아니라 법인도 포함된다(대판 2010.7.15, 2010도1017).
③ × : ~ 좌우될 수 없는 것이면 협박에 포함될 수 없다(대판 2002.2.8, 2000도3245).
④ ○ : 대판 2011.5.26, 2011도2412(∵ 정당행위 ×)

08 협박의 죄에 관한 설명으로 가장 적절한 것은?(다툼이 있는 경우 판례에 의함) 24. 경력채용

① 협박죄에 있어서의 협박이라 함은 일반적으로 보아 사람으로 하여금 공포심을 일으킬 수 있는 정도의 해악을 실제로 실현할 의도나 욕구를 가지고 고지하는 것을 의미한다.
② 해악의 고지가 상대방에게 도달하였다면 상대방이 이를 지각하지 못하였거나 고지된 해악의 의미를 인식하지 못한 경우라도 협박죄의 기수가 성립한다.
③ 제3자로 하여금 해악을 가하도록 하겠다는 방식의 해악의 고지도 고지자가 제3자의 행위를 사실상 지배하거나 제3자에게 영향을 미칠 수 있는 지위에 있는 것으로 믿게 하는 명시적·묵시적 언동을 하였거나 제3자의 행위가 고지자의 의사에 의하여 좌우될 수 있는 것으로 상대방이 인식한 경우에는 고지자가 직접 해악을 가하겠다고 고지한 것과 마찬가지의 행위로 평가할 수 있다.

Answer 07. ④ 08. ③

④ 정보보안과 소속 경찰관이 본인이 아닌 타인의 민사분쟁에 개입하여 자신의 지위를 내세우면서 빨리 채무를 변제하지 않으면 상부에 보고하여 문제를 삼겠다고 말한 행위는 협박죄의 해악의 고지에 해당하지 아니한다.

해설 ① ×: ~ (2줄) 정도의 해악을 고지한다는 것을 인식·인용하면서 고지하는 것이지 실제로 실현할 의도나 욕구를 가지고 고지하는 것을 의미하는 것은 아니다(대판 1991.5.10, 90도2102).
② ×: ~ (1줄) 상대방에게 도달하였으나 상대방이 이를 지각하지 못하였거나 고지된 해악의 의미를 인식하지 못한 경우라면 협박죄의 미수(기수 ×)가 성립한다(대판 2007.9.28, 2007도606 전원합의체).
③ ○: 대판 2006.12.8, 2006도6155
④ ×: ~ (3줄) 해악의 고지에 해당한다(대판 2007.9.28, 2007도606 전원합의체).

09 **협박죄에 관한 설명으로 옳은 것은?**(다툼이 있는 경우 판례에 의함) 24. 경위공채

① 甲이 A에게 "앞으로 수박이 없어지면 네 책임으로 한다."라고 말한 것은 해악의 고지에 해당하여 협박죄가 성립하고 그 후 A가 스스로 음독자살하였다면 이는 甲의 협박으로 인한 결과로 볼 수 있다.
② 협박죄가 성립하기 위하여는 적어도 발생 가능한 것으로 생각될 수 있는 정도의 구체적인 해악의 고지가 있어야 한다.
③ 사채업자인 甲이 A에게 채무를 변제하지 않으면 A가 숨기고 싶어하는 과거의 행적과 사채를 쓴 사실 등을 A의 남편과 시댁에 알리겠다는 등의 문자메시지를 발송한 경우, 이는 A에게 공포심을 일으키기에 충분한 것이기는 하나, 이러한 해악의 고지는 사회통념에 비추어 용인할 수 있는 정도의 것으로 볼 수 있어서 정당행위에 해당한다.
④ 甲이 A와 언쟁 중에 "입을 찢어 버릴라."라고 한 말은 甲의 A와의 관계, 甲이 그와 같은 폭언을 하게 된 동기, 그 당시의 주위사정 등에 비추어 단순한 감정적인 욕설에 불과하다고 볼 수 없고 A에게 해악을 가할 것을 고지한 행위라고 볼 수 있으므로, 협박죄에서의 협박에 해당한다.

해설 ① ×: "앞으로 수박이 없어지면 네 책임으로 한다."고 말한 것은 해악의 고지라고 보기 어렵고, 가사 다소간의 해악의 고지에 해당한다고 가정하더라도 정당한 훈계의 범위를 벗어난 것이 아니라면 정당행위로서 위법성이 없다(대판 1995.9.29, 94도2187).
② ○: 대판 1995.9.29, 94도2187
③ ×: 정당행위 ×(대판 2011.5.26, 2011도2412 ∴ 협박죄 ○)
④ ×: ~ (3줄) 볼 수 있고 A에게 해악을 가할 것을 고지한 행위라고 볼 수 없으므로, 협박죄에서의 협박에 해당하지 않는다(대판 1986.7.22, 86도1140).

Answer 09. ②

제2절 강요의 죄, 스토킹 범죄, 정보통신망법 위반죄

1 강요죄

제324조 제1항【강요죄】 폭행 또는 협박으로 사람의 권리행사를 방해하거나 의무 없는 일을 하게 한 자는 5년 이하의 징역 또는 3천만원 이하의 벌금에 처한다.
제324조 제2항【특수강요죄】 단체 또는 다중의 위력을 보이거나 위험한 물건을 휴대하여 제1항의 죄를 범한 자는 10년 이하의 징역 또는 5천만원 이하의 벌금에 처한다.
제326조【중강요죄】 제324조(강요죄)의 죄를 범하여 사람의 생명(신체 ×)에 대한 위험을 발생하게 한 자는 10년 이하의 징역에 처한다.

강요죄, 특수강요죄 ⇨ 미수범 처벌 ○(제324조의 5), 중강요죄 ⇨ 미수범 처벌 ×

(1) 의 의

강요죄란 폭행 또는 협박으로 사람의 권리행사를 방해하거나 의무 없는 일을 하게 함으로써 성립하는 범죄를 말한다.

(2) 객 체 : 행위자 이외의 자연인(법인 · 단체 · 국가 ⇨ 강요죄의 객체 ×, 인질강요죄의 상대방 ○)

강요죄는 사람의 의사결정자유를 침해하는 범죄이므로 의사의 자유를 가진 자에 제한된다고 함은 협박죄의 경우와 같다.

(3) 행 위 : 폭행 또는 협박으로 권리행사를 방해하거나 의무 없는 일을 하게 하는 것

① **강요의 수단** : 폭행(광의의 폭행 ⇨ 사람에 대한 직 · 간접적 유형력 행사) 또는 협박(협의의 협박)

관련판례

1. 강요죄에서 협박은 객관적으로 사람의 의사결정의 자유를 제한하거나 의사실행의 자유를 방해할 정도로 겁을 먹게 할 만한 해악을 고지하는 것을 말한다. 이와 같은 협박이 인정되기 위해서는 발생 가능한 것으로 생각할 수 있는 정도의 구체적인 해악의 고지가 있어야 한다. 21. 법원직 행위자가 직무상 또는 사실상 상대방에게 영향을 줄 수 있는 직업이나 지위에 기초하여 상대방에게 어떠한 요구를 하였을 때(곧바로 그 요구 행위를 강요죄의 해악의 고지라고 단정 ×) 그 요구 행위가 강요죄의 수단으로서 해악의 고지에 해당하는지 여부는 상대방으로 하여금 그 요구에 불응하면 어떠한 해악에 이를 것이라는 인식을 갖게 하였다고 볼 수 있는지, 행위자와 상대방이 행위자의 지위에서 상대방에게 줄 수 있는 해악을 인식하거나 합리적으로 예상할 수 있었는지 등을 종합하여 판단해야 한다(대판 2020.1.30, 2018도2236 전원합의체). 25. 변호사시험

   예 ① 공무원인 행위자가 상대방에게 어떠한 이익 등의 제공을 요구하였더라도 그 과정에서 객관적으로 의사결정의 자유를 제한하거나 의사실행의 자유를 방해할 정도로 겁을 먹게 할 만한 해악의 고지가 있었다고 할 수 없다면, 직권남용이나 뇌물요구 등이 될 수는 있어도 협박을 요건으로 하는 강요죄가 성립하기는 어렵다(대판 2019.8.29, 2018도13792 전원합의체). 20. 법원행시 · 7급 검찰

② 문체부 블랙리스트 사건 : 피고인(대통령비서실장)들이 문체부 공무원들을 통하여 예술위・영진위・출판진흥원 직원들에게 이들이 수행한 각종 사업에서 이른바 좌파 등에 대한 지원배제를 지시하거나 지원배제 적용에 소극적인 공무원들에게 사직을 요구한 경우, 피고인들이 상대방의 의사결정의 자유를 제한하거나 의사실행의 자유를 방해할 정도로 겁을 먹게 할 만한 해악을 고지하였다고 볼 수 없다(대판 2020.1.30, 2018도2236 전원합의체 ∴ 강요죄 ×).

③ 공무원이 자신의 직무와 관련된 상대방에게 공무원 자신 또는 자신이 지정한 제3자를 위하여 재산적 이익 등의 제공을 요구하고 상대방은 어떠한 이익을 기대하며 그에 대한 대가로 요구에 응하였다면, 다른 사정이 없는 한 협박을 요건으로 하는 강요죄가 성립하지 않는다(대판 2020.2.13, 2019도5186). 21. 순경 1차, 22. 7급 검찰, 24. 경찰간부・해경승진

2. 직장에서 상사가 범죄행위를 저지른 부하직원에게 징계절차에 앞서 자진하여 사직할 것을 단순히 권유하였다고 하여 이를 강요죄에서의 협박에 해당한다고 볼 수는 없다(대판 2008.11.27, 2008도7018). 17. 경찰간부, 20. 수사경과, 24. 해경수사

3. 강요죄에서 폭행은 사람에 대한 직접적인 유형력의 행사뿐만 아니라 간접적인 유형력의 행사도 포함하며, 반드시 사람의 신체에 대한 것에 한정되지 않는다(대판 2021.11.25, 2018도1346 예 피고인이 甲과 공모하여 甲소유의 차량을 피해자 소유 주택 대문 바로 앞부분에 주차하는 방법으로 피해자가 차량을 피해자 소유 주택 내부의 주차장에 출입시키지 못하게 하였더라도, 피해자는 차량을 용법에 따라 정상적으로 사용할 수 있었으므로, 주차 당시 피고인과 피해자 사이에 물리적 접촉이 있거나 피고인이 피해자에게 어떠한 유형력을 행사했다고 볼 만한 사정이 없다면, 강요죄는 성립하지 않는다). 22. 법원행시, 23. 순경 2차, 24. 경찰간부・해경승진・해경수사

---

② **강요의 내용** : 권리행사방해 또는 의무 없는 일을 행하게 하는 것

강요죄는 폭행 또는 협박으로 사람의 권리행사를 방해하거나 의무 없는 일을 하게 하는 것을 말하고, 여기에서 '의무 없는 일'이란 법령, 계약 등에 기하여 발생하는 법률상 의무 없는 일을 말하므로, 폭행 또는 협박으로 법률상 의무 있는 일을 하게 한 경우에는 폭행 또는 협박죄만 성립할 뿐 강요죄는 성립하지 않는다(대판 2008.5.15, 2008도1097). 20. 경찰승진, 22. 변호사시험, 24. 경찰간부・해경수사

관련판례

1. 골프시설의 운영자가 골프회원에게 불리하게 변경된 내용의 회칙에 대하여 동의한다는 내용의 등록신청서를 제출하지 않으면 회원으로 대우하지 아니하겠다고 통지하여 이를 제출받은 경우 ⇨ 강요죄 ○, 배임죄 ×(대판 2003.9.26, 2003도763) 17. 경찰간부, 18. 경찰승진, 19. 순경 2차, 20. 수사경과

2. 폭력조직 전력이 있는 피고인이 특정 연예인에게 팬미팅 공연을 하도록 강요하면서 만날 것을 요구하고, 팬미팅 공연이 이행되지 않으면 안 좋은 일을 당할 것이라고 협박한 경우 ⇨ 강요죄 ×〔대판 2008.5.15, 2008도1097 ∵ 폭행 또는 협박으로 법률상 의무 있는 일을 하게 한 경우 ⇨ 폭행・협박죄 ○, 강요죄 ×, 강요죄의 고의(위 연예인에게 공연을 할 의무가 없다는 점에 대한 미필적 인식) ×〕 13. 사시, 17. 경찰간부, 24. 해경승진

3. 군인인 상관이 직무수행을 태만히 하거나 지시사항을 불이행하고 허위보고 등을 한 부하에게 근무태도를 교정하고 직무수행을 감독하기 위하여 직무수행 내역을 일지 형식으로 기재하여 보고하도

록 명령한 경우 ⇨ 강요죄 ×(대판 2012.11.29, 2010도1233 ∵ 직무권한 범위 내에서 내린 정당한 명령이므로 부하는 명령을 실행할 법률상 의무가 있다.) 17. 경찰간부, 21. 경력채용

4. 상사가 그의 잦은 폭력으로 신체에 위해를 느끼고 겁을 먹은 상태에 있던 부대원들에게 청소불량 등을 이유로 40~50분간 머리박아(원산폭격)를 시키거나 양 손을 깍지 낀 상태에서 약 2시간 동안 팔굽혀 펴기를 50~60회 정도 하게 한 경우 ⇨ 강요죄 ○(대판 2006.4.27, 2003도4151) 09. 경찰승진, 13. 경찰간부
5. 폭행·협박에 의하여 계약포기서와 소청취하서에 날인하게 한 경우(대판 1962.1.25, 4293형상233), 법률상 의무 없는 사죄장이나 진술서를 작성하도록 한 경우(대판 1974.5.14, 73도2578), 피해자의 해외도피를 방지하기 위하여 피해자를 협박하고 이에 피해자가 겁을 먹고 있는 상태를 이용하여 동인 소유의 여권을 교부하게 하여 피해자가 그의 여권을 강제 회수당한 경우(대판 1993.7.27, 93도901) ⇨ 강요죄 ○ 09. 경찰승진, 24. 해경수사
6. 환경단체 소속 회원들이 축산 농가들의 폐수배출 단속활동을 벌이면서 폐수배출 현장을 사진촬영하거나 지적하는 한편 폐수배출 사실을 확인하는 내용의 사실확인서를 징구하는 과정에서 서명하지 아니할 경우 법에 저촉된다고 겁을 주는 등 행한 일련의 행위가 '협박'에 의한 강요행위에 해당한다(대판 2010.4.29, 2007도7064). 20. 경찰승진
7. 강요죄의 수단으로서 해악의 고지(협박)가 비록 정당한 권리의 실현 수단으로 사용된 경우라고 하여도 권리실현의 수단 방법이 사회통념상 허용되는 정도나 범위를 넘는다면 강요죄가 성립하고, 여기서 어떠한 행위가 구체적으로 사회통념상 허용되는 정도나 범위를 넘는 것인지는 그 행위의 주관적인 측면과 객관적인 측면, 즉 추구된 목적과 선택된 수단을 전체적으로 종합하여 판단하여야 한다(대판 2017.10.26, 2015도16696).

③ **미수** : 본죄는 권리행사가 현실적으로 방해됨으로써 성립하므로 폭행·협박을 하였으나 권리행사를 방해하지 못하였거나 폭행·협박 그 자체가 미수에 그친 경우에는 강요죄의 미수범이 된다.

(4) 죄수 및 타죄와의 관계

강요죄가 성립한 때에는 폭행이나 협박죄는 이에 흡수되어 따로 성립하지 않는다.

관련판례

투자금의 회수를 위해 폭행·협박하여 물품대금을 횡령했다는 자인서를 받아낸 뒤(강요죄) 이를 근거로 돈을 갈취하려다 피해자가 돈을 교부하지 않음으로써 미수에 그친 경우 ⇨ 포괄하여 공갈미수의 일죄(대판 1985.6.25, 84도2083) 13. 경찰간부, 14. 순경 1차, 20. 경찰승진·7급 검찰

2 인질강요죄

제324조의 2【인질강요】 사람을 체포·감금·약취 또는 유인하여 이를 인질로 삼아 제3자(강요의 상대방, 인질은 포함 ×)에 대하여 권리행사를 방해하거나 의무없는 일을 하게 한 자는 3년 이상의 유기징역에 처한다.
제324조의 3【인질상해·치상】 제324조의 2의 죄를 범한 자가 인질을 상해하거나 상해에 이르게 한 때에는 무기 또는 5년 이상의 징역에 처한다.
제324조의 4【인질살해·치사】 제324조의 2의 죄를 범한 자가 인질을 살해한 때에는 사형 또는 무기징역에 처한다. 사망에 이르게 한 때에는 무기 또는 10년 이상의 징역에 처한다.
제324조의 5【미수범】 제324조 내지 제324조의 4의 미수범은 처벌한다.
제324조의 6【형의 감경】 제324조의 2 또는 제324조의 3의 죄를 범한 자 및 그 죄의 미수범이 인질을 안전한 장소로 풀어준 때에는 그 형을 감경할 수 있다(해방감경규정). 20. 수사경과

인질강요죄에서 강요의 상대방에 '인질'은 포함되지 않으며, 인질강요죄를 범한 자가 인질을 안전한 장소에 풀어준 때에는 그 형을 감경할 수 있다(감경한다 ×). 09. 사시, 20. 경찰승진, 20·21. 수사경과

3 스토킹 범죄

① 스토킹 행위를 전제로 하는 스토킹 범죄는 행위자의 어떠한 행위를 매개로 이를 인식한 상대방에게 불안감 또는 공포심을 일으킴으로써 그의 자유로운 의사결정의 자유 및 생활형성의 자유와 평온이 침해되는 것을 막고 이를 보호법익으로 하는 위험범이라고 볼 수 있으므로, 구 스토킹범죄의 처벌 등에 관한 법률 제2조 제1호 각 목의 행위가 객관적·일반적으로 볼 때 이를 인식한 상대방으로 하여금 불안감 또는 공포심을 일으키기에 충분한 정도라고 평가될 수 있다면 현실적으로 상대방이 불안감 내지 공포심을 갖게 되었는지 여부와 관계없이 '스토킹 행위'에 해당하고, 나아가 그와 같은 일련의 스토킹행위가 지속되거나 반복되면 '스토킹 범죄'가 성립한다(대판 2023.9.27, 2023도6411). 24. 순경 1차

② 전화를 걸어 상대방의 휴대전화에 벨소리가 울리게 하거나 부재중 전화 문구 등이 표시되도록 하여 상대방에게 불안감이나 공포심을 일으키는 행위는 실제 전화통화가 이루어졌는지와 상관없이 구 스토킹 범죄의 처벌 등에 관한 법률 제2조 제1호 (다)목에서 정한 스토킹 행위에 해당한다(대판 2023.5.18, 2022도12037). 24. 순경 1차

③ 피해자와의 전화통화 당시 아무런 말을 하지 않은 경우, 이는 피해자가 전화를 수신하기 전에 전화 벨소리를 울리게 하거나 발신자 전화번호를 표시되도록 한 것까지 포함하여 피해자에게 불안감이나 공포심을 일으킨 것으로 평가된다면 '음향, 글 등을 도달하게 하는 행위'에 해당하므로 스토킹 행위에 해당한다(대판 2023.5.18, 2022도12037). 24. 순경 1차

④ 빌라 아래층에 살던 사람이 주변의 생활소음에 대한 불만으로 이웃을 괴롭히기 위해 불상의 도구로 수개월에 걸쳐 늦은 밤부터 새벽 사이에 반복하여 벽 또는 천장을 두드려 '쿵쿵' 소리를 내어 이를 위층에 살던 피해자의 의사에 반하여 피해자에게 도달하게 한 경우, 이는 객관

적・일반적으로 상대방에게 불안감 내지 공포심을 일으키기에 충분한 행위라고 볼 수 있어 '스토킹 범죄'를 구성한다(대판 2023.12.14, 2023도10313). 24. 순경 1차

⑤ 피고인이 전화를 걸어 피해자 휴대전화에 부재중 전화 문구, 수신차단기호 등이 표시되도록 하였다면 실제 전화통화가 이루어졌는지와 상관없이 '피해자의 휴대전화로 유선・무선・광선 및 기타의 전자적 방식에 의하여 부호・문언을 송신하지 말 것'을 명하는 잠정조치를 위반하였다고 보아야 한다(대판 2024.9.27, 2024도7832).

⑥ 피고인이 피해자에게 접근하거나 전화를 건 행위가 스토킹 범죄를 구성하는 스토킹 행위에 해당하고 구 스토킹 범죄의 처벌 등에 관한 법률의 잠정조치를 위반한 행위에도 해당하는 경우, '스토킹 범죄로 인한 구 스토킹처벌법 위반죄'와 '잠정조치 불이행으로 인한 구 스토킹처벌법 위반죄'는 사회관념상 1개의 행위로 성립하는 수 개의 죄에 해당하므로 형법 제40조의 상상적 경합관계에 있다(대판 2024.9.27, 2024도7832).

4 정보통신망법 위반죄

정보통신망 이용촉진 및 정보보호 등에 관한 법률 제74조 제1항 제3호, 제44조의 7 제1항 제3호는 정보통신망을 통하여 공포심이나 불안감을 유발하는 부호・문언・음향・화상 또는 영상을 반복적으로 상대방에게 도달하게 하는 행위를 처벌한다. 여기서 '공포심이나 불안감을 유발하는 문언을 반복적으로 상대방에게 도달하게 하는 행위'는 전체적으로 상대방의 불안감 등을 조성하기 위한 일련의 반복적인 행위로 평가할 수 있는 경우이어야만 하고, 그와 같이 평가될 수 없는 일회성 내지 비연속적인 단발성 행위가 여러 번 이루어진 것에 불과한 경우에는 각 행위의 구체적 내용 및 정도에 따라 협박죄나 경범죄처벌법상 불안감 조성행위 등 별개의 범죄로 처벌할 수 있음은 별론으로 하더라도 위 법 위반죄로 처벌할 수 없다(대판 2023.9.14, 2023도5814 예 회사의 대표이사인 피고인이 피해자에게 해고를 통보하자 피해자가 반발한 상황에서, 피고인이 휴대전화를 사용하여 피해자에게 메시지를 7회 전송하고 전화를 2회 걸어 정보통신망을 통하여 공포심이나 불안감을 유발하는 문언・음향을 반복적으로 피해자에게 도달하도록 하였다는 내용으로 기소된 경우, 피고인의 행위는 전체적으로 일회성 내지 비연속적인 단발성 행위가 수차 이루어진 것으로 볼 여지가 있을 뿐 정보통신망을 이용하여 상대방의 불안감 등을 조성하는 일련의 행위를 반복한 경우에 해당한다고 단정할 수 없다).

CHAPTER 02

기출문제

01 강요죄에 관한 다음 설명 중 옳지 않은 것은?(다툼이 있는 경우 판례에 의함) 17. 경찰간부

① 골프시설의 운영자가 골프회원에게 불리하게 변경된 내용의 회칙에 대하여 동의한다는 내용의 등록신청서를 제출하지 아니하면 회원으로 대우하지 아니하겠다고 통지한 것은 강요죄에 해당한다.

② 폭력조직 전력이 있는 피고인이 특정 연예인에게 팬미팅 공연을 하도록 강요하면서 만날 것을 요구하고, 팬미팅 공연이 이행되지 않으면 안 좋은 일을 당할 것이라고 협박한 경우, 해당 연예인에게 공연을 할 의무가 없다는 점에 대한 미필적 인식이 피고인에게 있는 것으로 보아 강요죄의 고의가 있다고 할 것이다.

③ 상관이 직무수행을 태만히 하거나 지시사항을 불이행하고 허위보고 등을 한 부하에게 근무태도를 교정하고 직무수행을 감독하기 위하여 직무수행의 내역을 일지 형식으로 기재하여 보고하도록 명령하는 행위는 직무권한 범위 내에서 내린 정당한 명령이므로 부하는 명령을 실행할 법률상 의무가 있고, 명령을 실행하지 아니하는 경우 군인사법 제57조 제2항에서 정한 징계처분이 내려진다거나 그에 갈음하여 얼차려의 제재가 부과된다고 하여 그와 같은 명령이 형법 제324조의 강요죄를 구성한다고 볼 수 없다.

④ 직장에서 상사가 범죄행위를 저지른 부하직원에게 징계절차에 앞서 자진하여 사직할 것을 단순히 권유하였다고 하여 이를 강요죄에서의 협박에 해당한다고 볼 수는 없다.

해설 ① 대판 2003.9.26, 2003도763
② ×: 미필적 인식 × ⇨ 강요죄의 고의 ×(대판 2008.5.15, 2008도1097)
③ 대판 2012.11.29, 2010도1233 ④ 대판 2008.11.27, 2008도7018

02 강요의 죄에 대한 설명 중 가장 적절한 것은?(다툼이 있는 경우 판례에 의함) 20. 경찰승진

① 인질강요죄에서 강요의 상대방에 '인질'은 포함되지 않으며, 인질강요죄를 범한 자가 인질을 안전한 장소에 풀어준 때에는 그 형을 감경한다.

② 폭행 또는 협박으로 '법률상 의무없는 일' 뿐만 아니라, '법률상 의무있는 일'을 하게 한 경우에도 강요죄가 성립한다.

③ 환경단체 소속 회원들이 마치 단속의 권한이 있는 것처럼 축산 농가들의 폐수배출 단속활동을 벌이면서, 폐수배출 현장을 사진 촬영하거나 폐수배출 사실확인서를 징구하는 과정에서 이에 서명하지 아니하면 법에 저촉된다고 겁을 주는 등의 행위를 한 경우 강요죄에 해당한다.

④ 투자금 회수를 위해 피해자를 강요하여 물품대금을 횡령하였다는 자인서를 받아낸 뒤 이를 근거로 돈을 갈취한 경우에는 강요죄와 공갈죄의 실체적 경합이 된다.

Answer 01. ② 02. ③

해설 ① × : ~ 감경할 수 있다(제324조의 6).
② × : 법률상 의무 있는 일을 한 경우 ⇨ 폭행 · 협박죄 ○, 강요죄 ×(대판 2008.5.15, 2008도1097)
③ ○ : 대판 2010.4.29, 2007도7064
④ × : 포괄하여 공갈죄 일죄만 성립(대판 1985.6.25, 84도2083)

03 협박과 강요의 죄에 관한 설명으로 가장 적절한 것은?(다툼이 있는 경우 판례에 의함)

24. 경찰간부 · 해경승진

① 甲이 A에게 공포심을 일으키게 하기에 충분한 해악을 고지하였으나, A가 현실적으로 공포심을 일으키지 않았어도, 그 의미를 인식한 이상 甲의 행위는 협박미수죄에 해당한다.
② 강요죄에서의 폭행은 사람에 대한 직접적인 유형력의 행사를 의미하고 사람의 신체에 대한 것이어야 한다.
③ 甲이 A를 폭행하였으나 그의 권리행사를 방해함이 없이 법률상 의무 있는 일을 하게 한 경우에는 강요죄가 성립할 여지가 없다.
④ 공무원 甲이 자신의 직무와 관련한 상대방 A에게 자신을 위하여 재산적 이익을 제공할 것을 요구하고 A는 甲의 지위에 따른 직무에 관하여 어떠한 이익을 기대하며 그에 대한 대가로서 요구에 응하였다면, 비록 甲의 요구 행위를 해악의 고지로 인정될 수 없다 하더라도 강요죄의 성립에는 아무런 지장을 주지 않는다.

해설 ① × : ~ 협박기수(미수 ×)죄에 해당한다(대판 2007.9.28, 2007도606 전원합의체).
② × : 강요죄에서 폭행은 사람에 대한 직접적인 유형력의 행사뿐만 아니라 간접적인 유형력의 행사도 포함하며, 반드시 사람의 신체에 대한 것에 한정되지 않는다(대판 2021.11.25, 2018도1346).
③ ○ : 대판 2008.5.15, 2008도1097
④ × : ~ (3줄) 응하였다면, 다른 사정이 없는 한 협박을 요건으로 하는 강요죄가 성립하지 않는다(대판 2020.2.13, 2019도5186 ∵ 甲의 요구행위를 해악의 고지로 인정될 수 없다면 협박 ×).

04 다음 중 피해자를 안전한 장소로 풀어준 때에는 형을 감경할 수 있다는 "해방감경규정"의 적용이 없는 범죄는 모두 몇 개인가?

15. 경찰간부, 20. 해경승진

㉠ 체포 · 감금죄	㉡ 인질강도죄	㉢ 인신매매죄
㉣ 인질상해죄	㉤ 미성년자약취 · 유인죄	

① 1개 ② 2개 ③ 3개 ④ 4개

해설 • **해방감경규정** ○ : 제295조의 2(㉢ 제289조 ㉤ 제287조), 제324조의 6(㉣ 제324조의 3)
• **해방감경규정** × : ㉠㉡

Answer 03. ③ 04. ②

05 **스토킹 범죄에 관한 설명으로 가장 적절한 것은?**(다툼이 있는 경우 판례에 의함) 24. 순경 1차

① 빌라 아래층에 살던 사람이 주변의 생활소음에 대한 불만으로 이웃을 괴롭히기 위해 불상의 도구로 수개월에 걸쳐 늦은 밤부터 새벽 사이에 반복하여 벽 또는 천장을 두드려 '쿵쿵' 소리를 내어 이를 위층에 살던 피해자의 의사에 반하여 피해자에게 도달하게 한 경우, 이는 객관적 · 일반적으로 상대방에게 불안감 내지 공포심을 일으키기에 충분한 행위라 볼 수 없어 스토킹 범죄를 구성하지 않는다.

② 전화를 걸어 상대방의 휴대전화에 벨소리가 울리게 하거나 부재중 전화 문구 등이 표시되도록 하여 상대방에게 불안감이나 공포심을 일으키는 행위는 실제 전화통화가 이루어졌는지와 상관없이 구 스토킹범죄의 처벌 등에 관한 법률 제2조 제1호 (다)목에서 정한 스토킹 행위에 해당한다.

③ 피해자와의 전화통화 당시 아무런 말을 하지 않은 경우, 이는 피해자가 전화를 수신하기 전에 전화 벨소리를 울리게 하거나 발신자 전화번호를 표시되도록 한 것까지 포함하여 피해자에게 불안감이나 공포심을 일으킨 것으로 평가되더라도 '음향, 글 등을 도달하게 하는 행위'로 볼 수 없어 스토킹 행위에 해당하지 않는다.

④ 구 스토킹범죄의 처벌 등에 관한 법률 제2조 제1호 각 목의 행위가 객관적 · 일반적으로 볼 때 이를 인식한 상대방으로 하여금 불안감 또는 공포심을 일으키기에 충분한 정도라고 평가되는 경우라도 상대방이 현실적으로 불안감 내지 공포심을 갖게 되어야 스토킹 행위에 해당한다.

해설 ① ×: ~ (4줄) 일으키기에 충분한 행위라고 볼 수 있어 '스토킹 범죄'를 구성한다(대판 2023.12.14, 2023도10313).

② ○: 대판 2023.5.18, 2022도12037

③ ×: ~ (3줄) 일으킨 것으로 평가된다면 '음향, 글 등을 도달하게 하는 행위'에 해당하므로 스토킹 행위에 해당한다(대판 2023.5.18, 2022도12037).

④ ×: 스토킹 행위를 전제로 하는 스토킹 범죄는 행위자의 어떠한 행위를 매개로 이를 인식한 상대방에게 불안감 또는 공포심을 일으킴으로써 그의 자유로운 의사결정의 자유 및 생활형성의 자유와 평온이 침해되는 것을 막고 이를 보호법익으로 하는 위험범이라고 볼 수 있으므로, 구 스토킹범죄의 처벌 등에 관한 법률 제2조 제1호 각 목의 행위가 객관적 · 일반적으로 볼 때 이를 인식한 상대방으로 하여금 불안감 또는 공포심을 일으키기에 충분한 정도라고 평가될 수 있다면 현실적으로 상대방이 불안감 내지 공포심을 갖게 되었는지 여부와 관계없이 '스토킹 행위'에 해당하고, 나아가 그와 같은 일련의 스토킹 행위가 지속되거나 반복되면 '스토킹 범죄'가 성립한다(대판 2023.9.27, 2023도6411).

Answer 05. ②

제3절 체포와 감금의 죄

1 체포 · 감금죄

제276조【체포 · 감금죄, 존속체포 · 감금죄】 ① 사람을 체포 또는 감금한 자는 5년 이하의 징역 또는 700만원 이하의 벌금에 처한다.
② 자기 또는 배우자의 직계존속에 대하여 제1항(체포 · 감금)의 죄를 범한 때에는 10년 이하의 징역 또는 1천 500만원 이하의 벌금에 처한다.
제277조【중체포 · 감금죄, 존속중체포 · 감금죄】 ① 사람을 체포 또는 감금하여 가혹한 행위(생명 · 신체에 대한 구체적 위험발생 ×)를 가한 자는 7년 이하의 징역에 처한다. 12. 사시, 18. 순경 2차, 19. 순경 1차, 20. 경찰승진, 24. 해경승진
② 자기 또는 배우자의 직계존속에 대하여 전항의 죄를 범한 때에는 2년 이상의 유기징역에 처한다.
제278조【특수체포 · 감금죄】 단체 또는 다중의 위력을 보이거나 위험한 물건을 휴대하여 전2조(체포 · 감금, 존속체포 · 감금, 중체포 · 감금, 존속중체포 · 감금)의 죄를 범한 때에는 그 죄에 정한 형의 2분의 1까지 가중한다. 16 · 20. 수사경과
제279조【상습체포 · 감금죄】 상습으로 제276조(체포 · 감금, 존속체포 · 감금) 또는 제277조(중체포 · 감금, 존속중체포 · 감금)의 죄를 범한 때에는 전조(특수체포 · 감금)의 예에 의한다.
제280조【미수범】 본죄의 미수범은 처벌한다. 16 · 18. 수사경과

(1) **행위의 객체** : 신체활동의 자유를 가지는 사람

잠재적 의미에서 행동의 의사를 가질 수 있는 자연인은 모두 체포 · 감금죄의 객체가 되므로, 책임능력 등을 갖지 못한 정신병자도 본죄의 객체가 된다(대판 2002.10.11, 2002도4315). 15. 순경 2차, 16. 경찰승진, 17. 변호사시험, 20 · 21. 수사경과, 23. 해경승진, 24. 경위공채

(2) **행 위** : 체포 또는 감금

① **체 포**

㉠ '체포'는 사람의 신체에 대하여 직접적이고 현실적인 구속을 가하여 신체활동의 자유를 박탈하는 행위를 의미하는 것으로서 수단과 방법을 불문한다. 체포죄는 계속범으로서 체포의 행위에 확실히 사람의 신체의 자유를 구속한다고 인정할 수 있을 정도의 시간적 계속이 있어야 하나(체포죄의 기수), 체포의 고의로써 타인의 신체적 활동의 자유를 현실적으로 침해하는 행위를 개시한 때 체포죄의 실행에 착수하였다고 볼 것이다〔대판 2018.2.28, 2017도21249 예 강간미수 피해를 입은 후 피해자가 엘리베이터를 탔는데도 피해자의 팔을 잡고 끌어내리려고 해서 이를 뿌리친 경우 ⇨ 체포미수(기수 ×)죄 ○〕. 18. 법원행시, 19 · 21. 수사경과, 21. 9급 검찰 · 마약수사 · 해경간부

㉡ 체포죄는 계속범으로서 체포의 행위에 확실히 사람의 신체의 자유를 구속한다고 인정할 수 있을 정도의 시간적 계속이 있어야 기수에 이르고, 신체의 자유에 대한 구속이 그와

같은 정도에 이르지 못하고 일시적인 것으로 그친 경우에는 체포죄의 미수범이 성립할 뿐이다(대판 2020.3.27, 2016도18713 예 팔을 잡아당기거나 등을 미는 등의 방법으로 끌고 가려고 한 경우 ⇨ 체포죄의 미수범 ○). 23. 순경 1차·2차, 24. 해경수사, 25. 변호사시험

② **감금** : 감금이란 사람을 일정한 장소 밖으로 나가지 못하게 하거나 현저히 곤란하게 함으로써 신체적 활동의 자유를 장소적으로 제한하는 것을 말한다.
감금의 방법은 물리적·유형적 장애뿐만 아니라 심리적·무형적 장애에 의해서도 가능하고, 행동의 자유의 박탈은 반드시 전면적이어야 할 필요가 없으므로 감금된 특정구역 내부에서 일정한 생활의 자유가 허용되더라도 감금죄가 성립한다(대판 2000.3.24, 2000도102). 14. 경찰간부, 15. 순경 2차, 16. 경찰승진·순경 1차, 21. 수사경과·해경간부

관련판례

1. 피해자가 도피하면 생명·신체에 해를 당할지도 모른다는 공포감에서 도피를 단념하고 호텔에서 함께 묵고 비행기로 출국한 경우 ⇨ 감금죄(대판 1991.8.27, 91도1604) 15. 수사경과, 16. 순경 1차, 21. 해경승진, 22. 해경간부, 23. 경찰승진
2. 차량 내에서 피해자의 하차요구를 무시하고 빠른 속도로 진행하여 피해자를 차량에서 내리지 못하게 하는 행위는 감금죄에 해당한다(대판 1983.4.26, 83도323). 15. 경찰승진, 18. 수사경과, 22. 해경간부
3. 인신구속에 관한 직무를 행하는 피고인이 피해자를 구속하기 위하여 진술조서 등을 허위로 작성한 후 검사와 영장전담판사를 기망하여 구속영장을 발부받아 피해자를 구금한 행위는 직권남용감금죄가 성립한다(대판 2006.5.25, 2003도3945 ∵ 간접정범 ○). 12. 법원행시, 17·18. 수사경과, 24. 해경수사
4. 피고인들이 대한상이군경회원 80여 명과 공동으로 호텔 출입문을 봉쇄하며 피해자들의 출입을 방해한 경우 ⇨ (폭력행위 등 처벌에 관한 법률 제3조 제1항의) 감금죄(대판 1983.9.13, 80도277) 15. 경찰승진
5. 임의동행형식으로 경찰서에서 조사를 받은 피해자가 경찰사무실에서 직장동료와 어울려 식사도 하고 사무실 내외를 자유로이 통행한 경우 ⇨ 직권남용감금죄(대판 1991.12.30, 91모5 ∵ 경찰서 밖으로 나가지 못하도록 한 유형·무형의 억압 있음) 07. 경찰승진, 13. 수사경과
   ▶ **유사판례** : 경찰서 내 대기실로서 일반인과 면회인 및 경찰관이 수시로 출입하는 곳이고 여닫이문만 열면 나갈 수 있도록 된 구조라 하여도 경찰서 밖으로 나가지 못하도록 그 신체의 자유를 제한하는 유·무형의 억압이 있었다면 이는 감금에 해당한다(대판 1997.6.13, 97도877). 17. 변호사시험, 23. 경찰승진
6. 정신건강의학과 전문의인 甲·乙이 보호의무자인 피해자의 아들 丙의 진술뿐만 아니라 피해자를 직접 대면하여 진찰한 결과를 토대로 입원이 필요하다는 진단을 하고, 丙과 공동하여 피해자를 응급이송차량에 강제로 태워 병원으로 데려가 입원시킨 경우 ⇨ 甲·乙 : 감금죄 ×(대판 2015.10.29, 2015도8429 ∵ 치료할 의사로 입원시킴 ⇨ 감금죄의 고의 ×, 감금행위 ×), 丙 : 감금죄 ○(치료가 아닌 다른 목적으로 입원시킴 ⇨ 위법성 ○) 18. 경찰간부
7. 정신의료기관의 장이 자의(自意)로 입원 등을 한 환자로부터 퇴원 요구가 있는데도 구 정신보건법〔정신의료기관의 장은 자의(自意)로 입원 등을 한 환자로부터 퇴원 신청이 있는 경우에는 지체 없이 퇴원을 시켜야 한다.〕에 정해진 절차를 밟지 않은 채 방치한 경우, 위법한 감금행위에 해당한다(대판 2017.8.18, 2017도7134). 19. 수사경과, 21. 경찰간부

8. 보호의무자의 동의를 제대로 얻지 못한 상태에서 정신의료기관의 장의 결정에 의하여 정신질환자에 대한 입원이 이루어졌다 하더라도, 정신건강의학과 전문의가 사실과 다르게 입원 진단을 하였다거나 또는 정신의료기관의 장 등과 공동하거나 공모하여 정신질환자를 강제입원시켰다는 등의 특별한 사정이 없는 이상, 정신의료기관의 장의 입원 결정과 구별되는 정신건강의학과 전문의의 입원 진단 내지 입원권고서 작성행위만을 가지고 부적법한 입원행위라고 보아 감금죄로 처벌할 수 없다(대판 2017.4.28, 2013도13569).
9. 감금죄에 있어서 사람의 행동의 자유의 박탈은 반드시 전면적이어야 할 필요가 없으므로, 도박빚으로 인하여 특정구역 내부에서 감금된 피해자 자신의 휴대폰을 이용하여 전화통화를 하는 등 일정한 생활의 자유가 허용되어 있는 경우라도 감금죄가 성립한다(대판 2011.9.29, 2010도5962). 24. 경위공채

(3) 위법성

관련판례

정신병자의 어머니의 의뢰·승낙하에 감호를 위하여 보호실 문을 야간에 한해 3일간 시정하여 출입금지 시킨 경우(대판 1980.2.12, 79도1349), 수용시설에 수용 중인 부랑인들의 야간도주 방지를 위해 취침시간 중 출입문을 안에서 잠근 경우(대판 1988.11.8, 88도1580) ⇨ 위법성조각(정당행위 ○) 15. 순경 2차, 15·16. 경찰승진, 22. 해경간부, 24. 해경수사

(4) 죄수 및 타죄와의 관계

① 사람을 체포하여 감금한 경우 ⇨ 포괄하여 1개의 감금죄만 성립 09. 법원행시

② 감금을 위한 수단으로서 행사된 단순한 협박행위는 감금죄에 흡수되어 따로 협박죄를 구성하지 아니한다(대판 1982.6.22, 82도705). 16. 순경 1차, 17. 변호사시험, 18. 순경 2차, 16·20. 경찰승진, 20. 법원직, 21·23. 해경승진

③ 감금행위가 강간죄나 강도죄의 수단이 된 경우에도 감금죄는 강간죄나 강도죄에 흡수되지 아니하고 별죄를 구성한다(대판 1997.1.21, 96도2715 ∴ 감금죄와 강도죄 또는 강간죄의 상상적 경합). 17. 변호사시험, 18. 순경 2차, 20·23. 경찰승진, 24. 해경승진·해경수사

감금행위가 단순히 강도상해의 수단이 되는 데 그치지 아니하고 강도상해가 끝난 뒤에도 계속된 경우 ⇨ 감금죄와 강도상해죄의 실체적 경합(대판 2003.1.10, 2002도4380) 15. 경찰간부, 16. 순경 1차·수사경과, 18. 순경 2차, 21. 9급 검찰·마약수사, 22. 해경간부, 24. 해경승진

④ 미성년자를 유인하여 계속해서 불법감금한 경우 ⇨ 미성년자유인죄와 감금죄의 경합(대판 1998.5.26, 98도1036) 19. 수사경과, 20. 경찰승진, 21. 9급 검찰·마약수사, 23. 순경 1차, 24. 해경승진

2 체포 · 감금치사상죄, 존속체포 · 감금치사상죄

관련판례

1. 승용차에 피해자를 태우고 질주하던 중 피해자가 차량을 빠져 나오다 떨어져 사망한 경우 ⇨ 감금치사죄(대판 2000.2.11, 99도5286 ∵ 인과관계 ○) 15. 경찰승진, 21. 9급 검찰 · 마약수사
2. 좁은 차량 속에 정신병자의 손 · 발을 묶어 17시간 이상 감금한 결과 묶인 부위의 혈액순환장애로 사망한 경우 ⇨ 감금치사죄(대판 2002.10.11, 2002도4315 ∵ 인과관계 ○)
3. 미성년자를 유인 · 포박 · 감금한 후 단지 그 상태를 유지했을 뿐인데 사망한 경우 ⇨ 감금치사죄, 감금상태가 계속된 어느 시점에서 살해의 범의가 생겨 그대로 방치함으로써 사망한 경우 ⇨ 부작위에 의한 살인죄(대판 1982.11.23, 82도2024) 03. 법원행시
4. 피고인이 피해자를 아파트 안방에 감금하고 가혹행위를 하던 중 피해자가 계속되는 가혹행위를 피하려고 창문을 통하여 아파트 아래 잔디밭에 뛰어내리다가 사망한 경우 ⇨ 중감금치사죄(대판 1991.10.25, 91도2085 ∵ 인과관계 ○) 12. 9급 검찰 · 마약 · 철도경찰
5. 체포치상죄의 상해는 피해자 신체의 건강상태가 불량하게 변경되고 생활기능에 장애가 초래되는 것을 말한다. 피해자가 입은 상처가 극히 경미하여 굳이 치료할 필요가 없고 치료를 받지 않더라도 일상생활을 하는 데 아무런 지장이 없으며 시일이 경과함에 따라 자연적으로 치유될 수 있는 정도라면, 그로 인하여 피해자의 신체의 건강상태가 불량하게 변경되었다거나 생활기능에 장애가 초래된 것으로 보기 어려워 체포치상죄의 상해에 해당한다고 할 수 없다(대판 2020.3.27, 2016도18713).

CHAPTER 02

기출문제

01 감금죄에 관한 설명 중 가장 적절하지 않은 것은?(다툼이 있는 경우 판례에 의함)

15. 경찰승진, 22. 해경간부

① 차량 내에서 피해자의 하차요구를 무시하고 빠른 속도로 진행하여 피해자를 내리지 못하게 하는 행위는 감금죄에 해당하지 않는다.

② 정신병자의 어머니의 의뢰 및 승낙하에 그 감호를 위하여 그 보호실 문을 야간에 한해서 3일간 시정하여 출입을 못하게 한 감금행위는 그 병자의 신체의 안정과 보호를 위하여 사회통념상 부득이한 조처로서 수긍될 수 있는 것이면 위법성이 없다.

③ 피해자가 만약 도피하는 경우에는 생명·신체에 심한 해를 당할지도 모른다는 공포감에서 도피하기를 단념하고 있는 상태하에서 호텔로 데리고 가서 함께 유숙한 후 함께 항공기로 국외로 나간 행위는 감금죄를 구성한다.

④ 피고인들이 대한상이군경회원 80여 명과 공동으로 호텔출입문을 봉쇄하며 피해자들의 출입을 방해하였다면 감금죄에 해당한다.

해설 ① ×: 감금죄 ○(대판 2000.2.11, 99도5286)
② 대판 1980.2.12, 79도1349
③ 대판 1991.8.27, 91도1604
④ 대판 1983.9.13, 80도277

02 체포와 감금죄에 관한 설명 중 가장 적절하지 않은 것은?(다툼이 있으면 판례에 의함)

15. 순경 2차, 16. 경찰승진

① 체포·감금죄는 행동의 자유와 의사를 가질 수 있는 자연인을 대상으로 하므로 정신병자나 영아는 본죄의 객체가 되지 못한다.

② 감금을 하기 위한 수단으로서 행사된 단순한 협박은 감금죄에 흡수되어 따로 협박죄를 구성하지 않는다.

③ 감금의 방법은 물리적·유형적 장해뿐만 아니라 심리적·무형적 장해에 의해서도 가능하고 행동의 자유의 박탈은 반드시 전면적이어야 할 필요가 없다.

④ 수용시설에 수용 중인 부랑인들의 야간도주 방지를 위해 취침시간 중 출입문을 안에서 잠근 경우 감금죄가 성립하지 않는다.

해설 ① ×: 정신병자 ⇨ 감금죄의 객체 ○(대판 2002.2.10, 2002도4315), 불구자·수면자·명정자·유아 ⇨ 감금죄의 객체 ○, 출산 직후의 영아 ⇨ 감금죄의 객체 ×(다수설)
② 대판 1982.6.22, 82도705 ③ 대판 2000.3.24, 2000도102 ④ 대판 1988.11.18, 88도1580

Answer 01. ① 02. ①

03 **체포 · 감금의 죄에 대한 설명 중 옳고 그름의 표시(○, ×)가 바르게 된 것은?**(다툼이 있는 경우 판례에 의함) 17. 변호사시험, 18. 순경 2차, 20 · 23. 경찰승진

> ㉠ 감금행위가 강간죄나 강도죄의 수단이 된 경우에도 감금죄는 강간죄나 강도죄에 흡수되지 아니하고 별죄를 구성한다.
> ㉡ 감금하기 위한 수단으로 협박한 경우 협박행위는 감금죄에 흡수되어 별도의 죄를 구성하지 아니한다.
> ㉢ 중감금죄가 성립하기 위해서는 사람을 감금한 후 가혹행위를 하여 생명 · 신체에 대한 구체적 위험이 발생해야 한다.
> ㉣ 미성년자를 유인한 자가 계속하여 미성년자를 불법하게 감금한 경우 미성년자유인죄 외에 감금죄가 별도로 성립한다.
> ㉤ 감금행위가 단순히 강도상해 범행의 수단이 되는 데 그치지 아니하고 강도상해의 범행이 끝난 뒤에도 계속된 경우 그 감금행위는 강도상해죄에 흡수되지 아니하고 별죄를 구성하며 양죄는 실체적 경합의 관계에 있다.
> ㉥ 경찰서 내 대기실로서 일반인과 면회인 및 경찰관이 수시로 출입하는 곳이고 여닫이문만 열면 나갈 수 있도록 된 구조라 하여도 경찰서 밖으로 나가지 못하도록 그 신체의 자유를 제한하는 유 · 무형의 억압이 있었다면 이는 감금에 해당한다.

① ㉠(○), ㉡(○), ㉢(×), ㉣(○), ㉤(○), ㉥(○)
② ㉠(○), ㉡(×), ㉢(○), ㉣(×), ㉤(○), ㉥(○)
③ ㉠(○), ㉡(○), ㉢(○), ㉣(○), ㉤(×), ㉥(×)
④ ㉠(×), ㉡(○), ㉢(×), ㉣(○), ㉤(×), ㉥(○)

해설 ㉠ ○ : 대판 1997.1.21, 96도2715
㉡ ○ : 대판 1982.6.22, 82도705
㉢ × : 생명 · 신체에 대한 구체적 위험발생 ×(제277조 제1항 ∴ 중감금죄 ⇨ 구체적 위험범 ×)
㉣ ○ : 대판 1998.5.26, 93도1036
㉤ ○ : 대판 2003.1.10, 2002도4380
㉥ ○ : 대판 1997.6.13, 97도877

04 **체포와 감금의 죄에 대한 설명으로 옳은 것은?**(다툼이 있는 경우 판례에 의함) 21. 9급 검찰 · 마약수사

① 강도계획 후에 피해자를 강제로 자신의 승용차에 태우고 가면서 돈을 빼앗고 상해를 가한 뒤에 계속하여 상당한 거리를 진행하여 가다가 교통사고를 일으켜 감금행위가 중단된 경우 감금죄와 강도상해죄의 실체적 경합범이 성립한다.
② 체포죄에서 체포의 수단과 방법은 불문하며, 체포의 고의로 타인의 신체적 활동의 자유를 현실적으로 침해하는 행위를 개시한 때 체포죄의 기수가 된다.
③ 미성년자를 유인한 자가 계속하여 미성년자를 불법하게 감금한 경우 감금죄는 성립하지 않고 미성년자유인죄만 성립한다.

Answer 03. ① 04. ①

④ 운전자가 피해자를 강제로 승용차에 태운 뒤 운전하여 가자 겁에 질린 피해자가 차에서 뛰어 내리다가 상해를 입은 경우 감금죄와 상해죄의 실체적 경합범이 성립한다.

해설 ① ○ : 대판 2003.1.10, 2002도4380

② × : ~ 개시한 때 체포죄의 실행에 착수하였다고 볼 것이고(대판 2018.2.28, 2017도21249), 체포죄는 계속범으로서 체포의 행위에 확실히 사람의 신체의 자유를 구속한다고 인정할 수 있을 정도의 시간적 계속이 있어야 기수에 이르고, 신체의 자유에 대한 구속이 그와 같은 정도에 이르지 못하고 일시적인 것으로 그친 경우에는 체포죄의 미수범이 성립할 뿐이다(대판 2020.3.27, 2016도18713).

③ × : 미성년자를 유인한 자가 계속하여 미성년자를 불법하게 감금한 경우 미성년자유인죄 외에 감금죄가 별도로 성립한다(대판 1998.5.26, 93도1036).

④ × : ~ 입은 경우 감금치상죄가 성립한다(대판 2000.2.11, 99도5286 ∵ 상당인과관계 ○).

05 다음 중 옳지 않은 것은 모두 몇 개인가?(다툼이 있는 경우 판례에 의함) 21. 해경간부

㉠ 피해자가 피고인으로부터 강간미수 피해를 입은 후 피고인을 뿌리치고 현관문을 열고 나와 엘리베이터를 누르고 기다리는데 피고인이 팬티바람으로 쫓아 나왔으며, 피해자가 엘리베이터를 탔는데도 피해자의 팔을 잡고 끌어내리려고 해서 이를 뿌리쳤다면, 피고인은 강간미수죄와 체포기수죄가 성립한다.

㉡ 감금죄에 있어서의 사람의 행동의 자유의 박탈은 반드시 전면적이어야 할 필요가 없으므로 감금된 특정구역 내부에서 일정한 생활의 자유가 허용되어 있었다고 하더라도 감금죄가 성립한다.

㉢ 정신보건법 제23조 제2항에서 정한 자의(自意)입원 정신질환자로부터 퇴원요청이 있었음에도 관련 법령에 정해진 절차를 밟지 않은 채 방치한 경우 감금행위에 해당한다.

㉣ 정신병자의 어머니의 의뢰 및 승낙하에 감호를 위하여 그 보호실문을 야간에 한해서 3일간 시정하여 출입을 못하게 하였다면 위법성이 없다.

㉤ 피고인이 알콜중독의 남편인 피해자를 의사의 진찰도 없이 병원원무과장에게 부탁하여 강제로 병원에 입원시켰고, 이후 불안감을 느낀 피해자가 퇴원을 조건으로 하여 그 부동산의 이전 요구에 응하였다면, 감금죄와 공갈죄의 상상적 경합의 죄책을 진다.

① 1개 ② 2개 ③ 3개 ④ 4개

해설 ㉠ × : ~ 뿌리쳤다면, 강간미수죄와 체포미수(기수 ×)죄가 성립한다(대판 2018.2.28, 2017도21249 ∵ 일시적으로나마 피해자의 신체를 구속하였으나, 확실히 신체의 자유를 구속한다고 인정할 수 있을 정도의 시간적 계속 × ⇨ 체포미수죄 ○, 체포기수죄 ×)

㉡ ○ : 대판 2000.3.24, 2000도102

㉢ ○ : 대판 2017.8.18, 2017도7134

㉣ ○ : 대판 1988.11.8, 88도1580

㉤ × : ~ 감금죄와 공갈죄의 실체적 경합의 죄책을 진다(대판 2001.2.23, 2000도4415).

Answer 05. ②

06 **체포와 감금의 죄에 관한 설명으로 옳은 것은?**(다툼이 있는 경우 판례에 의함) 24. 경위공채

① 감금죄에 있어서 사람의 행동의 자유의 박탈은 반드시 전면적이어야 하므로 도박빚으로 인하여 특정구역 내부에서 감금된 피해자 자신의 휴대폰을 이용하여 전화통화를 하는 등 일정한 생활의 자유가 허용되어 있는 경우에는 감금죄가 성립하지 않는다.

② 체포의 고의로써 타인의 신체적 활동의 자유를 현실적으로 침해하는 행위를 개시한 때 체포죄의 실행의 착수가 인정된다.

③ 일반인, 면회인, 경찰관이 수시로 출입하는 곳이고 여닫이문만 열면 나갈 수 있는 구조로 된 경찰서 내 대기실에서 피해자에게 경찰서 밖으로 나가지 못하도록 그 신체의 자유를 제한하는 유형·무형의 억압이 있었다고 하더라도, 이는 감금에 해당하지 않는다.

④ 감금죄는 행동의 자유와 의사를 가진 자연인을 대상으로 하므로 정신병자는 감금죄의 객체가 되지 않는다.

해설 ① × : ~ 반드시 전면적이어야 할 필요가 없으므로 도박빚으로 인하여 특정구역 내부에서 감금된 피해자 자신의 휴대폰을 이용하여 전화통화를 하는 등 일정한 생활의 자유가 허용되어 있는 경우라도 감금죄가 성립한다(대판 2011.9.29, 2010도5962).
② ○ : 대판 2018.2.28, 2017도21249
③ × : ~ (3줄) 억압이 있었다면 이는 감금에 해당한다(대판 1997.6.13, 97도877).
④ × : 잠재적 의미에서 행동의 의사를 가질 수 있는 자연인은 모두 체포·감금죄의 객체가 되므로, 책임능력 등을 갖지 못한 정신병자도 본죄의 객체가 된다(대판 2002.10.11, 2002도4315).

Answer 06. ②

제4절 약취, 유인 및 인신매매의 죄

1. 미수범 처벌(제294조), 예비·음모 처벌(제296조), 상습범이나 존속 가중처벌 ×, 친고죄 × 21. 경찰승진
2. **해방감경규정**(제295조의 2) : 약취, 유인, 매매 또는 이송된 사람을 안전한 장소로 풀어준 때에는 그 형을 감경할 수 있다(임의적 감경 ○, 필요적 감경 ×). 21. 법원직, 18·21. 수사경과, 24. 경찰승진
3. **세계주의**(제296조의 2) : 약취·유인죄나 인신매매죄 또는 그 미수범은 대한민국 영역 밖에서 죄를 범한 외국인에게도 적용한다(▶ **주의** : 예비·음모죄는 적용 ×). 21. 경찰승진·법원직, 23. 변호사시험·순경 1차

1 미성년자약취·유인죄

제287조 미성년자를 약취 또는 유인한 사람은 10년 이하의 징역에 처한다.

친고죄 ×, 목적범 ×, 미수범 처벌(제294조), 예비·음모 처벌(제296조), 해방감경규정(제295조의 2), 세계주의(제296조의 2) 14. 법원직, 16. 경찰간부

(1) 보호법익

피인취자(미성년자)의 자유권(주된 보호법익)+보호자의 감독권(부차적 보호법익) 16. 경찰간부

따라서 미성년자의 동의가 있더라도 보호자의 동의가 없으면 본죄가 성립한다(∵ 보호자의 감독권 침해).

관련판례

1. 아버지와 함께 살고 있던 미성년자(14세 여중생)의 동의를 얻어 피고인과 공범들이 자신들의 사실상 지배하로 옮긴 경우 ⇨ 미성년자약취죄(대판 2003.2.11, 2002도7115 ∵ 아버지의 감호권 침해) 16. 순경 2차, 18. 순경 3차, 21. 법원행시·해경승진, 22. 해경 2차, 24. 7급 검찰·해경수사
2. 독자적인 설교에 현혹되어 스스로 가출한 미성년자를 전도관에 입관하게 하여 껌팔이 등 행상을 시킨 경우 ⇨ 미성년자유인죄(대판 1982.4.27, 82도186 ∵ 하자 있는 의사로 가출, 보호자의 동의× ⇨ 보호감독권자의 보호관계로부터 이탈시킴) 19. 경찰간부·법원행시, 22. 해경간부

(2) 행위의 주체 : 아무런 제한 ×(미성년자의 친권자도 본죄의 주체 가능)

관련판례

미성년자를 보호감독하는 자라 하더라도 다른 보호감독자의 감호권(보호·양육권)을 침해하거나 자신의 감호권(보호·양육권)을 남용하여 미성년자 본인의 이익을 침해하는 경우 ⇨ 미성년자 약취·유인죄의 주체 ○(대판 2008.1.31, 2007도8011 예 미성년자의 어머니가 교통사고로 사망하여 아버지가 미성년자의 양육을 외조부에게 맡겼으나 교통사고 배상금 등으로 분쟁이 발생하자, 학교에서 귀가하는 미성년자를 아버지가 본인의 의사에 반하여 강제로 차에 태우고 데려간 경우 미성년자약취죄가 성립한다.) 14. 변호사시험, 15. 순경 3차, 19. 경찰간부, 21. 수사경과·순경 2차, 22. 해경간부·법원직, 24. 경찰승진

(3) **행위의 객체** : 민법상 미성년자(만 19세 미만인 자)

(4) **행 위** : 약취 또는 유인(인취행위)

① **약취** : 미성년자 약취행위는 폭행 또는 협박을 수단으로 하여 미성년자를 그 의사에 반하여 자유로운 생활관계 또는 보호관계로부터 이탈시켜 범인이나 제3자의 사실상 지배하에 옮기는 행위로 장소적 이전을 전제로 하지 않는다(대판 2008.1.17, 2007도8485). 24. 7급 검찰 폭행 또는 협박을 수단으로 사용하는 경우에 그 폭행 또는 협박의 정도는 상대방을 실력적 지배하에 둘 수 있을 정도이면 족하고 반드시 상대방의 반항을 억압할 정도의 것임을 요하지는 아니한다(대판 1991.8.13, 91도1184). 15. 경찰간부 · 순경 3차, 17. 법원행시 · 경찰승진, 21. 수사경과 · 순경 2차, 22. 해경간부, 24. 7급 검찰

예 1. 甲이 간음할 목적으로 초등학교 5학년 여학생인 乙의 소매를 잡아 끌면서 "우리 집에 같이 자러 가자."고 한 행위는 간음목적의 약취행위의 수단으로서 폭행에 해당한다(대판 2009.7.9, 2009도3816). 16. 경찰간부, 21. 해경승진, 22. 순경 1차

2. 아이를 母에게서 격리시킬 필요가 있어 父가 그 아이를 친구에게 맡기고 미국으로 갔는데, 父의 친구가 母의 아이 인도 요구를 거절한 경우 미성년자약취죄가 성립하지 않는다(대판 1974.5.28, 74도840). 18. 수사경과, 21. 법원행시, 24. 해경수사

② **유인** : 미성년자유인죄란 기망 또는 유혹을 수단으로 하여 미성년자를 꾀어 그 하자 있는 의사에 따라 미성년자를 자유로운 생활관계 또는 보호관계로부터 이탈하게 하여 자기 또는 제3자의 사실적 지배하에 옮기는 행위를 말하고, 여기서 사실적 지배라고 함은 미성년자에 대한 물리적 · 실력적인 지배관계를 의미한다(대판 1998.5.15, 98도690). 14. 경찰승진, 15. 경찰간부, 21. 법원직

관련판례

1. 전직 잡지사 기획실장이 가출하여 영화배우가 되도록 도와달라고 한 여고생을 집으로 돌아가라고 수차례 권유하였으나 이를 듣지 않고 자취방에서 지낸 경우 ⇨ 미성년자유인죄 ×(대판 1998.5.15, 98도690 ∵ 피해자를 기망 · 유혹하여 자기의 사실적 지배하로 옮긴 것 ×) 19. 경찰간부, 20. 수사경과
2. 甲이 자신의 4촌 매형의 가게에서 일하면서 숙식을 해결하는 미성년인 저능아를 제주도로 데리고 간 후 이 사실을 매형에게 숨기고 몇 개월 후 다시 데려온 경우 ⇨ 미성년자유인죄 ○(대판 1996.2.27, 95도2980) 19. 경찰간부
3. 공동피고인 甲은 丙(5세)을 유인하여 오기로 하고 피고인 乙은 유인하여 온 위 丙을 자기의 거실에서 보호 · 감시하기로 공모하였다면, 甲이 乙의 모르는 사이에 위 丙을 유인하여 온 관계로 乙이 사실상 보호 · 감시를 못하였다고 하여도 피고인들은 미성년자 유인사실에 대하여 공동정범이다(대판 1965.3.23, 65도47).

③ 폭행 · 협박 · 기망 · 유혹은 피인취자(본인)가 아닌 제3자(보호자)에게 행해져도 무방하다.

④ **장소적 이전성 여부** : 보호자를 폭행 · 협박 · 기망 등으로 떠나게 하고 피해자를 자기의 실력지배하에 둘 수도 있기 때문에 장소이전은 요건이 아니라고 보는 견해(다수설 · 판례)가 타당하다.

관련판례

1. ① 미성년자가 혼자 머무는 주거에 침입하여 그를 감금한 뒤 폭행 또는 협박에 의하여 부모의 출입을 봉쇄하거나 미성년자와 부모가 거주하는 주거에 침입하여 부모만을 강제로 퇴거시키고 독자적인 생활관계를 형성하기에 이르렀다면, 비록 장소적 이전이 없었다 할지라도 미성년자약취죄에 해당한다(대판 2008.1.17, 2007도8485). 18. 변호사시험, 19. 법원행시, 20. 수사경과, 21. 경찰승진·해경승진·순경 2차, 22. 해경간부, 23. 순경 1차

   ② 미성년자 혼자 머무는 주거에 침입하여 강도 범행을 하는 과정에서 미성년자와 그 부모에게 폭행·협박을 가하여 일시적으로 부모와의 보호관계가 사실상 침해·배제되었더라도, 미성년자가 기존의 생활관계로부터 완전히 이탈되었다거나 새로운 생활관계가 형성되었다고 볼 수 없는 경우에는 형법 제287조의 미성년자약취죄가 성립하지 않는다(대판 2008.1.17, 2007도8485). 19. 경찰간부, 21. 법원행시, 22. 해경 2차, 24. 경찰승진

2. 부모가 이혼하였거나 별거하는 상황에서 미성년의 자녀를 부모의 일방이 평온하게 보호·양육하고 있는데, 상대방 부모가 폭행, 협박 또는 불법적인 사실상의 힘을 행사하여 그 보호·양육 상태를 깨뜨리고 자녀를 탈취하여 자기 또는 제3자의 사실상 지배하에 옮긴 경우, 미성년자에 대한 약취죄를 구성한다〔대판 2021.9.9, 2019도16421 예 피고인과 甲은 각각 한국과 프랑스에서 따로 살며 이혼소송 중인 부부로서 자녀인 피해아동 乙(만 5세)은 프랑스에서 甲과 함께 생활하였는데, 피고인이 乙을 면접교섭하기 위하여 그를 보호·양육하던 甲으로부터 乙을 인계받아 국내로 데려온 후 면접교섭 기간이 종료하였음에도 乙을 데려다주지 아니한 채 甲과 연락을 두절한 후 법원의 유아인도명령 등에도 불응한 경우 ⇨ 그러한 부작위도 폭행, 협박 또는 불법적인 사실상의 힘을 행사한 것으로 볼 수 있으므로 미성년자약취죄 ○〕. 22. 법원직·해경 2차, 25. 변호사시험 그러나 이와 달리 미성년의 자녀를 부모가 함께 동거하면서 보호·양육하여 오던 중 부모의 일방이 상대방 부모나 그 자녀에게 어떠한 폭행, 협박이나 불법적인 사실상의 힘을 행사함이 없이 그 자녀를 데리고 종전의 거소를 벗어나 다른 곳으로 옮겨 자녀에 대한 보호·양육을 계속하였다면, 법원의 결정이나 상대방 부모의 동의를 얻지 아니하였다고 하더라도 그러한 행위에 대하여 곧바로 형법상 미성년자에 대한 약취죄의 성립을 인정할 수는 없다(대판 2013.6.20, 2010도14328 전원합의체 예 베트남 국적 여성인 피고인이 남편의 동의 없이 생후 약 13개월 된 자녀를 베트남에 있는 친정으로 데려간 경우 ⇨ 약취행위 × ⇨ 국외이송약취 및 피약취자국외이송죄 ×, 무죄 ○). 18. 경찰간부, 19. 법원행시, 21. 수사경과·순경 2차, 22. 법원직·해경 2차, 24. 경찰승진·7급 검찰

(5) 범 의

미성년자유인죄의 범의는 피해자가 미성년자임을 알면서 유인행위에 대한 인식이 있으면 족하고 유인하는 행위가 피해자의 의사에 반하는 것까지 인식할 필요는 없으며 또 피해자가 하자있는 의사로 자유롭게 승낙하였다 하더라도 본죄의 성립에 소장이 없다(대판 1976.9.14, 76도2072). 21. 법원행시, 22. 해경 2차

⑹ 죄수 및 타죄와의 관계

미성년자를 유인한 자가 계속하여 미성년자를 불법하게 감금하였을 때에는 미성년자유인죄 이외에 감금죄가 별도로 성립한다(대판 1998.5.26, 98도1036). 14. 순경 1차, 15. 순경 3차, 16. 경찰간부, 18. 경찰승진, 20. 수사경과

⑺ 형의 감경

피인취자를 안전한 장소로 풀어준 때 ⇨ 임의적 감경(제295조의 2) 14. 법원직, 15. 순경 3차, 17. 경찰승진

⑻ 세계주의

개정형법에서 인류에 대한 공통적인 범죄인 약취·유인과 인신매매죄의 규정이 대한민국 영역 밖에서 죄를 범한 외국인에게도 적용될 수 있도록 세계주의 규정(제296조의 2)을 도입하였다. 18. 경찰승진

2 추행 등 목적 약취, 유인 등 죄

> **제288조** ① 추행, 간음, 결혼 또는 영리의 목적으로 사람을 약취 또는 유인한 사람은 1년 이상 10년 이하의 징역에 처한다.
> ② 노동력 착취, 성매매와 성적 착취, 장기적출을 목적으로 사람을 약취 또는 유인한 사람은 2년 이상 15년 이하의 징역에 처한다.
> ③ 국외에 이송할 목적으로 사람을 약취 또는 유인하거나 약취 또는 유인된 사람을 국외에 이송한 사람도 제2항과 동일한 형으로 처벌한다.

친고죄 ×, 상습범 가중처벌 ×, 목적범 ○(피약취·유인자 국외이송죄 ⇨ 목적범 ×), 미수범 처벌(제294조), 벌금의 병과(제295조), 예비·음모 처벌(제296조), 해방감경규정(제295조의 2), 세계주의(제296조의 2) 14. 법원직, 15. 경찰간부

① 추행·간음·영리의 목적으로 미성년자를 약취·유인한 때 ⇨ 미성년자약취·유인죄 ×, 본죄 ○ 07. 7급 검찰, 15. 경찰승진

② **기수시기** : 본죄는 목적범이므로 이러한 목적을 가지고 사람을 약취·유인하면 기수가 된다. 따라서 목적이 실현되지 않더라도 기수이다.

관련판례

1. 간음의 목적으로 11세에 불과한 어린 나이의 피해자를 유혹하여 위 모텔 앞길에서부터 위 모텔 301호실까지 데리고 간 이상, 간음목적유인죄의 기수에 이르른 것이다(대판 2007.5.11, 2007도2318). 13. 경찰간부, 15. 경찰승진, 18. 수사경과
2. 채무를 변제하지 않고 자취를 감춘 부녀(18세)를 우연히 발견하고 사창가에 팔아 넘기기 위해 강제로 자신의 집으로 데리고 간 경우 ⇨ 영리목적 약취죄 ○(대판 1991.8.13, 91도1184, 미성년자약취죄 ×)

CHAPTER 02

기출문제

01 **약취와 유인의 죄에 대한 설명 중 옳지 않은 것은 모두 몇 개인가?**(다툼이 있는 경우 판례에 의함)

21. 경찰간부

> ㉠ 형법은 추행·간음·영리목적의 약취·유인과 결혼목적 약취·유인의 법정형을 상이하게 규정하고 있다.
> ㉡ 형법상 약취·유인의 죄는 모두 일정한 목적이 있는 경우에만 성립하는 목적범의 형태로 규정되어 있다.
> ㉢ 미성년자를 약취·유인한 자가 그 미성년자를 안전한 장소로 풀어준 때에는 그 형을 감경하거나 면제할 수 있다.
> ㉣ 미성년자약취·유인죄를 범할 목적으로 예비·음모한 경우, 세계주의 원칙에 따라 대한민국 영역 밖에서 이 죄를 범한 외국인에게도 대한민국 형법을 적용한다.
> ㉤ 형법 제288조 제1항의 영리목적 약취죄는 존속에 대한 범죄에 대하여 가중처벌 규정을 두고 있다.

① 2개 ② 3개 ③ 4개 ④ 5개

해설 ㉠ × : 법정형이 동일하다(제288조 제1항).
㉡ × : 미성년자의 약취·유인죄(제287조)와 인신매매죄(제289조 제1항)는 목적범이 아니다.
㉢ × : ~ 형을 감경(면제 ×)할 수 있다(제295조의 2).
㉣ × : 약취·유인죄나 인신매매죄 또는 그 미수범은 대한민국 영역 밖에서 죄를 범한 외국인에게도 적용하나(제296조의 2), 예비·음모죄를 범한 경우에는 적용되지 않는다.
㉤ × : ~ 가중처벌 규정이 없다.

02 **약취·유인 및 인신매매의 죄에 관한 설명 중 가장 적절한 것은?**(다툼이 있는 경우 판례에 의함)

17. 경찰승진

① 베트남 국적 여성인 피고인이 남편의 동의 없이 생후 13개월 된 자녀를 베트남에 있는 친정으로 데려간 행위는 실력을 행사하여 자녀를 평온하던 종전의 보호·양육 상태로부터 이탈시킨 것으로서 국외이송약취죄 및 피약취자국외이송죄에 해당한다.
② 약취의 경우에 폭행·협박의 정도는 상대방의 반항을 억압할 정도의 것임을 요한다.
③ 형법 제288조 제1항의 영리목적 약취죄는 존속에 대한 범죄에 대하여 가중처벌 규정을 두고 있다.
④ 형법 제289조 제4항의 국외이송목적 인신매매 및 국외이송의 죄를 범한 사람이 매매 또는 이송된 사람을 안전한 장소로 풀어준 때에는 그 형을 감경할 수 있다.

Answer 01. ④ 02. ④

해설 ① × : 피고인의 행위는 어떠한 실력을 행사하여 자녀를 평온하던 종전의 보호·양육 상태로부터 이탈시킨 것이라기보다 친권자인 모(母)로서 출생 이후 줄곧 맡아왔던 乙에 대한 보호·양육을 계속 유지한 행위에 해당하여, 이를 폭행·협박 또는 불법적인 사실상의 힘을 사용한 약취행위로 볼 수 없다(대판 2013.6.20, 2010도14328 전원합의체 ∴ 국외이송약취죄 및 피약취자국외이송죄 ×, 무죄 ○).
② × : ~ 것임을 요하지 않는다(대판 1991.8.13, 91도1184).
③ × : 존속에 대한 가중처벌규정 ×
④ ○ : 제295조의 2

03

약취, 유인 및 인신매매의 죄에 대한 설명으로 적절한 것을 모두 고른 것은?(다툼이 있는 경우 판례에 의함) 21. 경찰승진

> ㉠ 생후 약 13개월 된 자녀를 친부모가 함께 동거하면서 보호·양육하여 오던 중 친모가 어떠한 폭행, 협박이나 불법적인 사실상의 힘을 행사함이 없이 친부의 의사에 반하여 그 자녀를 주거지에서 데리고 나와 국외에 이송한 경우 보호·양육권의 남용에 해당하는 등 특별한 사정이 없다 하더라도 친모의 행위를 약취행위로 볼 수 있다.
> ㉡ 형법 제289조의 인신매매죄를 범할 목적으로 예비 또는 음모한 사람은 처벌한다.
> ㉢ 미성년자가 혼자 머무는 주거에 침입하여 그를 감금한 뒤 폭행 또는 협박에 의하여 부모의 출입을 봉쇄하거나, 미성년자와 부모가 거주하는 주거에 침입하여 부모만을 강제로 퇴거시키고 독자적인 생활관계를 형성하기에 이르렀다면 비록 장소적 이전이 없었다 할지라도 미성년자약취죄에 해당한다.
> ㉣ 형법 제287조 미성년자약취·유인죄는 대한민국 영역 밖에서 죄를 범한 외국인에게 적용되지 않는다.

① ㉠, ㉡ ② ㉠, ㉣ ③ ㉡, ㉢ ④ ㉡, ㉣

해설 ㉠ × : ~ (3줄) 특별한 사정이 없는 한 친모의 행위를 약취행위로 볼 수 없다(대판 2013.6.20, 2010도14328 전원합의체).
㉡ ○ : 제296조
㉢ ○ : 대판 2008.1.17, 2007도8485
㉣ × : ~ 적용된다(제296조의 2).

04

다음 설명 중 가장 옳지 않은 것은?(다툼이 있는 경우 판례에 의함) 21. 법원직

① 미성년자유인죄를 정한 형법 제287조는 대한민국 영역 밖에서 죄를 범한 외국인에게도 적용한다.
② 형법 제287조의 미성년자유인죄를 범한 사람이 유인된 사람을 안전한 장소로 풀어준 때에는 그 형을 반드시 감경한다.

Answer 03. ③ 04. ②

③ 형법 제287조의 미성년자유인죄란 기망 또는 유혹을 수단으로 하여 미성년자를 꾀어 그 하자 있는 의사에 따라 미성년자를 자유로운 생활관계 또는 보호관계로부터 이탈하게 하여 자기 또는 제3자의 사실적 지배하에 옮기는 행위를 말하고, 여기서 사실적 지배라고 함은 미성년자에 대한 물리적·실력적인 지배관계를 의미한다.

④ 형법 제288조 제1항의 추행, 간음, 결혼 목적 유인죄의 객체는 여성에 한정되지 않는다.

해설 ① 제296조의 2
② ×: ~그 형을 감경할 수 있다(제295조의 2).
③ 대판 1998.5.15, 98도690
④ 옳다〔~목적으로 사람(부녀 ×)을 ~〕.

05 약취와 유인의 죄에 대한 다음 설명으로 가장 적절한 것은?(다툼이 있는 경우 판례에 의함)

21. 순경 2차

① 미성년의 자녀를 부모가 함께 동거하면서 보호·양육하여 오던 중 부모의 일방이 어떠한 폭행, 협박이나 불법적인 사실상의 힘을 행사함이 없이 그 자녀를 데리고 종전의 거소를 벗어나 양육환경이 더 나은 곳으로 옮겨 자녀에 대한 보호·양육을 계속한 경우에 상대방 부모의 동의가 없었다면 미성년자약취죄가 성립한다.

② 미성년자 혼자 머무는 주거에 침입하여 강도 범행을 하는 과정에서 미성년자와 그 부모에게 폭행·협박을 가하여 일시적으로 부모와의 보호관계가 사실상 침해·배제된 경우에는 미성년자약취죄가 성립한다.

③ 약취행위는 피해자를 그 의사에 반하여 자유로운 생활관계 또는 보호관계로부터 범인이나 제3자의 사실상 지배하에 옮기는 행위를 말하며, 폭행 또는 협박을 수단으로 사용하는 경우에 그 폭행 또는 협박의 정도는 상대방을 실력적 지배하에 둘 수 있을 정도이면 족하고 반드시 상대방의 반항을 억압할 정도의 것임을 요하지는 아니한다.

④ 미성년자의 어머니가 교통사고로 사망하여 아버지가 미성년자의 양육을 외조부에게 맡겼으나, 교통사고 배상금 문제로 분쟁이 발생하자 아버지가 학교에서 귀가하는 미성년자를 그의 의사에 반하여 강제로 사실상 자신의 지배하에 옮긴 경우에는 미성년자약취죄가 성립하지 아니한다.

해설 ① ×: 미성년자약취죄 ×(대판 2013.6.20, 2010도14328)
② ×: 미성년자약취죄 ×(대판 2008.1.17, 2007도8485)
③ ○: 대판 1991.8.13, 91도1184
④ ×: 미성년자약취죄 ○(대판 2008.1.31, 2007도8011)

Answer 05. ③

06 약취 · 유인죄에 관한 다음 설명 중 옳은 것은 모두 몇 개인가?(다툼이 있는 경우 판례에 의함)

21. 법원행시, 22. 해경 2차

㉠ 미성년자의 아버지의 부탁으로 그 아이들을 보호하고 있는 자는 위 아이를 인도하라는 어머니의 요구를 거부하였다고 하더라도 미성년자약취죄의 죄책을 진다고 보기는 어렵다.
㉡ 미성년자를 보호 · 감독하고 있던 그 아버지의 의사에 반하여 미성년자를 자신들의 사실상 지배로 옮긴 이상 미성년자약취죄가 성립한다 할 것이고, 설령 미성년자의 동의가 있었다 하더라도 마찬가지이다.
㉢ 미성년의 자녀를 부모가 함께 동거하면서 보호 · 양육하여 오던 중 공동친권자인 부모의 일방이 상대방의 동의나 가정법원의 결정이 없는 상태에서 유아를 데리고 공동양육의 장소를 이탈함으로써 상대방의 친권행사가 미칠 수 없도록 하였다면, 비록 그 과정에서 협박이나 불법적인 사실상의 힘을 행사한 사실이 없다고 하더라도 미성년자에 대한 약취죄가 성립한다고 보아야 한다.
㉣ 강도 범행을 하는 과정에서 미성년자와 그의 부모를 함께 체포 · 감금, 또는 폭행 · 협박을 가하는 경우 특별한 사정이 없는 한 미성년자약취죄는 성립하지 않는다.
㉤ 미성년자유인죄 범의를 인정하기 위해서는 피해자가 미성년자임을 알면서 유인한다는 인식 및 나아가 유인하는 행위가 피해자의 의사에 반한다는 인식도 필요하다.

① 1개 ② 2개 ③ 3개
④ 4개 ⑤ 5개

해설 ㉠ ○ : 대판 1974.5.28, 74도840
㉡ ○ : 대판 2003.2.11, 2002도7115
㉢ × : 미성년자약취죄 ×(대판 2013.6.20, 2010도14328 전원합의체)
㉣ ○ : 대판 2008.1.17, 2007도8485
㉤ × : 미성년자유인죄의 범의는 피해자가 미성년자임을 알면서 유인행위에 대한 인식이 있으면 족하고 유인하는 행위가 피해자의 의사에 반하는 것까지 인식할 필요는 없으며 또 피해자가 하자있는 의사로 자유롭게 승낙하였다 하더라도 본죄의 성립에 소장이 없다(대판 1976.9.14, 76도2072).

07 형법 제287조 미성년자약취죄에 관한 다음 설명 중 가장 옳지 않은 것은?(다툼이 있는 경우 판례에 의함)

22. 법원직

① 미성년자를 보호 · 감독하는 사람이라고 하더라도 다른 보호감독자의 보호 · 양육권을 침해하거나 자신의 보호 · 양육권을 남용하여 미성년자 본인의 이익을 침해하는 때에는 형법 제287조 미성년자약취죄의 주체가 될 수 있다.
② 부모가 이혼하였거나 별거하는 상황에서 미성년의 자녀를 부모의 일방이 평온하게 보호 · 양육하고 있는데, 상대방 부모가 폭행, 협박 또는 불법적인 사실상의 힘을 행사하여 그 보호 · 양육상태를 깨뜨리고 자녀를 탈취하여 자기 또는 제3자의 사실상 지배하에 옮긴 경우, 그와 같은 행위는 특별한 사정이 없는 한 미성년자에 대한 약취죄를 구성한다고 볼 수 있다.

Answer 06. ③ 07. ④

③ 미성년의 자녀를 부모가 함께 동거하면서 보호·양육하여 오던 중 부모의 일방이 상대방 부모나 그 자녀에게 어떠한 폭행, 협박이나 불법적인 사실상의 힘을 행사함이 없이 그 자녀를 데리고 종전의 거소를 벗어나 다른 곳으로 옮겨 자녀에 대한 보호·양육을 계속 하였다면, 그 행위가 보호·양육권의 남용에 해당한다는 등 특별한 사정이 없는 한 설령 이에 관하여 법원의 결정이나 상대방 부모의 동의를 얻지 아니하였다고 하더라도 그러한 행위에 대하여 곧바로 형법상 미성년자에 대한 약취죄의 성립을 인정할 수는 없다.

④ 부모가 별거하는 상황에서 비양육친이 면접교섭권을 행사하여 미성년 자녀를 데리고 갔다가 면접교섭기간이 종료하였음에도 불구하고 자녀를 양육친에게 돌려주지 않은 경우에는 그러한 부작위를 폭행, 협박이나 불법적인 사실상의 힘을 행사한 것으로 볼 수는 없으므로, 미성년자약취죄가 성립할 수 없다.

해설 ① 대판 2008.1.31, 2007도8011
② 대판 2021.9.9, 2019도1642
③ 대판 2013.6.20, 2010도14328 전원합의체
④ ×: ~ (3줄) 그러한 부작위도 폭행, ~ 것으로 볼 수 있으므로, 미성년자약취죄가 성립할 수 있다(대판 2021.9.9, 2019도1642).

08 체포·감금 및 약취·유인의 죄에 관한 설명 중 가장 적절한 것은?(다툼이 있는 경우 판례에 의함)

23. 순경 1차

① 미국인이 프랑스에서 일본인 미성년자를 약취한 경우, 우리 형법을 적용할 수는 없다.

② 체포 행위가 확실히 사람의 신체의 자유를 구속하는 정도로 계속되지 못하고 일시적인 것에 그쳤다고 하여도 체포죄의 미수가 아닌 기수에 이른 것으로 보아야 한다.

③ 미성년자와 부모가 함께 거주하는 주거에 침입하여 부모만을 강제로 퇴거시키고 미성년자와 독자적인 생활관계를 형성하기에 이르렀다면, 비록 장소적 이전이 없었다 할지라도 형법 제287조의 미성년자약취죄에 해당한다.

④ 미성년자를 유인한 자가 계속하여 미성년자를 불법하게 감금한 경우, 감금죄만 성립하고 미성년자유인죄는 이에 흡수된다.

해설 ① ×: ~ 적용할 수 있다(제296조의 2).
② ×: 체포죄는 계속범으로서 체포의 행위에 확실히 사람의 신체의 자유를 구속한다고 인정할 수 있을 정도의 시간적 계속이 있어야 기수에 이르고, 신체의 자유에 대한 구속이 그와 같은 정도에 이르지 못하고 일시적인 것으로 그친 경우에는 체포죄의 미수범이 성립할 뿐이다(대판 2020.3.27, 2016도18713).
③ ○: 대판 2008.1.17, 2007도8485
④ ×: 미성년자를 유인한 자가 계속하여 미성년자를 불법하게 감금하였을 때에는 미성년자유인죄 이외에 감금죄가 별도로 성립한다(대판 1998.5.26, 98도1036).

Answer 08. ③

제5절 강간과 추행의 죄

1. 형법은 제2편 제32장에서 '강간과 추행의 죄'를 규정하고 있는데, 이 장에 규정된 죄는 모두 개인의 성적 자유 또는 성적 자기결정권을 침해하는 것을 내용으로 한다. 여기에서 '성적 자유'는 적극적으로 성행위를 할 수 있는 자유가 아니라 소극적으로 원치 않는 성행위를 하지 않을 자유를 말하고, '성적 자기결정권'은 성행위를 할 것인가 여부, 성행위를 할 때 상대방을 누구로 할 것인가 여부, 성행위의 방법 등을 스스로 결정할 수 있는 권리를 의미한다(대판 2019.6.13, 2019도3341). 21. 법원직 · 순경 1차
2. 성적 자기결정권에는 자신이 하고자 하는 성행위를 결정할 권리라는 적극적 측면과 함께 원치 않는 성행위를 거부할 권리라는 소극적 측면이 함께 존재하는데, 위계에 의한 간음죄를 비롯한 강간과 추행의 죄는 소극적 성적 자기결정권을 침해하는 것을 내용으로 한다(대판 2020.10.29, 2018도16466). 22. 순경 1차

1 강간죄

제297조 폭행 또는 협박으로 사람을 강간한 자는 3년 이상의 유기징역에 처한다.

미수범 처벌(제300조), 친고죄 ×

(1) **객 체** : 사람

관련판례

강간죄의 객체인 '부녀'에는 법률상 처가 포함되고, 혼인관계가 파탄된 경우뿐만 아니라 혼인관계가 실질적으로 유지되고 있는 경우에도 **남편이 반항을 불가능하게 하거나 현저히 곤란하게 할 정도의 폭행이나 협박을 가하여 아내를 간음한 경우에는** 강간죄가 성립한다고 보아야 한다(대판 2013.5.16, 2012도14788 **전원합의체**). 14 · 18 · 21. 법원행시, 16. 경찰간부, 15 · 16. 경찰승진, 19 · 20. 수사경과, 20. 법원직, 21. 해경승진 · 해경 2차

(2) **행 위** : 폭행 또는 협박으로 사람을 강간

① **폭행 · 협박** : 협박은 제3자에 대한 해악고지도 무방하다. 본죄의 폭행 · 협박은 피해자의 항거를 불가능하게 하거나 현저히 곤란하게 할 정도의 것이어야 한다(대판 2007.1.25, 2006도5979).

관련판례

강간죄가 성립하기 위한 가해자의 폭행 · 협박이 있었는지 여부는 그 폭행 · 협박의 내용과 정도는 물론 유형력을 행사하게 된 경위, 피해자와의 관계, 성교 당시와 그 후의 정황 등 모든 사정을 종합하여 피해자가 성교 당시 처하였던 구체적인 상황을 기준으로 판단하여야 하며, 사후적으로 보아 피해자가 성교 이전에 범행 현장을 벗어날 수 있었다거나 피해자가 사력을 다하여 반항하지 않았다는 사정만으로 가해자의 폭행 · 협박이 피해자의 항거를 현저히 곤란하게 할 정도에 이르지 않았다고 섣불리 단정하여서는 안 된다(대판 2005.7.28, 2005도3071). 19. 순경 1차, 21. 7급 검찰, 24. 경찰승진

1. 피고인이 피해자 甲(여)을 비롯한 동호회 회원들과 연말 회식을 한 후 귀가하려는 甲에게 대리기사를 불러 데려다 주겠다면서 자신의 승용차 뒷좌석에 태운 다음 甲의 의사에 반하여 그를 강간한 경우, 피고인은 甲의 반항을 억압하거나 현저히 곤란하게 할 정도의 유형력을 행사하여 강간하기에 이르렀다고 보기에 충분하다(대판 2012.7.12, 2012도4031).
2. 피고인(甲)이 자기의 집에서 강간의 의사로 피해자(乙)를 침대에 던지듯이 눕히고 乙의 양손을 乙의 머리 위로 올린 후 甲의 팔로 누르고 甲의 양쪽 다리로 乙의 양쪽 다리를 누르는 방법으로 乙을 제압하였으나 간음에 실패한 경우 ⇨ 강간미수죄(대판 2018.2.28, 2017도21249)

---

② **간음** : 간음은 남성 성기를 여성의 성기에 직접 삽입하는 성교행위를 말한다. 강간죄에서의 폭행·협박과 간음 사이에는 인과관계가 있어야 하나, 폭행·협박이 반드시 간음행위보다 선행되어야 하는 것은 아니다(대판 2017.10.12, 2016도16948·2016전도156 ∴ 비록 간음행위를 시작할 때 폭행·협박이 없었다고 하더라도 간음행위와 거의 동시 또는 그 직후에 피해자를 폭행하여 간음한 것으로 볼 수 있는 경우 ⇨ 강간죄 ○). 20. 법원직·순경 2차, 21. 법원행시·해경 1차, 22. 순경 1차, 23. 경찰승진·경력채용, 24. 경찰간부·해경순경

협박과 간음 또는 추행 사이에 시간적 간격이 있더라도 협박에 의하여 간음 또는 추행이 이루어진 것으로 인정될 수 있다면 강간죄 또는 강제추행죄가 성립한다(대판 2007.1.25, 2006도 5979). 15. 수사경과, 18. 법원행시, 20. 법원직, 24. 경찰승진

(3) 실행의 착수와 기수 시기

착수시기	폭행·협박을 개시한 때이다.
기수시기	남자의 성기가 여자의 성기에 들어가는 순간이다(삽입설).

관련판례

1. 강간할 목적으로 담을 넘어 방에 침입하여 자고 있는 피해자(사촌여동생, 18세)의 가슴과 엉덩이를 만지면서 간음을 기도하였다는 것만으로는 강간수단으로 폭행·협박 개시 × ⇨ 강간미수죄 ×, 주거침입죄 ○(대판 1990.5.25, 90도607) 16. 경찰간부, 20. 경찰승진·법원직, 21. 순경 2차·해경 2차
2. 간음할 목적으로 새벽에 혼자 있는 여자방문을 세게 두드리고 여자가 위험을 느끼고 창문에 걸터앉아 가까이 오면 뛰어내리겠다고 하는 데도 창문으로 침입하려고 한 경우 ⇨ 강간미수죄 ○(대판 1991.4.9, 91도288 ∵ 강간수단으로 폭행에 착수 ○) 17. 경찰간부·순경 1차, 22. 경력채용
3. 강간죄는 부녀를 간음하기 위하여 피해자의 항거를 불능하게 하거나 현저히 곤란하게 할 정도의 폭행 또는 협박을 개시한 때에 그 실행의 착수가 있다고 보아야 할 것이고, 실제로 그와 같은 폭행 또는 협박에 의하여 피해자의 항거가 불능하게 되거나 현저히 곤란하게 되어야만(즉, 피해자의 항거를 불능하게 하거나 현저히 곤란하게 할 정도에 이를 때에) 실행의 착수가 있다고 볼 것은 아니다(대판 2000.6.9, 2000도1253). 18. 법원행시, 19. 수사경과, 20. 순경 2차 강간죄는 실제 간음행위가 시작되어야만 그 실행의 착수가 있다고 볼 것은 아니다. 유사강간죄의 경우도 이와 같다(대판 2021.8.12, 2020도17796).
4. 피고인이 아동·청소년인 피해자(여, 15세)의 신체 노출 사진을 받아낸 다음 성관계를 하지 않으면 위 사진을 인터넷에 올린다는 등으로 협박하여 강간하려고 하였으나 미수에 그친 경우, 협박에 의한 강간 및 위력에 의한 간음의 실행에 착수한 것으로 볼 수 있다(대판 2020.10.29, 2018도16466).

⑷ 죄수 및 타죄와의 관계

① • 강간범이 강간 후 강도범의를 일으켜 재물 강취 ⇨ 강간죄와 강도죄의 경합범(대판 2002.2.8, 2001도6425) 17. 법원행시, 18. 수사경과, 23. 7급 검찰
 • 강간범이 강간행위의 종료 전(실행행위의 계속 중)에 강도행위를 한 이후에 강간행위를 계속한 경우 ⇨ 강도강간죄(대판 1988.9.9, 88도1240) 18. 변호사시험, 18 · 20. 수사경과

② 강간할 목적으로 피해자를 따라 피해자가 거주하는 아파트 내부의 엘리베이터에 탄 다음 그 안에서 폭행을 가하여 반항을 억압한 후 계단으로 끌고 가 피해자를 강간하고 상해를 입힌 경우 ⇨ 성폭력범죄의 처벌 등에 관한 특례법 위반[(주거침입)강간상해 : 동법 제8조 제1항]죄 ○ (대판 2009.9.10, 2009도4335) 18. 경찰승진, 19. 변호사시험, 20. 해경 3차

③ 피해자를 위협하여 항거불능케 한 후 1회 간음하고 2백미터쯤 오다가 다시 1회 간음한 경우, 2회의 간음으로 인한 강간은 단순일죄이다(대판 1970.9.29, 70도1516). 21. 법원행시, 22. 해경 2차

④ 강간의 수단으로 폭행 · 협박 ⇨ 폭행 · 협박은 강간죄에 흡수(법조경합 : 대판 2002.5.16, 2002도51) 08. 법원행시, 14. 법원직

⑤ 감금행위가 강간미수죄의 수단이 되었다 하여 감금행위는 강간미수죄에 흡수되어 범죄를 구성하지 않는다고 할 수는 없는 것이고, 그때에는 감금죄와 강간미수죄는 일개의 행위에 의하여 실현된 경우로서 형법 제40조의 상상적 경합관계에 있다(대판 1983.4.26, 83도323). 10. 7급 검찰, 11. 경찰승진

⑥ 성폭력특례법상의 주거침입강간죄는 사람의 주거 등을 침입한 자가 피해자를 간음한 경우에 성립하는 것으로서, 주거침입죄를 범한 후에 사람을 강간하는 등의 행위를 하여야 하는 일종의 신분범이고, 선후가 바뀌어 강간죄 등을 범한 자가 그 피해자의 주거에 침입한 경우에는 이에 해당하지 않고 강간죄 등과 주거침입죄 등의 실체적 경합범이 된다. 그 실행의 착수시기는 주거침입 행위 후 강간죄 등의 실행행위에 나아간 때(주거침입행위를 한 때 ×)이다(대판 2021.8.12, 2020도17796). 22. 법원행시, 24. 순경 2차

2 유사강간죄

제297조의 2 폭행 또는 협박으로 사람에 대하여 구강, 항문 등 신체(성기는 제외한다)의 내부에 성기를 넣거나 성기, 항문에 손가락 등 신체(성기는 제외한다)의 일부 또는 도구를 넣는 행위를 한 사람은 2년 이상의 유기징역에 처한다. ▶ **주의** : 구강에 손가락 등 신체(성기는 제외)의 일부를 넣는 행위 ⇨ 유사강간죄 × 14. 경찰간부, 19 · 20 · 21. 수사경과, 18 · 20. 순경 2차, 21. 경찰승진

강간죄의 법정형보다 유사강간죄의 법정형을 낮게 규정함. 16. 변호사시험

3 강제추행죄

제298조 폭행 또는 협박으로 사람에 대하여 추행한 자는 10년 이하의 징역 또는 1천 500만원 이하의 벌금에 처한다.

미수범 처벌(제300조), 친고죄 ×

(1) 폭행·협박 : 폭행·협박의 정도

관련판례

강제추행죄(폭행·협박 선행형)의 '폭행 또는 협박'은 상대방의 항거를 곤란하게 할 정도로 강력할 것이 요구되지 아니하고, 상대방의 신체에 대하여 불법한 유형력을 행사(폭행)하거나 일반적으로 보아 상대방으로 하여금 공포심을 일으킬 수 있는 정도의 해악을 고지(협박)하는 것이라고 보아야 한다. 즉, 강제추행죄에서 '폭행 또는 협박'은 형법상 폭행죄 또는 협박죄에서 정한 '폭행 또는 협박'을 의미하는 것으로 분명히 정의되어야 한다(대판 2023.9.21, 2018도13877 전원합의체). 또한 폭행행위 자체가 추행행위라고 인정되는 이른바 기습추행의 경우 추행행위와 동시에 저질러지는 폭행행위는 반드시 상대방의 의사를 억압할 정도의 것임을 요하지 않고 상대방의 의사에 반하는 유형력의 행사가 있기만 하면 그 힘의 대소강약을 불문한다는 것이 일관된 판례의 입장이다. 이에 따라 대법원은 ① 피해자의 옷 위로 엉덩이나 가슴을 쓰다듬는 행위(대판 2002.8.23, 2002도2860), ② 피해자의 의사에 반하여 그 어깨를 주무르는 행위(대판 2004.4.16, 2004도52), ③ 교사가 여중생의 얼굴에 자신의 얼굴을 들이밀면서 비비는 행위나 여중생의 귀를 쓸어 만지는 행위(대판 2015.11.12, 2012도8767) 등에 대하여 피해자의 의사에 반하는 유형력의 행사가 이루어져 기습추행에 해당한다고 판단한 바 있다〔대판 2020.3.26, 2019도15994 예 피고인이 직장 회식자리(노래방)에서 여성인 피해자를 옆에 앉힌 다음 피해자의 허벅지를 손으로 쓰다듬던 기습추행 당시 피해자가 즉시 피고인에게 항의하거나 반발하는 등의 거부의사를 밝히지 아니한 경우 ⇨ 강제추행죄 ○〕. 23. 경찰간부, 24. 법원행시·법원직·경위공채·순경 1차·2차

협박의 정도가 피해자의 항거를 불가능하게 하거나 현저히 곤란하게 할 정도의 것이면 강간죄가 성립되고, 강제추행죄가 성립하려면 그 협박이 일반적으로 보아 상대방으로 하여금 공포심을 일으킬 수 있는 정도의 해악을 고지하는 것이라고 보아야 한다(대판 2007.1.25, 2006도5979 예 유부녀인 피해자에 대하여 혼인 외 성관계 사실을 폭로하겠다는 등의 내용으로 협박하여 피해자를 간음 또는 추행한 경우 강간죄 및 강제추행죄가 성립한다). 16. 9급 검찰·마약수사·경찰간부·경찰승진, 18. 수사경과·순경 2차, 21. 경력채용

(2) 추 행

관련판례

①'추행'이란 일반인을 기준으로 객관적으로 성적 수치심이나 혐오감을 일으키게 하고 선량한 성적 도덕관념에 반하는 행위로서 피해자의 성적 자기결정권(성적 자유)을 침해하는 것을 말한다. 이에 해당하는지는 피해자의 성별, 연령, 행위자와 피해자의 관계, 그 행위에 이르게 된 경위,

구체적 행위 모습, 주위의 객관적 상황과 그 시대의 성적 도덕관념 등을 종합적으로 고려하여 신중히 결정해야 한다(대판 2020.6.25, 2015도7102).

② 성적 자기결정 능력은 피해자의 나이, 성장과정, 환경 등 개인별로 차이가 있으므로 성적 자기결정권이 침해되었는지 여부를 판단함에 있어서도 구체적인 범행 상황에 놓인 피해자의 입장과 관점이 충분히 고려되어야 한다(대판 2020.8.27, 2015도9436 전원합의체).

③ 여성에 대한 추행에 있어 신체 부분에 따라 본질적인 차이가 있다고 볼 수는 없다(대판 2004.4.16, 2004도52). 19. 순경 1차, 22. 해경 2차

④ 그리고 강제추행죄의 성립에 필요한 주관적 구성요건요소는 고의만으로 충분하고, 그 외에 성욕을 자극·흥분·만족시키려는 주관적 동기나 목적까지 있어야 하는 것은 아니다(대판 2015.7.23, 2014도17879).

⑤ 강제추행죄는 특별한 사정이 없는 한 행위마다 1개의 범죄가 성립하고, 강제추행죄가 성립되기 위해서는 문제가 되는 행위마다 폭행 또는 협박 외에 추행행위 및 그에 대한 범의가 인정되어야 한다. 형사재판에서 유죄의 인정은 법관으로 하여금 합리적인 의심을 할 여지가 없을 정도로 공소사실이 진정하다는 확신을 가지게 할 수 있는 증명력을 가진 증거에 의하여야 하므로, 추행의 범의에 대한 증명이 부족하다면 설령 피고인에게 유죄의 의심이 간다고 하더라도 강제추행죄의 유죄로 판단할 수는 없다(대판 2024.8.1, 2024도3061).

1. 강제추행죄(제298조)에서의 '추행'이란 일반인에게 성적 수치심이나 혐오감을 일으키고 선량한 성적 도덕관념에 반하는 행위인 것만으로는 부족하고 그 행위의 상대방인 피해자의 성적 자기결정의 자유를 침해하는 것이어야 한다(대판 2012.7.26, 2011도8805 ∴ 공연음란죄에서 정하는 '음란한 행위'를 특정한 사람을 상대로 한다고 해서 반드시 강제추행죄가 성립하는 것은 아니다. 예 차량의 왕래가 빈번한 도로에서 단순히 피고인이 피해자 甲(여, 48세)에게 욕설을 하면서 자신의 바지를 벗어 성기를 보여준 것만으로는 폭행 또는 협박으로 '추행'을 하였다고 볼 수 없다. ∴ 피해자의 성적 자기결정의 자유를 침해 × ⇨ 강제추행죄 ×). 16. 9급 검찰·마약수사, 18. 경력채용, 20. 해경 3차, 21. 수사경과, 20·22. 경찰승진, 23. 해경승진·법원행시, 24. 법원직·7급 검찰·해경순경
2. 피고인이, 알고 지내던 여성인 피해자 甲이 자신의 머리채를 잡아 폭행을 가하자 보복의 의미에서 甲의 입술, 귀, 유두, 가슴 등을 입으로 깨무는 등의 행위를 한 경우, 강제추행죄의 '추행'에 해당한다(대판 2013.9.26, 2013도5856 ∵ 강제추행죄의 성립에 필요한 주관적 구성요건요소는 고의만으로 충분하고, 성욕을 자극·흥분·만족시키려는 주관적 동기나 목적이 있어야 하는 것은 아니다). 19. 법원직·수사경과, 20. 9급 검찰·마약수사, 21. 경찰승진·7급 검찰·해경승진·해경 2차, 23. 법원행시
3. 추행의 고의로 상대방의 의사에 반하는 유형력의 행사, 즉 폭행행위를 하여 실행행위에 착수하였으나 추행의 결과에 이르지 못한 때에는 강제추행미수죄가 성립하며, 이러한 법리는 폭행행위 자체가 추행행위라고 인정되는 이른바 '기습추행'의 경우에도 마찬가지로 적용된다[대판 2015.9.10, 2015도6980 예 피고인이 밤에 술을 마시고 배회하던 중 버스에서 내려 혼자 걸어가는 피해자 甲(여, 17세)을 발견하고 마스크를 착용한 채 뒤따라가다가 인적이 없고 외진 곳에서 가까이 접근하여 껴안으려 하였으나, 甲이 뒤돌아보면서 소리치자 그 상태로 몇 초 동안 쳐다보다가 다시 오던 길로 되돌아갔다면 강제추행미수죄에 해당한다]. 17. 순경 2차, 18. 경력채용, 19. 경찰간부·변호사시험·수사경과, 20. 9급 검찰·마약수사, 21. 해경승진·해경 1차, 23. 법원행시

4. 강제추행죄는 사람의 성적 자유 내지 성적 자기결정의 자유를 보호하기 위한 죄로서 정범 자신이 직접 범죄를 실행하여야 성립하는 자수범이라고 볼 수 없으므로, 처벌되지 아니하는 타인을 도구로 삼아 피해자를 강제로 추행하는 간접정범의 형태로도 범할 수 있다. 여기서 강제추행에 관한 간접정범의 의사를 실현하는 도구로서의 타인에는 피해자도 포함될 수 있으므로, 피해자를 도구로 삼아 피해자의 신체를 이용하여 추행행위를 한 경우에도 강제추행죄의 간접정범에 해당할 수 있다(대판 2018.2.8, 2016도17733 **예** 피해자들을 협박하여 겁을 먹은 피해자들로 하여금 스스로 가슴 사진, 성기 사진, 가슴을 만지거나 자위하는 동영상 등을 촬영하게 하고 촬영된 사진과 동영상을 전송받은 경우 ⇨ 강제추행죄의 간접정범). 18. 7급 검찰, 19. 변호사시험, 20. 경찰간부, 21. 순경 1차, 22. 경찰승진·수사경과, 23. 법원행시·해경승진, 24. 경위공채·경력채용·해경순경
5. 피고인이 엘리베이터 안에서 피해자를 칼로 위협하는 등의 방법으로 꼼짝하지 못하도록 하여 자위행위 모습을 보여 주고 피해자로 하여금 이를 외면하거나 피할 수 없도록 하였다면 성폭력범죄의 처벌 등에 관한 특례법의 강제추행죄에 해당한다(대판 2010.2.25, 2009도13716). 16. 법원행시, 17. 경찰간부, 19. 수사경과, 20. 9급 검찰·마약수사, 21. 7급 검찰, 20·24. 경찰승진
   ▶ **유사판례** : 피고인이 아파트 엘리베이터 내에 11세의 乙녀와 단둘이 탄 다음 乙녀를 향하여 성기를 꺼내어 잡고 여러 방향으로 움직이다가 이를 보고 놀란 乙쪽으로 가까이 다가갔으나 乙녀의 신체에 직접적인 접촉을 하지 아니하였고 엘리베이터가 멈춘 후 乙이 위 상황에서 바로 벗어날 수 있었다고 하더라도, 성폭력범죄의 처벌 등에 관한 특례법상 위력에 의한 추행에 해당한다(대판 2013.1.16, 2011도7164). 14. 경찰승진, 15. 경찰간부·법원직, 16. 사시, 22. 9급 검찰·마약수사
6. 골프장 여종업원들이 거부의사를 밝혔음에도, 골프장 사장과의 친분관계를 내세워 함께 술을 마시지 않을 경우 신분상의 불이익을 가할 것처럼 협박하여 이른바 러브샷의 방법으로 술을 마시게 한 경우(대판 2008.3.13, 2007도10050) ⇨ 강제추행죄 ○ 16. 9급 검찰·마약수사, 23. 7급 검찰, 24. 경찰승진
7. 노래를 부르면서 놀던 중 노래를 부르는 피해자를 뒤에서 껴안고 춤을 추면서 유방을 만진 행위가 순간적인 행위에 불과한 경우(대판 2002.4.26, 2001도2417) ⇨ 강제추행죄 ○ 15. 경찰승진·법원행시, 18. 수사경과, 22. 경력채용
8. 직장상사(유부남)가 피해자(20대 초반 미혼여성)의 의사에 반하여 어깨를 주무르고 껴안은 것은 여성에 대한 추행에 있어 신체 부위에 따라 본질적인 차이가 있다고 볼 수 없으므로 추행에 해당한다(대판 2004.4.16, 2004도52). 19. 순경 1차, 22. 해경 2차
9. 甲이 乙女의 집 방 안에서 갑자기 乙女의 상의를 걷어 올려서 유방을 만지고 하의를 끄집어 내렸다면 강제추행죄가 성립한다(대판 1994.8.23, 94도630). 13. 수사경과
10. 프랜차이즈 회사를 운영하는 A가 그 가맹점에서 근무하는 B를 비롯한 직원들과 회식을 하던 중 B를 자신의 옆자리에 앉힌 후 B에게 귓속말로 '일하는 것 어렵지 않냐, 힘든 것 있으면 말하라'고 하면서 갑자기 B의 볼에 입을 맞추고, 이에 놀란 B가 '하지 마세요'라고 하였음에도, 계속하여 '괜찮다. 힘든 것 있으면 말해라. 무슨 일이든 해결해 줄 수 있다'고 하면서 오른손으로 B의 오른쪽 허벅지를 쓰다듬은 행위는 강제추행에 해당한다(대판 2020.3.26, 2019도15994). 20. 법원행시
11. 피고인이 공터에서 피해자들(만 8세와 만 7세인 여아들)이 놀고 있는 것을 발견하고 다가가 피해자들을 끌어안고 손으로 피해자들의 음부 부위를 갑자기 1회 만졌다면, 강제추행행위에 해당한다(대판 2012.6.14, 2012도3893).

12. 어머니의 손을 잡고 걸어가고 있는 피해자(여, 2세)에게 “아, 예쁘다.”는 말과 함께 사탕을 건네주며 “안녕, 우리 악수할까, 몇 살?”하고 나이를 물었는데 대답을 않자 피해자의 오른손을 잡았고, 이에 어머니가 피해자의 팔을 잡아끌면서 현장을 벗어나려는 상황에서 피고인의 손이 피해자의 옷 위 가슴에 잠시 닿은 경우 ⇨ 강제추행죄 ×(대판 2017.10.31, 2016도21231 ∵ 추행에 대한 고의 ×, 추행에 해당 ×)
13. A가 자신의 집무실에서 아침 보고를 하는 자신의 비서 B에게 ‘이쁘다’고 칭찬하며 B의 허리를 손으로 껴안는 방법으로 포옹하고, 같은 날 퇴근 보고를 하는 B에게 ‘학원에 태워줄까’라고 하면서 양손으로 B를 포옹하였다면, 성적 수치심이나 혐오감을 일으키게 하는 추행행위에 해당한다(대판 2019.9.9, 2019도2562). 20. 법원행시
14. 피고인이 피해자(여군)와만 있는 중대 간부연구실에서 업무 대화 중 ‘피해자의 손목을 잡고 끌어당긴 행위’, ‘피고인의 다리로 피해자의 다리에 접촉한 행위’, ‘피고인의 팔로 피해자의 어깨에 접촉한 행위’를 한 경우 추행행위에 해당한다(대판 2020.12.10, 2019도12282).
15. 회사 대표인 피고인(남, 52세)이 직원인 피해자(여, 26세)를 포함하여 거래처 사람들과 함께 회식을 하던 중 피고인의 왼팔로 피해자의 머리를 감싸고 피고인의 가슴 쪽으로 끌어당기는 일명 ‘헤드락’ 행위를 하고 손가락이 피해자의 두피에 닿도록 피해자의 머리카락을 잡고 흔들고, 어깨를 수회 친 경우 ⇨ 강제추행죄 ○〔대판 2020.12.24, 2020도7981 ∵ ① 기습추행에서 공개된 장소라는 점이 추행 여부 판단의 중요한 고려요소가 될 수 없고, ② 그 접촉부위 및 방법에 비추어 객관적으로 일반인에게 성적 수치심을 일으키게 할 수 있는 행위이며, ③ 성행위(성관계 · 스킨십)와 관련된 행위만 성적 의도가 있다고 볼 수 있는 건 아니다. 피해자의 여성성을 드러내고 피고인의 남성성을 과시하는 방법으로 피해자에게 모욕감을 주는 것도 ‘성적 의도를 갖고 한 행위’로 볼 수 있다. ④ 피해자의 피해감정(소름 끼쳤다, 모멸감 · 불쾌감을 느꼈다)은 사회통념상 인정되는 성적 수치심에 해당하며, ⑤ 동석했던 사람이 피고인의 행위를 말린 것으로 보아 제3자에게도 선량한 성적 도덕관념에 반하는 행위로 인식되었다고 보이므로, 피고인의 행위는 강제추행죄의 추행에 해당하고, 추행의 고의도 인정된다.〕
16. 피고인이 아파트 놀이터의 의자에 앉아 휴대전화로 통화를 하고 있는 甲의 뒤로 몰래 다가가 甲의 머리카락 및 옷 위에 소변을 본 경우, 피고인은 처음 보는 여성인 피해자의 뒤로 몰래 접근하여 성기를 드러내고 피해자를 향한 자세에서 피해자의 등 쪽에 소변을 보았다고 할 것인바, 그 행위는 객관적으로 일반인에게 성적 수치심이나 혐오감을 일으키게 하고 선량한 성적 도덕관념에 반하는 행위로서 피해자의 성적 자기결정권을 침해하는 추행행위에 해당한다고 볼 여지가 있다. 피고인의 행위가 객관적으로 추행행위에 해당한다면 그로써 행위의 대상이 된 피해자의 성적 자기결정권은 침해되었다고 보아야 할 것이고, 행위 당시에 피해자가 이를 인식하지 못하였다고 하여 추행에 해당하지 않는다고 볼 것은 아니다(대판 2021.10.28, 2021도7538 ∵ 추행행위에 해당하기 위해서는 객관적으로 일반인에게 성적 수치심이나 혐오감을 일으키게 할 만한 행위로서 선량한 성적 도덕관념에 반하는 행위를 행위자가 대상자를 상대로 실행하는 것으로 충분하고, 그 행위로 말미암아 대상자가 성적 수치심이나 혐오감을 반드시 실제로 느껴야 하는 것은 아니다). 22. 법원행시 · 경력채용, 23. 경찰승진, 24. 경찰간부 · 법원직
17. 乙이 방안에서 丙의 숙제를 도와주던 중 丙의 왼손을 잡아 자신의 성기 쪽으로 끌어당겼고, 이를 거부하고 자리를 이탈하려는 丙의 의사에 반하여 丙을 끌어안은 다음 침대로 넘어져 丙의 위에 올라탄 후 丙의 가슴을 만졌으며, 방문을 나가려는 丙을 뒤따라가 끌어안은 행위를 한 경우, 설령 乙의

행위가 丙의 항거를 곤란하게 할 정도의 폭행 또는 협박에 해당하지 않는다고 하더라도 丙을 강제추행한 것에 해당한다고 볼 수 있다(대판 2023.9.21, 2018도13877 전원합의체). 24. 법원행시

4 준강간죄 · 준강제추행죄

제299조 사람의 심신상실 또는 항거불능의 상태를 이용하여 간음 또는 추행을 한 자는 제297조, 제297조의 2 및 제298조의 예에 의한다.

미수범 처벌(제300조), 친고죄 ×

관련판례

1. 피고인이 피해자가 심신상실 또는 항거불능의 상태에 있다고 인식하고 그러한 상태를 이용하여 간음할 의사로 피해자를 간음하였으나, 피해자가 실제로는 심신상실 또는 항거불능의 상태에 있지 않은 경우에는 실행의 수단 또는 대상의 착오로 인하여 준강간죄에서 규정하고 있는 구성요건적 결과의 발생이 처음부터 불가능하였고, 실제로 그러한 결과가 발생하였다고 할 수 없으므로 피고인을 처벌할 수 없으나 피고인이 행위 당시에 인식한 사정을 놓고 일반인이 객관적으로 판단하여 보았을 때 준강간의 결과가 발생할 위험성이 있었으므로 준강간죄의 불능미수(장애미수 ×)가 성립한다(대판 2019.3.29, 2018도16002 전원합의체). 20. 7급 검찰·순경 2차, 21. 해경 2차, 22. 순경 1차·수사경과, 23. 경찰승진·해경승진, 24. 경찰간부
2. 준강간죄에서 '심신상실'이란 정신기능의 장애로 인하여 성적 행위에 대한 정상적인 판단능력이 없는 상태를 의미하고, '항거불능'의 상태란 심신상실 이외의 원인으로 심리적 또는 물리적으로 반항이 절대적으로 불가능하거나 현저히 곤란한 경우를 의미한다. 이는 준강제추행죄의 경우에도 마찬가지이다. 피해자가 깊은 잠에 빠져 있거나 술·약물 등에 의해 일시적으로 의식을 잃은 상태 또는 완전히 의식을 잃지는 않았더라도 그와 같은 사유로 정상적인 판단능력과 대응·조절능력을 행사할 수 없는 상태에 있었다면 준강간죄 또는 준강제추행죄에서의 심신상실 또는 항거불능 상태에 해당한다(대판 2021.2.4, 2018도9781). 21. 법원행시·순경 2차, 22. 9급 검찰·마약수사, 24. 경찰간부·7급 검찰
3. 술에 취해 잠자던 여자가 어렴풋이 깨어나 자신을 애무할 때 누구냐고 물었으며, 여관으로 가자고 제의하자 자신의 애인으로 착각하여 그냥 빨리 하라고 말하여 피고인이 1회 간음하였고 이로 인해 상처를 입은 경우 ⇨ 준강간치상죄 ×, 무죄 ○(대판 2000.2.25, 98도4355 ∵ 간음행위 당시 피해자가 심신상실상태 ×) 15. 변호사시험, 17. 경찰승진·수사경과, 21. 법원행시, 22. 해경 2차·해경간부
4. 준강간죄의 실행의 착수시기 : 피해자의 심신상실 또는 항거불능의 상태를 이용하여 간음을 할 의도를 가지고 간음의 수단이라고 할 수 있는 행동을 시작한 때(대판 2019.2.14, 2018도19295)

   예 ① 수면 중인 여자의 옷을 벗기고 자신의 바지를 내린 상태에서 피해자의 음부 등을 만지고 성기를 삽입하려고 했으나 여자가 잠에서 깨어 거부하는 듯한 기색을 보이자 간음을 포기한 경우 ⇨ 준강간미수죄(대판 2000.1.14, 99도5187) 17. 경찰간부·수사경과, 22. 경력채용

   ② 성관계를 할 의사로 술에 취하여 모텔 침대에 잠들어 있는 피해자의 속바지를 벗기다가 피해자가 깨어나자 중단한 경우 ⇨ 준강간죄의 미수(대판 2019.2.14, 2018도19295)

5. 준강간죄(준강제추행죄)는 정신적 · 신체적 사정으로 인하여 성적인 자기방어를 할 수 없는 사람의 성적 자기결정권을 보호법익으로 하며, 그 성적 자기결정권은 원치 않는 성적 관계를 거부할 권리라는 소극적 측면을 말한다(대판 2019.3.29, 2018도16002 전원합의체 ; 대판 2021.2.4, 2018도9781). 19. 법원행시
6. 음주 후 준강간 또는 준강제추행을 당하였음을 호소한 피해자의 경우, 범행 당시 알코올이 기억형성(인코딩 과정)의 실패만을 야기한 알코올 블랙아웃(black out : 일정한 시점에 진행되었던 사실에 대한 기억상실) 상태였다면 피해자는 기억장애 외에 인지기능이나 의식 상태의 장애에 이르렀다고 인정하기 어렵지만, 이에 비하여 피해자가 술에 취해 수면상태에 빠지는 등 의식을 상실한 패싱아웃(passing out) 상태였다면 심신상실의 상태에 있었음을 인정할 수 있다. 또한 '준강간죄 또는 준강제추행죄에서의 심신상실 · 항거불능'의 개념에 비추어, 피해자가 의식상실 상태에 빠져 있지는 않지만 알코올의 영향으로 의사를 형성할 능력이나 성적 자기결정권 침해행위에 맞서려는 저항력이 현저하게 저하된 상태였다면 '항거불능'에 해당하여, 이러한 피해자에 대한 성적 행위 역시 준강간죄 또는 준강제추행죄를 구성할 수 있다(대판 2021.2.4, 2018도9781). 21. 법원행시, 22. 해경 2차 · 해경간부, 23 · 24. 경력채용, 24. 경위공채 · 순경 1차 · 2차

5 미성년자의제강간 · 강제추행

제305조 【미성년자에 대한 간음, 추행】 ① 13세 미만의 사람에 대하여 간음 또는 추행을 한 자는 제297조, 제297조의 2, 제298조, 제301조 또는 제301조의 2의 예에 의한다. 〈개정 2020.5.19〉
② 13세 이상 16세 미만의 사람에 대하여 간음 또는 추행을 한 19세 이상의 자는 제297조, 제297조의 2, 제298조, 제301조 또는 제301조의 2의 예에 의한다. 〈신설 2020.5.19〉

13세 이상 16세 미만의 사람에 대하여 간음 또는 추행을 한 자는 제297조, 제297조의 2, 제298조, 제301조 또는 제301조의 2의 예에 의한다. ⇨ 틀림(∵ 제305조 제2항의 주체는 19세 이상의 자에 한함) 21. 7급 검찰, 25. 변호사시험

관련판례

1. 형법 제305조에 규정된 13세 미만 부녀에 대한 의제강간 · 추행죄는 그 성립에 있어 위계 또는 위력이나 폭행 또는 협박의 방법에 의함을 요하지 아니하며 피해자의 동의가 있었다고 하여도 성립하는 것이다(대판 1982.10.12, 82도2183). 16. 변호사시험 · 7급 검찰 · 철도경찰, 17. 경찰간부, 24. 경력채용
2. 미성년자의제강제추행죄의 성립에 필요한 주관적 구성요건요소는 고의만으로 충분하고, 성욕을 자극 · 흥분 · 만족시키려는 주관적 동기나 목적까지 있어야 하는 것은 아니다(대판 2006.1.13, 2005도6791 예 초등학교 4학년 담임교사(남자)가 교실에서 자신이 담당하는 반의 남학생의 성기를 만진 행위는 미성년자의제강제추행죄에서 말하는 '추행'에 해당한다). 15. 법원직, 19. 경찰승진 · 순경 1차, 20. 수사경과 · 해경 3차, 22. 해경 2차, 23. 법원행시
3. 미성년자의제강간 · 강제추행죄를 규정한 형법 제305조가 강간죄와 강제추행죄의 미수범 처벌에 관한 형법 제300조를 명시적으로 인용하고 있지 아니하나, 미성년자의제강간 · 강제추행의 미수범은 처벌할 수 있다(대판 2007.3.15, 2006도9453 ∵ 미성년자의제강간 · 강제추행죄를 규정한 형법 제305조

에 규정한 형법 제297조와 제298조의 "예에 의한다."는 의미에 미성년자의제강간·강제추행죄의 처벌에 있어 그 법정형뿐만 아니라 미수범에 관하여도 강간죄와 강제추행죄의 예에 따른다는 취지로 해석됨). 15. 경찰간부, 24. 법원행시

---

6 강간 등 상해·치상죄, 살인·치사죄

제301조 제297조, 제297조의 2 및 제298조부터 제300조까지의 죄를 범한 자가 사람을 상해하거나 상해에 이르게 한 때에는 무기 또는 5년 이상의 징역에 처한다.
제301조의 2 제297조, 제297조의 2 및 제298조부터 제300조까지의 죄를 범한 자가 사람을 살해한 때에는 사형 또는 무기징역에 처한다. 사망에 이르게 한 때에는 무기 또는 10년 이상의 징역에 처한다.

강간치상죄는 친고죄가 아니므로 고소 유무나 그 취소 여부는 공소제기의 요건이나 효력과는 관계가 없는 것이며 고소의 취소가 있었다고 하여 공소기각의 판결을 하여야 하는 것이 아니다(대판 1988.8.23, 88도1212). 04. 법원직, 08. 법원행시, 10. 순경

(1) 구성요건

① 사망·상해의 결과는 간음·추행행위 그 자체에서 일어나거나 그 수단인 폭행·협박에 의하여 일어나거나 간음·추행행위에 수반되어 발생한 경우 모두 해당된다(대판 1999.4.9, 99도519). 08·10. 법원행시, 24. 순경 2차

관련판례

피고인이 피해자를 폭행하여 비골 골절 등의 상해를 가한 다음 강제추행한 경우, 피고인의 위 폭행을 강제추행의 수단으로서의 폭행으로 볼 수 없어 위 상해와 강제추행 사이에 인과관계가 없으므로, 폭력행위 등 처벌에 관한 법률 위반죄로 처벌한 상해를 다시 결과적 가중범인 강제추행치상죄의 상해로 인정하여 이중으로 처벌할 수는 없다(대판 2009.7.23, 2009도1934). 15. 수사경과, 18. 경찰간부, 24. 법원행시

---

② 강간·추행 등의 기본행위가 기수로 되었건 미수에 그쳤건 관계없이 사망이나 상해의 결과가 발생하면 본죄가 성립한다(예 강간미수의 경우에도 그 행위와 치상의 결과 간에 인과관계가 인정되면 강간치상죄가 성립한다 ; 대판 1988.11.8, 88도1628). 17. 경찰간부, 18. 법원행시·순경 2차·수사경과

관련판례

- **본죄의 상해 또는 치상에 해당하는 경우**(피해자의 건강상태가 나쁘게 변경되고 생활기능에 장애가 초래된 경우)

1. ① 피해자가 성경험을 가진 여자로서 특이체질로 인해 새로 형성된 처녀막을 파열시킨 경우(대판 1995.7.25, 94도1351), 12. 순경 1차, 14. 경찰승진, 18. 수사경과 ② 강간으로 인해 보행불능·수면장애·식욕감퇴 등의 기능장애가 야기된 경우(대판 1969.3.11, 69도161), ③ 코피를 내고 콧등을 붓게 한 경우(대판 1991.10.22, 91도1832), 24. 경찰간부 ④ 10일간의 치료를 요하는 히스테리증을 야기한 경우(대판 1970.2.10, 69도2213)

2. 피해자가 소형승용차 안에서 강간범행을 모면하려고 저항하는 과정에서 피고인과의 물리적 충돌로 인하여 '우측 슬관절 부위 찰과상' 등을 입은 경우 ⇨ 강간치상죄 ○(대판 2005.5.26, 2005도1039) 13. 경찰간부, 15. 경찰승진, 16. 법원행시
3. 미성년자의 외음부에 약간의 발적과 경도의 염증이 수반된 외음부염증이 발생한 경우(대판 1996.11.22, 96도1395) ⇨ 미성년자의제강제추행치상죄 15. 변호사시험, 17. 수사경과
4. 왼쪽 젖가슴에 10일간의 치료를 요하는 좌상을 입혀 병원에서 주사를 맞고 3일간 투약케 한 경우(대판 2000.2.11, 99도4794), 질내에 손가락을 넣어 음부염증으로 병원에서 주사를 맞고 3일간 투약케 한 경우(대판 2003.9.26, 2003도4606) 09. 경찰승진, 11. 사시
5. 생리적 기능에는 육체적 기능뿐만 아니라 정신적 기능도 포함되므로 정신과적 증상인 외상 후 스트레스 장애가 성폭력범죄의 처벌 및 피해자보호 등에 관한 법률 제9조 제1항 소정의 상해에 해당한다(대판 1999.1.26, 98도3732). 10. 사시, 21. 법원직
6. 수면제와 같은 약물을 투약하여 피해자를 일시적으로 수면 또는 의식불명 상태에 이르게 한 경우에도 약물로 인하여 피해자의 건강상태가 불량하게 변경되고 생활기능에 장애가 초래되었다면 자연적으로 의식을 회복하거나 외부적으로 드러난 상처가 없더라도 이는 강간치상죄나 강제추행치상죄에서 말하는 상해에 해당한다(대판 2017.6.29, 2017도3196 예 피해자에게 성인 권장용량의 2배에 해당하는 졸피뎀 성분의 수면제가 섞인 커피를 마시게 하여 피해자가 정신을 잃고 깊이 잠이 든 사이 피해자를 간음한 경우, 피해자가 4시간 뒤에 깨어나 잠이 든 이후의 상황에 대해서 제대로 기억하지 못함. ⇨ 강간치상죄 ○). 17. 순경 2차, 18. 변호사시험·7급 검찰, 19. 순경 1차, 22. 해경 2차
7. A는 인터넷 채팅사이트를 통해 성매매를 하려고 만난 甲으로부터 졸피뎀과 트리아졸람이 섞인 커피를 받아 마신 후 정신을 잃고 깊이 잠들었다가 약 3시간 뒤에 깨어났고, 甲은 A를 항거불능 상태에 빠뜨린 후 강간하려고 시도하였으나 미수에 그쳤으며, A는 커피를 마신 다음에 자신이 잠들기 전까지 무슨 행동을 하였는지를 기억하지 못하였고, A가 의식을 회복한 다음에는 일상생활에 특별한 지장이 없었고 치료를 받지 않았다고 하더라도 甲을 강간치상죄로 처벌할 수 있다(대판 2017.7.11, 2015도3939). 24. 법원행시

- **본죄의 상해 또는 치상에 해당하지 않는 경우**(굳이 치료를 안 받더라도 일상생활에 아무런 지장이 없고 시일이 경과함에 따라 자연치유될 수 있는 정도) 12. 경찰간부

1. 경부 및 전흉부 피하출혈, 통증으로 7일간의 가료를 요하는 상처(대판 1994.11.4, 94도1311), 강간도중 어깨와 목을 빨아 생긴 동전크기의 반상출혈상(대판 1986.7.8, 85도2024), 강간하려는 과정에서 손바닥에 생긴 2cm 정도의 긁힌 상처(대판 1987.10.26, 87도1880), 3·4일간의 가료를 요하는 외음부 충혈과 근육통이 생긴 경우(대판 1989.1.31, 88도831), 강제추행 과정에서 입힌 가슴부 찰과상(대판 2009.7.23, 2009도1934) 17. 경찰간부, 18. 법원행시, 22. 수사경과·경력채용
2. 음모를 잘라낸 경우 ⇨ 강제추행치상죄 ×(대판 2000.3.23, 99도3099 ∵ 생리적 기능에 장애 초래 ×) 16. 수사경과, 17. 순경 2차, 22. 법원행시

(2) 타죄와의 관계

① 강간치상의 범행을 저지른 자가 그 범행으로 인하여 실신상태에 있는 피해자를 구호하지 아니하고 방치한 경우 ⇨ 유기죄 ×, 포괄하여 강간치상죄 일죄(대판 1980.6.24, 80도726) 18. 순경 2차, 23. 변호사시험

② 강간치상 후 범행은폐를 위해 피해자를 살해한 경우 ⇨ 강간치상죄와 살인죄의 경합범(대판 1987.1.20, 86도2360)

7 미성년자 · 심신미약자간음 · 추행죄

제302조 미성년자 또는 심신미약자에 대하여 위계 또는 위력으로써 간음 또는 추행을 한 자는 5년 이하의 징역에 처한다.

미수범 처벌규정 × 14. 경찰간부

① 형법 제32장의 죄의 기본적 구성요건은 강간죄(제297조)나 강제추행죄(제298조)인데, 형법 제302조(위계에 의한 간음죄)는 미성년자나 심신미약자와 같이 판단능력이나 대처능력이 일반인에 비하여 낮은 사람은 낮은 정도의 유·무형력의 행사에 의해서도 저항을 제대로 하지 못하고 피해를 입을 가능성이 있기 때문에 범죄의 성립요건을 보다 완화된 형태로 규정한 것이다. 22. 9급 검찰 ② 형법 제302조의 미성년자 또는 심신미약자 간음·추행죄에서 '미성년자'는 '13세 이상 19세 미만의 사람'을 가리키는 것으로 보아야 하고, '심신미약자'란 정신기능의 장애로 인하여 사물을 변별하거나 의사를 결정할 능력이 미약한 사람을 말한다. 21. 순경 2차 ③ 그리고 '추행'이란 객관적으로 피해자와 같은 처지에 있는 일반적·평균적인 사람으로 하여금 성적 수치심이나 혐오감을 일으키게 하고 선량한 성적 도덕관념에 반하는 행위로서 구체적인 피해자를 대상으로 하여 피해자의 성적 자유를 침해하는 것을 의미한다(대판 2019.6.13, 2019도3341).

관련판례

- **위계에 의한 간음죄**(대판 2020.8.27, 2015도9436 전원합의체)

1. ① 간음의 목적으로 피해자에게 오인, 착각, 부지를 일으키고 피해자의 그러한 심적 상태를 이용하여 간음의 목적을 달성하였다면 위계와 간음행위 사이의 인과관계를 인정할 수 있고, 따라서 위계에 의한 간음죄가 성립한다. ② 왜곡된 성적 결정에 기초하여 성행위를 하였다면 왜곡이 발생한 지점이 성행위 그 자체인지 성행위에 이르게 된 동기인지는 성적 자기결정권에 대한 침해가 발생한 것은 마찬가지라는 점에서 핵심적인 부분이라고 하기 어렵다. 21. 경력채용 ③ 피해자가 오인, 착각, 부지에 빠지게 되는 대상은 간음행위 자체일 수도 있고, 간음행위에 이르게 된 동기이거나 간음행위와 결부된 금전적·비금전적 대가와 같은 요소일 수도 있다. 21. 7급 검찰, 22. 경찰승진·수사경과, 23. 해경승진, 25. 변호사시험 ④ 다만, 행위자의 위계적 언동이 존재하였다는 사정만으로 위계에 의한 간음죄가 성립하는 것은 아니므로 위계적 언동의 내용 중에 피해자가 성행위를 결심하게 된 중요한 동기를 이룰 만한 사정이 포함되어 있어 피해자의 자발적인 성적 자기결정권의 행사가 없었다고 평가할 수

있어야 한다. 21. 순경 1차 예 피고인(36세)이 스마트폰 채팅 애플리케이션을 통하여 알게 된 14세의 피해자에게 자신을 '고등학교 2학년인 甲'이라고 거짓으로 소개하고 채팅을 통해 교제하던 중 자신을 스토킹하는 여성 때문에 힘들다며 그 여성을 떼어내려면 자신의 선배와 성관계를 하여야 한다는 취지로 피해자에게 이야기하고, 피고인과 헤어지는 것이 두려워 피고인의 제안을 승낙한 피해자를 마치 자신이 甲의 선배인 것처럼 행세하여 간음한 경우 ⇨ 아동·청소년의 성보호에 관한 법률상 위계에 의한 간음죄 ○(∵ 피해자가 오인한 상황은 피해자가 피고인과의 성행위를 결심하게 된 중요한 동기가 된 것으로 보이고, 이를 자발적이고 진지한 성적 자기결정권의 행사에 따른 것이라고 보기 어렵다.) 21. 법원행시·순경 2차

2. ① 위계에 의한 간음죄가 보호대상으로 삼는 아동·청소년, 미성년자, 심신미약자, 피보호자·피감독자, 장애인 등의 성적 자기결정 능력은 그 나이, 성장과정, 환경, 지능 내지 정신기능 장애의 정도 등에 따라 개인별로 차이가 있으므로 간음행위와 인과관계가 있는 위계에 해당하는지 여부를 판단할 때에는 구체적인 범행 상황에 놓인 피해자의 입장과 관점이 충분히 고려되어야 하고, 일반적·평균적 판단능력을 갖춘 성인 또는 충분한 보호와 교육을 받은 또래의 시각에서 인과관계를 쉽사리 부정하여서는 안 된다. 21. 경찰승진, 22. 경찰간부·순경 1차, 24. 7급 검찰 ② 정신적 장애인의 경우, 비장애인의 시각과 기준에서 행위자의 언행을 판단하여 '인과관계 있는 위계'에 해당하지 않는다고 쉽게 단정해서는 아니 된다(대판 2023.6.29, 2020도15730).
   ▶ **주의** : 위계에 의한 간음죄에서 행위자가 간음의 목적으로 상대방에게 일으킨 오인, 착각, 부지는 간음행위 자체에 대한 오인, 착각, 부지를 말하는 것이지 간음행위와 불가분적 관련성이 인정되지 않는 다른 조건에 관한 오인, 착각, 부지를 가리키는 것은 아니다(틀림 ∵ 종전 판례임). 22. 경찰간부
3. 甲(남, 44세)이 연예기획사 매니저와 사진작가의 1인 2역을 하면서 '사진작가의 요구에 따라 성관계 등을 하면 모델 등이 되도록 해 줄 것이다'라는 거짓말을 하여 乙(여, 15세)과 함께 모텔에 들어가 乙의 나체를 촬영하고 성관계를 하였는데, 乙은 모델이 되기 위한 연기 연습 및 사진 촬영 연습의 일환으로 성관계를 한다고 생각한 경우 ⇨ 아동·청소년의 성보호에 관한 법률 위반(위계에 의한 간음)죄 ○(∵ 피고인의 간음행위는 '간음행위에 이르게 된 동기' 내지 '간음행위와 결부된 비금전적 대가'에 관한 위계에 의한 것이라고 평가할 수 있다.), 성폭력처벌법 위반(카메라 등 이용촬영)죄 ○(대판 2022.4.28, 2021도9041)

- **위력에 의한 강제추행죄**

위력에 의한 추행죄에서 '위력'이란 사람의 자유의사를 제압하거나 혼란하게 할 만한 일체의 세력을 말하는 것으로, 유형적이든 무형적이든 묻지 아니하는바, 이는 강제추행죄에서의 '폭행 또는 협박'과 개념적으로 구별된다. 위력에 의한 추행죄에서 '위력'은 유형력의 대상이나 내용 등에 비추어 강제추행죄의 '폭행 또는 협박'에 해당하지 아니하는 폭행·협박은 물론, 상대방의 자유의사를 제압하거나 혼란하게 할 만한 사회적·경제적·정치적인 지위나 권세를 이용하는 것을 포함한다. 따라서 강제추행죄의 폭행 또는 협박의 의미를 종래의 판례 법리와 같이 제한 해석(상대방의 항거를 곤란하게 하는 정도의 폭행·협박)하여야만 위력과 구별이 용이해진다고 볼 수는 없다(대판 2023.9.21, 2018도13877 전원합의체). 25. 변호사시험

8 업무상 위력 등에 의한 간음죄

제303조 제1항 업무·고용 기타 관계로 인하여 자기의 보호 또는 감독을 받는 사람에 대하여 위계 또는 위력으로써 간음한 자는 7년 이하의 징역 또는 3천만원 이하의 벌금에 처한다.

1. 미수범 처벌규정 ×, 업무상 위력 등에 의한 추행죄 ⇨ 성폭력범죄의 처벌 등에 관한 특례법 제10조 적용
2. 제306조(친고죄 규정) 삭제

관련판례

자기의 처가 경영하는 미장원에 고용된 종업원인 부녀를 간음에 응하지 않으면 해고하겠다고 하여 간음한 경우 업무상 위력에 의한 간음죄가 성립한다(대판 1976.2.10, 74도1519).

9 피구금자간음죄

제303조 제2항 법률에 의하여 구금된 사람을 감호한 자가 그 사람을 간음한 때에는 10년 이하의 징역에 처한다. 〈개정 2018. 10. 16〉

미수범 처벌규정 ×, 피구금자추행죄 ⇨ 성폭력범죄의 처벌 등에 관한 특례법 제10조 적용

10 상습범

제305조의 2 상습으로 제297조, 제297조의 2, 제298조부터 제300조까지, 제302조, 제303조 또는 제305조의 죄를 범한 자는 그 죄에 정한 형의 2분의 1까지 가중한다. 12. 경찰승진, 14. 경찰간부

강간상해·치상죄와 강간살인·치사죄 ⇨ 상습범 가중처벌 ×

11 예비·음모죄

제305조의 3 【예비, 음모】 제297조, 제297조의 2, 제299조(준강간죄에 한정한다), 제301조(강간 등 상해죄에 한정한다) 및 제305조의 죄를 범할 목적으로 예비 또는 음모한 사람은 3년 이하의 징역에 처한다. [본조신설 2020.5.19]

강간죄, 유사강간죄, 준강간죄, 미성년자에 대한 간음·추행죄(의제강간·강제추행죄), 강간 등 상해죄 ⇨ 예비·음모 처벌 ○, 강제추행죄, 준강제추행죄, 미성년자 등에 대한 간음죄, 업무상 위력 등에 의한 간음죄, 강간 등 치상죄 ⇨ 예비·음모 처벌 × 21. 7급 검찰·순경 2차, 22. 수사경과, 23. 변호사시험

관련판례

- **성폭력범죄의 처벌 등에 관한 특례법, 아동·청소년의 성보호에 관한 법률**

〈기출문제 판례〉

1. 다른 특별한 사정이 없는 한 특수강간범이 강간행위 종료 전에 특수강도의 행위를 하고 계속하여 그 자리에서 강간행위를 하는 경우 특수강도가 부녀를 강간한 때에 해당하여 성폭력범죄의 처벌 등에 관한 특례법 위반(특수강도강간 등)죄가 성립한다(대판 2010.12.9, 2010도9630). 19. 변호사시험
2. 공중밀집장소에서의 추행죄에서 '공중이 밀집하는 장소'에는 현실적으로 사람들이 빽빽이 들어서 있어 서로 간의 신체적 접촉이 이루어지고 있는 곳만을 의미하는 것이 아니라 이 사건 찜질방 등과 같이 공중의 이용에 상시적으로 제공·개방된 상태에 놓여 있는 곳 일반을 의미한다(대판 2009.10. 29, 2009도5704 예 찜질방 수면실에서 옆에 누워 있던 피해자의 가슴 등을 손으로 만진 행위 ⇨ 공중밀집장소에서의 추행행위 ○). 13. 변호사시험·수사경과, 18. 순경 2차
3. 성폭력범죄의 처벌 등에 관한 특례법 제14조 제2항의 카메라 이용 촬영물의 '반포'는 불특정 또는 다수인에게 무상으로 교부하는 것을 말하고, '제공'은 '반포'에 이르지 아니하는 무상 교부행위를 말하며, '반포'할 의사 없이 특정한 1인 또는 소수의 사람에게 무상으로 교부하는 것은 '제공(반포 ×)'에 해당한다(대판 2016.12.27, 2016도16676 예 甲이 A와 교제하면서 촬영한 성관계 동영상, 나체사진 등의 촬영물을 A와 교제하던 다른 남성에게 A와 헤어지게 할 의도로 전송한 행위 ⇨ 반포 ×, 제공 ○). 18. 경찰승진, 20. 경찰간부, 25. 변호사시험
4. 통신매체(전화, 우편, 컴퓨터 등)를 이용하지 아니한 채 '직접' 상대방에게 말, 글, 물건 등을 도달하게 하는 행위는 성폭력범죄의 처벌 등에 관한 특례법 제13조(통신매체이용음란죄)로 처벌할 수 없다(대판 2016.3.10, 2015도17847 예 20일 사이에 6회에 걸쳐 성적 수치심 등을 일으키는 내용의 편지를 작성하여 피해자의 주거지 출입문에 끼워 넣은 행위 ⇨ 통신매체를 이용한 음란행위 ×). 18. 9급 검찰, 20. 순경 2차, 21. 해경 1차
5. 피고인이 휴대폰을 이용하여 동영상 촬영을 시작하여 일정한 시간이 경과하였다면 설령 촬영 중 경찰관에게 발각되어 저장버튼을 누르지 않고 촬영을 종료하였더라도 카메라 등 이용 촬영 범행은 이미 '기수'에 이르렀다(대판 2011.6.9, 2010도10677). 23. 7급 검찰, 24. 순경 1차
6. 성폭력범죄의 처벌 등에 관한 특례법 제13조 제1항(카메라 등 이용촬영죄)의 처벌대상은 '다른 사람의 신체 그 자체'를 카메라 등 기계장치를 이용해서 '직접' 촬영하는 경우에 한정된다고 해석함이 타당하므로 다른 사람의 신체 이미지가 담긴 영상도 위 규정의 "다른 사람의 신체"에 포함된다고 해석하는 것은 법률문언의 통상적인 의미를 벗어나는 것이므로 죄형법정주의 원칙상 허용될 수 없다(대판 2013.6.27, 2013도4279 예 인터넷 화상채팅을 통하여 실시간으로 전송받은 피해자의 신체 부위 영상을 휴대전화의 카메라로 촬영한 경우 ⇨ 카메라 등 이용촬영죄 ×). 14. 경찰간부
7. 아동·청소년의 동의가 있다거나 개인적인 소지·보관을 1차적 목적으로 제작하더라도 아동·청소년의 성보호에 관한 법률 제11조 제1항의 '아동·청소년이용음란물의 제작'에 해당한다(대판 2018. 9.13, 2018도9340). 19. 변호사시험, 20. 경찰간부
8. 성폭력범죄의 처벌 등에 관한 특례법 제13조의 '통신매체 이용 음란죄'는 '성적 자기결정권에 반하여 성적 수치심을 일으키는 그림 등을 개인의 의사에 반하여 접하지 않을 권리'를 보장하기 위한 것으로 성적 자기결정권과 일반적 인격권의 보호, 사회의 건전한 성풍속 확립을 보호법익으로 한다(대판 2018.9.13, 2018도9775). 20. 경찰간부, 24. 해경경위

9. 성폭력범죄의 처벌 등에 관한 특례법 제10조 제1항에서 정한 '업무, 고용이나 그 밖의 관계로 인하여 자기의 보호, 감독을 받는 사람'에는 직장 안에서 보호 또는 감독을 받거나 사실상 보호 또는 감독을 받는 상황에 있는 사람뿐만 아니라 채용 절차에서 영향력의 범위 안에 있는 사람도 포함된다〔대판 2020.7.9, 2020도5646 예 편의점 업주인 피고인이 아르바이트 구인 광고를 보고 연락한 甲을 채용을 빌미로 불러내 면접을 한 후 자신의 집으로 유인하여 甲女의 성기를 만지고 甲女에게 피고인의 성기를 만지게 한 경우 ⇨ 성폭력범죄의 처벌 등에 관한 특례법 위반(업무상 위력 등에 의한 추행)죄 ○〕. 21. 순경 2차, 22. 9급 검찰·마약수사, 24. 법원행시, 25. 변호사시험
10. 부녀의 부엌에 있던 칼과 운동화 끈을 가지고 방으로 들어가 운동화 끈으로 손목을 묶어 반항을 억압한 다음 간음을 한 경우(단, 칼은 굳이 사용할 필요가 없어 범행에 사용 ×) ⇨ 특수강간죄(대판 2004.6.11, 2004도2018) 18. 변호사시험

   ▶ **유사판례** : 甲이 같은 시간에 같은 장소에서 부녀자들인 A와 B를 강제로 추행함에 있어 A의 반항을 억압하는 과정에서 깨어진 병조각을 휴대하고 있었다면 비록 B의 반항을 억압하는 과정에서는 이를 휴대하지 아니하고 있었다 하더라도 B에 대한 범행 역시 성폭력범죄의 처벌 등에 관한 특례법 위반(특수강제추행)죄에 해당한다(대판 1992.3.31, 92도265). 12. 사시
11. 아동·청소년의 성을 사는 행위를 알선하는 행위를 업으로 하여 청소년성보호법 제15조 제1항 제2호의 위반죄가 성립하기 위해서는 알선행위를 업으로 하는 사람이 아동·청소년을 알선의 대상으로 삼아 그 성을 사는 행위를 알선한다는 것을 인식하여야 하지만, 이에 더하여 알선행위로 아동·청소년의 성을 사는 행위를 한 사람이 행위의 상대방이 아동·청소년임을 인식하여야 한다고 볼 수는 없다(대판 2016.2.18, 2015도15664). 18. 변호사시험
12. 구 아동복지법상 금지되는 '아동에게 음행을 시키는' 행위는 행위자가 아동으로 하여금 제3자를 상대방으로 하여 음행을 하게 하는 행위를 가리키는 것일 뿐 행위자 자신이 직접 그 아동의 음행의 상대방이 되는 것까지를 포함하는 의미로 볼 것은 아니다(대판 2000.4.25, 2000도223). 11. 경찰승진, 21. 법원행시
13. 아동복지법상 금지되는 '성적 학대행위'는 아동에게 성적 수치심을 주는 성희롱 등의 행위로서 아동의 건강·복지를 해치거나 정상적 발달을 저해할 수 있는 성적 폭력 또는 가혹행위를 의미하고, 이는 '음란한 행위를 시키는 행위'와는 별개의 행위로서, 성폭행의 정도에 이르지 아니한 성적 행위도 그것이 성적 도의관념에 어긋나고 아동의 건전한 성적 가치관의 형성 등 완전하고 조화로운 인격발달을 현저하게 저해할 우려가 있는 행위이면 이에 포함된다(대판 2015.7.9, 2013도7787). 21. 법원행시
14. 신체장애 또는 정신상의 장애 그 자체로 항거불능의 상태에 있음을 이용하여 간음한 경우뿐만 아니라 신체장애 또는 정신상의 장애가 주된 원인이 되어 심리적 또는 물리적으로 반항이 불가능하거나 현저히 곤란한 상태에 있음을 이용하여 간음한 경우에도 성폭력범죄처벌법 제8조(장애인에 대한 간음 등) 위반죄가 성립한다(대판 2007.7.27, 2005도2994). 19. 법원행시 여기서 '신체적인 장애가 있는 사람'은 '신체적 기능이나 구조 등의 문제로 일상생활이나 사회생활에서 상당한 제약을 받는 사람'을 의미하는 것이지, 피해자의 성적 자기결정권 행사를 특별히 보호해야 할 필요가 있을 정도의 신체적인 장애를 의미하는 것은 아니다(대판 2021.2.25, 2016도4404). 21. 법원행시
15. 4명이 사전모의에 따라 강간할 목적으로 심야에 인가에서 멀리 떨어져 있어 쉽게 도망할 수 없는 야산으로 피해자(3명)를 유인한 다음 암묵적 합의에 따라 1인은 망을 보고 3인은 각자 마음에 드는 피해자들을 데리고 흩어져 각각 강간하였다면, 그 각 강간의 실행행위도 시간적·장소적으로 협동관계에 있었다고 볼 것이므로 피해자 3명 모두에 대한 특수강간죄 등이 성립된다(대판 2004.8.20, 2004도2870). 14. 변호사시험

16. 구 성폭력범죄의 처벌 등에 관한 특례법 제6조는 장애인의 성적 자기결정권을 보호법익으로 하므로, 피해자가 지적 장애등급을 받은 장애인이라고 하더라도 단순한 지적 장애 외에 성적 자기결정권을 행사하지 못할 정도의 정신장애를 가지고 있다는 점이 증명되어야 하고, 피고인도 간음 당시 피해자에게 이러한 정도의 정신장애가 있음을 인식하여야 한다(대판 2013.4.11, 2012도12714). 15. 수사경과
17. 야간에 버스 안에서 휴대폰 카메라로 옆 좌석에 앉은 여성(18세)의 치마 밑으로 드러난 허벅다리 부분을 촬영한 경우 ⇨ 카메라 등 이용촬영죄(대판 2008.9.25, 2008도7007) 10. 순경
18. 의붓아버지와 의붓딸의 관계가 성폭력범죄의 처벌 등에 관한 특례법 제5조 제4항에서 규정한 친족관계에 해당한다고 해석하는 것은 형벌법규의 명확성의 원칙에 반하는 것이거나 죄형법정주의에 의하여 금지되는 확장해석이나 유추해석에 해당하는 것으로 볼 수 없다(대판 2020.11.5, 2020도10806 ∴ 의붓아버지와 의붓딸의 관계는 성폭력처벌법 제5조 제4항이 규정한 4촌 이내의 인척으로서 친족관계에 해당한다). 24. 법원행시
19. 상대방에게 성적 수치심을 일으키는 그림 등이 담겨 있는 웹페이지 등에 대한 인터넷 링크(internet link)를 보내는 행위를 통해 그와 같은 그림 등이 상대방에 의하여 인식될 수 있는 상태에 놓이고, 이에 따라 상대방이 이러한 링크를 이용하여 별다른 제한 없이 성적 수치심을 일으키는 그림 등에 바로 접할 수 있는 상태가 실제로 조성된 경우 ⇨ 통신매체이용음란죄 ○(대판 2017.6.8, 2016도21389) 18. 9급 검찰·마약수사, 20·22. 순경 2차
20. 피고인이 지하철 내에서 甲(女)의 등 뒤에 밀착하여 무릎을 굽힌 후 성기를 甲의 엉덩이 부분에 붙이고 앞으로 내미는 등 甲을 추행한 경우 ⇨ 공중밀집장소에서의 추행죄의 기수 ○(대판 2020.6.25, 2015도7102 ∵ 공중밀집장소에서의 추행죄가 기수에 이르기 위해서는 객관적으로 일반인에게 성적 수치심이나 혐오감을 일으키게 할 만한 행위로서 선량한 성적 도덕관념에 반하는 행위를 행위자가 대상자를 상대로 실행하는 것으로 충분하고, 행위자의 행위로 말미암아 대상자가 성적 수치심이나 혐오감을 반드시 실제로 느껴야 하는 것은 아니다.) 22. 순경 1차, 24. 법원행시·7급 검찰
21. 구 아동·청소년의 성보호에 관한 법률 제11조 제2항(영리를 목적으로 아동·청소년이용음란물을 공연히 전시한 자는 10년 이하의 징역에 처한다.)에서 규정하는 '영리의 목적'이란, 반드시 아동·청소년이용음란물 배포 등 위반행위의 직접적인 대가가 아니라 위반행위를 통하여 간접적으로 얻게 될 이익을 위한 경우에도 영리의 목적이 인정된다(대판 2020.9.24, 2020도8978). 21. 법원행시
22. 성폭력범죄의 처벌 등에 관한 특례법 제6조에서 정하는 '정신적인 장애가 있는 사람'이란 '정신적인 기능이나 손상 등의 문제로 일상생활이나 사회생활에서 상당한 제약을 받는 사람'을 가리킨다. 장애인복지법에 따른 장애인 등록을 하지 않았다거나 그 등록 기준을 충족하지 못하더라도 여기에 해당할 수 있다(대판 2021.10.28, 2021도9051). 22. 법원행시, 24. 해경경위
23. 동성인 군인 사이의 항문성교나 그 밖에 이와 유사한 행위(키스나 구강성교)가 사적 공간에서 자발적 의사 합치에 따라 이루어지는 등 군이라는 공동사회의 건전한 생활과 군기를 직접적·구체적으로 침해한 것으로 보기 어려운 경우, 군형법 제92조의 6에서 처벌대상으로 규정한 '항문성교나 그 밖의 추행'에 해당하지 않는다(대판 2022.4.21, 2019도3047 전원합의체). 22. 순경 2차, 24. 법원행시
24. 범인이 피해자를 촬영하기 위하여 육안 또는 캠코더의 줌 기능을 이용하여 피해자가 있는지 여부를 탐색하다가 피해자를 발견하지 못하고 촬영을 포기한 경우에는 촬영을 위한 준비행위에 불과하여 성폭력처벌법 위반(카메라 등 이용촬영)죄의 실행에 착수한 것으로 볼 수 없다. 이에 반하여 범인이 카메라 기능이 설치된 휴대전화를 피해자의 치마 밑으로 들이밀거나, 피해자가 용변을 보고 있는

화장실 칸 밑 공간 사이로 집어넣는 등 카메라 등 이용 촬영 범행에 밀접한 행위를 개시한 경우에는 성폭력처벌법 위반(카메라 등 이용촬영)죄의 실행에 착수하였다고 볼 수 있다(대판 2021.3.25, 2021도749). 22. 법원행시·순경 2차, 24. 해경경위

25. 성폭력범죄의 처벌 등에 관한 특례법 제6조에서 처벌하는 '신체적인 장애가 있는 사람에 대한 강제추행죄'가 성립하려면 행위자가 범행 당시 피해자에게 이러한 신체적인 장애가 있음을 인식하여야 한다(대판 2021.2.25, 2016도4404). 22. 법원행시
26. 피고인이 모텔 객실의 문이 살짝 열려 있는 것을 발견하고 객실에 침입한 후 불을 끈 상태로 침대에 누워 있던 甲(여)의 가슴, 허리 및 엉덩이를 만진 경우 ⇨ 원심 : 주거침입강제추행죄(성폭력처벌법 제3조 제1항) ○ ⇨ 성폭력처벌법 제3조 제1항(주거침입강제추행죄) 위헌결정(헌재결 2023.2.23, 2021헌가9) ∴ 위헌결정으로 인하여 형벌에 관한 법률 또는 법률조항이 소급하여 효력을 상실한 경우(헌법재판소법 제47조 제3항 본문) 해당 법조를 적용하여 기소한 피고사건은 범죄로 되지 아니하는 때에 해당한다(대판 2023.4.13, 2023도162 ∴ 주거침입강제추행죄로 가중처벌 ×) 23. 7급 검찰
27. 성폭력범죄의 처벌 등에 관한 특례법 제6조 제4항의 죄(장애인에 대한 준강간죄)는 피해자의 항거불능 또는 항거곤란 상태를 '이용하여' 간음한 경우를 처벌하고 있는데, 여기서 '이용하여'는 피고인이 피해자의 항거불능 또는 항거곤란 상태를 인식하고 이에 편승하여 간음행위에 나아가는 것을 의미한다(대판 2022.11.10, 2020도13672). 24. 해경경위

〈기타 판례〉

1. 성폭력범죄의 처벌 등에 관한 특례법 제14조 제1항에서 촬영물을 반포·판매·임대 또는 공연히 전시·상영한 자는 반드시 촬영물을 촬영한 자와 동일인이어야 하는 것은 아니고, 행위의 대상이 되는 촬영물은 누가 촬영한 것인지를 묻지 아니한다(대판 2016.10.13, 2016도6172).
2. 피고인이 화장실에서 재래식 변기를 이용하는 여성의 모습을 촬영하였는데, 피해자들의 용변 보는 모습이 촬영되지는 않았으나, 용변을 보기 직전의 무릎 아래 맨 다리 부분과 용변을 본 직후의 무릎 아래 맨 다리 부분이 각 촬영되었고, 피해자들은 수사기관에서 피고인의 행동으로 상당한 성적 수치심을 느꼈다고 각 진술한 경우 ⇨ 카메라 등 이용촬영죄 ○(대판 2014.7.24, 2014도6309)
3. 甲이 A녀를 간음하기 위해 화장실로 갈 무렵 乙과 술에 취해 반항할 수 없는 A녀를 간음하기로 공모하고, 乙이 甲에게 간음하기에 편한 자세를 가르쳐 주고 甲이 간음행위를 한 경우 ⇨ 성폭력특례법의 합동준강간죄 ○(대판 2016.6.9, 2016도4618 ∵ 공모관계 ○, 시간적·장소적 협동관계 ○)
4. 체구가 큰 만 27세 남자가 만 15세(48kg)인 피해자의 거부 의사에도 불구하고, 성교를 위하여 피해자의 몸 위로 올라간 것 외에 별다른 유형력을 행사하지는 않고 간음한 경우, 청소년의 성보호에 관한 법률상 '위력에 의한 청소년 강간죄'가 성립한다(대판 2008.7.24, 2008도4069).
5. 피해 아동이 성적 자기결정권을 행사하거나 자신을 보호할 능력이 부족한 경우, 행위자의 요구에 명시적인 반대 의사를 표시하지 아니하였거나 행위자의 행위로 인해 현실적으로 육체적 또는 정신적 고통을 느끼지 아니하는 등의 사정만으로 행위자의 피해 아동에 대한 성희롱 등의 행위가 구 아동복지법 제29조 제2호의 '성적 학대행위'에 해당하지 아니한다고 단정할 것은 아니다(대판 2015.7.9, 2013도7787).
   ▶ **유사판례** : 아동·청소년이 자신을 대상으로 음란물을 제작하는 데에 동의하였더라도 원칙적으로 아동·청소년의 성보호에 관한 법률상 아동·청소년이용 음란물 제작죄를 구성한다(대판 2022.7.28, 2020도12419 ∵ 아동·청소년이 외관상 성적 결정 또는 동의로 보이는 언동을 하였더라도,

그것이 타인의 기망이나 왜곡된 신뢰관계의 이용에 의한 것이라면, 이를 아동·청소년의 온전한 성적 자기결정권의 행사에 의한 것이라고 평가하기 어렵다). 25. 변호사시험

6. 촬영의 대상이 된 피해자 본인은 성폭력처벌법 제14조 제1항에서 말하는 '제공'의 상대방인 '특정한 1인 또는 소수의 사람'에 포함되지 않는다고 봄이 타당하다. 따라서 피해자 본인에게 촬영물을 교부하는 행위는 다른 특별한 사정이 없는 한 성폭력처벌법 제14조 제1항의 '제공'에 해당한다고 할 수 없다(대판 2018.8.1, 2018도1481 예 카메라를 이용하여 성적 욕망 또는 수치심을 유발할 수 있는 피해자의 신체를 피해자의 의사에 반하여 촬영한 후, 그 사진 중 한 장을 피해자에게 휴대전화로 전송한 경우 ⇨ 카메라이용촬영죄 ○, 성폭력처벌법 제14조 제1항의 제공죄 ×).
7. 성폭력범죄의 처벌 등에 관한 특례법 제13조(통신매체이용음란죄) 규정의 '성적 욕망'에는 성행위나 성관계를 직접적인 목적이나 전제로 하는 욕망뿐만 아니라, 상대방을 성적으로 비하하거나 조롱하는 등 상대방에게 성적 수치심을 줌으로써 자신의 심리적 만족을 얻고자 하는 욕망도 포함된다. 또한 이러한 '성적 욕망'이 상대방에 대한 분노감과 결합되어 있더라도 달리 볼 것은 아니다(대판 2018.9.13, 2018도9775).
8. 피고인이 아동·청소년인 피해자(여, 15세)와 성관계를 하던 중 피해자가 중단을 요구하는데도 계속 성관계를 한 경우 ⇨ 아동복지법 위반죄(성적 학대행위) ○(대판 2020.10.29, 2018도16466)
9. 버스 안에서 레깅스 바지를 입고 서 있던 피해자의 엉덩이 부위 등 하반신을 피해자 몰래 동영상 촬영한 행위가 성적 욕망 또는 수치심을 유발할 수 있는 피해자의 신체를 그 의사에 반하여 촬영한 행위에 해당한다〔대판 2020.12.24, 2019도16258 ∴ 카메라 등 이용촬영죄 ○(∵ 피해자가 공개된 장소에서 자신의 의사에 의하여 드러낸 신체 부분이라고 하더라도 이를 촬영하거나 촬영 당하였을 때에는 성적 욕망 또는 수치심이 유발될 수 있으므로 카메라 등 이용촬영죄의 대상이 되지 않는다(×)고 섣불리 단정하여서는 아니 된다. 또한 피해자가 레깅스 바지를 입고 있었더라도 이 사건 동영상에 촬영된 피해자의 엉덩이 부위 등 하반신은 '성적 욕망 또는 수치심을 유발할 수 있는 타인의 신체'에 해당한다)〕.
10. 피고인이 휴대전화로 성명 불상 피해자들의 신체를 그 의사에 반하여 촬영하거나 짧은 치마를 입고 횡단보도 앞에서 신호를 기다리던 피해자의 다리를 몰래 촬영한 경우 ⇨ 성폭력범죄의 처벌 등에 관한 특례법 위반(카메라 등 이용촬영)죄 ○(대판 2022.2.17, 2019도4938)
11. 구 성폭력처벌법 제14조 제2항에서 유포 행위의 한 유형으로 열거하고 있는 '공공연한 전시'란 불특정 또는 다수인이 촬영물 등을 인식할 수 있는 상태에 두는 것을 의미하고, 촬영물 등의 '공공연한 전시'로 인한 범죄는 불특정 또는 다수인이 전시된 촬영물 등을 실제 인식하지 못했다고 하더라도 촬영물 등을 위와 같은 상태에 둠으로써 성립한다(대판 2022.6.9, 2022도1683 예 甲이 자신이 운영하는 네이버 밴드를 누구든지 볼 수 있는 전체공개로 전환한 다음, 성적 욕망 또는 수치심을 유발할 수 있는 乙의 신체를 촬영한 영상물을 乙의 의사에 반하여 게시한 경우 ⇨ 성폭력범죄의 처벌 등에 관한 특례법 위반죄 ○ ∵ 피고인이 이 사건 밴드에 이 사건 촬영물을 게시한 것은 이 사건 촬영물을 공공연하게 전시한 행위에 해당하고, 피고인에게 그러한 고의도 인정된다).
12. 성폭력범죄의 처벌 등에 관한 특례법 제13조는 "자기 또는 다른 사람의 성적 욕망을 유발하거나 만족시킬 목적으로 전화, 우편, 컴퓨터, 그 밖의 통신매체를 통하여 '성적 수치심이나 혐오감을 일으키는 말, 음향, 글, 그림, 영상 또는 물건'을 상대방에게 도달하게 한 사람"을 처벌한다. '자기 또는 다른 사람의 성적 욕망을 유발하거나 만족시킬 목적'이 있는지 여부는 여러 사정을 종합하여 사회통

념에 비추어 합리적으로 판단하여야 한다. 또한 '성적 수치심이나 혐오감을 일으키는 것'은 피해자에게 단순한 부끄러움이나 불쾌감을 넘어 인격적 존재로서의 수치심이나 모욕감을 느끼게 하거나 싫어하고 미워하는 감정을 느끼게 하는 것으로서 사회평균인의 성적 도의관념에 반하는 것을 의미한다. 이와 같은 성적 수치심 또는 혐오감의 유발 여부는 일반적이고 평균적인 사람들을 기준으로 하여 판단함이 타당하고, 특히 성적 수치심의 경우 피해자와 같은 성별과 연령대의 일반적이고 평균적인 사람들을 기준으로 하여 그 유발 여부를 판단하여야 한다(대판 2022.9.29, 2020도11185).

13. 아동복지법상 아동에 대한 성적 학대행위에 해당하는지 판단하는 경우 아동이 명시적인 반대의사를 표시하지 아니하였더라도 성적 자기결정권을 행사하여 자신을 보호할 능력이 부족한 상황에 기인한 것인지 가려보아야 하고, 아동복지법상 아동매매죄에서 설령 아동 자신이 동의하였더라도 유죄가 인정된다. 아동·청소년이 자신을 대상으로 음란물을 제작하는 데에 동의하였더라도 원칙적으로 아동·청소년의 성보호에 관한 법률상 아동·청소년이용 음란물 제작죄를 구성한다(대판 2022.7.28, 2020도12419).

14. 아동·청소년이 외관상 성적 결정 또는 동의로 보이는 언동을 하였더라도, 그것이 타인의 기망이나 왜곡된 신뢰관계의 이용에 의한 것이라면, 이를 아동·청소년의 온전한 성적 자기결정권의 행사에 의한 것이라고 평가하기 어렵다〔대판 2022.7.28, 2020도12419 예 甲이 乙(여, 14세)과 휴대전화로 영상통화를 하던 중 乙에게 '네 가슴을 보고 싶다.'고 말하여 乙로 하여금 영상통화 화면에 가슴을 보이도록 하고 이를 보면서 甲이 자위행위를 하는 장면을 보여준 경우 ⇨ 아동에 대한 성적 학대행위 ○〕.

15. 아동·청소년 이용 음란물 파일을 구입하여 시청할 수 있는 상태 또는 접근할 수 있는 상태만으로 곧바로 이를 소지로 보는 것은 소지에 대한 문언 해석의 한계를 넘어서는 것이어서 허용될 수 없으므로, 피고인이 자신이 지배하지 않는 서버 등에 저장된 아동·청소년 이용 음란물에 접근하여 다운로드받을 수 있는 인터넷 주소 등을 제공받은 것에 그친다면(위 인터넷 주소를 통해 구글 드라이브에 접속하여 음란물의 파일 개수와 데이터 용량을 확인하였지만, 위 음란물을 시청하거나 자신의 저장매체에 다운로드하지는 않았다) 특별한 사정이 없는 한 아동·청소년 이용 음란물을 '소지'한 것으로 평가하기는 어렵다(대판 2023.6.29, 2022도6278).

16. 아동·청소년 성착취물의 '배포'란 아동·청소년 성착취물을 불특정 또는 다수인에게 교부하는 것을 의미하고, '공연히 전시'하는 행위란 불특정 또는 다수인이 실제로 아동·청소년 성착취물을 인식할 수 있는 상태에 두는 것을 의미한다(대판 2023.10.12, 2023도5757 예 자신의 웹사이트에 아동·청소년 성착취물이 저장된 다른 웹사이트로 연결되는 링크의 게시를 포함한 일련의 행위가 불특정 또는 다수인에게 다른 웹사이트 등을 단순히 소개·연결하는 정도를 넘어 링크를 이용하여 별다른 제한 없이 아동·청소년 성착취물에 바로 접할 수 있는 상태를 실제로 조성한다면, 이는 아동·청소년 성착취물을 직접 '배포'하거나 '공연히 전시'한 것과 실질적으로 다를 바 없다고 평가할 수 있으므로, 위와 같은 행위는 전체적으로 보아 아동·청소년 성착취물을 배포하거나 공연히 전시한다는 구성요건을 충족한다). 24. 순경 1차

17. 아동·청소년 이용 음란물 '소지'란 아동·청소년 이용 음란물을 자기가 지배할 수 있는 상태에 두고 지배관계를 지속시키는 행위를 말한다. 따라서 아동·청소년 이용 음란물 파일을 구입하여 시청할 수 있는 상태 또는 접근할 수 있는 상태만으로 곧바로 이를 소지로 보는 것은 소지에 대한 문언 해석의 한계를 넘어서는 것이어서 허용될 수 없으므로, ① 피고인이 자신이 지배하지 않는 서버 등에 저장된 아동·청소년 이용 음란물에 접근하여 다운로드받을 수 있는 인터넷 주소 등을 제공받은

것에 그쳤거나(위 인터넷 주소를 통해 구글 드라이브에 접속하여 음란물의 파일 개수와 데이터 용량을 확인하였지만, 위 음란물을 시청하거나 자신의 저장매체에 다운로드하지는 않았다), ② 피고인이 자신이 지배하지 않는 서버 등에 저장된 아동·청소년 성착취물에 접근하였지만 위 성착취물을 다운로드하는 등 실제로 지배할 수 있는 상태로 나아가지는 않았다면 특별한 사정이 없는 한 아동·청소년 성착취물을 '소지'한 것으로 평가하기는 어렵다(대판 2023.10.12, 2023도5757).

18. 아동·청소년 등이 일상적인 생활을 하면서 신체를 노출한 것일 뿐 적극적인 성적 행위를 한 것이 아니더라도 이를 몰래 촬영하는 방식 등으로 성적 대상화하였다면 이와 같은 행위를 표현한 영상 등은 아동·청소년이용음란물에 해당한다(대판 2023.11.16, 2021도4265).

19. 성폭력범죄의 처벌 등에 관한 특례법 제11조의 '공중 밀집 장소에서의 추행죄'의 '추행'이란 일반인을 기준으로 객관적으로 성적 수치심이나 혐오감을 일으키게 하고 선량한 성적 도덕관념에 반하는 행위로서 피해자의 성적 자기결정권을 침해하는 것을 의미한다. 성폭력처벌법 제11조 위반죄가 성립하기 위해서는 주관적 구성요건으로서 추행을 한다는 인식을 전제로 적어도 미필적으로나마 이를 용인하는 내심의 의사가 있어야 하므로, 피고인이 추행의 고의를 부인하는 경우에는 고의와 상당한 관련성이 있는 간접사실을 증명하는 방법에 따를 수밖에 없다(대판 2024.1.4, 2023도13081).

20. 아동·청소년의 성보호에 관한 법률 제11조 제2항은 '영리를 목적으로 아동·청소년이용음란물을 판매·대여·배포·제공하거나 이를 목적으로 소지·운반하거나 공연히 전시 또는 상영한 자는 10년 이하의 징역에 처한다.'는 조항이 처벌대상으로 정하고 있는 '소지'도 배포 등 유통행위를 목적으로 하는 소지로 보아야 한다. 따라서 위 조항이 정한 '이를 목적으로'란 '영리를 목적으로 배포 등 행위를 하기 위하여'를 의미한다고 할 것이므로, 위 조항의 소지죄가 성립하기 위해서는 영리 목적뿐만 아니라 '배포 등 행위의 목적'이 있어야 한다(대판 2024.5.30, 2021도6801).

21. 실제로 촬영, 제작, 복제 등의 방법으로 만들어진 바 있는 (성적 욕망 또는 수치심을 유발할 수 있는) 촬영물 등을 방편 또는 수단으로 삼아 유포가능성 등 공포심을 일으킬 수 있을 정도의 해악을 고지한 이상 성폭력처벌법 제14조의 3 제1항의 죄(촬영물 또는 복제물 이용 협박죄)는 성립할 수 있고, 반드시 행위자가 촬영물 등을 피해자에게 직접 제시하는 방법으로 협박해야 한다거나 협박 당시 해당 촬영물 등을 소지하고 있거나 유포할 수 있는 상태일 필요는 없다(대판 2024.5.30, 2023도17896). 25. 변호사시험

확인학습(다툼이 있는 경우 판례에 의함)

1 혼인관계가 실질적으로 유지되고 있다면, 남편이 반항을 불가능하게 하거나 현저히 곤란하게 할 정도의 폭행이나 협박을 가하여 아내를 간음하였다 하더라도 강간죄는 성립하지 아니하고 폭행이나 협박죄가 성립할 뿐이다. ( )

16. 경찰간부 · 경찰승진, 20. 법원직, 21. 법원행시 · 해경승진 · 해경 2차

2 강간죄의 폭행 · 협박 여부를 판단함에 있어 피해자가 성교 이전에 범행 현장을 벗어날 수 있었다거나 피해자가 사력을 다하여 반항하지 않았다면 가해자의 폭행 · 협박이 피해자의 항거를 현저히 곤란하게 할 정도에 이르지 않았다고 보아야 한다. ( ) 19. 순경 1차, 21. 7급 검찰, 24. 경찰승진

3 강간죄에서의 폭행 · 협박과 간음 사이에는 인과관계가 있어야 하나, 폭행 · 협박이 반드시 간음행위보다 선행되어야 하는 것은 아니다. ( )

20. 법원직 · 순경 2차, 21. 법원행시, 23. 경찰승진 · 경력채용, 24. 경찰간부

4 야간에 강간을 목적으로 피해자의 집에 담을 넘어 침입한 후, 안방에서 자고 있던 피해자의 가슴과 엉덩이를 만지면서 강간하려고 하였으나 피해자가 '야' 하고 비명을 지르는 바람에 도망한 경우라면 강간죄의 장애미수에 해당한다. ( ) 16. 경찰간부, 20. 경찰승진, 21. 순경 2차 · 해경 2차

5 폭행 또는 협박으로 사람에 대하여 구강, 항문에 손가락 등 신체(성기는 제외한다)의 일부 또는 도구를 넣는 행위를 한 사람은 형법 제297조의 2 유사강간죄로 처벌한다. ( )

14. 경찰간부, 18 · 20. 순경 2차, 21. 경찰승진 · 수사경과

6 기습추행의 경우 추행행위와 동시에 저질러지는 폭행행위는 반드시 상대방의 의사를 억압할 정도의 것임을 요하지 않고 상대방의 의사에 반하는 유형력의 행사가 있기만 하면 그 힘의 대소강약을 불문한다. ( ) 17. 경찰승진, 18. 순경 2차, 20. 법원행시 · 9급 검찰 · 경찰간부, 21. 법원직, 22. 순경 1차

7 사람 및 차량의 왕래가 빈번한 도로에서 甲이 자신의 말을 무시한 피해자에게 성적이지 않은 욕설을 하면서 단순히 바지를 내리고 자신의 성기를 피해자에게 보여준 경우 강제추행죄가 성립한다. ( ) 15. 사시 · 순경 1차, 16. 법원행시 · 9급 검찰, 19. 법원직, 20. 경찰승진 · 해경 3차

8 피고인이 엘리베이터 안에서 피해 여성을 칼로 위협해 꼼짝하지 못하게 하여 피해자가 이를 외면하거나 피할 수 없게 한 상황에서 자위행위를 하는 것을 보여 준 것만으로는 성폭력범죄의 처벌 등에 관한 특례법 위반(특수강제추행)죄가 성립하지 않는다. ( )

16. 법원행시, 19. 수사경과, 20. 9급 검찰 · 마약수사, 21. 7급 검찰, 24. 경찰승진

9 甲이 아파트 놀이터의 의자에 앉아 전화통화를 하고 있던 A의 등 뒤로 몰래 다가가 성기를 드러내고 A의 머리카락 및 옷 위에 소변을 본 경우, 甲의 행위가 A의 성적 자기결정권을 침해하는 추행행위에 해당하기 위해서는 甲의 행위 당시 A가 이를 인식해야 한다. ( )

22. 법원행시 · 경력채용, 23. 경찰승진, 24. 경찰간부

Answer 1. × 2. × 3. ○ 4. × 5. × 6. ○ 7. × 8. × 9. ×

10 피고인이 아파트 엘리베이터 내에 11세의 乙녀와 단둘이 탄 다음 乙녀를 향하여 성기를 꺼내어 잡고 여러 방향으로 움직이다가 이를 보고 놀란 乙쪽으로 가까이 다가갔으나 乙녀의 신체에 대한 접촉은 하지 않은 경우 성폭력범죄의 처벌 등에 관한 특례법상 위력에 의한 추행에 해당한다. ( )
14. 경찰승진, 15. 법원행시 · 경찰간부, 16. 사시, 22. 9급 검찰 · 마약수사

11 피고인이, 알고 지내던 여성인 피해자가 자신의 머리채를 잡아 폭행을 가하자 보복의 의미에서 피해자의 입술, 귀, 유두, 가슴 등을 입으로 깨무는 등의 행위를 한 것이라면 강제추행죄가 성립하지 않는다. ( )
16. 경찰간부, 20. 9급 검찰 · 마약수사, 21. 경찰승진 · 해경승진 · 해경 1차 · 7급 검찰

12 피고인이 밤에 술을 마시고 배회하던 중 버스에서 내려 혼자 걸어가는 피해자 성인 여성을 발견하고 마스크를 착용한 채 뒤따라가다가 인적이 없고 외진 곳에서 가까이 접근하여 껴안으려 하였으나, 피해자가 뒤돌아보면서 소리치자 그 상태로 몇 초 동안 쳐다보다가 다시 오던 길로 되돌아갔다면 강제추행미수가 성립한다. ( )
17. 순경 2차, 19. 변호사시험 · 경찰간부, 20. 법원행시 · 9급 검찰, 21. 해경승진 · 해경 1차

13 강제추행죄는 자수범이라고 볼 수 없으므로 처벌되지 아니하는 타인을 도구로 삼아 피해자를 강제로 추행하는 간접정범의 형태로도 범할 수 있으나, 여기에서의 강제추행에 관한 간접정범의 의사를 실현하는 도구로서의 타인에는 피해자가 포함되지 않는다. ( )
18. 법원행시 · 7급 검찰, 20. 경찰간부, 21. 순경 1차, 22. 경찰승진, 23. 해경승진 · 경력채용

14 甲이 A가 심신상실 또는 항거불능의 상태에 있다고 인식하고 그러한 상태를 이용하여 간음할 의사로 A를 간음하였으나 A가 실제로는 심신상실 또는 항거불능의 상태에 있지 않은 경우에는 준강간죄의 장애미수가 성립한다. ( )
20. 7급 검찰 · 순경 2차, 21. 법원행시 · 해경 2차, 22 · 23. 경찰승진, 24. 경찰간부

15 피고인이 12세인 피해자의 동의를 얻어 간음을 한 경우에도 형법 제305조의 미성년자의제강간죄가 성립한다. ( )
13. 사시, 16. 변호사시험 · 7급 검찰 · 철도경찰, 17. 경찰간부

16 미성년자의제강제추행죄의 성립에 필요한 주관적 구성요건요소는 고의만으로 충분하고, 그 외에 성욕을 자극 · 흥분 · 만족시키려는 주관적 동기나 목적까지 있어야 하는 것은 아니다. ( )
15. 법원직, 19. 경찰승진 · 순경 1차, 20. 수사경과 · 해경 3차, 23. 법원행시

17 형법 제302조의 위계에 의한 간음죄에서의 '위계'는 간음행위 그 자체에 대한 오인, 착각, 부지를 의미하고, 간음행위에 이르게 된 동기 내지 간음행위와 결부된 금전적 대가와 같은 요소는 위계의 대상이 될 수 없다. ( )
21. 순경 1차 · 법원직 · 법원행시 · 7급 검찰 · 순경 2차, 22. 경찰간부 · 경찰승진

Answer 10. ○ 11. × 12. ○ 13. × 14. × 15. ○ 16. ○ 17. ×

CHAPTER 02

기출문제

01 **강간의 죄에 대한 설명으로 옳은 것은?**(다툼이 있는 경우 판례에 의함) 21. 7급 검찰

① 형법 제305조 제2항(미성년자에 대한 간음·추행)의 피해자 연령은 16세 미만이므로 이에 따라 누구든지 16세 미만의 미성년자를 간음하게 되면 형법 제297조 강간죄로 처벌된다.

② 형법 제297조(강간), 제297조의 2(유사강간), 제298조(강제추행) 및 제305조(미성년자에 대한 간음·추행)의 죄를 범할 목적으로 예비 또는 음모한 사람은 3년 이하의 징역에 처한다.

③ 위계에 의한 간음죄에 있어 피해자가 오인, 착각, 부지에 빠지게 되는 대상은 간음행위 자체일 수도 있고, 간음행위에 이르게 된 동기이거나 간음행위와 결부된 금전적·비금전적 대가와 같은 요소일 수도 있다.

④ 강간죄의 폭행·협박 여부를 판단함에 있어 피해자가 성교 이전에 범행 현장을 벗어날 수 있었다거나 피해자가 사력을 다하여 반항하지 않았다면 가해자의 폭행·협박이 피해자의 항거를 현저히 곤란하게 할 정도에 이르지 않았다고 보아야 한다.

해설 ① ×: 제305조 제2항의 피해자 연령은 13세 이상 16세 미만이고, 주체는 19세 이상의 자이다(제305조 제2항; 13세 이상 16세 미만의 사람에 대하여 간음 또는 추행을 한 19세 이상의 자는 제297조, 제297조의 2, 제298조, 제301조 또는 제301조의 2의 예에 의한다).
② ×: 강간죄, 유사강간죄, 준강간죄, 의제강간·강제추행죄, 강간 등 상해죄 ⇨ 예비·음모 처벌 ○, 강제추행죄, 준강제추행죄, 미성년자 등에 대한 간음죄, 업무상 위력 등에 의한 간음죄, 강간 등 치상죄 ⇨ 예비·음모 처벌 ×(제305조의 3)
③ ○: 대판 2020.8.27, 2015도9436 전원합의체
④ ×: ~ 정도에 이르지 않았다고 섣불리 단정하여서는 안 된다(대판 2005.7.28, 2005도3071).

02 **강제추행죄에 관한 설명 중 틀린 것은 모두 몇 개인가?**(다툼이 있는 경우 판례에 의함) 15·16. 법원행시

㉠ 피고인이, 알고 지내던 여성인 피해자가 자신의 머리채를 잡아 폭행을 가하자 보복의 의미에서 피해자의 입술, 귀, 유두, 가슴 등을 입으로 깨무는 등의 행위를 한 것이라면 강제추행죄가 성립하지 않는다.
㉡ 피고인이 피해자 甲(여, 48세)에게 욕설을 하면서 단순히 자신의 바지를 벗어 성기를 보여준 것에 그쳤다면 강제추행죄가 성립하지 않는다.
㉢ 부녀의 음모를 1회용 면도기로 일부 깎은 것이 강제추행치상죄에 있어서의 상해에 해당한다고 할 수 없다.
㉣ 피해자와 춤을 추면서 피해자의 유방을 만진 행위가 아주 순간적인 행위에 불과하더라도 강제추행죄에 해당한다.

Answer 01. ③ 02. ②

ⓜ 피고인이 엘리베이터 안에서 피해자를 칼로 위협하는 등의 방법으로 꼼짝하지 못하도록 하여 자위행위 모습을 보여 주고 피해자로 하여금 이를 외면하거나 피할 수 없도록 하였다면 강제추행죄에 해당한다.
ⓗ 피고인이 밤에 술을 마시고 배회하던 중 버스에서 내려 혼자 걸어가는 피해자 성인 여성을 발견하고 마스크를 착용한 채 뒤따라가다가 인적이 없고 외진 곳에서 가까이 접근하여 껴안으려 하였으나, 피해자가 뒤돌아보면서 소리치자 그 상태로 몇 초 동안 쳐다보다가 다시 오던 길로 되돌아갔다면 강제추행미수가 성립한다.
ⓢ 골프장 여종업원들이 거부의사를 밝혔음에도, 골프장 사장과의 친분관계를 내세워 함께 술을 마시지 않을 경우 신분상의 불이익을 가할 것처럼 협박하여 이른바 러브샷의 방법으로 술을 마시게 한 경우 강제추행죄가 성립한다.

① 없 음 ② 1개 ③ 2개
④ 3개 ⑤ 4개

해설 ㉠ × : 강제추행죄 ○(대판 2013.9.26, 2013도5856 ∵ 강제추행죄의 성립에 필요한 주관적 구성요건으로 성욕을 자극·흥분·만족시키려는 주관적 동기나 목적이 있어야 하는 것은 아니다.)
㉡ ○ : 대판 2012.7.26, 2011도8805
㉢ ○ : 대판 2000.3.23, 99도3099
㉣ ○ : 대판 2002.4.26, 2001도2417
ⓜ ○ : 대판 2010.2.25, 2009도13716
ⓗ ○ : 대판 2015.9.10, 2015도6980
ⓢ ○ : 대판 2008.3.13, 2007도10050

03 강간과 추행의 죄에 대한 설명으로 가장 적절하지 않은 것은?(다툼이 있는 경우 판례에 의함)

20. 순경 2차

① 강간죄는 피해자의 항거를 불능하게 하거나 현저히 곤란하게 할 정도의 폭행 또는 협박을 개시한 때에 그 실행의 착수가 있다고 보아야 할 것이고, 실제로 그와 같은 폭행 또는 협박에 의하여 피해자의 항거가 불능하게 되거나 현저히 곤란하게 되어야만 실행의 착수가 있다고 볼 것은 아니다.
② 폭행 또는 협박으로 사람의 구강에 신체(성기는 제외한다)의 일부를 넣는 행위는 유사강간죄로 처벌한다.
③ 甲이 피해자가 심신상실 또는 항거불능의 상태에 있다고 인식하고 그러한 상태를 이용하여 간음할 의사로 피해자를 간음하였으나 피해자가 실제로는 심신상실 또는 항거불능의 상태에 있지 않는 경우에는 준강간죄의 불능미수가 성립한다.
④ 강간죄에서의 폭행·협박과 간음 사이에는 인과관계가 있어야 하나, 폭행·협박이 반드시 간음행위보다 선행되어야 하는 것은 아니다.

Answer 03. ②

해설 ① 대판 2000.6.9, 2000도1253
② × : 폭행·협박으로 사람에 대하여 구강의 내부에 성기를 넣는 행위는 유사강간죄에 해당하나, 구강의 내부에 손가락 등 신체(성기는 제외한다)의 일부 또는 도구를 넣는 행위는 유사강간죄에 해당하지 않는다.
③ 대판 2019.3.29, 2018도16002 전원합의체
④ 대판 2017.10.12, 2016도16948

04 **다음 설명 중 가장 옳은 것은?**(다툼이 있는 경우 판례에 의함) 20. 경찰간부

① 甲이 A와 교제하면서 촬영한 성관계 동영상, 나체사진 등의 촬영물을 A와 교제하던 다른 남성에게 A와 헤어지게 할 의도로 전송한 행위는 성폭력범죄의 처벌 등에 관한 특례법 제14조 제2항의 카메라 이용 촬영물의 '반포'에 해당한다.
② 甲이 A를 협박하여 겁을 먹은 A로 하여금 어쩔 수 없이 나체나 속옷만 입은 상태가 되게 하여 스스로를 촬영하게 하고, 또 성기에 이물질을 삽입하는 등의 행위를 하게 한 경우 강제추행죄의 간접정범에 해당한다.
③ 甲이 제작한 영상물이 객관적으로 아동·청소년이 등장하여 성적 행위를 하는 내용을 표현한 영상물에 해당하더라도 대상이 된 아동·청소년의 동의하에 촬영한 것이라면, 甲의 행위는 아동·청소년의 성보호에 관한 법률상 아동·청소년 이용음란물을 제작한 것에 해당하지 아니한다.
④ 성폭력범죄의 처벌 등에 관한 특례법 제13조의 통신매체 이용음란죄는 성적 자기결정권에 반하여 성적 수치심을 일으키는 그림 등을 개인의 의사에 반하여 접하지 않을 권리를 보장하기 위한 것으로 개인의 성적 자유를 보호하기 위한 것이며, 사회적 법익으로서 건전한 성풍속을 보호하기 위한 구성요건이 아니다.

해설 ① × : 반포 ×, 제공 ○(대판 2016.12.27, 2016도16676 ∵ '반포'는 불특정 또는 다수인에게 무상으로 교부하는 것을 말하고, 계속적·반복적으로 전달하여 불특정 또는 다수인에게 반포하려는 의사를 가지고 있다면 특정한 1인 또는 소수의 사람에게 교부하는 것도 반포에 해당할 수 있다. 한편 '반포'와 별도로 열거된 '제공'은 '반포'에 이르지 아니하는 무상 교부 행위를 말하며, '반포'할 의사 없이 특정한 1인 또는 소수의 사람에게 무상으로 교부하는 것은 '제공'에 해당한다.)
② ○ : 대판 2018.2.8, 2016도17733
③ × : 아동·청소년의 동의가 있다거나 개인적인 소지·보관을 1차적 목적으로 제작하더라도 아동·청소년의 성보호에 관한 법률 제11조 제1항의 '아동·청소년이용음란물의 제작'에 해당한다(대판 2018.9.13, 2018도9340).
④ × : ~ (3줄) 보장하기 위한 것으로 성적 자기결정권과 일반적 인격권의 보호, 사회의 건전한 성풍속 확립을 보호법익으로 한다(대판 2017.6.8, 2016도21389).

Answer 04. ②

05 강간과 추행의 죄에 대한 설명이다. 아래 ㉠부터 ㉣까지의 설명 중 옳고 그름의 표시(○, ×)가 바르게 된 것은?(다툼이 있는 경우 판례에 의함)

22. 경찰승진, 23. 해경승진

㉠ 강제추행죄는 자수범이 아니므로 피해자를 도구로 삼아 추행하는 간접정범의 형태로도 범할 수 있다.
㉡ 甲이 A가 심신상실 또는 항거불능의 상태에 있다고 인식하고 그러한 상태를 이용하여 간음할 의사로 A를 간음하였으나 A가 실제로는 심신상실 또는 항거불능의 상태에 있지 않은 경우에는 준강간죄의 장애미수가 성립한다.
㉢ 형법 제302조의 위계에 의한 간음죄에서의 '위계'는 간음행위 그 자체에 대한 오인, 착각, 부지를 의미하고, 간음행위에 이르게 된 동기 내지 간음행위와 결부된 금전적 대가와 같은 요소는 위계의 대상이 될 수 없다.
㉣ 강제추행죄의 '추행'이란 일반인에게 성적수치심이나 혐오감을 일으키고 선량한 성적 도덕관념에 반하는 행위인 것으로 족하고, 반드시 그 행위의 상대방인 피해자의 성적 자기결정의 자유를 침해할 필요까지는 없다.

① ㉠(○), ㉡(×), ㉢(×), ㉣(○)
② ㉠(○), ㉡(×), ㉢(×), ㉣(×)
③ ㉠(○), ㉡(×), ㉢(○), ㉣(×)
④ ㉠(×), ㉡(○), ㉢(○), ㉣(○)

해설 ㉠ ○ : 대판 2018.2.8, 2016도17733
㉡ × : ~ 불능미수(장애미수 ×)가 성립한다(대판 2019.3.29, 2018도16002 전원합의체).
㉢ × : ~ 오인, 착각, 부지일 수도 있고, 간음행위에 ~ 대가와 같은 요소도 위계의 대상이 될 수 있다(대판 2020.8.27, 2015도9436 전원합의체).
㉣ × : ~ (2줄) 반하는 행위인 것만으로는 부족하고, ~ 성적 자기결정의 자유를 침해하는 것이어야 한다(대판 2012.7.26, 2011도8805).

06 강간과 추행의 죄에 대한 설명으로 옳은 것을 모두 고른 것은?(다툼이 있는 경우 판례에 의함)

21. 순경 1차

㉠ 성인 甲은 스마트폰 채팅을 통하여 알게 된 A(14세)에게 자신을 '고등학생 乙'이라고 속여 채팅을 통해 교제하던 중 스토킹하는 여성 때문에 힘들다며 그 여성을 떼어내려면 자신의 선배와 성관계를 하여야 한다는 취지로 A에게 이야기하고, 甲과 헤어지는 것이 두려워 이를 승낙한 A를 마치 자신이 乙의 선배인 것처럼 행세하여 간음한 경우, A가 간음행위와 불가분적 관련성이 인정되지 않는 다른 조건에 관하여 甲에게 속았던 것이기에 甲은 아동·청소년의 성보호에 관한 법률 위반죄(위계 등 간음)로 처벌되지 아니한다.
㉡ 피해자가 깊은 잠에 빠져 있거나 술·약물 등에 의해 일시적으로 의식을 잃은 상태 또는 완전히 의식을 잃지는 않았더라도 그와 같은 사유로 정상적인 판단능력과 대응·조절능력을 행사할 수 없는 상태에 있었다면 이는 준강간죄 또는 준강제추행죄에서의 심신상실 또는 항거불능 상태에 해당한다.

Answer 05. ② 06. ②

ⓒ 성폭력범죄의 처벌 등에 관한 특례법 제10조 제1항에서 정한 '업무, 고용이나 그 밖의 관계로 인하여 자기의 보호, 감독을 받는 사람'에는 직장 안에서 보호 또는 감독을 받거나 사실상 보호 또는 감독을 받는 상황에 있는 사람뿐만 아니라 채용 절차에서 영향력의 범위 안에 있는 사람도 포함된다.
ⓓ 형법 제302조의 미성년자는 '13세 이상 19세 미만의 사람'을 의미하고, 심신미약자는 '정신기능의 장애로 인하여 사물을 변별하거나 의사를 결정할 능력이 미약한 사람'을 의미한다.
ⓔ 甲이 A를 강간할 목적으로 자고 있는 A의 가슴과 엉덩이를 만지다가 A가 깨어 소리치자 도망간 경우에는 강간의 실행의 착수가 인정되지 않아 甲의 행위는 현행 형법상 범죄로 처벌할 수 없다.

① ⓐ, ⓑ, ⓒ ② ⓑ, ⓒ, ⓓ
③ ⓑ, ⓓ, ⓔ ④ ⓒ, ⓓ, ⓔ

해설 ⓐ × : ~ (4줄) 간음한 경우 ⇨ 아동·청소년의 성보호에 관한 법률상 위계에 의한 간음죄 ○(대판 2020.8.27, 2015도9436 전원합의체 ∵ 피해자가 오인한 상황은 피해자가 피고인과의 성행위를 결심하게 된 중요한 동기가 된 것으로 보이고, 이를 자발적이고 진지한 성적 자기결정권의 행사에 따른 것이라고 보기 어렵다.)
ⓑ ○ : 대판 2021.2.4, 2018도9781
ⓒ ○ : 대판 2020.7.9, 2020도5646
ⓓ ○ : 대판 2019.6.13, 2019도3341
ⓔ × : 강간의 실행의 착수 × ⇨ 강간미수죄 ×(대판 1990.5.25, 90도607), 이 경우 종래 형법에서는 (준)강간죄의 예비·음모 처벌규정이 없어 처벌이 불가능하였으나, 현행 형법에서는 (준)강간죄의 예비·음모를 처벌하고 있으므로(제305조의 3) 현행 형법상 (준)강간죄의 예비죄로 처벌할 수 있다.

07 **다음 중 가장 옳지 않은 것은?**(다툼이 있는 경우 판례에 의함) 22. 해경간부·해경 2차

① 강제추행죄는 사람의 성적 자유 내지 성적 자기 결정의 자유를 보호하기 위한 죄로서 정범 자신이 직접 범죄를 실행하여야 성립하는 자수범이므로 처벌되지 아니하는 타인을 도구로 삼아 피해자를 강제로 추행하는 간접정범의 형태로는 범할 수 없다.
② 甲이 술에 취하여 안방에서 잠을 자고 있던 피해자를 발견하고 갑자기 욕정을 일으켜 피해자의 옆에 누워 피해자의 몸을 더듬다가 피해자의 바지를 벗기려는 순간 피해자가 어렴풋이 잠에서 깨어났으나 피해자는 잠결에 자신의 바지를 벗기려는 甲을 자신의 애인으로 착각하여 반항하지 않고 응함에 따라 피해자를 1회 간음한 경우 피해자의 위와 같은 의식상태를 심신상실의 상태에 이르렀다고 보기는 어렵다.
③ 음주 후 준강간 또는 준강제추행을 당하였음을 호소한 피해자의 경우 범행 당시 알코올이 기억 형성의 실패만을 야기한 알코올 블랙아웃 상태였다면 피해자는 기억장애 외에 인지기능이나 의식 상태의 장애에 이르렀다고 인정하기 어렵다.
④ 피해자를 위협하여 항거불능케 한 후 1회 간음하고 2백미터쯤 오다가 다시 1회 간음한 경우, 두 번째의 간음행위는 처음 한 행위의 계속으로 볼 수 있으므로 단순일죄가 성립한다.

Answer 07. ①

해설 ① ×：~ (2줄) 자수범이라고 볼 수 없으므로, 처벌되지 ~ 범할 수 있다(대판 2018.2.8, 2016도17733).
② 대판 2000.2.25, 98도4355
③ 대판 2021.2.4, 2018도9781
④ 대판 1970.9.29, 70도1516

08 **다음 사례에 관한 설명 중 가장 적절한 것은?**(다툼이 있는 경우 판례에 의함) 22. 순경 2차

① 甲은 A(만 10세)를 약취한 후 강간을 목적으로 상해 등을 가하고 나아가 강간 및 살해하고자 하였으나 미수에 그친 경우, 甲에게는 약취한 미성년자에 대한 상해 등으로 인한 특정범죄가중처벌 등에 관한 법률 위반죄와 미성년자에 대한 강간 및 살인미수행위로 인한 성폭력범죄의 처벌 등에 관한 특례법 위반죄가 성립하고, 양자는 상해의 결과가 피해자에 대한 강간 및 살인미수행위 과정에서 발생한 것이기에 상상적 경합의 관계에 있다.
② 甲이 상대방에게 성적 수치심을 일으키는 그림 등이 담겨 있는 웹페이지에 대한 인터넷 링크를 A에게 보낸 경우, A가 그 링크를 이용하여 별다른 제한 없이 이에 바로 접할 수 있는 상태가 조성되었는지 여부를 묻지 않고 甲에게는 성폭력범죄의 처벌 등에 관한 특례법 위반(통신매체이용음란)죄가 성립한다.
③ 甲이 용변을 보고 있는 사람을 촬영하기 위해 자신의 휴대전화의 카메라 기능을 켜고 A가 있는 화장실 칸 너머로 휴대전화를 든 손을 넘겼으나, A가 놀라 소리를 질러 실제 촬영은 하지 못한 경우, 甲의 행위는 성폭력범죄의 처벌 등에 관한 특례법위반(카메라 등 이용촬영)죄의 실행에 착수했다고 볼 수 없다.
④ 군인 甲은 자신의 독신자 숙소에서 군인 A와 서로 키스, 구강성교나 항문성교를 하는 방법으로 추행하고, 군인 乙은 자신의 독신자 숙소에서 동일한 방법으로 甲과 추행한 경우, 이는 독신자 숙소에서 휴일 또는 근무시간 이후에 성인 남성들의 자유로운 의사에 기초한 합의된 행위로 군형법 제92조의 6에서 처벌대상으로 규정한 '항문성교나 그 밖의 추행'에 해당하지 아니한다.

해설 ① ×：~ (5줄) 과정에서 발생한 것이라 하더라도 실체적(상상적 ×) 경합의 관계에 있다(대판 2014.2.27, 2013도12301).
② ×：~ (3줄) 있는 상태가 실제로 조성된 경우 甲에게는 ~ 성립한다(대판 2017.6.8, 2016도21389).
③ ×：범인이 피해자를 촬영하기 위하여 육안 또는 캠코더의 줌 기능을 이용하여 피해자가 있는지 여부를 탐색하다가 피해자를 발견하지 못하고 촬영을 포기한 경우에는 촬영을 위한 준비행위에 불과하여 성폭력처벌법 위반(카메라 등 이용촬영)죄의 실행에 착수한 것으로 볼 수 없다. 이에 반하여 범인이 카메라 기능이 설치된 휴대전화를 피해자의 치마 밑으로 들이밀거나, 피해자가 용변을 보고 있는 화장실 칸 밑 공간 사이로 집어넣는 등 카메라 등 이용 촬영 범행에 밀접한 행위를 개시한 경우에는 성폭력처벌법 위반(카메라 등 이용촬영)죄의 실행에 착수하였다고 볼 수 있다(대판 2021.3.25, 2021도749).
④ ○：동성인 군인 사이의 항문성교나 그 밖에 이와 유사한 행위(키스나 구강성교)가 사적 공간에서 자발적 의사 합치에 따라 이루어지는 등 군이라는 공동사회의 건전한 생활과 군기를 직접적・구체적으로 침해한 것으로 보기 어려운 경우, 군형법 제92조의 6에서 처벌대상으로 규정한 '항문성교나 그 밖의 추행'에 해당하지 않는다(대판 2022.4.21, 2019도3047 전원합의체).

Answer 08. ④

09 **강간과 추행의 죄에 관한 설명으로 가장 적절한 것은?**(다툼이 있는 경우 판례에 의함) 23. 순경 2차

① 형법 제299조의 준강제추행죄는 정신적·신체적 사정으로 인하여 성적인 자기방어를 할 수 없는 사람의 성적 자기결정권을 보호해 주는 것을 보호법익으로 하며, 그 성적 자기결정권은 원치 않는 성적 관계를 거부할 권리라는 소극적 측면을 말한다.

② 범인이 피해자를 촬영하기 위하여 육안 또는 캠코더의 줌 기능을 이용하여 피해자가 있는지 여부를 탐색하다가 피해자를 발견하지 못하고 촬영을 포기하였더라도 이는 촬영을 위한 준비행위를 한 것으로 성폭력범죄의 처벌 등에 관한 특례법 위반(카메라 등 이용촬영)죄의 실행에 착수한 것이다.

③ 성폭력범죄의 처벌 등에 관한 특례법 제14조 제2항에서 유포행위의 한 유형으로 열거하고 있는 '공공연한 전시'란 불특정 또는 다수인이 촬영물 등을 인식할 수 있는 상태에 두는 것을 의미하고, 따라서 촬영물 등의 '공공연한 전시'로 인한 범죄는 불특정 또는 다수인이 전시된 촬영물 등을 실제 인식하지 못하였다면 성립하지 않는다.

④ '강제추행'이란 객관적으로 일반인에게 성적 불쾌감이나 혐오감을 일으키게 하고 선량한 성적 도덕관념에 반하는 행위로서 피해자의 성적 자유를 침해하는 것이므로 강제추행죄의 성립에 필요한 주관적 구성요건으로는 성욕을 자극 흥분 만족시키려는 주관적 동기나 목적이 있어야 한다.

해설 ① ○ : 대판 2019.3.29, 2018도16002(대판 2021.2.4, 2018도9781)

② × : ~ (2줄) 촬영을 포기한 경우는 촬영을 위한 준비행위를 한 것으로 성폭력범죄의 처벌 등에 관한 특례법 위반(카메라 등 이용촬영)죄의 실행에 착수한 것으로 볼 수 없다(대판 2021.3.25, 2021도749).

③ × : ~ (4줄) 실제 인식하지 못했다고 하더라도 촬영물 등을 위와 같은 상태에 둠으로써 성립한다(대판 2022.6.9, 2022도1683).

④ × : ~ (3줄) 주관적 구성요건요서는 고의만으로 충분하고, 성욕을 자극 흥분 만족시키려는 주관적 동기나 목적이 있어야 하는 것은 아니다(대판 2013.9.26, 2013도5856).

10 **성폭력범죄에 대한 설명으로 옳지 않은 것은?**(다툼이 있는 경우 판례에 의함) 23. 7급 검찰

① 골프장 여종업원이 거부의사를 밝혔음에도 골프장 사장과의 친분관계를 내세워 함께 술을 마시지 않으면 신분상의 불이익을 가할 것처럼 협박하여 이른바 '러브샷'의 방법으로 술을 마시게 한 행위는 형법 제298조의 강제추행죄에 해당한다.

② 피고인이 타인의 주거에 침입하여 피해자를 강제추행한 경우, 성폭력 범죄의 처벌 등에 관한 특례법 제3조 제1항에 따라 주거침입강제추행죄로 가중처벌된다.

③ 다른 특별한 사정이 없는 한 강간범이 강간의 범행 후에 특수강도의 범의를 일으켜 그 피해자의 재물을 강취한 경우에는 이를 성폭력 범죄의 처벌 등에 관한 특례법 제3조 제2항 소정의 특수강도강간죄로 의율할 수 없다.

Answer 09. ① 10. ②

④ 甲이 카메라폰(촬영된 피사체의 영상정보가 기계장치 내의 RAM 등 주기억장치에 입력되어 임시저장되는 기능 탑재)을 가지고 에스컬레이터에서 A의 치마 속 신체 부위에 대한 동영상 촬영을 시작하여 일정한 시간이 경과하였다면, 설령 촬영 중 경찰관에게 발각되어 저장버튼을 누르지 않고 촬영을 종료하였더라도 성폭력 범죄의 처벌 등에 관한 특례법 제14조 제1항 카메라 등 이용촬영죄의 기수범이 성립한다.

해설 ① 대판 2008.3.13, 2007도10050
② ×: ~ 가중처벌되지 않는다〔∵ 성폭력 범죄의 처벌 등에 관한 특례법 제3조 제1항 중 주거침입강제추행죄의 가중처벌(무기징역 또는 7년 이상의 징역에 처한다)에 대해 최근에 헌법재판소의 단순위헌 결정이 내려짐 : 헌재 2023.2.23, 2021헌가9〕.
③ 대판 2002.2.8, 2001도6425(∴ 강간죄와 특수강도죄의 경합범)
④ 대판 2011.6.9, 2010도10677

11 **강간과 추행의 죄에 관한 설명으로 가장 적절하지 않은 것은?**(다툼이 있는 경우 판례에 의함)

24. 경찰간부

① 강간죄에서의 폭행·협박과 간음 사이에는 인과관계가 있어야 하나, 폭행·협박이 반드시 간음행위보다 선행되어야 하는 것은 아니다.

② 피해자가 깊은 잠에 빠져 있거나 술·약물 등에 의해 일시적으로 의식을 잃은 상태 또는 완전히 의식을 잃지는 않았더라도 그와 같은 사유로 정상적인 판단능력과 대응·조절능력을 행사할 수 없는 상태에 있었다면, 이는 준강간죄 또는 준강제추행죄에서의 심신상실 또는 항거불능 상태에 해당한다.

③ 甲이 아파트 놀이터의 의자에 앉아 전화통화를 하고 있던 A의 등 뒤로 몰래 다가가 성기를 드러내고 A의 머리카락 및 옷 위에 소변을 본 경우, 甲의 행위가 A의 성적 자기결정권을 침해하는 추행행위에 해당하기 위해서는 甲의 행위 당시 A가 이를 인식해야 한다.

④ 甲은 A가 심신상실 또는 항거불능의 상태에 있다고 인식하고 그러한 상태를 이용하여 간음할 의사로 A를 간음하였으나, A가 실제로는 심신상실 또는 항거불능의 상태에 있지 않은 경우 준강간죄의 불능미수가 성립한다.

해설 ① 대판 2017.10.12, 2016도16948
② 대판 2021.2.4, 2018도9781
③ ×: ~ (3줄) A가 이를 인식해야 하는 것은 아니다(대판 2021.10.28, 2021도7538 ∵ 甲의 행위가 객관적으로 A의 성적 자기결정권을 침해하는 추행행위에 해당한다면 그로써 A의 성적 자기결정권은 침해되었다고 보아야 할 것이고, 행위 당시에 A가 이를 인식하지 못하였더라도 추행에 해당할 수 있다).
④ 대판 2019.3.28, 2018도16002 전원합의체

Answer 11. ③

12 **강간과 추행의 죄에 관한 설명 중 옳은 것은 모두 몇 개인가?**(다툼이 있는 경우 판례에 의함)

24. 법원행시

㉠ 미성년자의제강간·강제추행죄를 규정한 형법 제305조가 강간죄와 강제추행죄의 미수범 처벌에 관한 형법 제300조를 명시적으로 인용하고 있지 않으므로 미성년자의제강간·강제추행의 미수범은 처벌할 수 없다.

㉡ A는 인터넷 채팅사이트를 통해 성매매를 하려고 만난 甲으로부터 졸피뎀과 트리아졸람이 섞인 커피를 받아 마신 후 정신을 잃고 깊이 잠들었다가 약 3시간 뒤에 깨어났고, 甲은 A를 항거불능 상태에 빠뜨린 후 강간하려고 시도하였으나 미수에 그쳤으며, A는 커피를 마신 다음에 자신이 잠들기 전까지 무슨 행동을 하였는지를 기억하지 못하였으나, A가 의식을 회복한 다음에는 일상생활에 특별한 지장이 없었고 치료도 받지 않았다면 甲을 강간치상죄로 처벌할 수는 없다.

㉢ 乙이 방 안에서 丙의 숙제를 도와주던 중 丙의 왼손을 잡아 자신의 성기 쪽으로 끌어당겼고, 이를 거부하고 자리를 이탈하려는 丙의 의사에 반하여 丙을 끌어안은 다음 침대로 넘어져 丙의 위에 올라탄 후 丙의 가슴을 만졌으며, 방문을 나가려는 丙을 뒤따라가 끌어안은 행위를 한 경우, 설령 乙의 행위가 丙의 항거를 곤란하게 할 정도의 폭행 또는 협박에 해당하지 않는다고 하더라도 丙을 강제추행한 것에 해당한다고 볼 수 있다.

㉣ 업무상 위력 등에 의한 추행에 관한 처벌 규정인 성폭력범죄의 처벌 등에 관한 특례법 제10조 제1항에서 정한 '업무, 고용이나 그 밖의 관계로 인하여 자기의 보호, 감독을 받는 사람'에는 직장 안에서 보호 또는 감독을 받거나 사실상 보호 또는 감독을 받는 상황에 있는 사람만이 포함되는 것이고, 채용 절차에서 영향력의 범위 안에 있는 사람도 포함된다고 해석할 수는 없다.

㉤ 의붓아버지와 의붓딸의 관계가 성폭력범죄의 처벌 등에 관한 특례법 제5조 제4항에서 규정한 친족관계에 해당한다고 해석하는 것은 형벌법규의 명확성의 원칙에 반하는 것이거나 죄형법정주의에 의하여 금지되는 확장해석이나 유추해석에 해당하는 것으로 보아야 한다.

① 1개　　② 2개　　③ 3개
④ 4개　　⑤ 5개

해설 ㉠ ×: ~ (2줄) 명시적으로 인용하고 있지 아니하나, 미성년자의제강간·강제추행의 미수범은 처벌할 수 있다(대판 2007.3.15, 2006도9453 ∵ 미성년자의제강간·강제추행죄를 규정한 형법 제305조에 규정한 형법 제297조와 제298조의 "예에 의한다."는 의미에 미성년자의제강간·강제추행죄의 처벌에 있어 그 법정형뿐만 아니라 미수범에 관하여도 강간죄와 강제추행죄의 예에 따른다는 취지로 해석됨).
㉡ ×: ~ (4줄) 기억하지 못하였고, A가 의식을 회복한 다음에는 일상생활에 특별한 지장이 없었고 치료를 받지 않았다고 하더라도 甲을 강간치상죄로 처벌할 수 있다(대판 2017.7.11, 2015도3939).
㉢ ○: 대판 2023.9.21, 2018도13877 전원합의체
㉣ ×: ~ (3줄) 감독을 받는 상황에 있는 사람뿐만 아니라, 채용 절차에서 영향력의 범위 안에 있는 사람도 포함된다(대판 2020.7.9, 2020도5646).
㉤ ×: ~ (3줄) 해당하는 것으로 볼 수 없다(대판 2020.11.5, 2020도10806 ∴ 의붓아버지와 의붓딸의 관계는 성폭력처벌법 제5조 제4항이 규정한 4촌 이내의 인척으로서 친족관계에 해당한다).

Answer 12. ①

13 **성폭력범죄에 관한 설명으로 가장 적절한 것은?**(다툼이 있는 경우 판례에 의함) 24. 순경 1차

① 자신의 웹사이트에 아동·청소년성착취물이 저장된 다른 웹사이트로 연결되는 링크를 게시하여 불특정 또는 다수인이 링크를 이용하여 별다른 제한 없이 아동·청소년 성착취물에 바로 접할 수 있는 상태를 실제로 조성한 경우, 아동·청소년의 성보호에 관한 법률 제11조 제3항에서 정한 아동·청소년 성착취물을 배포하거나 공연히 전시한 것으로 평가할 수 있다.

② 지하철 환승에스컬레이터 내에서 카메라폰으로 일정한 시간 동안 피해자의 치마 속 신체부위를 동영상 촬영하였으나, 경찰관에게 발각되어 저장버튼을 누르지 않고 촬영을 종료한 경우, 구 성폭력범죄의 처벌 및 피해자보호 등에 관한 법률상 카메라 등 이용 촬영죄의 미수범이 성립한다.

③ 강제추행죄의 '폭행 또는 협박'의 의미에 있어서 폭행행위 자체가 곧바로 추행에 해당하는 경우에는 상대방의 의사를 억압할 정도의 것임을 요하지 아니하나, 폭행 또는 협박이 추행보다 시간적으로 앞서 그 수단으로 행해진 경우에는 상대방의 항거를 곤란하게 할 정도에 이르러야 한다.

④ 피해자가 술·약물 등에 의해 완전히 의식을 잃지 않았다면 그와 같은 사유로 정상적인 판단능력과 대응·조절능력을 행사할 수 없는 상태에 있었더라도 준강제추행죄에서의 심신상실 또는 항거불능 상태에 해당한다고 볼 수 없다.

해설 ① ○ : 대판 2023.10.12, 2023도5757
② × : ~ (3줄) 촬영죄의 기수범이 성립한다(대판 2011.6.9, 2010도10677).
③ × : 강제추행죄(폭행·협박 선행형)의 '폭행 또는 협박'은 상대방의 항거를 곤란하게 할 정도로 강력할 것이 요구되지 아니하고, 상대방의 신체에 대하여 불법한 유형력을 행사(폭행)하거나 일반적으로 보아 상대방으로 하여금 공포심을 일으킬 수 있는 정도의 해악을 고지(협박)하는 것이라고 보아야 한다. 즉, 강제추행죄에서 '폭행 또는 협박'은 형법상 폭행죄 또는 협박죄에서 정한 '폭행 또는 협박'을 의미하는 것으로 분명히 정의되어야 한다(대판 2023.9.21, 2018도13877 전원합의체). 또한 폭행행위 자체가 추행행위라고 인정되는 이른바 기습추행의 경우 추행행위와 동시에 저질러지는 폭행행위는 반드시 상대방의 의사를 억압할 정도의 것임을 요하지 않고 상대방의 의사에 반하는 유형력의 행사가 있기만 하면 그 힘의 대소강약을 불문한다는 것이 일관된 판례의 입장이다. ④ × : 피해자가 깊은 잠에 빠져 있거나 술·약물 등에 의해 일시적으로 의식을 잃은 상태 또는 완전히 의식을 잃지는 않았더라도 그와 같은 사유로 정상적인 판단능력과 대응·조절능력을 행사할 수 없는 상태에 있었다면, 이는 준강간죄 또는 준강제추행죄에서의 심신상실 또는 항거불능 상태에 해당한다(대판 2021.2.4, 2018도9781).

14 **강간과 추행의 죄에 대한 설명으로 옳지 않은 것은?**(다툼이 있는 경우 판례에 의함) 24. 7급 검찰

① 피해자가 깊은 잠에 빠져 있거나 술·약물 등에 의해 일시적으로 의식을 잃은 상태 또는 완전히 의식을 잃지는 않았더라도 그와 같은 사유로 정상적인 판단능력과 대응·조절능력을 행사할 수 없는 상태에 있었다면, 이는 준강간죄 또는 준강제추행죄에서의 심신상실 또는 항거불능 상태에 해당한다.

② 위계에 의한 간음죄에 해당하는지 여부를 판단할 때에는 구체적인 범행 상황에 놓인 피해자의 입장과 관점이 충분히 고려되어야 하고, 일반적·평균적 판단능력을 갖춘 성인 또는 충분한 보호와 교육을 받은 또래의 시각에서 인과관계를 쉽사리 부정하여서는 안 된다.

Answer 13. ① 14. ④

③ 성폭력범죄의 처벌 등에 관한 특례법 제11조의 '공중밀집장소에서의 추행'이 기수에 이르기 위하여는 행위자의 행위로 인하여 대상자가 성적 수치심이나 혐오감을 반드시 실제로 느껴야 하는 것은 아니고, 객관적으로 일반인에게 성적 수치심이나 혐오감을 일으키게 할만한 행위로서 선량한 성적 도덕관념에 반하는 행위를 실행하는 것으로 충분하다.
④ 사람 및 차량의 왕래가 빈번한 도로에서 피고인이 자신의 말을 무시한 피해자에게 성적이지 않은 욕설을 하면서 단순히 바지를 내리고 자신의 성기를 피해자에게 보여 준 경우 강제추행죄가 성립한다.

해설 ① 대판 2021.2.4, 2018도9381
② 대판 2020.8.27, 2015도9436 전원합의체
③ 대판 2020.6.25, 2015도7102
④ × : ~ 강제추행죄가 성립하지 않는다(대판 2012.7.26, 2011도8805).

15 **성범죄에 관한 설명으로 가장 적절한 것은?**(다툼이 있는 경우 판례에 의함) 24. 순경 2차

① 준강간죄에서 피해자가 술에 취해 수면상태에 빠지는 등 의식을 상실한 패싱아웃(passing out) 상태뿐만 아니라 범행 당시 알코올이 기억형성의 실패만을 야기한 알코올 블랙아웃(black out) 상태인 경우에도 기억장애 외에 인지기능이나 의식 상태의 장애에 이르렀다고 인정된다.
② 강제추행죄의 폭행 또는 협박이 추행보다 시간적으로 앞서 그 수단으로 행해진 이른바 폭행·협박 선행형의 경우에는 상대방의 항거를 곤란하게 하는 정도의 폭행 또는 협박이어야 한다.
③ 강간치사상죄에 있어서 사상의 결과는 간음행위 그 자체로부터 발생한 경우나 강간의 수단으로 사용한 폭행으로부터 발생한 경우는 포함되지만, 강간에 수반하는 행위에서 발생한 경우는 포함되지 않는다.
④ 성폭력범죄의 처벌 등에 관한 특례법위반(주거침입강간)죄는 주거침입죄를 범한 후에 사람을 강간하는 등의 행위를 하여야 하는 일종의 신분범이고, 선후가 바뀌어 강간죄 등을 범한 자가 그 피해자의 주거에 침입한 경우에는 이에 해당하지 않고 강간죄 등과 주거침입죄 등의 실체적 경합범이 된다.

해설 ① × : 음주 후 준강간 또는 준강제추행을 당하였음을 호소한 피해자의 경우, 범행 당시 알코올이 기억형성(인코딩 과정)의 실패만을 야기한 알코올 블랙아웃(black out : 일정한 시점에 진행되었던 사실에 대한 기억상실) 상태였다면 피해자는 기억장애 외에 인지기능이나 의식 상태의 장애에 이르렀다고 인정할 수 있다(대판 2021.2.4, 2018도9781).
② × : 강제추행죄(폭행·협박 선행형)의 '폭행 또는 협박'은 상대방의 항거를 곤란하게 할 정도로 강력할 것이 요구되지 아니하고, 상대방의 신체에 대하여 불법한 유형력을 행사(폭행)하거나 일반적으로 보아 상대방으로 하여금 공포심을 일으킬 수 있는 정도의 해악을 고지(협박)하는 것이라고 보아야 한다(대판 2023.9.21, 2018도13877 전원합의체).
③ × : 사망·상해의 결과는 간음·추행행위 그 자체에서 일어나거나 그 수단인 폭행·협박에 의하여 일어나거나 간음·추행행위에 수반되어 발생한 경우 모두 해당된다(대판 1999.4.9, 99도519).
④ ○ : 대판 2021.8.12, 2020도17796

Answer 15. ④

16 **위계 · 위력에 의한 간음 · 추행죄에 관한 설명 중 옳은 것(○)과 옳지 않은 것(×)을 올바르게 조합한 것은?**(다툼이 있는 경우 판례에 의함) 25. 변호사시험

㉠ 위력에 의한 추행죄에서 '위력'은 유형력의 대상이나 내용 등에 비추어 강제추행죄의 '폭행 또는 협박'에 해당하지 아니하는 폭행 · 협박은 물론, 상대방의 자유의사를 제압하거나 혼란하게 할 만한 사회적 · 경제적 · 정치적인 지위나 권세를 이용하는 것을 포함한다.
㉡ 아동 · 청소년이 외관상 성적 결정 또는 동의로 보이는 언동을 하였더라도, 그것이 타인의 기망이나 왜곡된 신뢰관계의 이용에 의한 것이라면, 이를 아동 · 청소년의 온전한 성적 자기 결정권의 행사에 의한 것이라고 평가하기 어렵다.
㉢ 위계에 의한 간음죄에서 피해자가 오인, 착각, 부지에 빠지게 되는 대상은 간음행위 자체이지, 간음행위에 이르게 된 동기이거나 간음행위와 결부된 금전적 · 비금전적 대가와 같은 요소는 아니다.
㉣ 성폭력범죄의 처벌 등에 관한 특례법 제10조 제1항(업무상 위력 등에 의한 추행)에 규정된 '업무, 고용이나 그 밖의 관계로 인하여 자기의 보호, 감독을 받는 사람'에는 직장 안에서 보호 또는 감독을 받거나 사실상 보호 또는 감독을 받는 상황에 있는 사람뿐만 아니라 채용 절차에서 영향력의 범위 안에 있는 사람도 포함된다.

① ㉠(○), ㉡(○), ㉢(○), ㉣(×)
② ㉠(○), ㉡(○), ㉢(×), ㉣(○)
③ ㉠(○), ㉡(×), ㉢(○), ㉣(○)
④ ㉠(×), ㉡(○), ㉢(○), ㉣(×)
⑤ ㉠(×), ㉡(○), ㉢(×), ㉣(○)

해설 ㉠ ○ : 대판 2012.9.21, 2018도13877 전원합의체
㉡ ○ : 대판 2022.7.28, 2020도12419
㉢ × : ~ (1줄) 간음행위 자체일 수도 있고, 간음행위에 이르게 된 동기이거나 간음행위와 결부된 금전적 · 비금전적 대가와 같은 요소일 수도 있다(대판 2020.8.27, 2015도9436 전원합의체).
㉣ ○ : 대판 2020.7.9, 2020도5646

Answer 16. ②

종합문제

자유에 대한 죄

01 자유에 대한 죄에 관한 설명으로 가장 적절하지 않은 것은?(다툼이 있는 경우 판례에 의함)

19. 순경 2차

① 협박죄를 위험범으로 이해하는 입장에 따르면 해악을 고지하고 상대방이 이를 인식했음에도 불구하고 상대방이 전혀 공포심을 느끼지 않은 경우에 협박죄의 미수가 성립한다.

② 골프시설의 운영자가 골프회원에게 불리하게 변경된 내용의 회칙에 대하여 동의한다는 내용의 등록신청서를 제출하지 아니하면 회원으로 대우하지 아니하겠다고 통지한 경우 강요죄가 성립한다.

③ 감금행위가 강도상해 범행의 수단이 되는 데 그치지 아니하고 강도상해의 범행이 끝난 뒤에도 계속된 경우에는 1개의 행위가 감금죄와 강도상해죄에 해당하는 경우라고 볼 수 없고, 이 경우 감금죄와 강도상해죄는 형법 제37조의 경합범 관계에 있다.

④ 미성년자가 혼자 머무는 주거에 침입하여 그를 감금한 뒤 폭행 또는 협박에 의하여 부모의 출입을 봉쇄하거나, 미성년자와 부모가 거주하는 주거에 침입하여 부모만을 강제로 퇴거시키고 독자적인 생활관계를 형성하기에 이르렀다면 비록 장소적 이전이 없었다 할지라도 형법 제287조의 미성년자약취죄가 성립한다.

해설 ① × : ~ 기수(미수 ×)가 성립한다(대판 2007.9.28, 2007도606 전원합의체).
② 대판 2003.9.26, 2003도763 ③ 대판 2003.1.10, 2002도4380 ④ 대판 2008.1.17, 2007도8485

02 다음 설명 중 적절하지 않은 것을 모두 고른 것은?(다툼이 있는 경우 판례에 의함)

21. 경력채용

㉠ 군인인 상관이 직무수행을 태만히 하거나 지시사항을 불이행하고 허위보고 등을 한 부하에게 근무태도를 교정하고 직무수행을 감독하기 위해 직무수행 내역을 일지 형식으로 기재하여 보고하도록 명령한 경우에는 형법상 강요죄에 해당하지 않는다.

㉡ 피해자 본인이 아니라 하더라도 본인과 제3자가 밀접한 관계에 있어 그 해악의 내용이 피해자 본인에게 공포심을 일으킬 만한 정도의 것이라면 협박죄가 성립할 수 있다. 이때 '제3자'에는 자연인뿐만 아니라 법인도 포함되며, 법인도 직접 협박죄의 객체가 될 수 있다.

㉢ 기습추행의 경우 추행행위와 동시에 저질러지는 폭행행위는 반드시 상대방의 의사를 억압할 정도의 것임을 요하지 않고 상대방의 의사에 반하는 유형력의 행사가 있기만 하면 그 힘의 대소강약을 불문한다.

㉣ 위계에 의한 간음죄에서 왜곡된 성적 결정에 기초하여 성행위를 하였다면, 왜곡이 발생한 지점이 성행위 그 자체인 경우와 성행위에 이르게 된 동기를 구분하여 전자의 경우에는 후자와 달리 성적 자기결정권이 침해되었다고 볼 수 있다.

Answer 01. ① 02. ④

① ㉠, ㉡　　② ㉡, ㉢　　③ ㉢, ㉣　　④ ㉡, ㉣

해설 ㉠ ○ : 대판 2012.11.29, 2010도1233(∵ 직무권한 범위 내에서 내린 정당한 명령이므로 부하는 명령을 실행할 법률상 의무가 있다.)
㉡ × : ~ (3줄) 법인도 포함되나, 법인은 직접 협박죄의 객체가 될 수 없다(대판 2010.7.15, 2010도1017).
㉢ ○ : 대판 2020.3.26, 2019도15994
㉣ × : 위계에 의한 간음죄에서 왜곡된 성적 결정에 기초하여 성행위를 하였다면 왜곡이 발생한 지점이 성행위 그 자체인지 성행위에 이르게 된 동기인지는 성적 자기결정권에 대한 침해가 발생한 것은 마찬가지라는 점에서 핵심적인 부분이라고 하기 어렵다. 피해자가 오인, 착각, 부지에 빠지게 되는 대상은 간음행위 자체일 수도 있고, 간음행위에 이르게 된 동기이거나 간음행위와 결부된 금전적·비금전적 대가와 같은 요소일 수도 있다(대판 2020.8.27, 2015도9436 전원합의체).

03 **다음 중 가장 적절하지 않은 것은?**(다툼이 있는 경우 판례에 의함)　23. 순경 2차

① 협박죄는 사람의 의사결정의 자유를 보호법익으로 하는 위험범이라 봄이 상당하고, 협박죄의 미수범 처벌조항은 해악의 고지가 현실적으로 상대방에게 도달하지 아니한 경우나, 도달은 하였으나 상대방이 이를 지각하지 못하였거나 고지된 해악의 의미를 인식하지 못한 경우 등에 적용될 뿐이다.
② 체포죄는 계속범으로서 원칙적으로 체포의 행위에 확실히 사람의 신체의 자유를 구속한다고 인정할 수 있을 정도의 시간적 계속이 있어야 성립하고, 신체의 자유에 대한 구속이 그와 같은 정도에 이르지 못하고 일시적인 것으로 그친 경우라면 체포죄의 성립은 부정되어 무죄가 된다.
③ 강간죄의 성립에 언제나 직접적으로 또 필요한 수단으로서 감금행위를 수반하는 것은 아니므로 감금행위가 강간미수죄의 수단이 되었다 하여 감금행위는 강간미수죄에 흡수되어 범죄를 구성하지 않는다고 할 수는 없는 것이고, 그때에는 감금죄와 강간미수죄는 일개의 행위에 의하여 실현된 경우로서 형법 제40조의 상상적 경합관계에 있다.
④ 甲은 A로 하여금 주차장을 이용하지 못하게 할 의도로 乙과 공모하여 乙의 차량을 A의 주택 앞에 주차하였으나, 주차 당시 甲과 A 사이에 물리적 접촉이 있거나 甲이 A에게 어떠한 유형력을 행사했다고 볼만한 사정이 없고, 甲의 행위로 A본인의 차량을 주택 내부의 주차장에 출입시키지 못하는 불편은 발생하였으나 A는 차량을 용법에 따라 정상적으로 사용할 수 있었다면 甲은 A를 폭행하여 차량 운행에 관한 권리행사를 방해하였다고 평가하기는 어렵다.

해설 ① 대판 2007.9.28, 2007도606 전원합의체
② × : ~ (3줄) 그친 경우에는 체포죄의 미수범(무죄 ×)이 성립할 뿐이다(대판 2020.3.27, 2016도18713).
③ 대판 1983.4.26, 83도323
④ 대판 2021.11.25, 2018도1346(∴ 강요죄 ×)

Answer 03. ②

04 **다음 설명 중 옳은 것을 모두 고른 것은?**(다툼이 있는 경우 판례에 의함) 25. 변호사시험

㉠ 이혼 소송 중인 부부가 별거하는 상황에서 일방 배우자 甲이 면접교섭권을 행사하기 위하여 외국에서 타방 배우자 乙과 함께 생활하고 있던 자녀 A(5세)를 대한민국으로 데려온 후, 면접교섭 기간이 종료하였음에도 乙에게 데려다주지 않고 법원의 유아인도명령에 따르지 않는 등 A와 乙 간의 유대관계를 잃어버리게 한 경우라도, 甲이 적법하게 A를 데리고 온 이상 이를 약취라 볼 수 없으므로 미성년자약취죄가 성립하지 않는다.

㉡ 유기죄에서의 유기행위는 도움이 필요한 자를 보호 없는 상태로 둠으로써 생명·신체를 위태롭게 하는 것이므로 작위뿐만 아니라 부작위에 의하여도 성립하며, 유기를 당한 사람의 생명·신체에 위험을 발생하게 할 가능성 외에 보호의 가능성이 전혀 없을 것이 요구된다.

㉢ 체포죄는 계속범으로서 체포의 행위에 확실히 사람의 신체의 자유를 구속한다고 인정할 수 있을 정도의 시간적 계속이 있어야 기수에 이르고, 신체의 자유에 대한 구속이 그와 같은 정도에 이르지 못하고 일시적인 것으로 그친 경우에는 체포죄의 미수범이 성립할 뿐이다.

㉣ 행위자가 직무상 또는 사실상 상대방에게 영향을 줄 수 있는 직업이나 지위에 기초하여 상대방에게 어떠한 요구를 하였더라도 곧바로 그 요구 행위를 강요죄의 성립을 위한 해악의 고지라고 단정하여서는 안 된다.

㉤ 성폭력범죄의 처벌 등에 관한 특례법위반(촬영물 등 이용협박)죄가 성립하기 위해서는 반드시 행위자가 촬영물 등을 피해자에게 직접 제시하는 방법으로 협박해야 할 필요는 없지만, 협박 당시 해당 촬영물 등을 소지하고 있거나 유포할 수 있는 상태에 있을 것을 요한다.

① ㉠, ㉡ ② ㉠, ㉤ ③ ㉡, ㉢
④ ㉢, ㉣ ⑤ ㉣, ㉤

해설 ㉠ ×: ~ (4줄) 잃어버리게 한 경우라면, 甲이 적법하게 A를 데리고 온 경우라도 유아를 인도하지 않은 甲의 행위(부작위)는 불법적인 사실상의 힘을 수단으로 A를 그 의사와 복리에 반하여 자유로운 생활 및 보호관계로부터 이탈시켜 자기의 사실상 지배하에 옮긴 적극적 행위와 형법적으로 같은 정도의 행위로 평가할 수 있으므로 약취행위에 해당하여 미성년자약취죄가 성립한다(대판 2021.9.9, 2019도16421).
㉡ ×: ~ (3줄) 위험을 발생하게 할 가능성이 있으면 유기행위의 요건은 충족되고 반드시 보호의 가능성이 전혀 없을 것을 요하는 것은 아니다(대판 2015.11.12, 2015도6809 전원합의체).
㉢ ○: 대판 2020.3.27, 2016도18713
㉣ ○: 대판 2020.1.30, 2018도2236 전원합의체
㉤ ×: ~ (2줄) 방법으로 협박해야 한다거나, 협박 당시 해당 촬영물 등을 소지하고 있거나 유포할 수 있는 상태일 필요는 없다(대판 2024.5.30, 2023도17896).

Answer 04. ④

CHAPTER 03

명예와 신용에 대한 죄

단원 advice

본장에서는 ㉠ 명예에 관한 죄 중 공연성(전파가능성) 인정 여부, 사실의 적시, 제310조에 의한 위법성조각, ㉡ 업무방해죄 중 업무 해당 여부, 구체적인 사례에서 업무방해죄 성립 여부 등이 출제빈도가 높다.

명예에 관한 죄 법조문 총정리

1.
- 사실 적시 ○
  - (일반)명예훼손죄
    - 사실 적시(제307조 제1항)
    - 허위사실 적시(제307조 제2항)
  - 출판물에 의한 명예훼손죄
    - 사실 적시(제309조 제1항)
    - 허위사실 적시(제309조 제2항)
  - 사자명예훼손죄 ⇨ 허위사실 적시(제308조)
- 사실 적시 × ⇨ 모욕죄(제311조)

2. 목적범 ⇨ 출판물에 의한 명예훼손죄("비방의 목적")만(나머지는 목적범 아님)
3.
   - 친고죄 ⇨ 사자명예훼손죄, 모욕죄
   - 반의사불벌죄 ⇨ (일반)명예훼손죄, 출판물에 의한 명예훼손죄
4. 진실한 사실 적시 명예훼손죄만 제310조(위법성조각)가 적용됨(허위사실 적시 명예훼손죄, 출판물에 의한 명예훼손죄, 사자명예훼손죄, 모욕죄 ⇨ 제310조 적용 ×)

제1절 명예에 관한 죄

1 보호법익

관련판례

1. 명예훼손죄와 모욕죄의 보호법익은 사람의 가치에 대한 사회적 평가인 이른바 외부적 명예인 점에서는 차이가 없으나, 다만 명예훼손은 사람의 사회적 평가를 저하시킬 만한 구체적 사실의 적시를 하여 명예를 침해함을 요하는 것으로서 구체적 사실이 아닌 단순한 추상적 판단이나 경멸적 감정의 표현으로서 사회적 평가를 저하시키는 모욕죄와 다르다(대판 1987.5.12, 87도739). 13. 경찰승진, 24. 경력채용
2. 국가나 지방자치단체는 국민에 대한 관계에서 형벌의 수단을 통해 보호되는 외부적 명예의 주체가 될 수는 없고, 따라서 명예훼손죄나 모욕죄의 피해자가 될 수 없다(대판 2016.12.27, 2014도15290). 18. 법원직·순경 2차, 20. 법원행시·수사경과, 21. 순경 1차, 22. 경찰승진, 24. 변호사시험
3. 저작권법 제136조 제2항 제1호는 저작인격권 또는 실연자의 인격권을 침해하여 저작자 또는 실연자의 명예를 훼손한 사람을 처벌하도록 규정하고 있다. 여기서 저작자 또는 실연자의 명예란 저작자 또는 실연자가 그 품성·덕행·명성·신용 등의 인격적 가치에 관하여 사회로부터 받는 객관적 평가,

즉 사회적 명예를 가리킨다. 본죄는 저작자 또는 실연자의 사회적 가치나 평가가 침해될 위험이 있으면 성립하고, 현실적인 침해의 결과가 발생하거나 구체적·현실적으로 침해될 위험이 발생하여야 하는 것은 아니다(대판 2023.11.30, 2020도10180).

2 명예향유의 주체(보호법익의 주체)

관련판례

1. 명예훼손죄의 피해자는 특정한 것임을 요하고 막연한 표시(예 서울시민, 경기도민)에 의해서는 명예훼손죄를 구성하지 않는다 할 것이지만, 집합적 명사를 쓴 경우에도 그것에 의하여 그 범위에 속하는 특정인을 가리키는 것이 명백하면, 이를 각자의 명예를 훼손하는 행위라고 볼 수 있다(대판 2000.10.10, 99도5407). 16. 변호사시험·사시, 17. 9급 검찰·마약수사, 19. 수사경과·순경 2차, 22. 해경간부·해경 2차, 23. 경찰승진, 24. 경력채용 그러나 명예훼손의 내용이 집단에 속한 특정인에 대한 것이라고 해석되기 힘들고 집단표시에 의한 비난이 개별구성원에 이르러서는 비난의 정도가 희석되어 구성원 개개인의 사회적 평가에 영향을 미칠 정도에 이르지 않는 것으로 평가되는 경우에는 구성원 개개인에 대한 명예훼손이 성립하지 않는다(대판 2018.11.29, 2016도14678). 21. 변호사시험
   인터넷 댓글로서 특정인의 실명을 거론하여 특정인의 명예를 훼손하거나, 또는 실명을 거론하지는 않더라도 그 표현의 내용을 주위사정과 종합하여 볼 때 그 표시가 특정인을 지목하는 것임을 알아차릴 수 있는 경우에는, 그와 같은 악의적 댓글을 단 행위자는 원칙적으로 특정인에 대한 명예훼손 또는 모욕의 죄책을 면하기 어렵다 할 것이다. 하지만 인터넷 댓글에 의하여 모욕을 당한 피해자의 인터넷 아이디(ID)만을 알 수 있을 뿐 그 밖의 주위사정을 종합해 보더라도 그와 같은 인터넷 아이디를 가진 사람이 청구인(피해자)이라고 알아차릴 수 없는 경우에 있어서는 외부적 명예를 보호법익으로 하는 명예훼손죄 또는 모욕죄의 피해자가 청구인으로 특정된 경우로 볼 수 없으므로, 특정인인 청구인에 대한 명예훼손죄 또는 모욕죄가 성립하지 않는다(헌재결 2008.6.26, 2007헌마461). 22. 순경 1차
2. 정부 또는 국가기관은 형법상 명예훼손죄의 피해자가 될 수 없으나, 정부 정책 결정 또는 업무수행과 관련된 사항을 주된 내용으로 하는 공개발언이나 언론보도의 내용이 공직자 개인에 대한 악의적이거나 심히 경솔한 공격으로서 현저히 상당성을 잃은 것으로 평가되면, 공직자 개인에 대한 명예훼손이 된다(대판 2021.3.25, 2016도14995). 19. 수사경과, 23. 7급 검찰, 24. 경찰승진·해경경장

3 명예훼손죄

제307조 제1항 공연히 사실을 적시하여 사람의 명예를 훼손한 자는 2년 이하의 징역이나 금고 또는 500만원 이하의 벌금에 처한다.
제307조 제2항 공연히 허위의 사실을 적시하여 사람의 명예를 훼손한 자는 5년 이하의 징역, 10년 이하의 자격정지 또는 1천만원 이하의 벌금에 처한다.
제312조 제2항 본죄는 피해자의 명시한 의사에 반하여 공소를 제기할 수 없다.

반의사불벌죄 ○, 미수범 처벌 × 17. 순경 2차, 21. 법원직

(1) **행위의 주체** : 자연인(법인 ×)

(2) **행 위** : 공연히 사실의 적시 또는 허위사실을 적시하여 명예를 훼손하는 것

① **공연성**

㉠ 명예훼손죄에 있어서의 공연성은 불특정 또는(및 ×) 다수인이 인식할 수 있는 상태를 의미하므로, 비록 개별적으로 한 사람에 대하여 사실을 유포하더라도 이로부터 불특정 또는 다수인에게 전파될 가능성이 있다면 공연성의 요건을 충족한다(대판 2004.4.9, 2004도340). 15. 법원직, 16. 경찰승진, 21. 해경승진, 22. 수사경과 · 해경 2차, 24. 해경승진

이러한 법리는 정보통신망을 이용한 명예훼손이나 공직선거법상 후보자비방죄 등의 공연성 판단에도 동일하게 적용되어, 적시한 사실이 허위인지 여부나 특별법상 명예훼손 행위인지 여부에 관계없이 적용된다(대판 2020.11.19, 2020도5813 전원합의체). 22. 법원행시, 24. 순경 2차

㉡ 전파가능성을 이유로 명예훼손죄의 공연성을 인정하는 경우에는 적어도 범죄구성요건의 주관적 요소(객관적 요소 ×)로서 미필적 고의가 필요하므로 전파가능성에 대한 인식이 있음은 물론 나아가 그 위험을 용인하는 내심의 의사가 있어야 한다. 22. 법원직, 23. 순경 2차, 24. 경찰승진 그 행위자가 전파가능성을 용인하고 있었는지 여부는 외부에 나타난 행위의 형태와 상황 등 구체적인 사정을 기초로 일반인이라면 그 전파가능성을 어떻게 평가할 것인가를 고려하면서 행위자(일반인 ×)의 입장에서 그 심리상태를 추인하여야 한다(대판 2018.6.15, 2018도4200 예 甲대학교 사무처장인 피고인이 인터넷신문 기자에게 총장의 성추행 사건 등으로 복잡한 학교 측 입장을 이야기하면서 총장을 성추행 혐의로 고소한 甲대학교 소속 교수인 피해자들에 대하여 '피해자들이 이상한 남녀관계인데, 치정 행각을 가리기 위해 개명을 하였고, 이를 확인해 보면 알 것이다.'라는 취지의 말을 한 경우, 전파가능성에 관한 인식 및 용인의 의사가 있다 ; 대판 2017.9.7, 2016도15819). 18 · 19. 법원행시, 20. 경찰간부

㉢ 공연성은 명예훼손죄와 모욕죄의 구성요건으로서, 명예훼손이나 모욕에 해당하는 표현을 특정 소수에게 한 경우 공연성이 부정되는 유력한 사정이 될 수 있으므로, 전파될 가능성에 관해서는 검사의 엄격한 증명이 필요하다(대판 2022.7.28, 2020도8336). 23. 법원직 나아가 대법원은 전파될 가능성에 대한 증명의 정도로 단순히 '가능성'이 아닌 '개연성'을 요구하였다(대판 2020.11.19, 2020도5813 전원합의체). 22. 법원행시

㉣ 발언 이후 실제 전파되었는지 여부는 전파가능성 유무를 판단하는 고려요소가 될 수 있으나, 발언 후 실제 전파 여부라는 우연한 사정은 공연성 인정 여부를 판단함에 있어 소극적(적극적 ×) 사정으로만 고려되어야 한다(대판 2020.11.19, 2020도5813 전원합의체). 22. 법원행시, 23. 순경 1차, 24. 7급 검찰

관련판례

• **전파가능성이 있다고 보아 공연성을 긍정한 판결**

1. 인터넷 개인 블로그의 비공개 대화방에서 상대방으로부터 비밀을 지키겠다는 말을 듣고 일대일로 대화한 경우(대판 2008.2.14, 2007도8155) 16. 변호사시험, 17. 경찰간부 · 법원직, 18. 법원행시 · 경찰승진 · 순경 1차, 22. 수사경과 · 7급 검찰, 23. 경찰간부 · 해경승진 · 변호사시험

2. 직장의 전산망에 설치된 전자게시판에 타인의 명예를 훼손하는 내용의 글을 게시한 경우(대판 2000. 5.12, 99도5734) 16. 경찰간부, 17. 경찰승진, 19. 수사경과, 20. 해경승진
3. 지방의회 선거를 앞두고 현역 시의회의원이 후보자가 되려는 자에 대해서 특별한 친분관계도 없는 한 사람 한 사람에게 비방의 말을 한 경우(대판 1996.7.12, 96도1007) 15. 순경 1차, 16. 경찰승진, 21. 해경승진
4. 피해자 부부가 전과가 많다고 발언한 내용을 들은 사람들이 피해자들과는 일면식이 없다거나 이미 피해자들의 전과사실을 알고 있었던 경우(대판 1993.3.23, 92도455) 17. 경찰간부, 19. 법원직, 22. 경력채용
5. 진정서와 고소장을 특정인들에게 개별적으로 우송하였더라도 그 수가 200명에 이른 경우(대판 1991. 6.25, 91도347) 14. 변호사시험, 18. 경찰승진, 20. 수사경과

▶ **유사판례** : ○○작가협회 회원이 타인의 명의를 도용하여 협회 교육원장을 비방하는 내용의 호소문을 작성한 후 이를 협회 회원들에게 우편으로 송달한 경우, 사문서위조죄와 명예훼손죄가 각 성립하고, 양죄는 실체적 경합관계에 있다(대판 2009.4.23, 2008도8527). 16. 법원행시

6. 행정서사 사무실에서 피해자와 같은 교회를 다니는 세 사람에게 "피해자가 처자식이 있는 남자와 살고 있다는 데 아느냐."라고 한 경우(대판 1985.4.23, 85도431) 15. 경찰간부
7. 명예훼손 내용의 출판물(15부)을 그 출판물 작성에 가담한 교인이 포함된 같은 교회 신자인 15명에게 배포한 경우(대판 1984.2.28, 83도3124) 11. 순경
8. 피고인이 상가 관리단의 임시총회에서 피해자가 새로운 관리인으로 선출되자 피해자가 뇌물공여죄, 횡령죄 등 전과 13범으로 관리단규약에 의하여 선량한 관리인으로서의 자격이 없다는 내용을 담은 서면을 관리단 감사에게 팩스로 전송한 경우(대판 2008.10.23, 2008도6515) 16. 경찰간부
9. 동네 아줌마 및 피해자의 시어머니가 있는 자리에서 피해자에 대해 "시커멓게 생긴 놈하고 매일 같이 붙어다닌다. 점방 마치면 여관에 가서 자고 아침에 들어온다."고 말한 경우(대판 1983.10.11, 83도2222) 08. 순경, 17. 법원직
10. 甲이 집 뒷길에서 자신의 남편과 A의 친척이 듣는 가운데 다른 사람들이 들을 수 있을 정도의 큰 소리로 A에게 "저것이 징역 살다온 전과자다."라고 말한 경우, 자신의 남편과 A의 친척에게 말한 것이라 할지라도 명예훼손죄의 구성요건요소인 '공연성'이 인정된다(대판 2020.11.19, 2020도5813 전원합의체). 21. 순경 2차, 22. 9급 검찰·마약수사, 23. 법원직, 24. 경위공채
11. 적시한 사실이 이미 사회의 일부에서 다루어진 소문인 경우(대판 2008.7.10, 2008도2422 ∴ 인터넷 포털사이트의 기사란에 마치 특정 여자연예인이 재벌의 아이를 낳았거나 그 대가를 받은 것처럼 댓글이 달린 상황에서 같은 취지의 댓글을 추가 게시한 경우 ⇨ 구 정보통신망 이용촉진 및 정보보호 등에 관한 법률 제61조 제2항의 명예훼손죄 ○) 14. 변호사시험
12. 수사과정에서 수사경찰관으로부터 고문·폭행·협박을 받았다는 허위의 사실을 다른 사람 4인에게 순차적으로 유포한 경우(대판 1985.12.10, 84도2380) 05. 사시
13. 비록 두세 사람이 있는 자리에서 허위사실을 유포하였더라도 그 사람들에 의해 외부에 전파될 가능성이 있는 경우(대판 1994.9.30, 94도1880) 03. 입시
14. 사단법인 진주민속예술보존회의 이사장이 이사회 또는 임시총회를 진행하다가 회원 10여 명 또는 30여 명이 있는 자리에서 허위사실을 말한 경우(대판 1990.12.26, 90도2473) 08. 순경
15. 피고인이 피해자 외 2명이 듣는 자리에서 '피해자는 아주 질이 나쁜 전과자'라고 큰 소리로 말하여 다른 마을 사람들이 들을 수 있을 정도였던 경우 ⇨ 공연성 ○(대판 2020.11.19, 2020도5813 전원합의체)

16. 피고인이 음식점(공개된 식당)에서 창밖으로 지나가는 부대 동료인 피해자를 보며 A에게 "내가 새벽에 운동을 하고 나오면 헬스장 근처에 있는 모텔에서 피해자가 남자 친구와 나오는 것을 몇 번 봤다. 나를 봤는데 얼마나 창피했겠냐."라고 말한 경우 ⇨ 명예훼손죄 ○(대판 2020.12.10, 2019도12282 ∵ 이 사건 발언이 피해자의 사회적 가치 내지 평가를 저하시킬 만한 것이라고 인정할 여지가 충분하며, 피고인이 발언한 장소가 공개된 식당으로 발언 당시 손님들이 있었던 사정에 더하여 피고인과 A의 관계까지 비추어 보더라도 공연성이 인정된다.)
17. 피해자에 대한 허위사실을 적시한 서명자료를 만들어 여러 명의 동료들에게 읽게 하고 서명을 받은 경우, 그 내용이 동료들 사이에 만연한 소문이었다고 하더라도 명예훼손죄를 구성한다(대판 2020.12.30, 2015도15619 ∵ 불특정 또는 다수인이 인식할 수 있는 상태 ○ ⇨ 공연성 ○). 22. 7급 검찰

- **전파가능성이 없다고 보아 공연성을 부정한 판결**(1인에 대한 적시가 비밀이 보장되어 외부에 전파될 가능성이 없는 경우)

1. 기자가 취재를 한 상태에서 아직 기사화하여 보도하지 아니한 경우(대판 2000.5.16, 99도5622 ∵ 통상 기자가 아닌 보통 사람에게 사실을 적시할 경우 그 자체로서 적시된 사실이 외부에 공표되는 것이므로 그때부터 곧 전파가능성을 따져 공연성 여부를 판단하여야 할 것이지만, 그와는 달리 기자를 통해 사실을 적시하는 경우에는 기사화되어 보도되어야만 적시된 사실이 외부에 공표된다고 보아야 할 것이므로 기자가 취재를 한 상태에서 아직 기사화하여 보도하지 아니한 경우에는 공연성이 없다.) 18. 법원행시 · 순경 1차, 20. 경찰승진 · 법원직, 22. 수사경과, 23. 경찰간부 · 변호사시험, 24. 경력채용
2. 대화상대방에게 귀엣말로 그 상대방과 타인이 부적절한 성관계를 맺었다는 취지의 이야기를 하자, 그 상대방 스스로 이를 다른 사람에게 전파한 경우(대판 2005.12.9, 2004도2880) 16. 경찰간부, 17. 경찰승진, 19. 순경 1차, 20. 수사경과 · 해경승진
3. 피고인이 자신의 아들 등에게 폭행을 당하여 입원한 피해자의 병실로 찾아가 그의 모(母) 甲과 대화하던 중 甲의 이웃 乙 및 피고인의 일행 丙 등이 있는 자리에서 "학교에 알아보니 피해자에게 원래 정신병이 있었다고 하더라."라고 허위사실을 말한 경우(대판 2011.9.8, 2010도7497) 14. 변호사시험, 15. 순경 3차 · 수사경과, 17. 경찰간부, 18. 경찰승진, 21. 해경승진
4. 甲은 乙이 교사로 근무하는 학교법인 이사장 앞으로 "乙은 전과 6범으로 교사직을 팔아가며 이웃을 해치고 고발을 일삼는 악독교사이다."라는 취지의 진정서를 제출한 경우(대판 1983.10.25, 83도2190) 13. 순경 2차, 14. 수사경과, 15. 경찰승진, 17 · 19. 경찰간부
5. 평소 乙이 자신의 일에 간섭하는 것에 기분이 나쁘다는 이유로 甲으로부터 취득한 乙의 범죄경력기록을 같은 아파트에 거주하는 丙에게 보여주면서 "전과자이고 나쁜 년"이라고 사실을 적시하여 乙의 명예를 훼손한 경우(대판 2010.11.11, 2010도8265) 13. 순경 2차, 17. 경찰간부
6. 이혼소송 계속 중인 처가 남편친구(친구에게 유리한 진술서를 작성해 준 관계)에게 서신을 보내면서 남편의 명예를 훼손하는 문구가 기재된 서신을 동봉한 경우(대판 2000.2.11, 99도4579) 16. 수사경과, 17. 법원직, 22. 7급 검찰, 24. 해경경장
7. 피고인을 명예훼손죄로 고소할 수 있도록 그 증거자료를 미리 은밀하게 수집, 확보하기 위하여 피고인의 발언을 유도하였다고 의심되는 사람들에게 한 피해자의 여자 문제 등 사생활에 관한 피고인의 발언(대판 1996.4.12, 94도3309) 11. 순경, 18. 법원행시

8. 다방에서 피해자와 동업관계에 있는 친한 사람에게만 피해자의 험담을 한 때(대판 1984.2.28, 83도891), 피해자와 함께 근무하는 동료에게 피해자에게 전달해 줄 것을 기대하면서 사실을 적시한 경우(대판 1998.9.8, 98도1949) 17. 경찰간부
9. ① 피고인이 남편과 단둘이 있는 자기집 안방에 피해자가 들어오자 그와 다투다가 예전에 피해자가 자기방에 들어와 포옹을 하며 성교를 요구한 더러운 놈이라고 말한 경우(대판 1985.11.26, 85도2037) ② 여관방에서 甲에게 "사이비기자 운운" 또는 "너 이 쌍년 왔구나."라며 욕을 할 때 그 주위에 피고인의 처, 甲의 딸·아들·매형이 있었던 경우(대판 1984.4.10, 83도49 ; 모욕죄의 공연성 부정) ③ 처의 추궁에 대해 동침사실을 시인한 경우(대판 1984.3.27, 84도86) ④ 피해자의 친척 1인에게 피해자의 불륜사실을 말한 경우에 둘 사이의 신분관계로 보아 전파될 가능성이 없는 경우(대판 1981.10.27, 81도1023) ⑤ 다른 사람에게 알려지지 않도록 감추려고 하면서 집안관계인 사람들 앞에서 사실을 적시한 경우(대판 1982.4.27, 82도371) 11. 경찰승진
10. 요식업협회 조합장인 甲은 조합 이사 乙의 측근인 같은 조합 이사 丙에게 이사회에서 乙을 불신임하게 된 사유를 설명하는 과정에서 乙의 여자관계에 관한 소문을 말한 경우(대판 1990.4.27, 89도1467) 02. 사시
11. 과부를 유혹하기 위해 단둘이 마주치게 되자 그 과부에게 "남편 있는 甲女도 서방질을 하는데 과부가 그러는 것이 무슨 잘못인가."라고 말한 경우(대판 1982.2.9, 81도2152)
12. 마트의 운영자인 피고인이 마트에 물품을 납품하는 업체 직원인 甲을 불러 소문의 진위를 확인하면서 甲도 입점비를 乙에게 주었는지 질문하는 과정에서, '다른 업체에서는 마트에 입점하기 위하여 입점비를 준다고 하던데 입점비를 얼마나 줬냐? 점장 乙이 여러 군데 업체에서 입점비를 돈으로 받아 해먹었고, 지금 뒷조사 중이다.'라고 말하면서 혼자만 알고 있으라고 당부한 경우 ⇨ 명예훼손죄의 고의 ×, 전파가능성에 대한 인식과 그 위험을 용인하는 내심의 의사 ×(대판 2018.6.15, 2018도4200)
13. 발언 상대방이 직무상 비밀유지의무가 있는 경우에는 그러한 관계나 신분으로 인하여 비밀의 보장이 상당히 높은 정도로 기대되는 경우로서 공연성이 부정되고, 공연성을 인정하기 위해서는 그러한 관계나 신분에도 불구하고 불특정 또는 다수인에게 전파될 수 있다고 볼 만한 특별한 사정이 존재하여야 한다(대판 2021.4.29, 2021도1677). 23. 7급 검찰
14. 소유자를 대리하여 빌라를 관리하고 있는 피고인들이 빌라 아랫집에 거주하는 甲으로부터 누수 문제로 공사 요청을 받게 되자, 甲과 전화통화를 하면서(공사가 지연되는 상황을 설명하는 과정에서) 빌라를 임차하여 거주하고 있는 피해자들이 누수 공사 협조의 대가로 과도하고 부당한 요구를 하거나 막말과 욕설을 하였다는 취지로 발언하고, '무식한 것들', '이중인격자' 등으로 말한 경우 ⇨ 명예훼손죄 ×, 모욕죄 ×(대판 2022.7.28, 2020도8336 ∵ 전파가능성에 대한 인식과 위험을 용인하는 내심의 의사 × ⇨ 전파가능성 × ⇨ 공연성 ×)

---

② 사실의 적시

㉠ **사실** : 사실이란 현실적으로 발생하고 증명할 수 있는 과거 또는 현재의 사실을 말하며(장래의 사실의 적시 ⇨ 의견진술 ○, 사실 ×), 장래의 일을 적시하더라도 그것이 과거 또는 현재의 사실을 기초로 하거나 이에 대한 주장을 포함하는 경우에는 명예훼손죄가 성립한다(대판 2003.5.13, 2002도7420 : 피고인이 경찰관을 상대로 진정한 사건이 혐의인정되지 않아 내사종결 처리

되었음에도 불구하고 공연히 "사건을 조사한 경찰관이 내일부로 검찰청에서 구속영장이 떨어진다."고 말한 사건). 16. 변호사시험, 19 · 20. 법원직 · 순경 1차 · 2차, 20. 해경승진

관련판례

1. 명예훼손죄가 성립하기 위해서는 반드시 숨겨진 사실을 적발하는 행위만에 한하지 아니하고 이미 사회의 일부에 잘 알려진 사실이라고 하더라도 이를 적시하여 사람의 사회적 평가를 저하시킬 만한 행위를 한 때에는 명예훼손죄를 구성한다(대판 1994.4.12, 93도3535). 19. 순경 2차, 20. 수사경과, 22. 해경간부
2. 명예훼손죄에 있어서의 사실의 적시는 그 사실의 적시자가 스스로 실험한 것으로 적시하던 타인으로부터 전문한 것으로 적시하던 불문하는 것이므로 피해자가 처자식이 있는 남자와 살고 있다는데 아느냐고 한 언동은 구체성 있는 사실적시에 해당한다(대판 1985.4.23, 85도431).

㉡ **사실의 적시** : '사실의 적시'란 가치판단이나 평가를 내용으로 하는 의견표현에 대치되는 개념으로서 시간과 공간적으로 구체적인 과거 또는 현재의 사실관계에 관한 보고 내지 진술을 의미하는 것이며, 그 표현내용이 증거에 의한 입증이 가능한 것을 말한다(대판 2008.10.9, 2007도1220 **예** 목사가 예배 중 특정인을 가리켜 "이단 중에 이단이다."라고 설교한 부분 ⇨ 의견표현 ○, 사실의 적시 ×). 16. 법원직, 17. 순경 2차, 20. 경찰간부 · 해경승진, 22. 수사경과 · 순경 1차, 23. 법원행시 · 경찰승진 · 경력채용

ⓐ 명예훼손죄가 성립하기 위하여는 사실의 적시가 있어야 하고, 적시된 사실은 이로써 특정인의 사회적 가치 내지 평가가 침해될 가능성이 있을 정도로 구체성을 띠어야 한다. 15. 법원직 · 순경 3차, 22. 해경 2차 그리고 특정인의 사회적 가치나 평가를 저하시키기에 충분한 구체적인 사실의 적시가 있다고 하기 위해서는, 반드시 그러한 구체적인 사실이 직접적으로 명시되어 있을 것을 요구하는 것은 아니지만, 적어도 적시된 내용 중의 특정 문구에 의하여 그러한 사실이 곧바로 유추될 수 있을 정도는 되어야 한다(대판 2011.8.18, 2011도6904). 14. 순경 2차, 24. 경찰간부

관련판례

1. 甲이 단지 乙女가 甲 자신의 범죄를 고발하였다는 내용의 언사만을 하고 그 고발의 동기나 경위에 관하여는 전혀 언급을 하지 아니한 경우, 그와 같은 언사만으로는 乙女의 사회적 가치나 평가를 침해하기에 충분한 구체적인 사실이 적시되었다고 보기는 어렵다(대판 1994.6.28, 93도696 ∵ 누구든지 범죄가 있다고 생각하는 때에는 고발할 수 있는 것이므로 어떤 사람이 범죄를 고발하였다는 사실이 주위에 알려졌다고 하여 그 고발사실 자체만으로 고발인의 사회적 가치나 평가가 침해될 가능성이 있다고 볼 수는 없다. 다만, 그 고발의 동기나 경위가 불순하다거나 온당하지 못하다는 등의 사정이 함께 알려진 경우에는 고발인의 명예가 침해될 가능성이 있다). 16. 법원직, 22. 해경간부, 24. 해경경위
   - ▶ **유사판례** : 甲이 고발의 동기나 경위에 관한 언급 없이 제3자에게 "乙이 丙을 선거법 위반으로 고발하였다."는 말만 하였다면, 乙의 사회적 가치나 평가를 침해하기에 충분한 구체적 사실이 적시되었다고 보기 어렵다(대판 2009.9.24, 2009도6687). 19. 순경 2차, 24. 경찰간부

2. 새로 목사로서 부임한 피고인이 전임목사에 관한 교회내의 불미스러운 소문의 진위를 확인하기 위하여 이를 교회집사들에게 물어보았다면 이는 명예훼손의 고의 없는 단순한 확인에 지나지 아니하여 사실의 적시라고 할 수 없다(대판 1985.5.28, 85도588). 17. 순경 2차, 19. 법원직, 20. 수사경과
3. 가치중립적인 표현을 사용하였다 하더라도 사회 통념상 그로 인하여 특정인의 사회적 평가가 저하되었다고 판단된다면 명예훼손죄가 성립할 수 있다(대판 2007.10.25, 2007도5077). 16. 법원직, 20. 경찰간부·수사경과·해경승진
4. 방송국 프로듀서 등이 특정 프로그램 방송보도를 통하여 '미국산 쇠고기 수입을 위한 제2차 한미 전문가 기술협의 협상단 대표와 주무부처 장관이 미국산 쇠고기 실태를 제대로 파악하지 못하였다.'고 하였더라도, 이는 비판 내지 의견 제시에 해당하여 사실의 적시에 해당하지 않는다(대판 2011.9.2, 2010도17237). 12. 순경 1차·2차, 15. 법원행시
5. ① 객관적으로 피해자의 사회적 평가를 저하시키는 사실에 관한 발언이 보도, 소문이나 제3자의 말을 인용하는 방법으로 단정적인 표현이 아닌 전문 또는 추측의 형태로 표현되었더라도, 표현 전체의 취지로 보아 사실이 존재할 수 있다는 것을 암시하는 방식으로 이루어진 경우에는 사실을 적시한 것으로 보아야 한다(대판 2021.3.25, 2016도14995). 16. 순경 1차, 21. 법원행시, 22. 법원직, 23. 7급 검찰
   ② 기자회견 등 공개적인 발언으로 인한 명예훼손죄 성립 여부가 문제 되는 경우 공적 인물에 대한 공적 관심사안과 사적인 영역에 속하는 사안 사이에 심사기준의 차이를 두어야 한다. 문제된 표현이 사적인 영역에 속하는 경우에는 표현의 자유보다 명예의 보호라는 인격권이 우선할 수 있으나, 공공적·사회적인 의미를 가진 경우에는 이와 달리 표현의 자유에 대한 제한이 완화되어야 한다(대판 2021.3.25, 2016도14995).
6. 교수가 학생들 앞에서 피해자의 이성관계를 암시하는 발언을 한 경우 ⇨ 본죄 ○(대판 1991.5.14, 91도420 ∵ 사실의 적시는 간접적·우회적 표현에 의하더라도 무방) 20. 경찰간부
7. 피고인이 피해자를 괴롭히기 위하여 피해자가 동성애자가 아님에도 불구하고 인터넷사이트에 7회에 걸쳐 피해자가 동성애자라는 내용의 글을 게재하였다면, 그러한 행위는 피해자의 명예를 훼손하는 행위에 해당한다고 볼 수 있다(대판 2007.10.25, 2007도5077 ∴ 명예훼손죄 ○). 17. 경찰간부
8. 다른 사람의 말이나 글을 비평하면서 사용한 표현이 겉으로 보기에 증거에 의해 입증 가능한 구체적인 사실관계를 서술하는 형태를 취하고 있더라도, 평균적인 독자의 관점에서 문제된 부분이 실제로는 비평자의 주관적 의견에 해당하고, 다만 비평자가 자신의 의견을 강조하기 위한 수단으로 그와 같은 표현을 사용한 것이라고 이해된다면 명예훼손죄에서 말하는 사실의 적시에 해당한다고 볼 수 없다(대판 2017.5.11, 2016도19255). 21. 순경 1차, 22. 9급 검찰·마약수사, 23. 해경승진·법원행시
9. 'A(진로)회사가 일본 B(아사히)맥주에 지분이 50%가 넘어가 일본 기업이 됐다.'라는 표현만으로는 사회통념상 A(진로)회사의 사회적 가치 내지 평가가 침해될 가능성이 있는 명예훼손적 표현이라고 보기는 힘들다(대판 2008.11.27, 2008도6728 ∴ 명예훼손죄 ×). 17. 경찰간부
10. 피고인이 군수로 당선된 甲후보의 운전기사 乙이 공직선거법 위반으로 구속되었다는 소문을 듣고, 마치 관할 지방검찰청 지청에서 乙에 대한 수사상황이나 피의사실을 공표하는 것처럼 甲을 비방하는 내용의 문자메시지를 기자들에게 발송한 경우 ⇨ 해당 지청장 또는 지청 구성원에 대한 명예훼손죄 ×(대판 2011.8.18, 2011도6904 ∵ 지청장 또는 지청 구성원의 사회적 가치나 평가를 저하시키기에 충분한 구체적인 사실의 적시가 있다고 볼 수 없다.)

11. 피고인이 초등학생인 딸 甲에 대한 학교폭력을 신고하여 가해학생인 乙에 대하여 '피해학생에 대한 접촉, 보복행위의 금지' 등의 조치가 내려지자, 자신의 카카오톡 계정(SNS) 프로필 상태메시지에 "학교폭력범은 접촉금지!!!"라는 글과 주먹 모양의 그림말 세 개를 게시한 경우 ⇨ 정보통신망 이용 촉진 및 정보보호 등에 관한 법률 위반(명예훼손)죄 ×(대판 2020.5.28, 2019도12750 ∵ 피고인이 위 상태메시지를 통해 乙의 사회적 가치나 평가를 저하시키기에 충분한 구체적인 사실을 드러냈다고 볼 수 없음) 22. 7급 검찰, 23. 경찰간부, 24. 변호사시험 · 해경경장 · 순경 1차
12. 동장인 피고인이 동 주민자치위원에게 전화를 걸어 '어제 열린 당산제(마을제사) 행사에 남편과 이혼한 甲도 참석을 하여, 이에 대해 행사에 참여한 사람들 사이에 안 좋게 평가하는 말이 많았다.'는 취지로 말하고, 동 주민들과 함께한 저녁식사 모임에서 '甲은 이혼했다는 사람이 왜 당산제에 왔는지 모르겠다.'는 취지로 말한 경우, 피고인의 위 발언은 甲의 사회적 가치나 평가를 침해하는 구체적인 사실의 적시에 해당하지 않고 甲의 당산제 참여에 관한 의견표현에 지나지 않는다(대판 2022.5.13, 2020도15642 ∴ 명예훼손죄 ×). 23. 법원직
13. 작업장의 책임자인 피고인이 甲으로부터 작업장에서 발생한 성추행 사건에 대해 보고받은 사실이 있음에도, 직원 5명이 있는 회의 자리에서 상급자로부터 경과보고를 요구받으면서 과태료 처분에 관한 책임을 추궁받자 이에 대답하는 과정에서 '甲은 성추행 사건에 대해 애초에 보고한 사실이 없다. 그런데도 이를 수사기관 등에 신고하지 않았다고 과태료 처분을 받는 것은 억울하다.'는 취지로 발언한 경우, 그 발설 내용과 경위 · 동기 및 상황 등에 비추어 명예훼손의 고의를 인정하기 어렵고, 또한 질문에 대하여 단순한 확인 취지의 답변을 소극적으로 한 것에 불과하다면 이를 명예훼손에서 말하는 사실의 적시라고 단정할 수도 없다(대판 2022.4.14, 2021도17744 ∴ 명예훼손죄 ×). 23. 법원직
14. ① 어느 표현이 주체와 행위를 지적하여 일견 의견 또는 논평을 표명함과 동시에 그의 전제가 되는 사실을 적시한 것으로 보이는 경우라도 일반적으로 수용될 핵심적 의미를 파악하기 어려우며 독자에 따라 달리 볼 여지가 있는 등으로 입장표명이라는 요소가 결정적이라면 그 표현은 명예훼손죄의 구성요건인 '사실의 적시'라고 볼 수는 없고 의견 또는 평가의 표명이라 할 것이다(대판 2021.9.16, 2020도12861). 23. 법원행시

    ② 공적 인물과 관련된 공적 관심사에 관하여 의혹을 제기하는 형태의 표현행위에 대해서는 공적 인물에 대한 공적 관심사안과 사적인 영역에 속하는 사안 사이에 심사기준의 차이를 두어야 한다. 문제된 표현이 사적인 영역에 속하는 경우에는 표현의 자유보다 명예의 보호라는 인격권이 우선할 수 있으나, 공공적 · 사회적인 의미를 가진 경우에는 이와 달리 표현의 자유에 대한 제한이 완화되어야 한다(대판 2021.9.16, 2020도12861 예 피고인이 '야당 대통령후보였던 甲은 국가보안법 위반 사범들을 변호하면서 그들과 동조하여 그들과 동일하게 체제전복과 헌법적 기본질서를 부정하는 활동인 공산주의 활동 내지 공산주의 운동을 해 왔다.'는 취지의 발언을 한 경우, 피고인의 위 '공산주의자 발언'은 자신의 경험을 통한 甲의 사상 또는 이념에 대한 피고인의 의견 내지 입장표명에 해당하여 이를 甲의 명예를 훼손할 만한 구체적인 사실의 적시라고 보기 어렵고, 나아가 표현의 자유의 한계를 일탈한 위법한 행위라고 볼 수 없다. ∴ 명예훼손죄 ×).
15. 아파트의 관리소장인 甲이, 丙이 운영하는 세탁소에서 丙의 남편 및 丁이 있는 가운데 丙에게 "여기 소장인 乙(오피스텔의 관리소장)은 낮에 근무하면서 경매를 받으러 다닌다. 구청에 사적으로 일보러 다닌다."는 취지의 말을 한 경우 ⇨ 명예훼손죄 ×(대판 2022.4.28, 2021도1089 ∵ 이 사건 발언이 피해

자를 불쾌하게 할 내용을 포함한다고 여겨질 수는 있겠으나, 이를 넘어서 사회통념상 피해자의 사회적 가치나 평가를 저하시키는 데 충분한 정도에 이르렀다고 보기는 어렵다.)

16. 학문적 연구에 따른 의견 표현을 명예훼손죄에서 사실의 적시로 평가하는 데에는 신중할 필요가 있다. '역사적 사실'과 같이, 그것이 분명한 윤곽과 형태를 지닌 고정적인 사실이 아니라 사후적 연구, 검토, 비판의 끊임없는 과정 속에서 재구성되는 사실인 경우에는 더욱 그러하다. 이러한 점에서 볼 때, 학문적 표현을 그 자체로 이해하지 않고, 표현에 숨겨진 배경이나 배후를 섣불리 단정하는 방법으로 암시에 의한 사실 적시를 인정하는 것은 허용된다고 보기 어렵다(대판 2023.10.26, 2017도18697 예 대학교수 甲이 '제국의 위안부'라는 책에서 ① "조선인 일본군 위안부들은 일의 내용이 군인을 상대하는 매춘임을 인지한 상태에서 생활을 위해 본인의 선택에 따라 '위안부'가 되어 경제적 대가를 받고 성매매를 하는 매춘업에 종사하는 사람이다." ② "조선인 일본군 위안부들은 일본군과 동지의식을 가지고 일본제국 또는 일본군에 애국적·자긍적으로 협력하였다." ③ "조선인 일본군 위안부들의 동원 과정에서 일본군의 강제 연행은 없었다. 있다고 한다면 군인 개인의 일탈에 의한 것이어서 공적으로 일본군에 의한 것이 아니다."라는 사실을 적시한 경우 ⇨ 명예훼손죄 ×(대판 2023.10.26, 2017도18697 ∵ 이 사건 각 표현은 피고인의 학문적 주장 내지 의견의 표명으로 평가함이 타당하고, 명예훼손죄로 처벌할 만한 '사실의 적시'로 보기 어렵다.)

ⓑ 명예훼손죄는 어떤 특정한 사람 또는 인격을 보유하는 단체에 대하여 그 명예를 훼손함으로써 성립하는 것이므로 그 피해자는 특정한 것임을 요하고, 막연한 표시에 의해서는 명예훼손죄를 구성하지 아니한다(대판 2000.10.10, 99도5407). 10. 법원직

관련판례

1. 사람의 성명을 명시한 바 없더라도 그 표현의 내용을 주위 사정과 종합판단하여 그것이 특정인을 지목하는 것인가를 알아 차릴 수 있는 경우에는 그 특정인에 대한 명예훼손죄를 구성한다(대판 1982.11.9, 82도1256). 15. 법원행시, 20. 순경 2차, 23. 해경승진, 24. 법원직
2. 종교적 목적을 위한 언론·출판의 자유를 행사하는 과정에서 타 종교의 신앙의 대상을 우스꽝스럽게 묘사하거나 다소 모욕적이고 불쾌하게 느껴지는 표현을 사용하였더라도 그것이 그 종교를 신봉하는 신도들에 대한 증오의 감정을 드러내는 것이거나 그 자체로 폭행·협박 등을 유발할 우려가 있는 정도가 아닌 이상 허용된다고 보아야 하므로, 명예훼손이 성립하지 않는다(대판 2014.9.4, 2012도13718). 15. 법원행시, 19. 법원직

ⓒ 형법 제307조 제1항의 '사실'은 제2항의 '허위의 사실'과 반대되는 '진실한 사실'을 말하는 것이 아니라 가치판단이나 평가를 내용으로 하는 '의견'에 대치되는 개념이다. 따라서 제307조 제1항의 명예훼손죄는 적시된 사실이 진실한 사실인 경우이든 허위의 사실인 경우이든 모두 성립될 수 있고, 특히 적시된 사실이 허위의 사실이라고 하더라도 행위자에게 허위성에 대한 인식이 없는 경우에는 제307조 제2항의 명예훼손죄가 아니라 제307조 제1항의 명예훼손죄가 성립될 수 있다(대판 2017.4.26, 2016도18024). 18. 순경 2차, 21. 변호사시험·법원행시, 22. 수사경과, 23. 경찰승진·순경 1차, 24. 경위공채

관련판례

1. 형법 제307조 제2항을 적용하기 위하여 적시된 사실이 허위의 사실인지 여부를 판단하는 경우, 적시된 사실의 내용 전체의 취지를 살펴볼 때 중요한 부분이 객관적 사실과 합치되면 세부에 있어서 진실과 약간 차이가 나거나 다소 과장된 표현이 있다 하더라도 이를 허위의 사실이라고 볼 수 없다(대판 2008.10.9, 2007도1220). 17. 9급 검찰 · 마약수사, 20. 법원행시, 22. 경력채용
2. 소문이나 제3자의 말을 인용한 언론보도가 허위사실을 적시한 것인지 판단하려면 원칙적으로 그 보도내용의 주된 부분인 암시된 사실 자체를 기준으로 그것이 진실인지 여부를 살펴보아야 하며, 그러한 소문, 제3자의 말 등의 존부를 기준으로 보도가 허위사실인지를 판단해서는 안 된다(대판 2008.11.27, 2007도5312). 12. 사시, 19. 법원직
3. 비록 허위의 사실을 적시하였더라도 그 허위의 사실이 특정인의 사회적 가치 내지 평가를 침해할 수 있는 내용이 아니라면 형법 제307조 소정의 명예훼손죄는 성립하지 않는다(대판 2009.9.24, 2009도6687). 10. 사시 사회 평균인의 입장에서 허위의 사실을 적시한 발언을 들었을 경우와 비교하여 오히려 진실한 사실을 듣는 경우에 피해자의 사회적 가치 내지 평가가 더 크게 침해될 것으로 예상되거나, 양자 사이에 별다른 차이가 없을 것이라고 보는 것이 합리적인 경우라면, 형법 제307조 제2항의 허위사실 적시에 의한 명예훼손죄로 처벌할 수는 없다(대판 2014.9.4, 2012도13718). 16. 법원행시
4. 그 진실이 무엇인지 확인할 수 없는 과거의 역사적 사실관계 등에 대하여 민사판결을 통하여 어떠한 사실인정이 있었다는 이유만으로, 이후 그와 반대되는 사실의 주장이나 견해의 개진 등을 형법상 명예훼손죄 등에 있어서 '허위의 사실 적시'라는 구성요건에 해당한다고 쉽게 단정하여서는 아니된다(대판 2017.12.5, 2017도15628). 20 · 24. 법원행시

③ **명예훼손** : 추상적 위험범으로서 명예훼손죄는 개인의 명예에 대한 사회적 평가를 진위에 관계없이 보호함을 목적으로 하고, 적시된 사실이 특정인의 사회적 평가를 침해할 가능성이 있을 정도로 구체성을 띠어야 하나, 위와 같이 침해할 위험이 발생한 것으로 족하고 침해의 결과를 요구하지 않으므로, 다수의 사람에게 사실을 적시한 경우뿐만 아니라 소수의 사람에게 발언하였다고 하더라도 그로 인해 불특정 또는 다수인이 인식할 수 있는 상태를 초래한 경우에도 공연히 발언한 것으로 해석할 수 있다(대판 2020.11.19, 2020도5813 전원합의체). 22. 경찰간부, 23. 변호사시험, 24. 해경경위

(3) 주관적 구성요건

관련판례

1. 사실을 발설하였는지 확인하는 질문에 대답하는 과정에서 타인의 명예를 훼손하는 사실을 발설하게 된 것이라면, 명예훼손의 범의를 인정할 수 없고, 질문에 대한 단순한 확인대답이 명예훼손에서 말하는 사실적시라고도 할 수 없다(대판 2008.10.23, 2008도6515 ; 대판 2010.10.28, 2010도2877). 16. 사시 · 법원행시, 17. 수사경과, 21. 순경 2차, 20 · 23. 경찰승진
2. 명예훼손죄가 성립하기 위해서는 주관적 구성요소로서 타인의 명예를 훼손한다는 고의를 가지고 사람의 사회적 평가를 저하시키는 데 충분한 구체적 사실을 적시하는 행위를 할 것이 요구된다. 따라

서 불미스러운 소문의 진위를 확인하고자 질문을 하는 과정에서 타인의 명예를 훼손하는 발언을 하였다면 이러한 경우에는 그 동기에 비추어 명예훼손의 고의를 인정하기 어렵다(대판 2018.6.15, 2018도4200). 19·21. 법원행시, 21. 법원직, 23. 7급 검찰

3. 허위사실 적시에 의한 명예훼손죄 역시 미필적 고의에 의하여도 성립하고, 위와 같은 법리는 형법 제308조의 사자명예훼손죄의 판단에서도 마찬가지로 적용된다(대판 2014.3.13, 2013도12430). 15. 법원행시, 16. 순경 1차, 18. 순경 2차
4. 형법 제307조 제2항의 명예훼손죄에 있어서의 범의는 그 구성요건사실 즉 적시한 사실이 허위인 점과 그 사실이 사람의 사회적 평가를 저하시킬만한 것이라는 점을 인식하는 것을 말하고 특히 비방의 목적이 있음을 요하지 않는다(대판 1991.3.27, 91도156). 09. 경찰승진, 10. 사시

---

(4) 위법성조각사유

제310조【위법성조각】 제307조 제1항의 행위가 진실한 사실로서 오로지 공공의 이익에 관한 때에는 처벌하지 아니한다.

관련판례

형법 제310조에 따라서 위법성이 조각되어 처벌받지 않기 위하여는 적시된 사실이 객관적으로 볼 때 공공의 이익에 관한 것으로서 행위자도 주관적으로 공공의 이익을 위하여 그 사실을 적시한 것이어야 할 뿐만 아니라, 그 적시된 사실이 진실한 것이거나 적어도 행위자가 그 사실을 진실한 것으로 믿었고 또 그렇게 믿을 만한 상당한 이유가 있어야 한다(대판 2007.5.10, 2006도8544). 16. 사시, 17. 수사경과, 18. 경찰간부, 21. 해경간부

---

① **요건** : 제310조가 적용되기 위해서는 적시된 사실이 진실한 사실이어야 하고 사실 적시가 오로지(주로) 공공의 이익을 위한 것이어야 한다.

㉠ '진실한 사실'이란 그 내용 전체의 취지를 살펴볼 때 중요부분이 진실과 합치되는 사실을 말하고, 세부에 있어서는 약간의 차이가 있거나 다소 과장된 표현이 있어도 무방하다(대판 2002.9.24, 2002도3570). 12. 사시, 18. 경찰간부, 21. 해경간부

㉡ 여기의 공공의 이익에 관한 것에는 국가·사회 기타 일반 다수인의 이익에 관한 것뿐만 아니라 특정한 사회집단이나 그 구성원의 이익에 관한 것도 포함한다(대판 2002.9.24, 2002도3570). 20. 경찰간부, 23. 순경 1차, 24. 경찰승진

㉢ 사실적시의 내용이 사회 일반의 일부 이익에만 관련된 사항이라도 다른 일반인과의 공동생활에 관계된 사항이라면 공익성을 지닌다고 할 것이고, 이에 나아가 개인에 관한 사항이더라도 그것이 공공의 이익과 관련되어 있고 사회적인 관심을 획득한 경우라면 직접적으로 국가·사회 일반의 이익이나 특정한 사회집단에 관한 것이 아니라는 이유만으로 형법 제310조의 적용을 배제할 것은 아니다(대판 2020.11.19, 2020도5813 전원합의체). 22. 경찰간부·법원직, 23. 경력채용, 24. 법원행시·순경 2차

㉣ 행위자의 주요한 동기・목적이 공공의 이익을 위한 것이라면, 부수적으로 다른 사적 목적・동기가 내포되어 있다 하더라도 제310조 적용된다(대판 2000.2.25, 99도4757). 16. 사시, 21. 순경 1차, 22. 9급 검찰・마약수사・수사경과, 23. 변호사시험, 24. 법원직 명예훼손죄에 있어서 피고인의 행위에 피해자를 비방할 목적이 함께 숨어 있었다고 하더라도 그 주요한 동기가 공공의 이익을 위한 것이라면 형법 제310조의 적용을 배제할 수 없다(대판 1989.2.14, 88도899). 19. 경찰승진

㉤ 개인의 사적인 신상(privacy)에 관한 사실의 적시도 주요동기가 공공의 이익을 위한 것이라면 제310조가 적용가능하다(대판 1996.4.12, 94도3309). 18. 경찰간부, 21. 해경간부, 24. 경력채용

KEY point

1. 제310조는 제307조 제1항에 대해서만 적용되며, 허위사실을 적시하여야 성립하는 제307조 제2항은 물론(대판 2012.5.9, 2010도2690), 제308조의 사자명예훼손죄, 비방목적을 필요로 하는 제309조의 출판물에 의한 명예훼손죄에는 적용되지 아니한다(대판 2003.12.26, 2003도6036). 20. 순경 2차, 23. 해경승진, 24. 법원직
2. 다만, 출판물에 의한 경우일지라도 비방목적이 없으면 제309조가 아니라 제307조의 명예훼손죄에 해당하므로, 출판물로서 진실한 사실을 공공의 이익을 위하여 적시한 경우(판례의 경향은 출판물에 의해 적시된 사실이 공공의 이익에 관한 것이면 특별한 사정이 없는 한 비방목적을 부인)에는 제310조의 위법성조각사유 규정이 적용될 수 있다. 15. 9급 검찰・마약수사, 16. 사시, 17. 경찰승진, 18. 경찰간부, 21. 해경간부
3. 정보통신망을 통하여 타인의 명예를 훼손하는 글을 게시하였으나 적시된 사실이 진실이고 공공의 이익에 관한 것이어서 비방의 목적이 인정되지 않는 경우에는 형법 제310조가 적용된다(대판 2020.3.2, 2018도15868). 21・23. 변호사시험
4. 군형법은 제64조 제3항에서 '공연히 사실을 적시하여 상관의 명예를 훼손한 경우'에 대해 형법 제307조 제1항의 사실적시에 의한 명예훼손죄보다 형을 높여 처벌하도록 하면서 이에 대해 형법 제310조와 같이 공공의 이익에 관한 때에는 처벌하지 아니한다는 규정을 별도로 두지 않았다. 그러나 형법 제307조 제1항의 행위에 대한 위법성조각사유를 규정한 형법 제310조는 군형법 제64조 제3항의 행위에 대해 유추적용된다고 보아야 한다(대판 2024.4.16, 2023도13333 ∵ 군형법 제64조 제3항의 상관명예훼손죄는 행위의 상대방이 '상관'이라는 점에서 형법 제307조 제1항의 명예훼손죄와 구별되는 것일 뿐 구성요건적 행위인 명예훼손을 형법상의 개념과 다르게 해석할 이유가 없다. 따라서 군형법상 상관명예훼손죄와 형법상 명예훼손죄의 불법내용에 본질적인 차이가 있다고 보기 어렵다).

② **효 과**

㉠ **실체법적 효과** : 위법성조각사유설(통설・판례)

관련판례

1. 적시된 사실이 진실한 것이라는 증명이 없더라도 행위자가 진실한 것으로 믿었고 또 그렇게 믿을 만한 상당한 이유가 있는 경우에는 위법성이 없다(대판 2007.12.14, 2006도2074). 17. 9급 검찰・마약수사, 19. 경찰간부, 24. 변호사시험
2. 공적 관심사안에 관하여 진실하거나 진실이라고 봄에 상당한 사실을 공표한 경우에는 그것이 악의적이거나 현저히 상당성을 잃은 공격에 해당하지 않는 한 원칙적으로 공공의 이익에 관한 것이라는 증명이 있는 것으로 보아야 한다(대판 2007.1.26, 2004도1632). 13. 법원행시

3. 영화가 허위의 사실을 표현하여 개인의 명예를 훼손한 경우에도 행위자가 그것을 진실이라고 믿었고 또 그렇게 믿을 만한 상당한 이유가 있어 그 행위자에게 명예훼손으로 인한 불법행위책임을 물을 수 없다면 특별한 사정이 없는 한 그 광고·홍보행위가 별도로 명예훼손의 불법행위를 구성한다고 볼 수 없다(대판 2010.7.15, 2007다3483). 19. 경찰승진

ⓛ **절차법적 효과**

ⓐ 거증책임전환규정설 : 적시사실의 진실성과 공익성에 관한 거증책임을 피고인이 부담해야 한다는 견해(대판 1996.10.25, 95도1473) 16. 변호사시험, 18. 경찰간부, 21. 해경간부

ⓑ 검사의 거증책임설 : 거증책임은 역시 검사가 져야 한다는 견해(다수설)

관련판례

- **공익성을 인정한 경우 ⇨ 위법성조각 ○**

1. 甲운영의 산후조리원을 이용한 피고인이 인터넷 카페나 자신의 블로그 등에 자신이 직접 겪은 불편사항 등을 후기 형태로 게시한 경우 ⇨ 정보통신망 이용촉진 및 정보보호 등에 관한 법률 위반(명예훼손) ×(대판 2012.11.29, 2012도10392 ∵ 피고인의 주요한 동기나 목적이 산후조리원에 대한 정보를 구하고자 하는 임산부의 의사결정에 도움이 되는 정보 및 의견 제공이라는 공공의 이익을 위한 것이라면 부수적으로 산후조리원 이용대금 환불과 같은 다른 사익적 목적이나 동기가 내포되어 있다는 사정만으로 피고인에게 甲을 비방할 목적이 있었다고 보기 어렵다.) 15. 경찰승진·9급 검찰·마약수사, 20. 수사경과, 24. 경위공채
2. 전국교직원노동조합 소속 교사가 작성·배포한 보도자료의 일부에 사실과 다른 기재가 있으나 전체적으로 그 기재 내용이 진실하고 공공의 이익을 위한 것으로 명예훼손죄의 위법성이 조각된다(대판 2001.10.9, 2001도3594). 18. 순경 1차, 21. 수사경과, 22. 경찰승진
3. 개인택시운송조합 전임 이사장이 새로 취임한 이사장의 비리에 관한 사실을 적시하여 조합원들에게 유인물을 배포한 행위가 진실한 사실로서 공공의 이익에 관한 것이므로 위법성이 조각된다(대판 2007.12.14, 2006도2074). 20. 경찰간부

   ▶ **유사판례** : 특정 상가건물관리회의 회장이 위 관리회의 결산보고를 하면서 전 관리회장이 체납관리비 등을 둘러싼 분쟁으로 자신을 폭행하여 유죄판결을 받은 사실을 알린 경우, 건물관리회원 전체의 관심과 이익에 관한 것으로서 형법 제310조에 의하여 위법성이 조각된다(대판 2008.11.13, 2008도6342). 16. 경찰간부
4. 교회담임목사를 출교처분한다는 내용의 판결문을 복사하여 예배보러 온 신도들에게 배포한 경우 ⇨ 위법성조각(대판 1989.2.14, 88도899 ∵ 제310조 적용 또는 사회상규에 위배되지 아니하는 행위) 14. 수사경과, 20. 경찰간부
5. 교장 甲이 여성기간제교사 乙에게 차 접대 요구와 부당한 대우를 하였다는 인상을 주는 내용의 글을 게재한 교사 丙의 명예훼손행위가 공공의 이익에 관한 것으로서 위법성이 조각된다(대판 2008.7.10, 2007도9885). 17. 경찰간부
6. 재단법인 이사장 甲이 전임 이사장 乙에 대하여 재임 기간 중 재단법인의 재산을 횡령하였다고 고소하였다가 무고죄로 유죄판결을 받자, 피고인들이 甲의 퇴진을 요구하는 시위를 하면서 甲이 유죄판결을 받은 사실 등을 적시한 경우, 피고인들이 甲의 범행전력을 적시함으로써 사회적 평가를 저

하시키는 행위를 하였지만, 적시된 주된 사실이 진실에 부합하고 오로지 공공의 이익에 관한 것으로 위법성이 조각된다(대판 2017.6.15, 2016도8557). 20. 경찰간부

7. 국립대학교 교수가 자신의 연구실 내에서 제자인 여학생을 성추행하였다는 내용의 글을 지역여성단체가 인터넷 홈페이지 또는 소식지에 게재한 행위가 공공의 이익을 위한 것으로서 비방의 목적이 있다고 단정할 수 없어 형법 제310조에 의해 위법성이 조각된다(대판 2005.4.29, 2003도2137). 10. 순경
8. 택시협동조합의 조합원인 피고인이 조합 임시총회에 참석하는 조합원들에게 "이거 보아라, 甲이 乙 사장이랑 같이 회삿돈을 다 해먹었다."라고 말하면서 조합의 발기인 중 1인인 피해자 甲이 '조합의 재산 11억 4,908만원을 횡령하였다'는 범죄사실로 유죄판결을 받은 사건의 판결서 사본을 배포한 경우 ⇨ 甲에 대한 명예훼손죄 ×(∵ 제310조에 의한 위법성조각 ○), 乙에 대한 허위사실 적시 명예훼손죄 ×(적시한 사실이 허위이고, 나아가 피고인이 그와 같은 사실이 허위임을 인식하였다는 점이 합리적 의심을 할 여지가 없을 정도로 증명되었다고 볼 수 없다.)(대판 2020.8.13, 2019도13404)
9. 甲대학교 총학생회장인 피고인이 총학생회 주관의 농활 사전답사 과정에서 乙을 비롯한 학생회 임원진의 음주 및 음주운전 사실이 있었음을 계기로 음주운전 및 이를 묵인하는 관행을 공론화하여 '총학생회장으로서 음주운전을 끝까지 막지 못하여 사과드립니다.'라는 제목의 글을 써 페이스북 등에 게시한 경우 ⇨ 乙에 대한 명예훼손죄 ×(대판 2023.2.2, 2022도13425 ∵ 게시글의 전체적인 취지·내용에 비추어 중요한 부분이 '진실한 사실'에 해당하고, 게시글은 주된 의도·목적의 측면에서 공익성이 충분히 인정되는 점 등을 종합하면, 피고인의 행위는 형법 제310조에 따라 위법성이 조각된다.) 24. 순경 1차
10. 甲이 종친회 자리에서 종원들이 듣는 가운데 종친회 회장에 출마하여 마침 발언을 하려던 乙(전과가 있음)을 가리키면서 "乙은 남의 재산을 탈취한 사기꾼이다. 사기꾼은 내려오라."고 말한 경우 ⇨ 명예훼손죄 ×(대판 2022.2.11, 2021도10827 ∵ 주요부분에 있어 객관적 사실과 합치 ○, 피해자의 종친회 회장으로서의 적격 여부는 종친회 구성원들 전체의 관심과 이익에 관한 사항으로서 공익성이 인정 ○ ∴ 형법 제310조의 적용 ○)

- **공익성을 부정한 경우 ⇨ 위법성조각** ×

1. 전교조 서울시 지부 소속 노조원들이 학교운영의 공공성, 투명성의 보장을 요구하여 학교가 합리적이고 정상적으로 운영되게 할 목적으로 공연히 사실을 적시하였더라도, 피해자들인 이사장과 교장의 거주지 앞에서 그들의 주소까지 명시하여 명예를 훼손하였다면, 이는 공공의 이익을 위한 사실의 적시로 볼 수 없어 위법성이 조각되지 아니한다(대판 2008.3.14, 2006도6049). 20. 순경 2차
2. 회사 대표이사에게 압력을 가하여 단체협상에서 양보를 얻어내기 위해 현수막과 피켓을 들고 확성기를 사용하여 반복해서 불특정다수의 행인을 상대로 소리치면서 거리행진을 함으로써 위 대표이사의 명예를 훼손하는 경우 ⇨ 명예훼손죄(대판 2004.10.15, 2004도3912 ∵ 공공의 이익을 위한 사실적시 × ⇨ 위법성조각 ×)
3. 회사에서 징계 업무를 담당하는 직원인 피고인이 피해자에 대한 징계절차 회부 사실이 기재된 문서를 근무현장 방재실, 기계실, 관리사무실의 각 게시판에 게시한 경우(징계혐의 사실은 징계절차를 거친 다음 확정되는 것이므로 징계절차에 회부되었을 뿐인 단계에서 그 사실을 공개함으로써 피해자의 명예를 훼손하는 경우), 피해자에 대한 징계절차 회부 사실을 공지하는 것이 회사 내부의 원활하고 능률적인 운영의 도모라는 공공의 이익에 관한 것으로 볼 수 없다(대판 2021.8.26, 2021도6416 ∴ 명예훼손죄 ○). 22. 경력채용, 23. 법원직, 24. 법원행시

4 사자의 명예훼손죄

제308조 공연히 허위의 사실을 적시하여 사자의 명예를 훼손한 자는 2년 이하의 징역이나 금고 또는 500만원 이하의 벌금에 처한다.
제312조 제1항 본죄는 고소가 있어야 공소를 제기할 수 있다.

친고죄 ○ 07·10. 경찰승진, 17. 순경 2차

관련판례

피고인 甲은 乙이 사망한 사실을 알면서 乙은 사망한 것이 아니고 빚 때문에 도망다니며 죽은 척하는 나쁜놈이라고 공연히 허위사실을 적시한 것은 사자명예훼손죄에 해당된다(대판 1983.10.25, 83도2190). 05. 사시

5 출판물에 의한 명예훼손죄

제309조 제1항 사람을 비방할 목적으로 신문·잡지 또는 라디오 기타 출판물에 의하여 제307조 제1항의 죄를 범한 자는 3년 이하의 징역이나 금고 또는 700만원 이하의 벌금에 처한다.
제309조 제2항 제309조 제1항의 방법으로 제307조 제2항의 죄를 범한 자는 7년 이하의 징역, 10년 이하의 자격정지 또는 1천 500만원 이하의 벌금에 처한다.
제312조 제2항 본죄는 피해자의 명시한 의사에 반하여 공소를 제기할 수 없다.

목적범 ○, 반의사불벌죄 ○ 10. 순경·경찰승진

관련판례

'기타 출판물'은 등록·인쇄된 제본인쇄물이나 제작물과 같은 정도의 효용과 기능을 가지고 사실상 출판물로 유통·통용될 수 있는 외관을 가진 인쇄물이어야 한다(대판 1997.8.26, 97도133).

모조지 위에 싸인펜으로 "피해자는 정신분열증 환자로서 무단가출하였으니 연락해 달라."는 내용을 기재한 10여 장의 삽입광고문(대판 1986.3.25, 85도1143), 장수가 2장에 불과하고 제본방법도 조잡한 최고서 사본(대판 1997.8.26, 97도133), 제호의 기재가 없는 낱장의 종이에 자기주장을 광고하는 문안이 인쇄되어 있는 인쇄물(대판 1998.10.9, 97도158), 컴퓨터 워드프로세서로 작성되어 프린트된 A4용지 7쪽 분량의 인쇄물(대판 2000.2.11, 99도3048) ⇨ 출판물 × 06. 경찰간부, 09. 경찰승진, 10. 사시

관련판례

1. 출판물에 의한 명예훼손죄에 있어서의 '비방할 목적'이란 가해의 의사 내지 목적을 요하는 것으로서 공공의 이익을 위한 것과는 행위자의 주관적 의도의 방향에 있어 서로 상반되는 관계에 있다고 할 것이므로, 적시한 사실이 공공의 이익에 관한 것인 경우에는 특별한 사정이 없는 한 비방할 목적은 부인된다고 봄이 상당하다. 또한 행위자의 주요한 동기와 목적이 공공의 이익을 위한 것이라면 부수

적으로 다른 사익적 목적이나 동기가 포함되어 있더라도 비방할 목적이 있다고 보기는 어렵다(대판 2008.11.13, 2006도7915). 17. 경찰승진 · 수사경과, 18. 법원직, 20. 해경승진, 23. 순경 1차

▶ **비교판례** : 언론매체가 피해자의 명예를 현저하게 훼손할 수 있는 보도내용의 주된 부분이 허위임을 충분히 인식하면서도 이를 보도하였다면, 특별한 사정이 없는 한 거기에는 사람을 비방할 목적이 있다고 볼 것이다(대판 2008.11.27, 2007도5312). 22. 해경간부

2. 정을 모르는 기자에게 비방의 목적으로 허위의 기사를 제공하여 신문에 보도하게 한 경우 ⇨ 본죄(간접정범 : 대판 1994.4.12, 93도3535 ∵ 타인을 비방할 목적으로 허위사실인 기사의 재료를 신문기자에게 제공한 경우에 기사를 신문지상에 게재하느냐의 여부는 신문 편집인의 권한에 속한다고 할 것이나 이를 편집인이 신문지상에 게재한 이상 기사의 게재는 기사재료를 제공한 자의 행위에 기인한 것이므로) 13. 순경 1차, 14. 법원행시, 24. 법원직
3. 서적 · 신문 등 기존의 매체에 명예훼손적 내용의 글을 게시하는 경우에 그 게시행위로써 명예훼손의 범행은 종료하는 것이며, 그 서적이나 신문을 회수하지 않는 동안 범행이 계속된다고 보지는 않는다. 마찬가지로 정보통신망을 이용한 명예훼손의 경우, 범죄종료시기는 게재행위의 종료시점이지 원래의 게시물이 삭제되어 정보의 송수신이 불가능해지는 시점이 아니다(대판 2007.10.25, 2006도346). 19. 7급 검찰, 21. 변호사시험, 22. 순경 1차, 24. 경찰간부
4. 의사가 의료기기 회사와의 분쟁을 정치적으로 해결하기 위하여 국회의원에게 해당 의료기기 회사에 관한 권력비호와 특혜금융 및 의료기기의 성능이 좋지 않다는 허위의 사실을 제보하였을 뿐인데, 위 국회의원의 예상치 못한 발표로 그 사실이 일간신문에 게재된 경우에 의사의 행위 ⇨ 출판물에 의한 명예훼손죄 ×, 제307조 제2항 명예훼손죄 ○(대판 2004.4.9, 2004도340) 07. 7급 검찰, 19. 경찰간부
5. 타인의 발언을 비판할 의도로 출판물에 그 타인의 발언을 그대로 소개한 후 다소 과장되거나 편파적인 내용의 비판을 덧붙인 경우라 해도 위 일부 사실적시 부분만을 따로 떼어 허위사실이라고 단정하여서는 안 된다(대판 2007.1.26, 2004도1632). 08. 법원행시

☗ 사람을 비방할 목적으로 정보통신망을 통하여 공공연하게 사실을 드러내거나(제1항), 거짓의 사실을 드러내어(제2항) 타인의 명예를 훼손한 경우 ⇨ 정보통신망이용촉진 및 정보보호 등에 관한 법률 제70조에 의해 처벌된다(목적범 ○, 반의사불벌죄 ○). 정보통신망을 통하여 타인의 명예를 훼손하는 글을 게시하였으나 적시된 사실이 진실이고 공공의 이익에 관한 것이어서 비방의 목적이 인정되지 않는 경우에는 형법 제310조가 적용된다(대판 2020.3.2, 2018도15868). 21. 변호사시험, 24. 해경경위

1. 인터넷 포털사이트의 기사란에 마치 특정 여자연예인이 재벌의 아이를 낳았거나 그 대가를 받은 것처럼 댓글이 달린 상황에서 같은 취지의 댓글을 추가 게시한 경우, 구 정보통신망 이용촉진 및 정보보호 등에 관한 법률 제61조 제2항의 명예훼손죄가 성립한다(대판 2008.7.10, 2008도2422). 14. 변호사시험
2. 인터넷 포털사이트의 지식검색 질문 · 답변 게시판에 성형시술 결과가 만족스럽지 못하다는 주관적인 평가를 주된 내용으로 하는 한 줄의 댓글을 게시한 경우, 그 표현물은 전체적으로 보아 성형시술을 받을 것을 고려하고 있는 다수의 인터넷 사용자들의 의사결정에 도움이 되는 정보 및 의견의 제공이라는 공공의 이익에 관한 것이어서 비방할 목적이 있었다고 보기 어렵다(대판 2009.5.28, 2008도8812). 14. 변호사시험 · 순경 2차
3. 사이버대학교 학생 甲이 학과 학생들만 가입할 수 있는 네이버밴드 게시판에 A의 "총학생회장 출마자격에 관하여 조언을 구한다."는 글에 대한 댓글로 직전 회장 선거에 입후보하였다가 중도 사퇴한 친구 B의 실명을 거론하며, 객관적 사실에 부합하는 "B 학우가 학생회비도 내지 않고 총학생회장 선거에 출마하려 했다가 상대방 후보를 비방하고 이래저래 학과를 분열시키고 개인적인 감정을 표한 사례가 있다."고 언급한 다음 "그러한 부분은 지양했으면 한다."는 의견을 덧붙인 경우 ⇨ 정보통신망 이용촉진 및 정보보호 등에 관한 법률 위반(명예훼

손)죄 ×(대판 2020.3.2, 2018도15868 ∵ 피고인의 주요한 동기와 목적은 공공의 이익을 위한 것으로서 피고인에게 乙을 비방할 목적이 있다고 보기 어렵다.) 21. 순경 2차

4. 어느 사람을 비방할 목적으로 인터넷 사이트에 게시글을 올리는 행위에 대하여 정보통신망 이용촉진 및 정보보호 등에 관한 법률 제70조 제2항(명예훼손죄)을 적용하기 위해서는, 해당 게시글이 그 사람에 대한 구체적인 사실관계를 보고하거나 진술하는 내용이어야 한다. 단순히 그 사람을 사칭하여 마치 그 사람이 직접 작성한 글인 것처럼 가장하여 게시글을 올리는 행위는 그 사람에 대한 사실을 드러내는 행위에 해당하지 아니하므로, 그 사람에 대한 관계에서는 위 조항을 적용할 수 없다(대판 2018.5.30, 2017도607). 24. 변호사시험·해경경위
5. '정보통신망법' 제70조 제2항에 따른 범죄가 성립하려면, 피고인이 공공연하게 드러낸 사실이 거짓이고 그 사실이 거짓임을 인식하여야 할 뿐만 아니라 사람을 비방할 목적이 있어야 한다. 비방할 목적이 있는지 여부는 피고인이 드러낸 사실이 거짓인지 여부와 별개의 구성요건으로서, 드러낸 사실이 거짓이라고 해서 비방할 목적이 당연히 인정되는 것은 아니다. 그리고 이 규정에서 정한 모든 구성요건에 대한 증명책임은 검사에게 있다(대판 2020.12.10, 2020도11471).
6. 정보통신망 이용촉진 및 정보보호 등에 관한 법률 제70조 제1항에서 정한 '사람을 비방할 목적'이란 가해의 의사나 목적을 필요로 하는 것으로서, '비방할 목적'은 공공의 이익을 위한 것과는 행위자의 주관적 의도라는 방향에서 상반되므로, 적시한 사실이 공공의 이익에 관한 것인 경우에는 특별한 사정이 없는 한 비방할 목적은 부정된다. 여기에서 '적시한 사실이 공공의 이익에 관한 것인 경우'란 적시한 사실이 객관적으로 볼 때 공공의 이익에 관한 것으로서 행위자도 주관적으로 공공의 이익을 위하여 그 사실을 적시한 것이어야 한다. 행위자의 주요한 동기와 목적이 공공의 이익을 위한 것이라면 부수적으로 다른 사익적 목적이나 동기가 포함되어 있더라도 비방할 목적이 있다고 보기는 어렵다(대판 2020.3.2, 2018도15868). 24. 순경 2차
7. 피고인 甲은 양육비채권자의 제보를 받아 양육비 미지급자의 신상정보를 공개하는 인터넷 사이트 'Bad Fathers'의 운영에 관계된 사람이고, 피고인 乙은 위 사이트에 자신의 전 배우자 丙을 제보한 사람인데, 피고인들은 각자 또는 공모하여 위 사이트에 丙을 비롯한 피해자 5명의 이름, 얼굴 사진, 거주지, 직장명 등 신상정보를 공개하는 글이 게시되게 하고, 피고인 乙은 자신의 인스타그램에 위 사이트 게시글의 링크 주소를 첨부하고 丙에 대하여 '미친 년'이라는 표현 등을 덧붙인 글을 게시한 경우 ⇨ 정보통신망 이용촉진 및 정보보호 등에 관한 법률위반(명예훼손)죄 ○(대판 2024.1.4, 2022도699 ∵ 얼굴사진 등의 공개는 공익적인 목적과 직접적인 관련성 ×, 피해자들을 비방할 목적 ○) 24. 경위공채

6 모욕죄

제311조 공연히 사람을 모욕한 자는 1년 이하의 징역이나 금고 또는 200만원 이하의 벌금에 처한다.
제312조 제1항 본죄는 고소가 있어야 공소를 제기할 수 있다.

친고죄 ○ 10. 순경, 17. 순경 2차

▶ 외국 원수·외교 사절에 대한 모욕(제107조 제2항, 제108조 제2항) ⇨ 공연성 요건 ×, 반의사불벌죄 ○(친고죄 ×)

(1) 객 체

모욕죄는 특정한 사람 또는 인격을 보유하는 단체에 대하여 사회적 평가를 저하시킬 만한 경멸적 감정을 표현함으로써 성립한다(대판 2014.3.27, 2011도15631). 18. 법원직, 20. 해경승진

(2) 행 위 : 공연히 사람을 모욕하는 것

① **공연성** : 명예훼손죄의 '공연성'에 관한 법리가 동일하게 적용된다(대판 2024.1.4, 2022도14571).

② **모욕** : 형법 제311조 모욕죄는 사람의 인격적 가치에 대한 사회적 평가를 의미하는 '외부적 명예'를 보호법익으로 하는 범죄로서, 여기서 '모욕'이란 사실을 적시하지 아니하고 사람의 외부적 명예를 침해할 만한 추상적 판단이나 경멸적 감정을 표현하는 것을 의미한다(대판 2022.8.31, 2019도7370). 15. 법원행시, 24. 7급 검찰 어떠한 표현이 모욕죄의 모욕에 해당하는지는 상대방 개인의 주관적 감정이나 정서상 어떠한 표현을 듣고 기분이 나쁜지 등 명예감정을 침해할 만한 표현인지를 기준으로 판단할 것이 아니라 당사자들의 관계, 해당 표현에 이르게 된 경위, 표현방법, 당시 상황 등 객관적인 제반 사정에 비추어 상대방의 외부적 명예를 침해할 만한 표현인지를 기준으로 엄격하게 판단하여야 한다(대판 2022.8.31, 2019도7370). 23. 법원직

관련판례

1. 이른바 집단표시에 의한 모욕은, 집단표시에 의한 비난이 개별구성원에 이르러서는 비난의 정도가 희석되어 구성원 개개인의 사회적 평가에 영향을 미칠 정도에 이르지 아니한 경우에는 구성원 개개인에 대한 모욕이 성립되지 않는다고 봄이 원칙이고, 비난의 정도가 희석되지 않아 구성원 개개인의 사회적 평가를 저하시킬 만한 것으로 평가될 경우에는 예외적으로 구성원 개개인에 대한 모욕이 성립할 수 있다(대판 2014.3.27, 2011도15631 예 국회의원 甲이 저녁 회식 자리에서 장래의 희망이 아나운서라고 한 여학생들에게 '다 줄 생각을 해야 하는데, 그래도 아나운서 할 수 있겠느냐, ○○여대 이상은 자존심 때문에 그렇게 못하더라.'라는 등의 말을 한 경우 ⇨ 여성 아나운서 개개인에 대한 모욕죄 × ∴ 무죄). 15. 9급 검찰 · 마약수사 · 법원행시 · 순경 3차, 18. 순경 2차, 19. 경찰승진, 21. 해경승진, 23. 경찰간부, 24. 변호사시험
2. 어떠한 표현이 상대방의 인격적 가치에 대한 사회적 평가를 저하시킬 만한 것이 아니라면 표현이 다소 무례하고 저속한 방법으로 표시되었다 하더라도 모욕죄의 구성요건에 해당한다고 볼 수 없다(판례). 20. 법원행시, 20 · 22. 순경 1차 · 2차, 23. 법원직
   ① 아파트 입주자대표회의 감사인 피고인이 관리소장 甲의 업무처리에 항의하기 위해 관리소장실을 방문한 자리에서 甲과 언쟁을 하다가 '야, 이따위로 일할래', '나이 처먹은 게 무슨 자랑이냐.'라고 말한 경우 ⇨ 모욕죄 ×(대판 2015.9.10, 2015도2229) 16. 법원행시, 18. 경력채용, 19. 경찰승진, 21. 경찰간부
   ② 피고인이 택시 기사와 요금 문제로 시비가 벌어져 112 신고를 한 후, 신고를 받고 출동한 경찰관 甲에게 늦게 도착한 데 대하여 항의하는 과정에서 '아이 씨발!'이라고 말한 경우 ⇨ 모욕죄 ×(대판 2015.12.24, 2015도6622) 16. 법원행시, 18. 경력채용, 21. 경찰간부 · 수사경과
   ③ 甲주식회사 해고자 신분으로 노동조합 사무장직을 맡아 노조활동을 하는 피고인이 노사 관계자 140여 명이 있는 가운데 큰 소리로 피고인보다 15세 연장자로서 甲회사 부사장인 乙을 향해 "야 ○○아, ○○이 여기 있네, 니 이름이 ○○이잖아, ○○아 나오니까 좋지?" 등으로 여러 차례 乙의 이름을 부른 경우 ⇨ 모욕죄 ×(대판 2018.11.29, 2017도2661) 21. 경찰간부, 22. 순경 2차, 23. 법원행시
   ④ 피고인이 댓글로 게시한 '공황장애 ㅋ'라는 표현이 상대방을 불쾌하게 할 수 있는 무례한 표현이기는 하나, 상대방의 인격적 가치에 대한 사회적 평가를 저하시킬 만한 표현에 해당한다고 보기는 어렵다(대판 2018.5.30, 2016도20890 ∴ 모욕죄 ×). 22. 순경 2차
   ⑤ 어떠한 표현이 개인의 인격권을 심각하게 침해할 우려가 있는 것이거나 상대방의 인격을 허물어뜨릴 정도로 모멸감을 주는 혐오스러운 욕설이 아니라 상대방을 불쾌하게 할 수 있는 무례하고 예의

에 벗어난 정도이거나 상대방에 대한 부정적 · 비판적 의견이나 감정을 나타내면서 경미한 수준의 추상적 표현이나 욕설이 사용된 경우 등이라면 특별한 사정이 없는 한 외부적 명예를 침해할 만한 표현으로 볼 수 없어 모욕죄의 구성요건에 해당된다고 볼 수 없다(대판 2022.8.31, 2019도7370 예 사업소 소장인 피고인이 직원들에게 甲이 관리하는 다른 사업소의 문제를 지적하는 내용의 카카오톡 문자메시지를 발송하면서 "甲은 정말 야비한 사람인 것 같습니다."라고 표현한 경우 ⇨ 모욕죄 ×(대판 2022.8.31, 2019도7370 ∵ 위 표현은 피고인의 甲에 대한 부정적 · 비판적 의견이나 감정이 담긴 경미한 수준의 추상적 표현에 불과할 뿐 甲의 외부적 명예를 침해할 만한 표현이라고 단정하기 어렵다.) 23. 법원행시

3. 모욕죄는 피해자의 외부적 명예를 저하시킬 만한 추상적 판단이나 경멸적 감정을 공연히 표시함으로써 성립하므로, 피해자의 외부적 명예가 현실적으로 침해되거나 구체적 · 현실적으로 침해될 위험이 발생하여야 하는 것도 아니다(대판 2016.10.13, 2016도9674 예 식당에서 영업 업무를 방해하고 식당 주인을 폭행하던 중 식당 주인 부부, 손님, 인근 상인들이 있는 공개된 위 식당 앞 노상에서 112 신고를 받고 출동한 경찰을 향해 "젊은 놈의 새끼야, 순경새끼, 개새끼야.", "씨발 개새끼야, 좆도 아닌 젊은 새끼는 꺼져 새끼야."라는 욕설을 한 경우 ⇨ 모욕죄 ○ ∵ 공연성 및 전파가능성 ○, 경찰 개인의 외부 명예를 저하시킬 만한 추상적 위험 ○). 18. 수사경과, 22. 경찰승진

▶ **유사판례** : 피고인이 택시를 타고 목적지까지 갔음에도 택시기사에게 택시요금을 주지 않자 택시기사가 경찰서 지구대 앞까지 운전하여 간 다음 112 신고를 하였고, 위 지구대 앞길에서 피해자를 포함한 경찰관들이 위 택시에 다가가 피고인에게 택시요금을 지불하라고 요청하자 피고인이 "야! 뭐야!"라고 소리를 쳐서 피고인을 택시에서 내리게 한 후, 피해자가 피고인에게 "손님, 요금을 지불하고 귀가하세요."라고 말하자 피고인이 피해자를 향해 "뭐야. 개새끼야.", "뭐 하는 거야. 새끼들아.", "씨팔놈들아. 개새끼야."라고 큰소리로 욕설을 한 경우 ⇨ 모욕죄 ○(대판 2017.4.13, 2016도15264 ∵ 경찰관 개인의 인격적 가치에 대한 평가를 저하시킬 위험이 있는 모욕행위 ○, 공연성 및 전파가능성 ○)

4. 임대아파트의 분양전환과 관련하여 임차인이 아파트 관리사무소의 방송시설을 이용하여 임차인대표회의의 전임회장을 비판하며 '전 회장의 개인적인 의사에 의하여 주택공사의 일방적인 견해에 놀아나고 있기 때문에'라고 한 표현이 전체 문언상 모욕죄의 '모욕'에 해당하지 않는다(대판 2008.12.11, 2008도8917). 16. 법원행시, 20. 순경 1차

5. 야 이 개같은 잡년아 · 시집을 열 두번을 간 년아 · 자식도 못 낳는 창녀같은 년, 아무 것도 아닌 똥꼬다리 같은 놈 · 잘 운영되어 가는 어촌계를 파괴하려는 자, 저 망할 년이 저기 오네, 애꾸눈 · 병신 ⇨ 모욕 ○(판례) 15. 법원행시, 16. 경찰승진, 18. 경력채용, 21. 해경승진, 22. 수사경과

6. 피고인이 자신의 인터넷 블로그에 '듣보잡', '함량미달', '함량이 모자라도 창피한 줄 모를 정도로 멍청하게 충성할 사람', '싼 맛에 갖다 쓰는거죠', '비욘 드보르잡', '개집' 등이라고 한 부분은 피해자를 비하하여 사회적 평가를 저하시킬 만한 추상적 판단이나 경멸적 감정을 표현한 것으로서 모욕적인 언사에 해당한다(대판 2011.12.22, 2010도10130). 13. 순경 1차

7. "부모가 그런 식이니 자식도 그런 것이다."와 같은 표현으로 인하여 상대방의 기분이 다소 상할 수 있다고 하더라도 그 내용이 너무나 막연하여 그것만으로 곧 상대방의 명예감정을 해하여 형법상 모욕죄를 구성한다고 보기는 어렵다(대판 2007.2.22, 2006도8915).

8. 분대장은 분대원에 대한 관계에서 군형법상 상관모욕죄에서의 상관에 해당하고, 이는 분대장과 분대원이 모두 병(兵)이어도 마찬가지이다(대판 2021.3.11, 2018도12270 ∵ 군형법 제64조 제1항에서 규정한 상관모욕죄는 상관의 명예 등의 개인적 법익뿐만 아니라 군 조직의 위계질서 및 통수체계 유지도 보호법익으로 한다. '명령복종 관계'는 구체적이고 현실적인 관계일 필요까지는 없으나 법령에 의거하여 설정된 상하의 지휘계통 관계를 말한다. 한편 명령복종의 관계에 있는지를 따져 명령권을 가지면 상관이고 이러한 경우 계급이나 서열은 문제가 되지 아니한다. 군의 직무상 하급자가 명령권을 가질 수도 있기 때문이다). 21. 법원행시
9. 모욕의 수단과 방법에는 제한이 없으므로 언어적 수단이 아닌 비언어적・시각적 수단만을 사용하여 표현을 하더라도 그것이 사람의 사회적 평가를 저하시킬 만한 추상적 판단이나 경멸적 감정을 전달하는 것이라면 모욕죄가 성립한다. 최근 영상 편집・합성 기술이 발전함에 따라 합성 사진 등을 이용한 모욕 범행의 가능성이 높아지고 있고, 시각적 수단만을 사용한 모욕이라 하더라도 그 행위로 인하여 피해자가 입는 피해나 범행의 가벌성 정도는 언어적 수단을 사용한 경우와 비교하여 차이가 없다(대판 2023.2.2, 2022도4719 예 피고인이 자신의 유튜브 채널에 甲의 얼굴에 '개' 얼굴을 합성하는 방법으로 甲의 방송 영상을 게시한 경우 ⇨ 모욕죄 × ∵ 영상의 전체적인 내용을 살펴볼 때, 피고인이 甲의 얼굴을 가리는 용도로 동물 그림을 사용하면서 甲에 대한 부정적인 감정을 다소 해학적으로 표현하려 한 것에 불과하다고 볼 여지도 상당하므로, 해당 영상이 甲을 불쾌하게 할 수 있는 표현이기는 하지만 객관적으로 甲의 인격적 가치에 대한 사회적 평가를 저하시킬 만한 모욕적 표현을 한 경우에 해당한다고 단정하기 어렵다). 23. 법원직・순경 2차, 24. 법원행시・7급 검찰
10. 발언의 내용이 피해자의 외부적 명예나 인격적 가치에 대한 사회적 평가를 저하시키거나 인격을 허물어뜨릴 정도로 모멸감을 주는 혐오스러운 표현이라기보다는 전체적으로 피해자의 입장에서 불쾌함을 느낄 정도의 부정적・비판적 의견이나 불편한 감정을 거칠게 나타낸 정도의 표현에 그치는 것으로서, 발언에 담긴 취지가 아니라 그와 같은 조악한 표현 자체를 피해자에게 그대로 옮겨 전파하리라는 사정을 쉽게 예상하기 어려운 경우에는 전파가능성을 인정함에 더욱 신중을 기할 필요가 있다(대판 2024.1.4, 2022도14571 예 피고인 甲은 상대방 乙과의 업무상 또는 공식적 관계를 매개로 하여, 평소 정당활동 과정에서 상대방이 대표로 운영 중인 단체의 구성원인 피해자 丙의 행태를 통해 갖게 된 우려를 상대방에게 전달하기 위하여 메시지를 전송한 경우 ⇨ 모욕죄 × ∵ 당시 피고인에게 메시지에 담긴 우려 및 조언의 취지를 넘어 메시지 자체의 전파가능성을 인식하였다거나 이를 용인하는 내심의 의사가 있었다고까지는 단정하기 어렵다).

---

(3) 위법성

① 모욕죄의 형사처벌은 표현의 자유를 제한하고 있으므로, 어떠한 글이 모욕적 표현을 포함하는 판단이나 의견을 담고 있을 경우에도 그 시대의 건전한 사회통념에 비추어 살펴보아 그 표현이 사회상규에 위배되지 않는 행위로 볼 수 있는 때에는 형법 제20조의 정당행위에 해당하여 위법성이 조각된다(대판 2021.8.19, 2020도14576).

② 어떤 글이 모욕적 표현을 담고 있는 경우에도 그 글이 객관적으로 타당성이 있는 사실을 전제로 하여 그 사실관계나 이를 둘러싼 문제에 관한 자신의 판단과 피해자의 태도 등이 합당한가

하는 데 대한 자신의 의견을 밝히고, 자신의 판단과 의견이 타당함을 강조하는 과정에서 부분적으로 모욕적인 표현이 사용된 것에 불과하다면 사회상규에 위배되지 않는 행위로서 형법 제20조에 의하여 위법성이 조각될 수 있다(대판 2003.11.28, 2003도3972). 22. 법원직, 24. 7급 검찰 그리고 인터넷 등 공간에서 작성된 단문의 글이라고 하더라도, 그 내용이 자신의 의견을 강조하거나 압축하여 표현한 것이라고 평가할 수 있고 표현도 지나치게 모욕적이거나 악의적이지 않다면 형법 제20조에 의하여 위법성이 조각될 수 있다(대판 2022.8.25, 2020도16897). 23. 순경 2차

관련판례

- **모욕죄의 구성요건(모욕)에 해당하나 위법성이 조각된 경우**

1. 골프클럽 경기보조원들의 구직편의를 위해 제작된 인터넷 사이트 내 회원 게시판에 특정 골프클럽의 운영상 불합리성을 비난하는 글을 게시하면서 위 클럽담당자에 대하여 한심하고 불쌍한 인간이라는 등 경멸적 표현을 한 경우 ⇨ 모욕죄 ×(대판 2008.7.10, 2008도1433 ∵ 사회상규에 위배 ×) 15. 경찰승진·순경 3차, 18. 경력채용, 21. 경찰간부·수사경과·해경승진, 24. 순경 1차·해경경위
2. 피고인이 방송국 홈페이지의 시청자 의견란에 작성 게시한 글 중 일부의 표현("그렇게 소중한 자식을 범법행위의 방패로 쓰시다니 정말 대단하십니다.")이 모욕적 언사에 해당될지라도 게시판에 올린 글을 전체적인 맥락에서 파악했을 때, 이로써 곧 사회통념상 피해자의 사회적 평가를 저하시키는 내용의 경멸적 판단을 표시한 것으로 인정하기 어렵다면 형법 제20조의 사회상규에 위배되지 아니하는 행위로 봄이 상당하다(대판 2003.11.28, 2003도3972). 20. 순경 1차, 21. 경찰간부, 23. 법원행시, 24. 해경경위
3. 제품의 안정성에 논란이 많은 가운데 인터넷 신문사 소속기자 A가 인터넷 포털사이트의 '핫이슈'난에 제품을 옹호하는 기사를 게재하자 그 기사를 읽은 상당수의 독자들이 '네티즌 댓글'난에 A를 비판하는 댓글을 달고 있는 상황에서 甲이 "이런 걸 기레기라고 하죠?"라는 댓글을 게시한 경우, 이는 모욕적 표현에 해당하나 사회상규에 위배되지 않는 행위로서 형법 제20조에 의하여 위법성이 조각된다(대판 2021.3.25, 2017도17643). 21. 순경 2차, 22. 9급 검찰·마약수사, 23. 법원행시, 24. 경찰간부
4. 부사관 교육생이던 피고인이 동기들과 함께 사용하는 단체채팅방에서 지도관이던 피해자가 목욕탕 청소 담당 교육생들에게 과실 지적을 많이 한다는 이유로 "도라이 ㅋㅋㅋ 습기가 그렇게 많은데"라는 글을 게시한 경우, '도라이'는 상관인 피해자를 경멸적으로 비난한 것으로 모욕적인 언사라고 볼 수 있으나, 피고인의 위 표현은 군의 조직질서와 정당한 지휘체계가 문란하게 되었다고 보이지 않으므로, 이러한 행위는 사회상규에 위배되지 않는다(대판 2021.8.19, 2020도14576). 22. 순경 2차
5. 피고인이 자신의 페이스북에 甲에 대한 비판적인 글을 게시하면서 "철면피, 파렴치, 양두구육, 극우부패세력"이라는 표현을 사용한 경우 ⇨ 모욕죄 ×(대판 2022.8.25, 2020도16897 ∵ 모욕적 표현으로서 모욕죄의 구성요건에는 해당하나, 자신의 의견을 담은 게시글을 작성하면서 위 표현을 한 것은 형법 제20조에 의하여 위법성이 조각된다.) 24. 해경경위
6. 지역버스노동조합 조합원인 피고인이 자신의 페이스북에 집회 일정을 알리면서 노동조합 집행부인 피해자 甲과 乙을 지칭하며 "버스노조 악의 축, 甲과 乙 구속수사하라!!"라는 표현을 적시한 경우 ⇨ 모욕죄 ×(대판 2022.10.27, 2019도14421 ∵ 피해자들의 사회적인 평가를 저해시킬 만한 경멸적인 표현에 해당하나, 자신의 의견을 담은 게시글을 작성하면서 위 표현을 한 것은 형법 제20조에 따라 위법성이 조각된다.) 24. 순경 1차

• 모욕죄의 구성요건(모욕적 표현)**에 해당하고 위법성이 조각되지 않는 경우**

1. 피고인이 피해자를 '어용', '앞잡이' 등으로 표현한 현수막, 피켓 등을 장기간 반복하여 일반인의 왕래가 잦은 도로변 등에 게시한 행위는 피해자에 대한 모욕적 표현으로서 사회상규에 위배되지 않는 행위라고 보기 어렵다(대판 2021.9.9, 2016도88 ∴ 모욕죄 ○). 22. 법원행시 · 순경 2차, 24. 해경경위
2. 피고인이 인터넷 포털사이트 뉴스 댓글난에 연예인인 피해자를 '국민호텔녀'로 지칭하는 댓글을 게시한 경우 ⇨ 모욕죄 ○(대판 2022.12.15, 2017도19229 ∵ '국민호텔녀'라는 표현은 피해자의 사생활을 들추어 피해자가 종전에 대중에게 호소하던 청순한 이미지와 반대의 이미지를 암시하면서 피해자를 성적 대상화하는 방법으로 비하하는 것으로서 여성 연예인인 피해자의 사회적 평가를 저하시킬 만한 모멸적인 표현으로 평가할 수 있고, 정당한 비판의 범위를 벗어난 것으로서 정당행위로 보기도 어렵다.) 23. 경력채용, 24. 경찰승진

기출지문 확인학습(다툼이 있는 경우 판례에 의함)

1 국가나 지방자치단체도 국민에 대한 관계에서는 형벌의 수단을 통해 보호되는 외부적 명예의 주체가 될 수 있고, 따라서 명예훼손죄나 모욕죄의 피해자가 될 수 있다. ( )

18. 법원직 · 순경 2차, 20. 법원행시, 21. 순경 1차, 22. 경찰승진, 24. 변호사시험 · 경찰승진

2 집합적 명사를 쓴 경우에도 그것에 의하여 그 범위에 속하는 특정인을 가리키는 것이 명백하면 명예훼손죄가 성립할 수 있다. ( ) 17. 9급 검찰, 19. 수사경과 · 순경 2차, 22. 해경간부, 23. 경찰승진

3 전파가능성을 이유로 명예훼손죄의 공연성을 인정하는 경우에는 적어도 범죄구성요건의 주관적 요소로서 미필적 고의가 필요하므로 전파가능성에 대한 인식이 있을 것을 요구하나, 그 위험을 용인하는 내심의 의사까지 있어야 하는 것은 아니다. ( ) 22. 법원직, 23. 순경 2차, 24. 경찰승진

※ 판례가 전파가능성(공연성)을 인정한 경우(○)와 부정한 경우(×)를 ○, ×로 표기하시오. (4～12)

4 인터넷 개인 블로그의 비공개 대화방에서 상대방으로부터 비밀을 지키겠다는 말을 듣고 일대일로 대화한 경우 ( ) 17. 법원직, 18. 경찰승진 · 순경 1차, 22. 수사경과 · 7급 검찰, 23. 변호사시험 · 경찰간부

5 기자가 취재를 한 상태에서 아직 기사화하여 보도하지 아니한 경우 ( )

18. 법원행시 · 순경 1차, 20. 경찰승진 · 법원직, 22. 수사경과 · 해경 2차, 23. 변호사시험 · 경찰간부

6 대화상대방에게 귀엣말로 그 상대방과 타인이 부적절한 성관계를 맺었다는 취지의 이야기를 하자, 그 상대방 스스로 이를 다른 사람에게 전파한 경우 ( )

16. 경찰간부, 17. 경찰승진, 18. 법원행시, 19. 순경 1차, 20. 수사경과 · 해경승진

7 직장의 전산망에 설치된 전자게시판에 타인의 명예를 훼손하는 내용의 글을 게시한 경우 ( )

16. 경찰간부, 17. 경찰승진, 20. 해경승진

8 피고인이 자신의 아들 등에게 폭행을 당하여 입원한 피해자의 병실로 찾아가 그의 모(母) 甲과 대화하던 중 甲의 이웃 乙 및 피고인의 일행 丙 등이 있는 자리에서 "학교에 알아보니 피해자에게 원래 정신병이 있었다고 하더라."라고 허위사실을 말하여 피해자의 명예를 훼손한 경우 ( ) 15. 순경 3차, 17. 경찰간부, 18. 경찰승진, 21. 해경승진

9 피해자 부부가 전과가 많다고 발언한 내용을 들은 사람들이 피해자들과는 일면식이 없다거나 이미 피해자들의 전과사실을 알고 있었던 경우 ( ) 17. 경찰간부, 19. 법원직, 22. 경력채용

10 甲은 乙이 교사로 근무하는 학교법인 이사장 앞으로 "乙은 전과 6범으로 교사직을 팔아가며 이웃을 해치고 고발을 일삼는 악독교사이다."라는 취지의 진정서를 제출한 경우 ( )

13. 순경 2차, 15. 경찰승진, 19. 경찰간부

Answer 1. × 2. ○ 3. × 4. ○ 5. × 6. × 7. ○ 8. × 9. ○ 10. ×

11 피고인이 진정서와 고소장 사본을 특정 사람들에게 개별적으로 우송한 것이라고 하여도 그 숫자가 다수인인 경우 ( ) 14. 변호사시험, 18. 경찰승진, 20. 수사경과

12 甲이 집 뒷길에서 자신의 남편과 A의 친척이 듣는 가운데 다른 사람들이 들을 수 있을 정도의 큰 소리로 A에게 "저것이 징역 살다온 전과자다."고 말한 경우 ( )
21. 순경 2차, 22. 9급 검찰 · 마약수사, 23. 법원직

13 명예훼손죄가 성립하기 위하여는 사실의 적시가 있어야 하는데, 여기에서 적시의 대상이 되는 사실이란 현실적으로 발생하고 증명할 수 있는 과거 또는 현재의 사실을 말하며, 장래의 일을 적시하는 경우에는 그것이 과거 또는 현재의 사실을 기초로 하거나 이에 대한 주장을 포함하는 경우라도 명예훼손죄가 성립한다고 할 수는 없다. ( )
16. 변호사시험 · 순경 1차, 17 · 18. 순경 2차, 20. 법원직 · 해경승진

14 명예훼손죄에 있어서의 사실의 적시는 가치판단이나 평가를 내용으로 하는 의견표현에 대치되는 개념이 아니다. ( ) 17. 순경 2차, 20. 경찰간부, 21. 변호사시험 · 법원행시, 23. 경찰승진 · 경력채용

15 적시된 사실이 허위의 사실이라고 하더라도 행위자에게 허위성에 대한 인식이 없는 경우에는 제307조 제2항의 명예훼손죄가 아니라 제307조 제1항의 명예훼손죄가 성립될 수 있다. ( )
18. 순경 2차, 21. 변호사시험 · 법원행시, 23. 경찰승진 · 순경 1차

16 평균적인 독자의 관점에서 문제된 부분이 실제로는 비평자의 주관적 의견에 해당하고, 다만 비평자가 자신의 의견을 강조하기 위한 수단으로 겉으로 보기에 증거에 의해 입증 가능한 구체적인 사실관계를 서술하는 형태의 표현을 사용한 것이라고 이해된다면 명예훼손죄에서 말하는 사실의 적시에 해당한다고 볼 수 있다. ( ) 21. 순경 1차, 22. 9급 검찰 · 마약수사, 23. 해경승진 · 법원행시

17 객관적으로 피해자의 사회적 평가를 저하시키는 사실에 관한 발언이 보도, 소문이나 제3자의 말을 인용하는 방법으로 단정적인 표현이 아닌 전문 또는 추측의 형태로 표현되었다면, 표현 전체의 취지로 보아 사실이 존재할 수 있다는 것을 암시하는 방식으로 이루어진 경우라도 사실의 적시에 해당하지 않는다. ( ) 16. 순경 1차, 21. 법원행시, 22. 법원직, 23. 7급 검찰

18 사실을 발설하였는지에 관한 질문에 대답하는 과정에서 명예훼손 사실을 발설한 경우에도 명예훼손죄가 성립한다. ( ) 16. 사시 · 법원행시, 21. 순경 2차, 23. 경찰승진

19 형법 제310조는 사실적시 명예훼손죄와 모욕죄에 대해서 적용되지만, 출판물에 의한 명예훼손죄, 허위사실적시 명예훼손죄에 대해서는 적용되지 않는다. ( )
15. 법원행시, 17. 경찰승진, 18. 경찰간부, 21. 해경간부

20 공연히 사실을 적시하여 사람의 명예를 훼손한 경우, 그것이 진실한 사실이고 행위자의 주요한 동기 내지 목적이 공공의 이익을 위한 것이라면 부수적으로 다른 사익적 목적이나 동기가 내포되어 있더라도 형법 제310조의 적용을 배제할 수 없다. ( )
16. 사시, 17. 9급 검찰 · 마약수사 · 수사경과, 21. 법원직 · 순경 1차, 23. 변호사시험

Answer 11. ○ 12. ○ 13. × 14. × 15. ○ 16. × 17. × 18. × 19. × 20. ○

21 공공의 이익에는 널리 국가, 사회의 이익을 의미하므로 특정한 사회집단이나 그 구성원 전체의 관심과 이익에 관한 것은 포함되지 않는다. ( ) 20. 경찰간부, 23. 순경 1차, 24. 경찰승진

22 형법 제310조의 적용에서 적시된 사실이 공공의 이익에 관한 것이면 진실한 것이라는 증명이 없다 할지라도 행위자가 진실한 것으로 믿었고 또 그렇게 믿을 만한 상당한 이유가 있는 경우에는 위법성이 없다고 보아야 한다. ( ) 17. 9급 검찰·마약수사, 19. 경찰간부, 24. 변호사시험

23 전국교직원 노동조합 소속교사가 작성·배포한 보도자료의 일부에 사실과 다른 기재가 있다면 전체적으로 그 기재내용이 진실하고 공공의 이익을 위한 것이라도, 명예훼손죄의 위법성이 조각되지 않는다. ( ) 18. 순경 1차, 21. 수사경과, 22. 경찰승진

24 적시한 사실이 공공의 이익에 관한 것인 때에는 특별한 사정이 없는 한 형법 제309조(출판물 등에 의한 명예훼손) 소정의 비방의 목적은 부인된다. ( ) 18. 법원직, 19. 경찰승진, 23. 순경 1차

25 형법 제311조의 모욕죄의 피해자는 특정되어야 하므로 이른바 집단표시에 의한 모욕은 그 비난의 정도가 희석되지 않아 구성원 개개인의 사회적 평가를 저하시킬 만한 것으로 평가될 경우라도 구성원 개개인에 대한 모욕죄를 구성하지 않는다. ( )
15. 9급 검찰·마약수사, 18. 순경 2차, 19. 법원직·수사경과, 21. 해경승진, 23. 경찰간부, 24. 변호사시험

26 어떠한 표현이 상대방의 인격적 가치에 대한 사회적 평가를 저하시킬 만한 것이 아니라면 표현이 다소 무례한 방법으로 표시되었다 하더라도 모욕죄의 구성요건에 해당한다고 볼 수 없는 경우가 있다. ( ) 20. 법원행시, 22. 순경 1차·2차, 23. 법원직

27 아파트 입주자 대표회의 감사가 업무처리에 항의하며 연장자인 관리소장에게 공연히 "야, 이따위로 일할래.", "나이 처먹은 게 무슨 자랑이냐."라고 말한 경우는 모욕죄가 성립한다. ( )
16. 법원행시, 18. 경력채용, 19. 경찰승진, 21. 경찰간부

28 피고인이 택시기사와 요금문제로 시비가 벌어져 112 신고를 한 후, 신고를 받고 출동한 경찰관 甲에게 늦게 도착한 데에 대하여 항의하는 과정에서 '아이 씨발!'이라고 말한 경우 모욕죄가 성립된다. ( ) 16. 법원행시, 18. 경력채용, 21. 경찰간부·수사경과

29 골프클럽 경기보조원들의 구직편의를 위해 제작된 인터넷 사이트 내 회원 게시판에 특정 골프클럽의 운영상 불합리성을 비난하는 글을 게시하면서 위 클럽담당자에 대하여 '한심하고 불쌍한 인간'이라는 등 경멸적 표현을 한 경우 모욕죄를 구성한다. ( )
15. 경찰승진·순경 3차, 16. 법원행시, 18. 경력채용, 20. 순경 1차, 21. 경찰간부

30 제품의 안정성에 논란이 많은 가운데 인터넷 신문사 소속기자 A가 인터넷 포탈 사이트의 '핫이슈'난에 제품을 옹호하는 기사를 게재하자 그 기사를 읽은 상당수의 독자들이 '네티즌 댓글'난에 A를 비판하는 댓글을 달고 있는 상황에서 甲이 "이런걸 기레기라고 하죠?"라는 댓글을 게시한 경우, 이는 모욕적 표현에 해당하나 사회상규에 위배되지 않는 행위로서 형법 제20조에 의하여 위법성이 조각된다. ( ) 21. 순경 2차, 22. 9급 검찰·마약수사, 23. 법원행시, 24. 경찰간부

Answer 21. × 22. ○ 23. × 24. ○ 25. × 26. ○ 27. × 28. × 29. × 30. ○

CHAPTER 03

기출문제

01 **다음 중 우리 판례가 공연성을 인정한 경우는 모두 몇 개인가?** 15 · 16 · 17. 경찰간부, 17. 경찰승진

㉠ 개인 블로그의 비공개 대화방에서 상대방으로부터 비밀을 지키겠다는 말을 듣고 일대일로 대화를 한 경우
㉡ 피고인이 자신의 아들 등에게 폭행을 당하여 입원한 피해자의 병실로 찾아가 그의 어머니 A와 대화하던 중 A의 이웃 B 및 피고인의 일행 C 등이 있는 자리에서 "학교에 알아보니 피해자에게 원래 정신병이 있었다고 하더라."라고 허위사실을 말한 경우
㉢ 피고인이 행정서사 사무실에서 피해자와 같은 교회에 다니는 세 사람에게 "피해자가 처자식이 있는 남자와 살고 있다는데 아느냐."고 한 경우
㉣ 직장의 전산망에 설치된 전자게시판에 타인의 명예를 훼손하는 내용의 글을 게시한 행위
㉤ 피고인이 평소 A가 자신의 일에 간섭하는 것에 기분이 나쁘다는 이유로 B로부터 취득한 A의 범죄경력기록을 같은 아파트에 거주하는 C에게 보여주면서 "전과자이고 나쁜 년"이라고 사실을 적시한 경우
㉥ 어느 사람에게 귀엣말 등 그 사람만 들을 수 있는 방법으로 그 사람 본인의 사회적 가치 내지 평가를 떨어뜨릴 만한 사실을 이야기하고, 그 말을 들은 피해자 스스로 다른 사람에게 전파한 경우
㉦ 피고인이 상가 관리단의 임시총회에서 피해자가 새로운 관리인으로 선출되자 피해자가 뇌물공여죄, 횡령죄 등 전과 13범으로 관리단규약에 의하여 선량한 관리인으로서의 자격이 없다는 내용을 담은 서면을 관리단 감사에게 팩스로 전송한 경우
㉧ 중학교 교사에 대해 "전과범으로서 교사직을 팔아가며 이웃을 해치고 고발을 일삼는 악덕 교사"라는 취지의 진정서를 그가 근무하는 학교법인 이사장 앞으로 제출한 행위
㉨ 명예훼손의 발언(피해자들이 전과가 많다는 내용)을 들은 사람들이 피해자들과는 일면식이 없거나 이미 피해자들의 전과사실을 알고 있었던 경우
㉩ 피고인이 다방에서 피해자와 동업관계로 친한 사이인 甲에게 피해자의 험담을 한 경우에 있어서 다방 내의 좌석이 다른 손님의 자리와 멀리 떨어져 있고, 그 당시 甲은 피고인에게 "왜 피해자에 관해서 그런 말을 하느냐?"고 힐책까지 한 사실이 있는 경우
㉪ 기자를 통해 사실을 적시하는 경우에는 기사화되어 보도되어야만 적시된 사실이 외부에 공표된다고 보아야 할 것이므로 기자가 취재를 한 상태에서 아직 기사화하여 보도하지 아니한 경우

① 2개 ② 3개 ③ 4개 ④ 5개

해설
- **공연성** ○ : ㉠ 대판 2008.2.14, 2007도8155 ㉢ 대판 1985.4.23, 85도431 ㉣ 대판 2000.5.12, 99도5734 ㉦ 대판 2008.10.23, 2008도6515 ㉨ 대판 1993.3.23, 92도455
- **공연성** × : ㉡ 대판 2011.9.8, 2010도7497 ㉤ 대판 2010.11.11, 2010도8265 ㉥ 대판 2005.12.9, 2004도2880 ㉧ 대판 1983.10.25, 83도2190 ㉩ 대판 1984.2.28, 83도891 ㉪ 대판 2000.5.16, 99도5622

Answer 01. ④

02 명예에 관한 죄에 대한 설명 중 가장 적절하지 않은 것은?(다툼이 있는 경우 판례에 의함)

20. 경찰승진

① 적시된 사실이 허위의 사실이라고 하더라도 행위자에게 허위성에 대한 인식이 없는 경우에는 제307조 제2항의 명예훼손죄가 아니라 제307조 제1항의 명예훼손죄가 성립될 수 있다.
② 진실인 사실을 공연히 유포하여 타인의 신용을 훼손한 경우 명예훼손죄는 성립할 수 있으나 신용훼손죄는 성립하지 않는다.
③ 통상 사람에게 사실을 적시할 경우 그 자체로서 적시된 사실이 외부에 공표되는 것이므로 그 때부터 곧 전파가능성을 따져 공연성 여부를 판단하여야 할 것이고, 이는 기자를 통해 사실을 적시하는 경우라고 하여 달리볼 것은 아니다.
④ 사실을 발설하였는지 확인하는 질문에 답하는 과정에서 명예훼손 사실을 발설하게 된 것이라면, 명예훼손의 범의를 인정할 수 없다.

해설 ① 대판 2017.4.26, 2016도18024 ② 옳다(∵ 허위사실 유포 × ⇨ 신용훼손죄 ×).
③ ×: 통상 기자가 아닌 보통 사람에게 사실을 적시할 경우 그 자체로서 적시된 사실이 외부에 공표되는 것이므로 그때부터 곧 전파가능성을 따져 공연성 여부를 판단하여야 할 것이지만, 그와는 달리 기자를 통해 사실을 적시하는 경우에는 기사화되어 보도되어야만 적시된 사실이 외부에 공표된다고 보아야 할 것이므로 기자가 취재를 한 상태에서 아직 기사화하여 보도하지 아니한 경우에는 공연성이 없다(대판 2000.5.16, 99도5622). ④ 대판 2010.10.28, 2010도2877

03 명예훼손죄에 대한 설명으로 옳지 않은 것은?(다툼이 있는 경우 판례에 의함)

23. 7급 검찰

① 객관적으로 피해자의 사회적 평가를 저하시키는 사실에 관한 발언이 보도, 소문이나 제3자의 말을 인용하는 방법으로 단정적인 표현이 아닌 전문 또는 추측의 형태로 표현되었다면, 표현 전체의 취지로 보아 사실이 존재할 수 있다는 것을 암시하는 방식으로 이루어진 경우라도 사실의 적시에 해당하지 않는다.
② 불미스러운 소문의 진위를 확인하고자 질문을 하는 과정에서 타인의 명예를 훼손하는 발언을 한 경우, 그 동기에 비추어 명예훼손의 고의를 인정하기 어렵다.
③ 정부 정책 결정 또는 업무수행과 관련된 사항을 주된 내용으로 하는 공개발언이 공직자 개인에 대한 악의적이거나 심히 경솔한 공격으로서 현저히 상당성을 잃은 것으로 평가되면, 공직자 개인에 대한 명예훼손이 된다.
④ 발언 상대방이 직무상 비밀유지의무가 있는 경우에는 그러한 관계나 신분으로 인하여 비밀의 보장이 상당히 높은 정도로 기대되는 경우로서 공연성이 부정되고, 공연성을 인정하기 위해서는 그러한 관계나 신분에도 불구하고 불특정 또는 다수인에게 전파될 수 있다고 볼 만한 특별한 사정이 존재하여야 한다.

해설 ① ×: ~(2줄) 형태로 표현되었다면, 표현 전체의 취지로 보아 사실이 존재할 수 있다는 것을 암시하는 방식으로 이루어진 경우에는 사실을 적시한 것으로 보아야 한다(대판 2021.3.25, 2016도14995).
② 대판 2018.6.15, 2018도4200 ③ 대판 2021.3.25, 2016도14995 ④ 대판 2021.4.29, 2021도1677

Answer 02. ③ 03. ①

04 명예훼손죄에 관한 설명 중 옳은 것을 모두 고른 것은?(다툼이 있는 경우 판례에 의함) 21. 변호사시험

> ㉠ 형법 제310조 위법성조각사유의 충족 여부는 검사에게 거증책임이 있다.
> ㉡ 정보통신망을 이용하여 명예훼손성 글을 게재하는 경우에는 게재글이 삭제되지 않는 이상 피해가 지속되므로 삭제시가 범행종료시이고 공소시효는 그때부터 기산된다.
> ㉢ 사실적시명예훼손죄(형법 제307조 제1항)의 '사실'은 가치판단이나 평가를 내용으로 하는 '의견'에 대치되는 개념이 아니라 허위사실적시명예훼손죄(형법 제307조 제2항)의 '허위의 사실'과 반대되는 '진실한 사실'을 말하는 것이다.
> ㉣ 정보통신망을 통하여 타인의 명예를 훼손하는 글을 게시하였으나 적시된 사실이 진실이고 공공의 이익에 관한 것이어서 비방의 목적이 인정되지 않는 경우에는 형법 제310조가 적용된다.
> ㉤ 집단표시에 의한 명예훼손의 내용이 개별구성원에 이르러서는 비난의 정도가 희석되어 구성원 개개인의 사회적 평가에 영향을 미칠 정도에 이르지 아니한 때에는 구성원 개개인에 대한 명예훼손죄가 성립하지 않는다.

① ㉠, ㉡　② ㉢, ㉣　③ ㉣, ㉤
④ ㉡, ㉢, ㉣　⑤ ㉢, ㉣, ㉤

해설 ㉠ × : 형법 제310조에 정한 진실한 사실로서 오로지 공공의 이익에 해당하는지 여부는 행위자가 증명해야 한다(대판 1996.10.25, 95도1473 ; 거증책임전환규정설).
㉡ × : ~ 게재하는 경우에는 범행종료시기는 삭제시가 아니고 게재행위의 종료시이므로 공소시효는 그때부터 기산된다(대판 2007.10.25, 2006도346).
㉢ × : 형법 제307조 제1항의 '사실'은 제2항의 '허위의 사실'과 반대되는 '진실한 사실'을 말하는 것이 아니라 가치판단이나 평가를 내용으로 하는 '의견'에 대치되는 개념이다(대판 2017.4.26, 2016도18024).
㉣ ○ : 대판 2020.3.22, 2018도15868
㉤ ○ : 대판 2014.3.27, 2011도15631

05 명예훼손죄에 관한 설명으로 가장 적절하지 않은 것은?(다툼이 있는 경우 판례에 의함) 19. 순경 2차

① 집합적 명칭을 사용하여 명예훼손행위를 한 경우, 그 명칭의 사용에 의하여 그 범위에 속하는 특정인을 가리키는 것이 명백하면 집합구성원 각자에 대한 명예훼손죄가 성립한다.
② 甲이 고발의 동기나 경위에 관한 언급 없이 제3자에게 "乙이 丙을 선거법 위반으로 고발하였다."는 말만 하였다면, 乙의 사회적 가치나 평가를 침해하기에 충분한 구체적 사실이 적시되었다고 보기 어렵다.
③ 이미 사회의 일부에 잘 알려진 공지의 사실은 명예훼손의 객체에 해당하지 않으므로, 이를 적시하여 사람의 사회적 평가를 저하시킬 만한 행위를 하더라도 명예훼손죄가 성립하지 않는다.
④ 허위사실을 진실한 사실로 오인하여 공공의 이익을 위해 공연히 적시한 경우, 적시된 사실이 공공의 이익에 관한 것이고 행위자가 진실한 것으로 믿었고 또 그렇게 믿을 만한 상당한 이유가 있다면 형법 제310조에 의하여 위법성이 조각된다.

Answer 04. ③ 05. ③

해설 ① 대판 2000.10.10, 99도5407
② 대판 2009.9.24, 2009도6687
③ × : 명예훼손죄가 성립하기 위해서는 반드시 숨겨진 사실을 적발하는 행위만에 한하지 아니하고 이미 사회의 일부에 잘 알려진 사실이라고 하더라도 이를 적시하여 사람의 사회적 평가를 저하시킬 만한 행위를 한 때에는 명예훼손죄를 구성한다(대판 1994.4.12, 93도3535).
④ 대판 2007.12.14, 2006도2074

06 **다음 사례 중 모욕죄의 구성요건에 해당하지 않는 사례(A)와 모욕죄의 구성요건에 해당하지만 위법성이 조각된 사례(B)를 옳게 묶은 것은?**(다툼이 있는 경우 판례에 의함) 21. 경찰간부

㉠ 택시 기사와 요금 문제로 시비가 벌어져 112 신고를 한 후, 신고를 받고 출동한 경찰관에게 늦게 도착한 데 대하여 항의하는 과정에서 "아이 씨발!"이라고 말한 경우
㉡ 피고인이 방송국 시사프로그램을 시청한 후 방송국 홈페이지의 시청자 의견란에 작성·게시한 글에서 "그렇게 소중한 자식을 범법행위 변명의 방패로 쓰시다니 정말 대단하십니다."라고 말한 경우
㉢ 골프클럽 경기보조원들의 인터넷 구직사이트 내 회원 게시판에 특정 골프클럽의 운영상 불합리성을 비난하는 글을 게시하면서 위 클럽 담당자에 대하여 '한심하고 불쌍한 인간'이라는 표현을 한 경우
㉣ 아파트 입주자대표회의 감사인 피고인이 아파트 관리소장의 업무처리에 항의하기 위해 관리소장실을 방문한 자리에서 언쟁을 하다가 "야, 이따위로 일할래", "나이 처먹은 게 무슨 자랑이냐"라고 말한 경우
㉤ 노동조합 사무장인 피고인이 노사 관계자 140여 명이 있는 가운데 피고인보다 15세 연장자인 회사 부사장에게 "야 ○○아, 니 이름이 ○○이잖아, ○○아 나오니까 좋지?" 등 반말로 여러 차례 이름을 부른 경우

	A	B
①	㉠, ㉢, ㉤	㉡, ㉣
②	㉠, ㉣, ㉤	㉡, ㉢
③	㉡, ㉢, ㉣	㉠, ㉤
④	㉢, ㉣, ㉤	㉠, ㉡

해설 • **어떠한 표현이 상대방의 인격적 가치에 대한 사회적 평가를 저하시킬 만한 것이 아니라면 표현이 다소 무례하고 저속한 방법으로 표시되었다 하더라도 모욕죄의 구성요건에 해당한다고 볼 수 없는 경우** : ㉠ 대판 2015.12.24, 2015도6622 ㉣ 대판 2015.9.10, 2015도2229 ㉤ 대판 2018.11.29, 2017도2661
• **모욕죄의 구성요건에 해당하나 위법성이 조각된 경우** : ㉡ 대판 2003.11.28, 2002도3972(∵ 사회적 평가를 훼손할 만한 모욕적 언사 ⇨ 구성요건에 해당, 사회상규에 위배되지 아니한 행위 ⇨ 위법성 조각) ㉢ 대판 2008.7.10, 2008도1433(사회상규에 위배 × ⇨ 위법성 조각)

Answer 06. ②

07 **다음 사례 중 甲에게 모욕죄**(또는 상관모욕죄)**가 성립하는 것은?**(다툼이 있는 경우 판례에 의함)

22. 순경 2차

① 甲이 소속 노동조합 위원장 A를 '어용', '앞잡이' 등으로 지칭하여 표현한 현수막, 피켓 등을 장기간 반복하여 일반인의 왕래가 잦은 도로변 등에 게시한 경우

② 부사관 교육생 甲이 동기들과 함께 사용하는 단체채팅방에서 지도관 A가 목욕탕 청소 담당에게 과실 지적을 많이 한다는 이유로 "도라이 ㅋㅋㅋ 습기가 그렇게 많은데"라는 글을 게시한 경우

③ A주식회사 해고자 신분으로 노동조합 사무장직을 맡아 노조활동을 하는 甲이 노사 관계자 140여 명이 있는 가운데 큰 소리로 자신보다 15세 연장자인 A회사 부사장 B를 향해 "야 ○○아, ○○이 여기 있네, 니 이름이 ○○이잖아, ○○아 나오니까 좋지?" 등으로 여러 차례 B의 이름을 부른 경우

④ 甲이 인터넷 포털 사이트의 'A추진운동본부'에 접속하여 '자칭 타칭 B하면 떠오르는 키워드!!!'라는 제목의 게시글에 '공황장애 ㅋ'라는 댓글을 게시한 경우

해설 • **모욕죄** ○ : ① 대판 2021.9.9, 2016도88
• **모욕죄** × : ② 대판 2021.8.19, 2020도14576〔∵ 모욕적 표현 ○(구성요건에 해당 ○), 사회상규에 위배되지 않는 정당행위 ○〕 ③ 대판 2018.11.29, 2017도2661〔∵ 모욕적 표현 ×(구성요건에 해당 ×)〕 ④ 대판 2018.5.30, 2016도20890〔∵ 모욕적 표현 ×(구성요건에 해당 ×)〕

08 **모욕죄에 관한 다음 설명 중 가장 옳지 않은 것은?**(다툼이 있는 경우 판례에 의함) 23. 법원직

① 형법 제311조의 모욕죄는 사람의 가치에 대한 사회적 평가를 의미하는 외부적 명예를 보호법익으로 하는 범죄로서, 모욕죄에서 말하는 모욕이란 사실을 적시하지 아니하고 사람의 사회적 평가를 저하시킬 만한 추상적 판단이나 경멸적 감정을 표현하는 것을 의미한다. 따라서 어떠한 표현이 상대방의 인격적 가치에 대한 사회적 평가를 저하시킬 만한 것이 아니라면 설령 그 표현이 다소 무례한 방법으로 표시되었다 하더라도 이를 두고 모욕죄의 구성요건에 해당한다고 볼 수 없다.

② 언어적 수단이 아닌 비언어적·시각적 수단만을 사용하여 표현을 한 경우라면, 그것이 사람의 사회적 평가를 저하시킬 만한 추상적 판단이나 경멸적 감정을 전달하는 것이라 하더라도 모욕죄가 성립할 수 없다.

③ 어떠한 표현이 모욕죄의 모욕에 해당하는지는 상대방 개인의 주관적 감정이나 정서상 어떠한 표현을 듣고 기분이 나쁜지 등 명예감정을 침해할 만한 표현인지를 기준으로 판단할 것이 아니라 당사자들의 관계, 해당 표현에 이르게 된 경위, 표현방법, 당시 상황 등 객관적인 제반 사정에 비추어 상대방의 외부적 명예를 침해할 만한 표현인지를 기준으로 엄격하게 판단하여야 한다.

④ 공연성은 명예훼손죄와 모욕죄의 구성요건으로서, 명예훼손이나 모욕에 해당하는 표현을 특정 소수에게 한 경우 공연성이 부정되는 유력한 사정이 될 수 있으므로, 전파될 가능성에 관해서는 검사의 엄격한 증명이 필요하다.

Answer 07. ① 08. ②

해설 ① 대판 2015.9.10, 2015도2229
② ×: 모욕의 수단과 방법에는 제한이 없으므로 언어적 수단이 아닌 비언어적·시각적 수단만을 사용하여 표현을 하더라도 그것이 사람의 사회적 평가를 저하시킬 만한 추상적 판단이나 경멸적 감정을 전달하는 것이라면 모욕죄가 성립한다(대판 2023.2.2, 2022도4719).
③ 대판 2022.8.31, 2019도7370
④ 대판 2022.7.28, 2020도8336

09 **명예에 관한 죄에 대한 설명으로 가장 적절한 것은?**(다툼이 있는 경우 판례에 의함) 19. 경찰승진

① 장래의 희망이 아나운서라고 한 여학생들에게 "다 줄 생각을 해야 하는데, 그래도 아나운서 할 수 있겠느냐. ○○여대 이상은 자존심 때문에 그렇게 못하더라."라는 등의 말을 한 경우, 이른바 집단 표시에 의한 모욕으로서 여성 아나운서 개개인에 대한 모욕죄가 그 자체로 성립된다.
② 명예훼손죄에 있어서 피고인의 행위에 피해자를 비방할 목적이 함께 숨어 있었다면 그 주요한 동기가 공공의 이익을 위한 것이라도 형법 제310조의 적용이 배제된다.
③ 아파트 입주자 대표회의 감사가 업무처리에 항의하며 연장자인 관리소장에게 공연히 "야, 이따위로 일할래.", "나이 처먹은 게 무슨 자랑이냐."라고 말한 경우는 모욕죄가 성립한다.
④ 영화가 허위의 사실을 표현하여 개인의 명예를 훼손한 경우에도 행위자가 그것을 진실이라고 믿었고 또 그렇게 믿을 만한 상당한 이유가 있어 그 행위자에게 명예훼손으로 인한 불법행위책임을 물을 수 없다면 특별한 사정이 없는 한 그 광고·홍보행위가 별도로 명예훼손의 불법행위를 구성한다고 볼 수 없다.

해설 ① ×: 모욕죄 ×(대판 2014.3.27, 2011도15631)
② ×: ~ 숨어 있었다고 하더라도 그 주요한 ~ 적용을 배제할 수 없다(대판 1989.2.14, 88도899).
③ ×: 모욕죄 ×(대판 2015.9.10, 2015도2229)
④ ○: 대판 2010.7.15, 2007다3483

10 **명예에 관한 죄에 대한 설명으로 옳은 것은 모두 몇 개인가?**(다툼이 있는 경우 판례에 의함) 21. 순경 2차

㉠ 甲이 명예훼손 사실을 발설한 것이 정말이냐는 A의 질문에 대답하는 과정에서 타인의 명예를 훼손하는 사실을 발설하게 된 경우, 명예훼손의 고의가 인정되지 아니한다.
㉡ 甲이 집 뒷길에서 자신의 남편과 A의 친척이 듣는 가운데 다른 사람들이 들을 수 있을 정도의 큰 소리로 A에게 "저것이 징역 살다온 전과자다."고 말한 경우, 자신의 남편과 A의 친척에게 말한 것이라 할지라도 명예훼손죄의 구성요건요소인 '공연성'이 인정된다.

Answer 09. ④ 10. ④

㉢ 사이버대학교 학생 甲이 학과 학생들만 가입할 수 있는 네이버밴드 게시판에 A의 "총학생회장 출마자격에 관하여 조언을 구한다."는 글에 대한 댓글로 직전 회장 선거에 입후보하였다가 중도 사퇴한 친구 B의 실명을 거론하며, 객관적 사실에 부합하는 "B 학우가 학생회비도 내지 않고 총학생회장 선거에 출마하려 했다가 상대방 후보를 비방하고 이래저래 학과를 분열시키고 개인적인 감정을 표한 사례가 있다."고 언급한 다음 "그러한 부분은 지양했으면 한다."는 의견을 덧붙인 경우, 甲의 주요한 동기와 목적은 공공의 이익을 위한 것으로서 甲에게 B를 비방할 목적이 있다고 보기 어렵다.

㉣ 제품의 안정성에 논란이 많은 가운데 인터넷 신문사 소속기자 A가 인터넷 포탈 사이트의 '핫이슈'난에 제품을 옹호하는 기사를 게재하자 그 기사를 읽은 상당수의 독자들이 '네티즌 댓글'난에 A를 비판하는 댓글을 달고 있는 상황에서 甲이 "이런걸 기레기라고 하죠?"라는 댓글을 게시한 경우, 이는 모욕적 표현에 해당하나 사회상규에 위배되지 않는 행위로서 형법 제20조에 의하여 위법성이 조각된다.

① 1개 ② 2개 ③ 3개 ④ 4개

해설 ㉠ ○ : 대판 2010.10.28, 2010도2877
㉡ ○ : 대판 2020.11.19, 2020도5813 전원합의체
㉢ ○ : 대판 2020.3.2, 2018도15868
㉣ ○ : 대판 2021.3.25, 2017도17643

11 명예에 관한 죄에 대한 아래 ㉠부터 ㉤까지의 설명 중 옳고 그름의 표시(○, ×)가 모두 바르게 된 것은?(다툼이 있는 경우 판례에 의함)

22. 순경 1차

㉠ 인터넷 댓글에 의하여 모욕을 당한 피해자의 인터넷 아이디(ID)만을 알 수 있을 뿐 그밖의 주위사정을 종합해 보더라도 그와 같은 인터넷 아이디를 가진 사람이 동피해자임을 알아차릴 수 없는 경우라면 명예훼손죄 또는 모욕죄가 성립하지 않는다.

㉡ 어떠한 표현이 상대방의 인격적 가치에 대한 사회적 평가를 저하시킬 만한 것이 아니라면 설령 그 표현이 다소 무례한 방법으로 표시되었다 하더라도 이를 두고 모욕죄의 구성요건에 해당한다고 볼 수 없다.

㉢ 모욕죄는 피해자의 외부적 명예를 저하시킬 만한 추상적 판단이나 경멸적 감정을 공연히 표시함으로써 성립하는 것으로 피해자의 외부적 명예가 현실적으로 침해되거나 적어도 구체적 현실적으로 침해될 위험이 발생하여야 한다.

㉣ 형법 제307조 명예훼손죄에 있어서의 사실의 적시는 가치판단이나 평가를 내용으로 하는 의견표현에 대치되는 개념으로서 시간적으로나 공간적으로 구체적인 과거 또는 현재의 사실관계에 관한 보고나 진술을 뜻한다.

㉤ 정보통신망을 이용한 명예훼손의 경우에는 게재행위의 종료만으로 범죄행위가 종료하는 것은 아니고 원래 게시물이 삭제되어 정보의 송수신이 불가능해지는 시점을 범죄의 종료시기로 보아야 한다.

Answer 11. ②

① ㉠(○), ㉡(×), ㉢(○), ㉣(×), ㉤(○)
② ㉠(○), ㉡(○), ㉢(×), ㉣(○), ㉤(×)
③ ㉠(×), ㉡(×), ㉢(○), ㉣(×), ㉤(×)
④ ㉠(○), ㉡(○), ㉢(×), ㉣(○), ㉤(○)

해설 ㉠ ○ : 헌재결 2008.6.26, 2007헌마461
㉡ ○ : 대판 2015.9.10, 2015도2229
㉢ × : ~ 위험이 발생하여야 하는 것도 아니다(대판 2016.10.13, 2016도9674).
㉣ ○ : 대판 2008.10.9, 2007도1220
㉤ × : ~ 범죄행위가 종료하는 것이지 원래 게시물이 ~ 종료시기로 볼 것은 아니다(대판 2007.10.25, 2006도346).

12 명예에 관한 죄에 대한 설명으로 옳은 것만을 모두 고르면?(다툼이 있는 경우 판례에 의함)

22. 7급 검찰

㉠ 정부의 업무수행과 관련된 사항을 주된 내용으로 하는 발언으로 그에 관여한 공직자에 대한 사회적 평가가 다소 저하될 수 있더라도, 그 발언 내용이 공직자 개인에 대한 악의적이거나 심히 경솔한 공격으로서 현저히 상당성을 잃은 것으로 평가되지 않는 한 공직자 개인에 대한 명예훼손이 되지 않는다.
㉡ 이혼소송계속 중인 아내가 남편의 친구에게 서신을 보내면서 남편의 명예를 훼손하는 문구가 기재된 서신을 동봉한 것만으로는 공연성이 인정되지 않는다.
㉢ 피해자에 대한 허위사실을 적시한 서명자료를 만들어 여러 명의 동료들에게 읽게 하고 서명을 받은 경우, 그 내용이 동료들 사이에 만연한 소문이었다면 명예훼손죄를 구성하지 않는다.
㉣ 학교폭력 피해 학생의 어머니가 자신의 SNS 계정 프로필 상태메시지에 '학교폭력범은 접촉금지'라는 글과 주먹 모양의 그림말 세 개를 게시한 것은 학교폭력 가해자의 사회적 가치나 평가를 저하시키기에 충분한 구체적인 사실의 적시에 해당한다.

① ㉠, ㉡ ② ㉠, ㉣ ③ ㉡, ㉢ ④ ㉢, ㉣

해설 ㉠ ○ : 대판 2011.9.2, 2010도17237 ㉡ ○ : 대판 2000.2.11, 99도4579
㉢ × : ~ 만연한 소문이었다고 하더라도 명예훼손죄를 구성한다(대판 2020.12.30, 2015도15619 ∵ 불특정 또는 다수인이 인식할 수 있는 상태 ○ ⇨ 공연성 ○).
㉣ × : ~ (3줄) 구체적인 사실을 적시했다고 볼 수 없다(대판 2020.5.28, 2019도12750).

13 명예에 관한 죄에 대한 설명으로 가장 적절하지 않은 것은?(다툼이 있는 경우 판례에 의함)

23. 순경 2차

① 사실적시의 내용이 개인에 관한 사항이더라도 공공의 이익과 관련되어 있고 사회적인 관심을 획득한 경우라면 직접적으로 국가·사회 일반의 이익이나 특정한 사회집단에 관한 것이 아니라는 이유만으로 형법 제310조의 적용을 배제할 것은 아니다.

Answer 12. ① 13. ④

② 명예훼손죄와 모욕죄에서 전파가능성을 이유로 공연성을 인정하는 경우에는 적어도 범죄구성요건의 주관적 요소로서 미필적 고의가 필요하므로, 전파가능성에 대한 인식이 있음은 물론 나아가 위험을 용인하는 내심의 의사가 있어야 한다.
③ 인터넷 등 공간에서 작성된 단문의 글이라고 하더라도, 그 내용이 자신의 의견을 강조하거나 압축하여 표현한 것이라고 평가할 수 있고 표현도 지나치게 모욕적이거나 악의적이지 않다면 형법 제20조에 의하여 위법성이 조각될 수 있다.
④ 甲은 자신의 인터넷 채널에 A의 방송 영상을 게시하면서 A의 얼굴에 '개' 얼굴을 합성하는 방법을 사용하였는바, 그 영상의 전체적인 내용을 살펴볼 때 A의 얼굴을 가리는 용도로 동물 그림을 사용하면서 A에 대한 부정적인 감정을 다소 해학적으로 표현하려 한 것에 불과한 경우라도 이러한 행위는 모욕적 표현에 해당한다.

해설 ① 대판 2020.11.19, 2020도5813 전원합의체
② 대판 2018.6.15, 2018도4200 ③ 대판 2022.8.25, 2020도16897
④ × : ~ (3줄) 해학적으로 표현하려 한 것에 불과하다고 볼 여지도 상당하므로, 해당 영상이 甲을 불쾌하게 할 수 있는 표현이기는 하지만 객관적으로 甲의 인격적 가치에 대한 사회적 평가를 저하시킬 만한 모욕적 표현을 한 경우에 해당한다고 단정하기 어렵다(대판 2023.2.2, 2022도4719).

14 **명예에 관한 죄에 대한 설명으로 옳은 것을 모두 고른 것은?**(다툼이 있는 경우 판례에 의함)

24. 경찰승진

㉠ 정부 또는 국가기관의 정책결정이나 업무수행과 관련된 사항은 항상 국민의 감시와 비판의 대상이 되어야 하고, 이러한 감시와 비판은 표현의 자유가 충분히 보장될 때 비로소 정상적으로 이루어질 수 있으므로, 정부 또는 국가기관은 형법상 명예훼손죄의 피해자가 될 수 없다.
㉡ 명예훼손죄와 모욕죄에서 전파가능성을 이유로 공연성을 인정하는 경우에 적어도 범죄구성요건의 주관적 요소로서 미필적 고의가 필요하므로, 전파가능성에 대한 인식이 있음은 물론 나아가 위험을 용인하는 내심의 의사가 있어야 한다.
㉢ 형법 제310조는 "제307조 제1항의 행위가 진실한 사실로서 오로지 공공의 이익에 관한 때에는 처벌하지 아니한다."라고 규정하고 있는데, 여기서 '공공의 이익에 관한 것'에는 널리 국가 사회 기타 일반 다수인의 이익에 관한 것을 의미할 뿐 특정한 사회집단이나 그 구성원 전체의 관심과 이익에 관한 것은 포함되지 아니한다.
㉣ 피고인이 인터넷포털사이트 뉴스 댓글란에 연예인인 피해자를 '국민호텔녀'로 지칭하는 댓글을 게시한 경우, 모욕죄의 구성요건에 해당하지만 정당한 비판의 범위를 벗어나지 않은 것으로서 정당행위에 해당한다.

① ㉠, ㉡ ② ㉠, ㉢ ③ ㉡, ㉣ ④ ㉢, ㉣

해설 ㉠ ○ : 대판 2011.9.2, 2010도17237 ㉡ ○ : 대판 2018.6.15, 2018도4200
㉢ × : ~ (3줄) 다수인의 이익에 관한 것뿐만 아니라 특정한 사회집단이나 그 구성원 전체의 관심과 이익에 관한 것도 포함한다(대판 2002.9.24, 2002도3570). ㉣ × : ~ (2줄) 구성요건에 해당하고 정당한 비판의 범위를 벗어난 것으로서 정당행위로 보기도 어렵다(대판 2022.12.15, 2017도19229).

Answer 14. ①

15 **명예훼손죄에 관한 설명 중 가장 옳지 않은 것은?**(다툼이 있는 경우 판례에 의함) 23. 법원직

① 작업장의 책임자인 피고인이 甲으로부터 작업장에서 발생한 성추행 사건에 대해 보고받은 사실이 있음에도, 직원 5명이 있는 회의 자리에서 상급자로부터 경과보고를 요구받으면서 과태료 처분에 관한 책임을 추궁받자 이에 대답하는 과정에서 '甲은 성추행 사건에 대해 애초에 보고한 사실이 없다. 그런데도 이를 수사기관 등에 신고하지 않았다고 과태료 처분을 받는 것은 억울하다.'는 취지로 발언한 경우 피고인에게 명예훼손의 고의를 인정하기 어렵다.

② 동장인 피고인이 동 주민자치위원에게 전화를 걸어 '어제 열린 당산제(마을제사) 행사에 남편과 이혼한 甲도 참석을 하여, 이에 대해 행사에 참여한 사람들 사이에 안 좋게 평가하는 말이 많았다.'는 취지로 말하고, 동 주민들과 함께한 저녁식사 모임에서 '甲은 이혼했다는 사람이 왜 당산제에 왔는지 모르겠다.'는 취지로 말한 경우, 피고인의 위 발언은 甲의 사회적 가치나 평가를 침해하는 구체적인 사실의 적시에 해당한다.

③ 회사에서 징계 업무를 담당하는 직원인 피고인이 피해자에 대한 징계절차 회부 사실이 기재된 문서를 근무현장 방재실, 기계실, 관리사무실의 각 게시판에 게시한 경우, 위 행위는 회사 내부의 원활하고 능률적인 운영의 도모라는 공공의 이익에 관한 것으로 볼 수 없다.

④ 피고인이 피해자 집 뒷길에서 피고인의 남편 및 피해자의 친척이 듣는 가운데 피해자에게 '저것이 징역 살다온 전과자다.' 등으로 큰 소리로 말한 경우 공연성이 인정된다.

해설 ① 대판 2022.4.14, 2021도17744(또한 질문에 대하여 단순한 확인 취지의 답변을 소극적으로 한 것에 불과하다면 이를 명예훼손에서 말하는 사실의 적시라고 단정할 수도 없다.)
② ×: ~ (4줄) 취지로 말한 경우, 피고인의 위 발언은 甲의 사회적 가치나 평가를 침해하는 구체적인 사실의 적시에 해당하지 않고 甲의 당산제 참여에 관한 의견표현에 지나지 않는다(대판 2022.5.13, 2020도15642 ∴ 명예훼손죄 ×).
③ 대판 2021.8.26, 2021도6416(∴ 명예훼손죄 ○)
④ 대판 2020.11.19, 2020도5813 전원합의체

16 **다음 설명 중 옳지 않은 것은?**(다툼이 있는 경우 판례에 의함) 24. 변호사시험

① 甲이 자신의 딸에 대한 A의 학교폭력을 신고하여 A에 대하여 '접촉 및 보복행위의 금지' 등 조치가 내려지자 자신의 SNS 프로필 상태메시지에 '학교폭력범은 접촉금지' 등의 글을 게시한 행위를 들어 A의 명예를 훼손한 것이라 할 수 없다.

② 명예훼손죄나 모욕죄의 피해자에는 자연인으로서 사람뿐만 아니라 '법인', '법인격 없는 단체'도 포함된다 할 것이므로, 지방자치단체인 군(郡)도 명예훼손죄나 모욕죄의 피해자가 될 수 있다.

③ 이른바 집단표시에 의한 모욕은, 모욕의 내용이 그 집단에 속한 특정인에 대한 것이라고는 해석되기 힘들고, 집단표시에 의한 비난이 개별구성원에 이르러서는 비난의 정도가 희석되어 구성원 개개인의 사회적 평가에 영향을 미칠 정도에 이르지 아니한 경우에는 구성원 개개인에 대한 모욕이 성립되지 않는다고 봄이 원칙이다.

Answer 15. ② 16. ②

④ 단순히 어떤 사람을 사칭하여 마치 그 사람이 직접 작성한 글인 것처럼 가장하여 인터넷 게시판에 게시글을 올리는 행위는 그 사람에 대한 사실을 드러내는 행위나 사실의 적시에 해당하지 않아 정보통신망 이용촉진 및 정보보호 등에 관한 법률위반(명예훼손)죄가 성립하지 않는다.
⑤ 형법 제310조에 따라 위법성이 조각되기 위해서는 적시된 사실이 진실한 것이라는 증명이 없더라도 행위자가 이를 진실한 것으로 믿었고 또 그렇게 믿을 만한 상당한 이유가 있어야 한다.

해설 ① 대판 2020.5.28, 2019도12750
② ×: 국가나 지방자치단체는 국민에 대한 관계에서 형벌의 수단을 통해 보호되는 외부적 명예의 주체가 될 수는 없고, 따라서 명예훼손죄나 모욕죄의 피해자가 될 수 없다(대판 2016.12.27, 2014도15290).
③ 대판 2014.3.27, 2011도15631
④ 대판 2018.5.30, 2017도607
⑤ 대판 2007.12.14, 2006도2074

17 명예에 관한 죄에 관한 설명으로 옳지 않은 것은?(다툼이 있는 경우 판례에 의함) 24. 경위공채

① 甲이 양육비 지급 판결을 받는 등 양육비 지급의무가 있음에도 이를 지급하지 않고 있는 A, B, C에 대한 제보를 받아 그들의 이름, 얼굴 사진, 거주지, 직장명 등 신상정보를 특정 인터넷 사이트에 공개하는 글을 게시한 경우, 이는 양육비 미지급으로 인한 사회적 문제를 공론화하기 위한 목적이 있었더라도 신상정보의 공개는 이러한 공익적 목적과 직접적인 관련성이 있다고 보기 어려운 점 등을 고려하면 甲에게는 A, B, C를 '비방할 목적'이 인정된다.
② 甲이 A의 집 뒷길에서 자신의 남편 B 및 A의 친척인 C가 듣는 가운데 A에게 '저것이 징역 살다온 전과자다.' 등으로 큰 소리로 말한 경우, A와 C 사이의 촌수나 구체적 친밀관계가 밝혀진 바도 없으나 단지 A와 C가 친척관계에 있다는 이유만으로도 전파가능성이 부정되므로 명예훼손죄가 성립될 여지가 없다.
③ 甲이 산후조리원을 이용한 후, 9회에 걸쳐 임신, 육아 등에 관한 인터넷 카페나 자신의 블로그 등에 자신이 직접 겪은 불편사항 등을 후기 형태로 게시한 경우, 이는 실제 이용하면서 느낀 주관적 평가이고 다소 과장되기는 했지만 대체로 객관적 사실에 부합되는 점 등 제반 사정에 비추어 볼 때 산후조리원 정보를 구하는 다른 임산부의 의사결정에 도움을 주는 정보 제공 등 공공의 이익에 관한 것이라고 봄이 타당하고, '비방할 목적'이 있었다고 보기 어렵다.
④ 적시된 사실이 허위의 사실이라고 하더라도 행위자에게 허위성에 대한 인식이 없는 경우에는 형법 제307조 제1항의 명예훼손죄가 성립될 수 있다.

해설 ① 대판 2024.1.4, 2022도699
② ×: ~ (3줄) 있다는 이유만으로 전파가능성이 부정된다고 볼 수 없어 명예훼손죄가 성립될 여지가 있다(대판 2020.11.19, 2020도5813 전원합의체).
③ 대판 2012.11.29, 2012도10392
④ 대판 2017.4.26, 2016도18024

Answer 17. ②

18 **명예훼손죄에 관한 설명으로 옳은 것을 모두 고른 것은?**(다툼이 있는 경우 판례에 의함) 24. 순경 2차

㉠ 전파가능성이 있다는 이유로 공연성을 인정하는 것은 문언의 통상적 의미를 벗어나 피고인에게 불리한 확장해석으로 죄형법정주의에서 금지하는 유추해석에 해당한다.
㉡ 사실적시의 내용이 사회일반의 일부 이익에만 관련된 사항이라도 다른 일반인과 공동생활에 관계된 사항이라면 공익성을 지니고 나아가 개인에 관한 사항이더라도 공공의 이익과 관련되어 있고 사회적인 관심을 획득하거나 획득할 수 있는 경우라면 직접적으로 국가·사회일반의 이익이나 특정한 사회집단에 관한 것이 아니라는 이유만으로 형법 제310조의 적용을 배제할 것은 아니다.
㉢ 객관적으로 피해자의 사회적 평가를 저하시키는 사실에 관한 발언이 보도, 소문이나 제3자의 말을 인용하는 방법으로 단정적인 표현이 아닌 전문 또는 추측의 형태로 표현된 경우, 표현 전체의 취지로 보아 사실이 존재할 수 있다는 것을 '암시'하는 방식으로 이루어졌다면 사실을 적시한 것으로 볼 수 없다.
㉣ 정보통신망 이용촉진 및 정보보호 등에 관한 법률위반(명예훼손)죄의 '비방할 목적'이란 공공의 이익을 위한 것과는 행위자의 주관적 의도의 방향에서 서로 상반되는 관계에 있으므로, 적시한 사실이 공공의 이익에 관한 것인 경우에는 특별한 사정이 없는 한 비방할 목적은 부인된다.
㉤ 명예훼손죄의 공연성에 관해 확립된 법리로 정착된 이른바 전파가능성 이론은 정보통신망 이용촉진 및 정보보호 등에 관한 법률 상 정보통신망을 이용한 명예훼손뿐만 아니라 공직선거법상 후보자비방죄 등의 공연성 판단에도 동일하게 적용된다.

① ㉠, ㉢, ㉣　② ㉡, ㉢, ㉤　③ ㉡, ㉣, ㉤　④ ㉡, ㉢, ㉣, ㉤

해설 ㉠ × : 대법원은 명예훼손죄의 공연성에 관하여 개별적으로 소수의 사람에게 사실을 적시하였더라도 그 상대방이 불특정 또는 다수인에게 적시된 사실을 전파할 가능성이 있는 때에는 공연성이 인정된다고 일관되게 판시하여, 이른바 전파가능성 이론은 공연성에 관한 확립된 법리로 정착되었다(대판 2020.11.19, 2020도5813 전원합의체 ※ ㉠은 반대의견임).
㉡ ○ : 대판 2020.11.19, 2020도5813 전원합의체
㉢ × : ~ (3줄) 사실을 적시한 것으로 보아야 한다(대판 2021.3.25, 2016도14995).
㉣ ○ : 대판 2020.3.2, 2018도15868
㉤ ○ : 대판 2020.11.19, 2020도5813 전원합의체

Answer 18. ③

제2절 신용 · 업무와 경매에 관한 죄

1 신용훼손죄

제313조 허위의 사실을 유포하거나 기타 위계로써 사람의 신용을 훼손한 자는 5년 이하의 징역 또는 1천 500만원 이하의 벌금에 처한다. 21. 경찰승진

보호법익 : 사람의 신용(경제적 신용, 즉 지불능력이나 지불의사에 대한 사회적 신뢰 : 대판 2006.5.25, 2004도1313) 14. 법원직, 18. 법원행시

진실인 사실을 공연히 유포하여 타인의 명예와 신용을 훼손한 경우 ⇨ 명예훼손죄 ○, 신용훼손죄 ×(∵ 허위사실 유포나 위계가 아님) 15. 순경 1차, 20. 경찰승진

관련판례

1. 신용훼손죄(형법 제313조)에서 '허위사실'은 객관적으로 보아 진실과 부합하지 않는 과거 또는 현재의 사실에 국한하지 않고 증거에 의한 입증이 가능한 미래의 사실도 포함하나, 단순한 의견이나 가치판단을 표시하는 것은 이에 해당하지 않는다(대판 1983.2.8, 82도2486 예 甲은 8년 전 남편을 잃고 세 자녀를 데리고 계를 조직하여 살아온 여자로서 현재 다액의 채무를 부담하고 집도 담보로 제공된 상태인데, 乙이 "甲은 집도 없고 남편도 없는 과부이며, 계주로서 계불입금을 모아서 도망가더라도 어느 한 사람 도와줄 수 없는 알몸이다."라고 계원들에게 말한 경우 ⇨ 신용훼손죄 × ∵ 허위사실 ×, 개인적 의견이나 평가임). 13. 경찰간부, 14. 법원직
2. 퀵서비스 운영자인 피고인이 배달업무를 하면서, 손님의 불만이 예상되는 경우에는 평소 경쟁관계에 있는 피해자 운영의 퀵서비스 명의로 된 영수증을 작성·교부함으로써 허위사실을 유포하여 손님들로 하여금 불친절하고 배달을 지연시킨 사업체가 피해자 운영의 퀵서비스인 것처럼 인식하게 한 경우 ⇨ 신용훼손죄 ×(대판 2011.5.13, 2009도5549 ∵ 피해자의 경제적 신용, 즉 지급능력이나 지급의사에 대한 사회적 신뢰를 저해하는 행위에 해당 ×) 17. 법원행시, 18. 경찰간부, 21. 경찰승진
3. 어느 사람의 점포의 물건 값이 유달리 비싸다고 말한 것은 그 사람의 지불의사에 대한 사회적 신뢰를 훼손하는 것이라고 볼 수 없다(대판 1969.1.21, 68도1660). 07. 경찰승진

2 업무방해죄

제314조 제1항 【업무방해죄】 제313조의 방법(허위사실 유포, 기타 위계) 또는 위력으로써 사람의 업무를 방해한 자는 5년 이하의 징역 또는 1천 500만원 이하의 벌금에 처한다.
제314조 제2항 【컴퓨터 등 장애 업무방해죄】 컴퓨터 등 정보처리장치 또는 전자기록 등 특수매체기록을 손괴하거나 정보처리장치에 허위의 정보 또는 부정한 명령을 입력하거나 기타 방법으로 정보처리장치에 장애를 발생하게 하여 사람의 업무를 방해한 자도 제1항의 형과 같다.

보호법익 : 사람의 업무(추상적 위험범)

(1) 일반업무방해죄

① **행위의 객체** : 타인의 업무이고 여기서 타인이라 함은 범인 이외의 자연인과 법인 및 법인격 없는 단체를 가리키므로 법적 성질이 영조물에 불과한 대학교 자체는 업무의 주체가 될 수 없다(대판 1999.1.15, 98도663). 20. 경찰간부

㉠ 업무방해죄의 보호대상이 되는 '업무'라 함은 직업 또는 사회생활상의 지위에 기하여 계속적으로 종사하는 사무나 사업을 말하는 것으로, 이러한 주된 업무와 밀접불가분의 관계에 있는 부수적인 업무도 이에 포함된다(대판 2023.9.27, 2023도9332 예 피고인들이 공모하여 이사회에서 '급여규정 일부 개정안'에 대하여 허위로 설명 또는 보고하거나 개정안과 관련하여 허위의 자료를 작성하여 제시하였는데, 위와 같은 행위로 위계로써 甲농협 감사의 甲농협의 재산과 업무집행상황에 대한 감사, 이사회에 대한 의견 진술 등에 관한 업무를 방해하였다는 내용으로 기소된 경우 ⇨ 업무방해죄× ∵ 감사의 특정 이사회 출석 및 의견 진술은 감사의 본래 업무와 밀접불가분의 관계에 있는 부수적인 업무라고 보기 어려워 피고인들의 행위로 이사회에 출석하여 의견을 진술한 이사회 구성원 아닌 감사의 업무가 방해된 경우에 해당한다고 볼 수 없음).

따라서 직업이나 사회생활상의 지위에 기한 것이라고 보기 어려운 단순한 개인적인 일상생활의 일환으로 행하여지는 사무는 업무방해죄의 보호대상인 업무에 해당한다고 볼 수 없다(대판 2017.11.9, 2014도3270 예 가정주부 乙은 개인적 용무로 고속버스를 타기 위해 고속버스터미널까지 자가용 차량을 운행한 후 근처에 있던 건물 주차장에 주차하였는데, 주차장 관리인 甲이 위 차량을 무단주차 차량으로 여기고 차량 앞 범퍼와 손수레 사이를 쇠사슬로 묶어 둔 경우 ⇨ 업무방해죄 ×).

또한 타인의 위법한 행위에 의한 침해로부터 보호할 가치가 있는 것이면 되고, 그 업무의 기초가 된 계약 또는 행정행위 등이 반드시 적법하여야 하는 것은 아니다(대판 2006.3.9, 2006도382). 16. 경찰승진, 18. 법원행시, 19. 법원직, 21. 경찰간부, 24. 해경간부

예 ① 선착장에 대한 공유수면점용허가를 받지 아니하고 선박으로 폐석을 운반하는 행위(대판 1996.11.12, 96도2214), 17. 법원직, 20. 경찰승진, 22. 해경간부 ② 대표 선출에 관한 규정에 위배하여 개최된 유림총회의 회의(대판 1991.2.12, 90도2501), 17. 7급 검찰, 20. 해경 1차, 21. 해경승진 ③ 건물의 임차인이 임대인의 승낙 없이 전차한 경우 전차인의 음식점 영업행위(대판 1986.12.23, 86도1372), 14. 법원행시 ④ 아파트관리단 총회에서 새로이 선임된 관리인(선임에 무효사유 ○)에 의해 재임명된 관리사무실 경리의 아파트 관리업무(대판 2006.3.9, 2006도382), ⑤ 한국도로공사가 고속도로 통행료 자동징수시스템을 도입하기로 결정하고 제조구매 입찰을 실시하면서 업체 선정을 위한 현장성능시험을 시행한 경우, 성능시험 자체가 부적합한 것으로 드러난 경우의 도로공사의 위 성능시험 업무(대판 2010.5.27, 2008도2344) 21. 법원행시 ⇨ 업무 ○

관련판례

1. ① 행위 자체는 1회성이나 본래의 업무수행의 일환으로 행해지는 것(종중정기총회를 주재하는 종중회장의 의사진행업무 : 대판 1995.10.12, 95도1589) ② 경비원이 상사의 명령에 의해 직장업무를 수행하는 경우에 일시적인 것(대판 1971.5.24, 71도399 예 공사장 내에서 배부하기 위하여 경비원 3명이 가지고 있는 공장폐쇄에 관한 유인물 50매 가량을 탈취한 경우) ③ 주간의 공장조업이 끝난 후 야간에

당직근무자 등을 통한 공장출입자에 대한 통제업무(대판 1992.9.11, 91도1834) ⇨ 업무 ○ 16. 순경 2차, 17. 경찰승진, 20. 수사경과, 21. 해경간부 · 해경승진, 23. 변호사시험

2. 주주로서 주총에서 의결권 등을 행사하는 것은 주식보유자로서 그 자격에서 권리를 행사한 것에 불과하지 업무에 해당 ×(대판 2004.10.28, 2004도1256) 16. 경찰승진 · 순경 2차, 17. 7급 검찰, 18. 수사경과, 20. 해경승진 · 해경 1차, 21. 법원행시
3. 업무방해죄의 '업무방해'는 널리 그 경영을 저해하는 경우에도 성립하는데, 업무로서 행해져 온 회사의 경영행위에는 그 목적 사업의 직접적인 수행뿐만 아니라 그 확장, 축소, 전환, 폐지 등의 행위도 정당한 경영권 행사의 일환으로서 이에 포함된다[예 일련의 경영상 계획의 일환으로서 시간적 · 절차적으로 일정기간의 소요가 예상되는 사업장 이전을 추진 · 실시하는 행위 ⇨ 업무 ○(대판 2005.4.15, 2004도8701 ∵ 계속성 ○, 회사의 본래 업무인 목적 사업의 경영과 밀접 불가분의 관계에서 그에 수반하여 이루어지는 것)]. 12. 사시, 18. 법원행시
4. 9시 이전에 출근하여 9시에 업무를 시작할 수 있도록 준비하는 행위 ⇨ 업무 ○(대판 1996.5.10, 96도419) 14. 경찰간부
5. 대학원 입학전형 업무 ⇨ 업무 ○(대판 1991.11.12, 91도2211) 16. 순경 2차
6. 학칙에 따라 입학에 관한 업무가 총장 甲의 권한에 속한다고 하더라도 그중 면접업무가 면접위원 A에게 위임되었다면, 그 위임된 업무는 A의 독립된 업무에 속하므로 甲과의 관계에서도 업무방해죄의 객체인 타인의 업무에 해당한다(대판 2018.5.15, 2017도19499). 24. 경찰간부

㉡ 일시적 또는 오락을 위한 업무, 형법상 보호할 가치가 없는 업무는 제외된다.

관련판례

법률상 보호할 가치가 있는 업무인지 여부는 그 사무가 사실상 평온하게 이루어져 사회적 활동의 기반이 되고 있느냐에 따라 결정되는 것이고, 그 업무의 개시나 수행과정에 실체상 또는 절차상의 하자가 있다 하더라도 그 정도가 사회생활상 도저히 용인할 수 없는 정도로 반사회성을 띠는 데까지 이르지 아니한 이상 업무방해죄의 보호대상이 된다(대판 2013.11.28, 2013도4430).

• 업무에 해당하지 않는 경우

1. 그 위법의 정도가 중하여 사회생활상 도저히 용인될 수 없는 정도로 반사회성을 띠거나(의료인이나 의료법인이 아닌 자가 의료기관을 개설하여 운영하는 행위 예 의사가 아닌 자가 의원을 개설하여 운영하자, 인근에서 병원을 운영하고 있는 의사가 위계 등의 방법으로 그 병원업무를 방해한 경우 ⇨ 업무방해죄 × : 대판 2001.11.30, 2001도2015 ; 공인중개사가 아닌 피해자의 중개업 : 대판 2007.1.11, 2006도6599) 법의 보호를 받을 가치를 상실한 경우(법원의 직무집행정지가처분결정에 의해 그 직무집행이 정지된 자가 법원의 결정에 반하여 직무수행함으로써 업무를 계속 행하는 경우 : 대판 2002.8.23, 2001도5592) 16. 순경 2차, 17. 7급 검찰 · 법원직, 20. 해경승진 · 해경 1차, 21. 경찰간부 · 해경간부, 22. 경찰승진, 23. 경력채용 · 법원행시, 24. 변호사시험
   ▶ **비교판례** : 의료인이나 의료법인이 아닌 자가 의료기관을 개설하여 운영하는 행위는 업무방해죄의 보호대상이 되는 업무에 해당하지 않는다. **그러나** 무자격자에 의해 개설된 의료기관에 고용된 **의료인이 환자를 진료한다고 하여 그 진료행위 또한 당연히 반사회성을 띠는 행위라고 볼 수는**

없다. 이때 의료인의 진료업무가 업무방해죄의 보호대상이 되는 업무인지는 의료기관의 개설・운영 형태, 해당 의료기관에서 이루어지는 진료의 내용과 방식, 피고인의 행위로 인하여 방해되는 업무의 내용 등 사정을 종합적으로 고려하여 판단해야 한다〔대판 2023.3.16, 2021도16482 예 의료인인 甲의 명의로 의료인이 아닌 乙이 개설하여 운영하는 丙병원에서, 피고인이 11회에 걸쳐 큰 소리를 지르거나 환자 진료 예약이 있는 甲을 붙잡고 있는 등의 방법으로 위력으로써 甲의 진료업무를 방해한 경우 ⇨ 乙에 대한 업무방해죄 ×(∵ 甲병원의 운영에 관한 업무는 업무방해죄의 보호대상이 되는 업무 ×), 甲에 대한 위력에 의한 업무방해죄 ○〕. 24. 경찰간부・순경 2차

2. 폭력조직 간부인 피고인이 조직원들과 공모하여 甲이 운영하는 성매매업소 앞에 속칭 '병풍'을 치거나 차량을 주차해 놓는 등 위력으로써 업무를 방해한 경우 ⇨ 업무방해죄 ×(대판 2011.10.13, 2011도7081 ∵ 甲의 성매매업소 운영업무는 업무방해죄의 보호대상이 되는 업무라고 볼 수 없다.) 17. 법원직, 18. 수사경과, 21. 해경승진, 22. 해경간부, 23. 경찰승진, 24. 해경간부

3. 초등학생들이 학교에 등교하여 교실에서 수업을 듣는 것은 학생들 본인의 권리를 행사하는 것이거나 국가 내지 부모들의 의무를 이행하는 것에 불과할 뿐 그것이 '직업 기타 사회생활상의 지위에 기하여 계속적으로 종사하는 사무 또는 사업'에 해당한다고 할 수 없다(대판 2013.6.14, 2013도3829 ∴ 학생들이 학교에 등교하여 교실에서 수업을 듣는 것이 형법상 업무방해죄의 보호대상이 되는 '업무'에 해당 ×). 16. 순경 2차・경찰승진, 20. 해경승진, 22. 해경간부, 23. 변호사시험・법원행시

4. 정당한 업무수행이라 할 수 없는 행위 : ① 회사운영권의 양도・양수 합의의 존부 및 효력에 관한 다툼이 있는 상황에서 양수인이 비정상적으로 위 회사의 임원변경등기를 마친 것(대판 2007.8.23, 2006도3687), ② 식당 본점 운영권의 양도・양수 합의의 존부 및 그 효력을 둘러싸고 다툼이 있는 상황에서, 일방적으로 식당 업무용 계좌와 현금카드 비밀번호를 변경하고 사실상 단독으로 식당영업을 한 경우(대판 2013.8.23, 2011도4763) ⇨ 업무방해죄의 업무 ×

㉢ 생명・신체에 대한 위험을 초래할 업무에 국한(업무상 과실치사상죄)되지 않는다.

㉣ 업무방해죄의 업무에 공무가 포함되는가를 둘러싸고 견해의 대립이 있다.

공무포함설(적극설), 공무제외설(소극설 : 다수설・판례)

관련판례

공무원이 직무상 수행하는 공무를 방해하는 행위에 대해서는 업무방해죄로 의율할 수는 없다고 해석함이 상당하다〔예 ① 동사무소에서 기초생활수급자 지원금이 줄어들었다는 이유로 담당 직원에게 소리를 지르고 욕설을 하면서 기물을 파손하는 등 정상적인 근무를 못하게 한 경우 ⇨ 위력에 의한 업무방해죄 × : 대판 2009.11.19, 2009도4166 전원합의체 ② 경찰청 민원실에서 민원인들이 진정사건의 처리와 관련하여 경찰청장과의 면담 등을 요구하면서 이를 제지하는 경찰관들에게 큰소리로 욕설을 하고 행패를 부린 행위 ⇨ 위력에 의한 업무방해죄 × : 대판 2010.2.25, 2008도9049 ③ 위력으로 시장(市長)의 기자회견 업무를 방해한 행위 ⇨ 위력에 의한 업무방해죄 × : 대판 2011.7.28, 2009도11104〕. 15. 순경 2차, 18. 경력채용, 19. 법원직, 20. 수사경과, 21. 해경승진, 23. 경찰승진・법원행시, 24. 변호사시험

② **행위** : 허위사실을 유포하거나 기타 위계 또는 위력으로써 업무를 방해하는 것

㉠ **허위사실의 유포와 위계**

관련판례

1. 위계에 의한 업무방해죄에 있어서 위계라 함은 행위자의 행위목적을 달성하기 위하여 상대방에게 오인, 착각 또는 부지를 일으키게 하여 이를 이용하는 것을 말하며, 상대방이 이에 따라 그릇된 행위나 처분을 하였다면 위계에 의한 업무방해죄가 성립된다(대판 1992.6.9, 91도2221). 22. 법원직
2. 업무담당자가 사실을 충분히 확인하지 아니한 채 신청인이 제출한 허위 신청사유나 허위 소명자료를 가볍게 믿고 수용하였다면 이는 업무담당자의 불충분한 심사에 기인한 것으로서 신청인의 위계가 업무방해의 위험성을 발생시켰다고 할 수 없어 위계에 의한 업무방해죄를 구성하지 않는다(대판 2023.8.31, 2021도17151). 23. 법원직

• **위계**(허위사실 유포)**에 의한 업무방해죄에 해당하는 경우**

1. ① 사립대학교수가 대학원신입생전형시험문제를 응시자에게 알려주어 시험을 보게 한 경우(대판 1991.11.12, 91도2211 ▶ **주의** : 시험의 출제위원이 문제를 선정하여 시험실시자에게 제출하기 전에 이를 유출하였다고 하더라도 이는 위계를 사용하여 시험실시자의 업무를 방해하는 행위가 아니라 그 준비단계에 불과하고, 그 후 유출된 문제가 시험실시자에게 제출되지도 아니하였다면 시험실시업무가 방해될 추상적인 위험조차도 없어 위계에 의한 업무방해죄가 성립하지 아니한다(대판 1991.12.10, 99도3487). 20. 변호사시험, 21. 순경 2차 ② 대학총장 · 교무처장 또는 채점위원이 입학시험 성적을 고쳐 허위사정부를 작성하여 합격자를 결정한 경우(대판 1993.5.11, 92도255) ③ 타인에 의하여 대작한 논문의 내용에 약간의 수정만을 가하여 석사학위논문으로 제출한 경우(대판 1996.7.30, 94도2708) 15. 사시, 17. 7급 검찰, 20. 해경 1차, 21. 순경 2차 ④ 다른 사람이 작성한 논문을 피고인 단독 혹은 공동으로 작성한 논문인 것처럼 학술지에 제출하여 발표한 논문연구실적을 부교수 승진심사 서류에 포함하여 제출한 경우(대판 2009.9.10, 2009도4772, 당해 논문을 제외한 다른 논문만으로도 부교수 승진요건을 월등히 충족하고 있었다 하더라도 본죄 성립) 18. 법원행시, 21. 순경 2차
2. 서류배달업 회사의 직원이 회사가 배달을 의뢰받은 서류포장 속에 특정 종교를 비방하는 전단을 집어넣어 함께 배달되도록 한 경우(대판 1999.5.14, 98도3767) 14. 수사경과, 15. 사시, 24. 해경승진
3. 미국대사관(주한외국영사관)에 비자를 신청하면서 허위사실을 기재한 신청서와 이를 입증할 다른 허위자료까지 제출하고 공범에게는 혹시 미국대사관에서 문의전화가 오면 허위답변을 하도록 시킨 경우(∵ 업무담당자가 충분히 심사를 하였으나 신청사유 · 소명자료가 허위임을 발견하지 못하여 그 신청을 수리한 경우 : 대판 2004.3.26, 2003도7927 ▶ 그러나 업무담당자의 불충분한 심사에 기인한 경우 ⇨ 본죄 ×) 21. 순경 2차, 23. 경찰승진
4. 컴퓨터 등 정보처리장치에 정보를 입력하는 등의 행위가 그 입력된 정보 등을 바탕으로 업무를 담당하는 사람의 오인, 착각 또는 부지를 일으킬 목적으로 행해진 경우에는 그 행위가 업무를 담당하는 사람을 직접적인 대상으로 이루어진 것이 아니더라도 위계에 해당한다(대판 2013.11.28, 2013도5117 예 정당의 국회의원 비례대표 후보자 추천을 위한 당내 경선과정에서 피고인들이 선거권자들로부터 인증번호만을 전달받은 뒤 그들 명의로 특정 후보자에게 전자투표를 하는 방법으로 위계로써 정당의 경선관리 업무를 방해한 경우 ⇨ 위계에 의한 업무방해죄 ○). 16. 경찰간부, 21. 해경승진, 22. 법원직, 24. 순경 2차

5. 특정 회사가 제공하는 게임사이트에서 정상적인 포커게임을 하고 있는 것처럼 가장하면서 통상적인 업무처리 과정에서 적발해 내기 어려운 사설 프로그램('한도우미 프로그램')을 이용하여 약관상 양도가 금지되는 포커머니를 약속된 상대방에게 이전해 준 경우(대판 2009.10.15, 2007도9334) 10. 사시, 14. 경찰승진, 17. 순경 2차
6. 노동운동을 할 목적으로 타인 명의로 허위의 학력 · 경력을 기재한 이력서와 생활기록부 등을 제출하여 채용시험에 합격한 경우(대판 1992.6.9, 91도2221) 05. 법원행시, 17. 변호사시험
7. 고속도로 통행요금징수 기계화시스템의 성능에 대한 한국도로공사의 현장평가시에 각종 소형화물차 16대의 타이어 공기압을 낮추어 접지면을 증가시킨 후 설비가 설치되어 있는 톨게이트를 통과하도록 한 경우(대판 1994.6.14, 93도288) 16. 경찰간부, 21. 해경승진
8. 조작되지 않은 필기시험 점수에 의할 경우 면접시험에 응시할 자격이 없는 자들을 점수조작행위에 의하여 면접시험에 응시할 수 있게 한 경우(대판 2010.3.25, 2009도8506) 13. 변호사시험
9. 가명으로 개설된 어음보관계좌(전산기록상의 가명계좌 원장)를 삭제하고 실명계좌에 보관된 것으로 실명계좌의 원장을 조작한 경우(대판 1995.11.14, 95도1729 ▶ 기존의 비실명예금을 합의차명에 의하여 명의대여자의 실명으로 전환한 행위 ⇨ 금융기관의 실명전환업무방해 × : 대판 1997.4.17, 96도3377 전원합의체) 10. 경찰승진
10. 노조간부들이 일방적으로 휴무를 결정한 후 유인물을 배포하여 유급휴일로 오인한 근로자들이 출근하지 않게 한 경우(대판 1992.3.31, 92도58) 14. 법원행시
11. 전용실시권 없는 의장권만을 경락받은 자가 자기에게만 실시권이 있다고 주장하면서 물품 제조 · 판매의 중지와 불응시 제재하겠다는 통고문을 발송한 경우(대판 1977.4.26, 76도2446) 05. 법원행시
12. 비방목적으로 소비자보호원의 발표내용을 과장 · 왜곡하고 발표에 들어 있지 않은 내용을 삽입하여 신문에 광고한 경우 ⇨ 업무방해죄와 출판물에 의한 명예훼손죄의 상상적 경합(대판 1993.4.13, 92도3035)
13. 회사의 소방사업부장이 소속 직원들에게 허위의 사실을 유포하는 등의 방법을 사용하여 직원들로부터 사표를 제출받은 경우(대판 2002.3.29, 2000도3231) 07. 경찰승진
14. 변호사 사무실 앞에서 붉은색 페인트로 "무죄라 약속하고 200만원에 선임했다."라는 등 허위사실(약속한 사실이 없고 피고인이 자백하여 유죄선고 받고 확정됨)을 기재한 흰 까운을 입고 낚시용 의자에 앉거나 주변을 배회한 경우(대판 1991.8.27, 91도1344)
15. 피고인들이 공모한 후 마치 특정 지역에서 甲주식회사의 농기계 판매권한이 있는 것처럼 광고하여 농기계를 판매함으로써 위 지역에 대한 농기계 위탁판매권한을 취득한 乙의 업무를 방해한 경우(대판 2011.7.14, 2011도3782)
16. 피고인이 여행을 할 의사가 없으면서 마치 여행을 할 것처럼 인터넷을 통하여 여행상품에 대한 예약을 한 후 스스로 취소하거나 예약금을 입금하지 아니함으로써 여행사로 하여금 그 예약을 취소하게 하는 등으로 여행사의 관련 업무를 방해하였거나 그 결과를 초래할 위험을 발생시킨 경우(대판 2013.3.14, 2010도410)
17. 피고인 甲, 乙이 공모하여, 피고인 甲은 丙 고등학교의 학생 丁이 약 10개월 동안 총 84시간의 봉사활동을 한 것처럼 허위로 기재된 봉사활동확인서를 발급받아 피고인 乙에게 교부하고, 피고인 乙은 이를 丁의 담임교사를 통하여 丙 학교에 제출하여 丁으로 하여금 2010년도 학교장 명의의 봉사상을 수상하도록 하는 방법으로 위계로써 학교장의 봉사상 심사 및 선정 업무를 방해한 경우 ⇨ 위계에

의한 업무방해죄 ○(대판 2020.9.24, 2017도19283 ∵ 학교장은 피고인 乙이 제출한 봉사활동확인서에 기재된 대로 丁이 봉사활동을 한 것으로 오인·착각하여 丁을 봉사상 수상자로 선정하였으므로, 피고인들의 허위 봉사활동확인서 제출로써 학교장의 봉사상 심사 및 선정 업무 방해의 결과를 초래할 위험이 발생됨.) 22. 순경 2차

• 위계에 의한 업무방해죄에 해당하지 않는 경우

1. 지방공사 사장이 신규직원 채용권한을 행사하는 것은 공사의 기관으로서 공사의 업무를 집행하는 것이므로, 신규직원 채용업무는 위 권한의 귀속주체인 사장 본인에 대한 관계에서도 업무방해죄의 객체인 타인의 업무에 해당하나, 신규직원 채용권한을 가지고 있는 지방공사 사장이 시험업무 담당자들에게 지시하여 상호 공모 내지 양해하에 시험성적조작 등의 부정한 행위를 한 경우 법인인 공사에게 신규직원 채용업무와 관련하여 오인·착각 또는 부지를 일으키게 한 것이 아니므로 업무방해죄에 해당하지 않는다(대판 2007.12.27, 2005도6404). 20. 경찰승진·수사경과·해경승진, 23. 법원행시·변호사시험

   ▶ **비교판례** : 수산업협동조합의 신규직원 채용에 응시한 A와 B가 필기시험에서 합격선에 못 미치는 점수를 받게 되자, 채점업무 담당자들이 조합장인 피고인의 지시에 따라 점수조작행위를 통하여 이들을 필기시험에 합격시킴으로써 필기시험 합격자를 대상으로 하는 면접시험에 응시할 수 있도록 한 사안에서, 위 점수조작행위에 공모 또는 양해하였다고 볼 수 없는 일부 면접위원들이 조합의 신규직원 채용업무로서 수행한 면접업무는 위 점수조작행위에 의하여 방해되었다고 보아야 한다(대판 2010.3.25, 2009도8506). 24. 해경간부

2. 대학교 시간강사 임용과 관련하여 허위의 학력이 기재된 이력서만을 제출한 경우, 임용심사업무 담당자가 불충분한 심사로 인하여 허위 학력이 기재된 이력서를 믿은 것이므로 위계에 의한 업무방해죄를 구성하지 않는다(대판 2009.1.30, 2008도6950). 16. 경찰간부, 18. 법원행시, 19. 수사경과, 21. 해경승진

   ▶ **유사판례**

   ① A대학이 예술경영학과의 교수로 甲을 채용하는 데 있어서 甲이 제출한 허위의 이력서와 성적증명서에 대해 충분히 확인하지 않고 교수로 채용한 경우 ⇨ 위계에 의한 업무방해죄 ×(대판 2008.6.26, 2008도2537 ∵ 업무담당자의 불충분한 심사에 기인한 것)

   ② 계좌개설 신청인이 접근매체를 양도할 의사로 금융기관에 법인 명의 계좌를 개설하면서 예금거래신청서 등에 금융거래의 목적이나 접근매체의 양도의사 유무 등에 관한 사실을 허위로 기재하였으나, 계좌개설 심사업무를 담당하는 금융기관의 업무담당자가 단순히 예금거래신청서 등에 기재된 계좌개설 신청인의 허위 답변만을 그대로 믿고 그 내용의 진실 여부를 확인할 수 있는 증빙자료의 요구 등 추가적인 확인조치 없이 법인 명의의 계좌를 개설해 준 경우 ⇨ 위계에 의한 업무방해죄 ×(대판 2023.8.31, 2021도17151)

3. 방송국 프로듀서 등 피고인들이 특정 프로그램 방송보도를 통하여 미국산 쇠고기는 광우병 위험성이 매우 높은 위험한 식품이고 우리나라 사람들이 유전적으로 광우병에 몹시 취약하다는 취지의 보도를 한 경우 ⇨ 미국산 쇠고기 수입·판매업자들에 대한 업무방해죄 ×(대판 2011.9.2, 2010도17237 ∵ 미국산 쇠고기의 식품안정성 및 수입협상의 문제점을 지적하고 협상체결과 관련한 정부 태도를 비판한 것으로 업무방해의 고의 ×) 16. 경찰간부, 21. 해경승진

4. 인터넷 자유게시판 등에 실제의 객관적인 사실을 게시하는 행위는 설령 그로 인하여 피해자의 업무가 방해된다고 하더라도, 형법 제314조 제1항에 정한 위계에 의한 업무방해죄에 있어서의 '위계'에 해당하지 않는다(대판 2007.6.29, 2006도3839). 19. 경찰승진, 21. 경찰간부, 22. 수사경과
5. 공장을 양도한 후에 계약을 위배하여 외상채무자로부터 외상대금을 수령한 경우(대판 1984.5.9, 83도2270 ∵ 공장경영업무를 방해 ×) 14. 순경 1차, 15. 수사경과, 21. 법원행시
6. 어장의 대표자가 후임자에게 어장에 대한 허위채권을 주장하면서 인장의 인도를 거절한 경우(대판 1984.7.10, 84도638 ∵ 피고인의 허위주장 ⇨ 허위사실 유포 ×, 위계 ×) 07. 경찰승진, 19. 경찰간부
7. A주식회사의 상무이사인 甲이, 면접위원인 乙이 면접을 모두 끝낸 후 채점표를 작성하여 제출하고 면접장소에서 먼저 퇴장하자, 남아 있던 다른 면접직원들을 설득하여 남은 면접위원들이 甲의 제안을 수용하여 甲이 지정한 응시자를 최종합격자로 결정한 경우 ⇨ 위계에 의한 업무방해죄 ×(대판 2017.5.30, 2016도18858 ∵ 피고인이 최종합격자를 선정하는 데 영향력을 행사하였더라도 그러한 행위가 면접업무를 이미 마친 乙에게 오인·착각 또는 부지를 일으켰다고 할 수 없다.) 21. 법원행시
8. 피해 회사가 사용하기로 한 서비스표를 피고인이 먼저 출원하여 특허청에 등록한 경우 ⇨ 위계에 의한 업무방해죄 ×(대판 2020.11.12, 2017도7236 ∵ 피고인이 피해 회사가 사용 중인 서비스표를 피해 회사보다 시간적으로 먼저 등록출원을 하였다거나 피해 회사가 사용 중인 서비스표의 제작에 실제로는 관여하지 않았으면서도 서비스표 등록출원을 하였다는 등의 사정만으로는 피해 회사에 대한 위계에 해당한다고 단정하기 어렵다.)
9. 피고인이 피해자 게임회사들이 제작한 모바일게임의 이용자들의 게임머니나 능력치를 높게 할 수 있는 변조된 게임프로그램을 해외 인터넷 사이트에서 다운로드받은 다음, 게임프로그램을 변조한 후 자신이 직접 개설한 모바일 어플리케이션 공유사이트 게시판에 위와 같이 변조한 게임프로그램들을 게시·유포한 경우 ⇨ 위계에 의한 업무방해죄 ×(대판 2017.2.21, 2016도15144 ∵ 게임이용자가 변조된 게임프로그램을 설치·실행하여 게임서버에 접속하여야 비로소 게임회사에 대한 위계에 의한 업무방해죄가 성립한다.)
10. 업무방해죄에서 '허위사실의 유포'라고 함은 객관적으로 진실과 부합하지 않는 사실을 유포하는 것으로서 단순한 의견이나 가치판단을 표시하는 것은 이에 해당하지 아니한다. 의견표현과 사실 적시가 혼재되어 있는 경우에는 이를 전체적으로 보아 허위사실을 유포하여 업무를 방해한 것인지 등을 판단해야지, 의견표현과 사실 적시 부분을 분리하여 별개로 범죄의 성립 여부를 판단해서는 안 된다. 반드시 기본적 사실이 거짓이어야 하는 것은 아니고 비록 기본적 사실은 진실이더라도 이에 거짓이 덧붙여져 타인의 업무를 방해할 위험이 있는 경우도 업무방해에 해당한다. 그러나 그 내용의 전체 취지를 살펴볼 때 중요한 부분은 객관적 사실과 합치되는데 단지 세부적인 사실에 약간 차이가 있거나 다소 과장된 정도에 불과하여 타인의 업무를 방해할 위험이 없는 경우는 이에 해당하지 않는다(대판 2017.4.13, 2016도19159 예 지역주택조합 설립에 반대한다는 내용의 현수막에 지역주택조합 실패 시 개발 투자금 중 일부가 아니라 '전부'를 날릴 수 있다고 기재되어 있는 경우, 사실을 과장하여 표현한 것에 불과하므로, 이를 허위사실의 유포에 해당한다고 보기는 어렵다). 24. 해경경위
11. 피고인이 전화금융사기 편취금을 혼자 한꺼번에 자동화기기(ATM)를 통해 무매체 입금하는 것임에도 마치 여러 명이 각각 피해자 은행들의 '1인 1일 100만원' 한도를 준수하면서 입금하는 것처럼 가장하여 전화금융사기 조직원으로부터 제공받은 제3자의 이름과 주민등록번호를 자동화기기에 입력한 후 100만원 이하의 금액으로 나누어 불상의 계좌로 무매체 입금한 경우 ⇨ 위계에 의한

업무방해죄 ×(대판 2022.2.11, 2021도15246 ∵ 무매체 입금거래가 완결되는 과정에서 은행 직원 등 다른 사람의 업무가 관여되었다고 볼 만한 사정이 없으므로, 업무방해죄의 '위계'에 해당하지 않는다.) 22. 법원직

12. 계좌개설 신청인이 접근매체를 양도할 의사로 금융기관에 법인 명의 계좌를 개설하면서 예금거래신청서 등에 금융거래의 목적이나 접근매체의 양도의사 유무 등에 관한 사실을 허위로 기재하였으나, 계좌개설 심사업무를 담당하는 금융기관의 업무담당자가 단순히 예금거래신청서 등에 기재된 계좌개설 신청인의 허위 답변만을 그대로 믿고 그 내용의 진실 여부를 확인할 수 있는 증빙자료의 요구 등 추가적인 확인조치 없이 법인 명의의 계좌를 개설해 준 경우 ⇨ 위계에 의한 업무방해죄 ×(대판 2023.8.31, 2021도17151) 24. 법원직
13. 피고인이 법학전문대학원 박사학위 논문 예비심사 과정에서 지도교수에 의한 수정·보완을 거친 예심자료를 마치 자신이 작성한 것처럼 제출하고 발표한 경우 ⇨ 위계에 의한 업무방해죄 ×(대판 2023.9.14, 2021도13708 ∵ 법학전문대학원 원장 등에게 오인·착각 또는 부지를 일으키게 하여 이를 이용하였다거나, 업무방해의 결과를 초래할 위험이 발생하였다고 단정하기 어렵다.)

㉡ 위 력

관련판례

1. '위력'이란 사람의 자유의사를 제압·혼란케 할 만한 일체의 세력으로, 유형적이든 무형적이든 묻지 아니하므로, 폭력·협박은 물론 사회적·경제적·정치적 지위와 권세에 의한 압박 등도 이에 포함되지만, 적어도 그러한 위력으로 인하여 피해자의 자유의사를 제압하기에 충분하다고 평가될 정도의 세력에는 이르러야 한다(대판 2023.3.30, 2019도7446). 24. 순경 2차 그러나 현실적으로 피해자의 자유의사가 제압될 것을 요하는 것은 아니고, 제반 사정을 고려하여 객관적으로 판단하여야 하고, 피해자 등의 의사에 의해 결정되는 것은 아니다(대판 2009.9.10, 2009도5732). 17. 순경 2차, 23. 법원직, 24. 변호사시험·해경경위
2. 업무방해죄의 수단인 위력은 사람의 자유의사를 제압·혼란하게 할 만한 일체의 억압적 방법을 말하고 이는 제3자를 통하여 간접적으로 행사하는 것도 포함될 수 있다. 그러나 어떤 행위의 결과 상대방의 업무에 지장이 초래되었다 하더라도 행위자가 가지는 정당한 권한을 행사한 것으로 볼 수 있는 경우에는, 그 행위의 내용이나 수단 등이 사회통념상 허용될 수 없는 등 특별한 사정이 없는 한 업무방해죄를 구성하는 위력을 행사한 것이라고 할 수 없다. 따라서 제3자로 하여금 상대방에게 어떤 조치를 취하게 하는 등으로 상대방의 업무에 곤란을 야기하거나 그러한 위험이 초래되게 하였더라도, 행위자가 그 제3자의 의사결정에 관여할 수 있는 권한을 가지고 있거나 그에 대하여 업무상의 지시를 할 수 있는 지위에 있는 경우에는 특별한 사정이 없는 한 업무방해죄를 구성하지 아니한다(대판 2013.2.28, 2011도16718). 23. 법원직
3. 피해자에 대한 폭행행위가 동일한 피해자에 대한 업무방해죄의 수단이 되었다고 하더라도 그러한 폭행행위는 이른바 '불가벌적 수반행위'에 해당하므로 업무방해죄에 대하여 흡수관계에 있다고 볼 수 없다(대판 2012.10.11, 2012도1895). 20. 7급 검찰, 23. 법원직, 24. 순경 2차

• **위력에 의한 업무방해죄에 해당하는 경우**

1. 쟁의행위로서의 파업이 언제나 업무방해죄에 해당하는 것으로 볼 것은 아니고, 전후 사정과 경위 등에 비추어 사용자가 예측할 수 없는 시기에 전격적으로 이루어져 사용자의 사업운영에 심대한 혼란 내지 막대한 손해를 초래하는 등으로 사용자의 사업계속에 관한 자유의사가 제압·혼란될 수 있다고 평가할 수 있는 경우에 비로소 그 집단적 노무제공의 거부가 위력에 해당하여 업무방해죄가 성립한다고 봄이 상당하다(대판 2011.3.17, 2007도482 전원합의체, 근로자 182명 중 9명만이 부분파업에 참여한 경우 ⇨ 위력 × : 대판 2011.10.27, 2010도7733). 15. 법원행시, 17. 순경 2차, 18. 경찰간부, 19. 법원직, 21. 수사경과, 22. 경찰승진

2. 피고인이 자신의 명의로 등록되어 있는 피해자 운영의 학원에 대하여 피해자에게 사전통고를 하였으나 피해자의 승낙을 받지 아니하고 폐원신고를 한 행위〔대판 2005.3.25, 2003도5004 예 피고인이 인천시와의 전대금지 약정 때문에 피해자와 동업하는 것처럼 계약하여 미술학원을 임대해 주었는데, 그 후 피고인이 피해자의 미술학원에 대하여 임의로 폐원신고를 하여 피해자가 영업을 할 수 없게 한 경우 ⇨ 위력 ○, 위계 ×(∵ 피해자에게 사전통고)〕 17. 경찰승진, 19. 수사경과, 21·23. 법원행시

   ▶ **비교판례** : 임대인 甲으로부터 건물을 임차하여 학원을 운영하던 피고인이 건물을 인도한 이후에도 자신 명의로 된 학원설립등록을 말소하지 않고 휴원신고를 연장함으로써 새로운 임차인 乙이 그 건물에서 학원설립등록을 하지 못하도록 한 경우 ⇨ 업무방해죄 ×(대판 2010.11.25, 2010도9186 ∵ 피고인의 휴원연장신고와 乙이 학원설립등록을 하지 못한 점 사이에 인과관계가 있다고 단정하기 어렵고, 피고인의 행위가 乙의 자유의사를 제압·혼란케 할 정도의 위력에 해당한다고 보기 어렵다.) 17. 경찰간부, 18. 수사경과, 19. 경찰승진

3. 대부업체 직원이 대출금을 회수하기 위하여 소액의 지연이자를 문제삼아 법적 조치를 거론하면서 소규모 간판업자인 채무자의 휴대전화로 수백 회(460여 회의 전화, 실제통화 19여 회)에 이르는 전화공세를 한 경우(대판 2005.5.27, 2004도8447) 17. 7급 검찰, 18. 변호사시험, 20. 해경 1차

4. 임대인이 임차인의 물건을 임의로 철거·폐기할 수 있다는 임대차계약 조항에 따라 임대인이 임차인 점포의 간판을 철거하고 출입문을 봉쇄한 경우(대판 2005.3.10, 2004도341) 17. 경찰간부, 18. 법원직

5. 대표선출에 관한 규정에 위배하여 개최된 유림 총회의 회의를 위력으로 진행하지 못하게 하고, 걸려 있는 현수막을 제거하였으며, 회의장에 들어가려는 대의원들을 회의에 참석하지 못하게 하였다. 이로 인해 총회의 무기연기가 선언된 경우(대판 1991.2.12, 90도2501) 17. 7급 검찰, 20. 해경 1차, 21. 해경승진

6. 임차인이 임대인의 승낙 없이 건물을 전대차하자 임대인이 그 건물을 폐쇄하고 전차인소유의 집기를 들어낸 경우(대판 1986.12.23, 86도1372) 14. 법원행시

   ▶ **유사판례** : 주차장이 원래 소유자이었던 乙로부터 丙, 丁, 戊에게 순차 임대 또는 전대되어 戊가 주차장을 운영해 오고 있었는데, 정당한 소유자로부터 위 주차장을 새로 임대받은 甲이 戊의 주차장 영업을 방해한 경우(대판 2008.3.14, 2007도11181 ∵ 戊의 주차장 영업은 업무방해죄의 보호대상이 되는 업무임) 15. 경찰간부

7. 피해자가 시장번영회를 상대로 잦은 진정을 하고 협조를 하지 않는다는 이유로 시장번영회 총회결의에 의하여 피해자 소유점포에 대하여 정당한 권한 없이 단전조치를 한 경우(대판 1983.11.8, 83도1798) 05. 법원행시, 19. 경찰간부

8. 피고인이 피해자들이 경작 중이던 농작물을 트랙터를 이용하여 갈아엎은 다음 그곳에 이랑을 만들고 새로운 농작물을 심어 피해자의 자유로운 논밭 경작 행위를 불가능하게 하거나 현저히 곤란하게

한 경우(대판 2009.9.10, 2009도5732 ∵ 업무방해죄의 위력은 반드시 업무에 종사 중인 사람에게 직접 가해지는 세력만을 의미하는 것은 아니고, 사람의 자유의사를 제압하기에 족한 일정한 물적 상태를 만들어 사람으로 하여금 자유로운 행동을 불가능하게 하거나 현저히 곤란하게 하는 행위도 이에 포함될 수 있음) 10. 사시

9. 피고인들이 건물신축 공사현장에 무단으로 들어간 뒤 타워크레인에 올라가 이를 점거한 사안에서, 주거침입죄가 성립하지 않고 업무방해죄를 구성한다(대판 2005.10.7, 2005도5351).
10. 주주총회에 참석한 의결권 대리인들이 대표이사의 주주총회장에서의 퇴장요구를 거절하면서 고성과 욕설 등을 사용하여 대표이사의 주주총회의 개최 및 진행을 포기하게 만든 경우(대판 2001.9.7, 2001도2917)
11. 자신의 명의로 사업자등록이 되어 있고 자신이 상주하여 지게차 판매 등을 하고 있는 지위를 이용하여, 피해자의 사업장 출입을 금지하기 위하여 출입문에 설치된 자물쇠의 비밀번호를 변경한 행위(대판 2009.4.23, 2007도9924) 15. 수사경과
12. 甲주식회사 임원인 피고인이 자동차 판매수수료율과 관련하여 대리점 사업자들과 甲회사 사이에 의견대립이 고조되자, 대리점 사업자 乙이 일정액의 사용료를 지급하고 판매정보 교환 등에 이용해 오던 甲회사의 내부전산망 전체 및 고객관리시스템 중 자유게시판에 대한 접속권한을 차단한 경우(대판 2012.5.24, 2009도4141) 14. 수사경과
13. 근로자들을 선동하여 근로자들이 통상적으로 해 오던 연장근로를 집단적으로 거부하도록 함으로써 회사업무의 정상운영을 방해한 경우(대판 1996.2.27, 95도2970)
14. 쟁의행위가 업무방해죄에 해당하는 경우 제3자가 그러한 정을 알면서 쟁의행위의 실행을 용이하게 한 경우에는 업무방해방조죄가 성립할 수 있다. 다만, 위법한 쟁의행위에 대한 조력행위가 업무방해방조에 해당하는지 판단할 때는 헌법이 보장하는 기본권(노동3권, 표현의 자유, 일반적 행동의 자유)이 위축되지 않도록 업무방해방조죄의 성립범위를 신중하게 판단하여야 한다(대판 2021.9.16, 2015도12632).
15. 도로 가운데 앉거나 선 채로 제주 민·군 복합항 건설공사현장에 출입하는 차량의 앞을 가로막은 경우(대판 2021.10.28, 2016도3986)
16. 정치적인 의사표현을 위한 집회나 행위가 헌법 제21조에 따라 보장되는 정치적 표현의 자유나 헌법 제10조에 내재된 일반적 행동의 자유의 관점 등에서 보호받을 가능성이 있더라도 전체 법질서상 용인될 수 없을 정도로 사회적 상당성을 갖추지 못한 때에는 그 행위 자체가 위법한 세력의 행사로서 형법 제314조 제1항의 업무방해죄에서 말하는 위력의 개념에 포섭될 수 있다(대판 2022.6.16, 2021도16591).

- **위력에 의한 업무방해죄에 해당하지 않는 경우**

1. 주식회사 대표이사가 직원(130명)을 동원하여 주주총회에서 위력으로 21명의 개인주주들이 발언권·의결권을 행사하지 못하도록 방해한 경우(대판 2004.10.28, 2004도1256 ∵ 주주로서 주총에서 의결권 등을 행사하는 것은 주식보유자로서 그 자격에서 권리를 행사한 것에 불과하지 업무에 해당 ×) 17. 경찰간부·7급 검찰·경찰승진, 21. 해경간부, 22. 수사경과
2. 도급인의 공사계약해제가 적법하고 수급인이 스스로 공사를 중단한 상태에서 도급인이 공사현장에 남아 있는 수급인 소유의 공사자재 등을 다른 곳으로 옮긴 경우(대판 1999.1.29, 98도3240) 14. 경찰승진, 15. 사시

3. ① 소비자불매운동도 구매력을 무기로 자신들의 선호를 반영하기 위한 집단적인 시도이기는 하지만, 헌법 제124조에 따라 보장되는 소비자보호운동의 요건을 갖추지 못하였다는 사정만으로는, 위력에 의한 업무방해죄가 바로 성립되는 것으로 볼 수 없다(대판 2013.3.14, 2010도410). 15. 법원행시
   ② 인터넷카페의 운영진인 피고인들이 카페 회원들과 공모하여, 특정 신문들에 광고를 게재하는 광고주들에게 불매운동의 일환으로 지속적·집단적으로 항의전화를 하거나 항의글을 게시하는 등의 방법으로 광고중단을 압박한 경우(대판 2013.3.14, 2010도410) ⇨ 광고주들에 대한 위력에 의한 업무방해죄 ○, 신문사들에 대한 위력에 의한 업무방해죄 × 13. 순경 2차, 19. 경찰간부, 21. 경찰승진
4. 도로관리청으로부터 권한을 위임받아 과적단속업무를 담당하는 피해자의 적재량 재측정을 거부하면서, 재측정의 목적으로 피고인의 차량에 올라탄 피해자를 그대로 둔 채 차량을 진행한 사안〔대판 2010.6.10, 2010도935 ∵ 정당한 업무집행이라고 할 수 없는 행위(측정을 강제하기 위한 조치를 취할 권한 ×)에 대하여 이를 위력으로 배제한 경우 ⇨ 업무방해죄 ×〕 15. 경찰간부, 18. 경력채용
5. 업무방해죄와 같이 작위를 내용으로 하는 범죄를 부작위에 의하여 범하는 부진정 부작위범이 성립하기 위해서는 부작위를 실행행위로서의 작위와 동일시할 수 있어야 한다(대판 2017.12.22, 2017도13211
   예 피고인이 甲이 공사대금을 주지 않는다는 이유로 위 토지에 쌓아 둔 건축자재를 치우지 않고 공사현장을 막는 방법으로 위력으로써 甲의 창고 신축 공사 업무를 방해한 경우 ⇨ 위력에 의한 업무방해죄 × ∵ 甲의 추가 공사 업무를 방해하는 업무방해죄의 실행행위로서 甲의 업무에 대하여 하는 적극적인 방해행위와 동등한 형법적 가치를 가진다고 볼 수 없다). 21. 법원행시, 22. 변호사시험, 23. 경력채용
6. 공인중개사 甲이 공인중개사가 아닌 A와 동업하여 중개사무소를 운영하다가 동업관계가 종료된 후, 자신의 명의로 등록되어 있는 지위를 이용하여 임의로 폐업신고를 한 경우 ⇨ 위력에 의한 업무방해죄 ×〔대판 2007.1.12, 2006도6599 ∵ 피해자(A)의 중개업은 업무방해죄의 보호대상이 되는 업무 ×〕 22. 경찰승진
7. 피해자가 농장 출입을 위하여 사용해 온 피고인 소유 토지 위의 현황도로 일부를 피고인이 막았으나, 이미 오래 전부터 바로 근방에 농장으로의 차량 출입이 가능한 비포장도로가 대체 도로로 개설되어 있었다면 업무방해죄가 성립하지 않는다(대판 2007.4.27, 2006도9028 ∵ 업무방해 결과발생의 염려 ×, 업무를 방해한다는 고의 ×). 24. 해경승진
8. 임차인이 임대인의 동의 없이 임대건물 앞에 조경공사를 강행하자 임대인이 공사 중인 인부들의 앞을 가로막고 작업장의 전구들을 소등한 경우(대판 1993.2.9, 92도2929 ∵ 1회적 조경공사 ⇨ 업무 ×)
9. 철도노동조합과 산하 지방본부 간부인 피고인들이 '구내식당 외주화 반대' 등 한국철도공사의 경영권에 속하는 사항을 주장하면서 업무 관련 규정을 지나치게 철저히 준수하는 등의 방법으로 안전운행투쟁을 전개하여 열차가 지연 운행되도록 한 경우 ⇨ 업무방해죄 ×(대판 2014.8.20, 2011도468 ∵ 위력 ×)
   ▶ **비교판례** : 피고인을 비롯한 전국철도노동조합 집행부가 중앙노동위원회 위원장의 직권중재회부 결정에도 불구하고 파업에 돌입할 것을 지시하여, 조합원들이 사업장에 출근하지 아니한 채 업무를 거부하여 철도 운행이 중단되도록 함으로써 사용자(한국철도공사)에게 손해를 입힌 경우, 업무방해죄가 성립한다(대판 2011.3.17, 2007도482 전원합의체). 14. 순경 1차
10. 창문교체공사 현장에서 창문이 설치되면 피고인의 집 내부가 들여다보인다는 이유로 화가 나서 "합의가 됐는데 공사를 왜 진행하느냐, 집주인과 통화를 하게 해 달라, 공사를 중단하라면 하지 왜 다시 공사를 하냐."라고 고함을 질러 인부들이 약 30여 분간 창문교체공사를 하지 못하게 한 경우 ⇨ 업무방해죄 ×(대판 2016.10.27, 2016도10956 ∵ 인부들의 자유의사를 제압하기에 족한 위력행사 ×)

11. 甲주식회사가 운영하는 사우나에서 시설 및 보일러, 전기 등을 관리하던 피고인이, 甲회사가 乙에게 사우나를 인계하는 과정에서 자신을 부당하게 해고하였다는 이유로 화가 나 그곳 전기배전반의 위치와 각 스위치의 작동방법 등을 알려주지 않는 등으로 甲회사의 사우나 경영 업무를 방해한 경우, 甲회사나 乙이 사우나를 운영하려는 자유의사 또는 甲회사가 乙에게 사우나의 운영에 관한 업무 인수인계를 정상적으로 해 주려는 자유의사를 제압하기에 족한 위력에 해당한다고 단정하기 어렵다(대판 2017.11.9, 2017도12541 ∴ 위력에 의한 업무방해죄 ×).
12. 특성화고 교장인 甲이 신입생 입학 사정회의 과정에서 면접위원인 피해자들에게 "참 선생님들이 말을 안 듣네. 중학교는 이 정도면 교장 선생님한테 권한을 줘서 끝내는데. 왜 그러는 거죠?" 등 특정 학생을 합격시키라는 취지의 발언을 하여 특정 학생의 면접 점수를 상향시켜 신입생으로 선발되도록 한 경우 ⇨ 위력에 의한 업무방해죄 ×(대판 2023.3.30, 2019도7446 ∵ 甲의 발언에 다소 과도한 표현이 사용되었더라도 그것만으로 그 행위의 내용이나 수단이 사회통념상 허용할 수 없는 것이었다거나 피해자들의 자유의사를 제압하기에 충분한 위력을 행사하였다고 단정하기 어렵고, 그로 인하여 피해자들의 신입생 면접 업무가 방해될 위험이 발생하였다고 보기도 어렵다.) 23. 경력채용
13. 마트산업노동조합 간부와 조합원인 피고인들이 공모하여, 대형마트 지점 2층 매장 안에서 '부당해고'라고 쓰인 피켓을 들고 지점장 甲과 대표이사 등 임직원들을 뒤따라 다니며 약 1~2m 이상의 거리를 둔 채 그 주변에서 피켓을 들고 서 있거나 "강제전배 멈추세요.", "일하고 싶습니다." 등을 외쳤으나 甲 등에게 그 이상 가까이 다가가거나 甲 등의 진행이나 업무를 물리적인 방법으로 막지 않았고, 甲 등에게 욕설, 협박을 하지 않았으며, 甲 등은 약 30분간 현장점검 업무를 계속한 점 등 제반 사정을 종합하면, 피고인들이 甲 등의 자유의사를 제압하기에 족한 위력을 행사하였다고 단정하기 어렵다(대판 2022.9.7, 2021도9055 ∴ 업무방해죄 ×).
14. 주택재개발정비사업조합 구역 내 건물의 소유자인 피고인들이 위 건물에 대한 건물명도소송 확정판결에 따른 강제집행을 보상액이 적다는 이유로 위력으로 방해함으로써 집행관에게 집행위임을 한 조합의 이주·철거업무를 방해하였다는 내용으로 기소된 사안에서, 위 강제집행은 특별한 사정이 없는 한 집행위임을 한 조합의 업무가 아닌 집행관의 고유한 직무에 해당하고, 설령 피고인들이 집행관의 강제집행 업무를 방해하였더라도 이를 채권자인 조합의 업무를 직접 방해한 것으로 볼 만한 증거도 부족하므로, 피고인들이 조합의 업무를 방해하였다고 볼 수 없고 피고인들의 행위와 조합의 업무방해 사이에 상당인과관계가 있다고 단정할 수도 없다(대판 2023.4.27, 2020도34 ∴ 위력에 의한 업무집행방해죄 ×).

㉢ **업무의 방해** : 업무를 방해한다 함은 업무의 집행 자체를 방해하는 경우뿐만 아니라 업무의 경영을 저해하는 것도 포함한다(대판 2002.3.29, 2000도3231). 17. 순경 2차, 19. 수사경과, 24. 해경승진
본죄는 추상적 위험범이므로 업무방해죄의 성립에는 업무방해의 결과가 실제로 발생함을 요하지 않고 업무방해의 결과를 초래할 위험이 발생하는 것이면 족하며, 업무수행 자체가 아니라 업무의 적정성 내지 공정성이 방해된 경우에도 업무방해죄가 성립한다(대판 2008.1.17, 2006도1721). 15. 법원행시·순경 2차, 21. 경찰간부·수사경과, 23. 경찰승진·법원직·경력채용, 24. 변호사시험·해경간부·해경승진

③ **주관적 구성요건** : 고의는 반드시 업무방해의 목적이나 계획적인 업무방해의 의도가 있어야만 하는 것은 아니고, 자신의 행위로 인하여 타인의 업무가 방해될 가능성 또는 위험에 대한 인식이나 예견으로 충분하며, 그 인식이나 예견은 확정적인 것은 물론 불확정적인 것이라도 이른바 미필적 고의로 인정된다(대판 2012.5.24, 2009도4141). 17. 순경 2차, 20. 경찰간부

④ **위법성**

관련판례

- **위법성이 조각되는 경우 ⇨ 업무방해죄 ×**

1. 시장번영회 회장이 이사회의 결의와 시장번영회의 관리규정에 따라서 관리비 체납자의 점포에 대해 실시한 단전조치(대판 2004.8.20, 2003도4732 ∵ 정당행위) 14. 수사경과, 17. 경찰간부, 24. 해경승진
2. 백화점 내 입주상들이 영업을 하지 않고 매장 내에서 점거농성하면서 임의로 전선을 연결하여 사용하자 백화점 주인이 화재예방을 위해 단전조치를 한 경우(대판 1995.6.30, 94도3136 ∵ 단전조치 당시 보호받을 업무 ×, 정당한 권한행사범위 내의 행위) 12. 경찰간부, 18. 경력채용
3. 甲이 점유·경작하는 논의 소유권을 취득한 乙이 적법절차에 의한 인도를 받지 않은 채 묘판을 설치하려고 하자 묘판을 허물어 뜨린 경우(대판 1980.9.9, 79도249 ∵ 甲의 행위는 점유에 대한 부당한 침탈·방해를 배제하는 행위 ⇨ 정당방위 ○)
4. 30년 동안 점유해온 대지 위에 원소유자가 담장을 축조하려는 것을 점유자가 다소 위력을 과시하여 저지한 경우(대판 1982.6.8, 82도805 ∵ 사회통념상 허용되는 점유권 보전행위 ⇨ 정당방위 ○)

- **위법성이 조각되지 않는 경우 ⇨ 업무방해죄 ○**

1. 오전 9시 이전에 출근하여 업무준비를 한 후 오전 9시부터 근무하도록 되어 있는 직원들에게 쟁의행위의 적법절차를 거치지 않고 집단으로 오전 9시 정각에 출근하도록 함으로써 업무수행에 지장을 초래한 경우(대판 1996.5.10, 96도419) 09. 사시, 14. 경찰간부
2. 옥외집회에서 고성능 확성기를 사용하여 인근 사무실 내에서 전화통화와 대화를 곤란하게 하고, 밖에서는 부근의 통행을 곤란케 하였고, 인근상인들도 소음으로 인한 고통을 호소하는 정도에 이른 경우 ⇨ 위력에 의한 업무방해죄 ○(대판 2004.10.15, 2004도4467) 11. 경찰승진
3. 피고인을 포함한 집회 참가자 약 1,500명이 당초 신고한 집회장소를 벗어나 피해자 회사가 운영하는 매장을 둘러싸고 함성을 지르며 계속된 매장점거 시도행위로 인하여 피해자 회사의 매장을 방문한 손님들의 출입이 현저히 곤란해진 경우(대판 2011.10.13, 2009도5698)

(2) 컴퓨터 등 장애 업무방해죄(제314조 제2항)

관련판례

형법 제314조 제2항의 '컴퓨터 등 장애 업무방해죄'가 성립하기 위해서는 가해행위 결과 정보처리장치가 그 사용목적에 부합하는 기능을 하지 못하거나 사용목적과 다른 기능을 하는 등 정보처리에 장애가 현실적으로 발생하였을 것을 요하나, 정보처리에 장애를 발생하게 하여 업무방해의 결과를 초래할 위험이 발생한 이상, 나아가 업무방해의 결과가 실제로 발생하지 않더라도 위 죄가 성립한다(대판 2009.4.9, 2008도11978). 22. 경찰승진, 24. 경찰간부·변호사시험·해경경위

1. 대학의 컴퓨터시스템 서버를 관리하는 책임자로 근무하다가 교학처로 전보발령을 받아 정보처리장치를 관리 운영할 권한이 없는 자가 관리자의 아이디와 비밀번호를 무단으로 변경하는 행위(부정한 명령 입력)는 단지 후임자에게 알려주지 아니한 행위와 달리, 컴퓨터 등 장애 업무방해죄에 해당한다(대판 2006.3.10, 2005도382). 16. 경찰승진, 17. 변호사시험, 21. 수사경과
   ▶ **유사판례** : 회사 메인컴퓨터의 시스템관리자가 그 컴퓨터의 비밀번호를 후임자에게 알려주지 않은 행위는 컴퓨터 등 장애업무방해죄에 해당하지 않는다(대판 2004.7.9, 2002도631). 15. 사시, 20. 수사경과
2. 포털사이트 운영회사의 통계집계시스템 서버에 허위의 클릭정보를 전송하여 검색순위 결정 과정에서 위와 같이 전송된 허위의 클릭정보가 실제로 통계에 반영됨으로써 정보처리에 장애가 현실적으로 발생하였다면, 그로 인하여 실제로 검색순위의 변동을 초래하지는 않았다 하더라도 '컴퓨터 등 장애 업무방해죄'가 성립한다(대판 2009.4.9, 2008도11978). 14. 사시, 15. 수사경과, 16. 변호사시험, 19. 경찰간부
3. 주택재건축조합 조합장인 甲이 자신에 대한 감사활동을 방해하기 위하여 조합사무실에 있던 조합 직원의 컴퓨터에 비밀번호를 설정하고 하드디스크를 분리・보관한 경우 甲의 행위는 컴퓨터 등 장애 업무방해죄(제314조 제1항의 업무방해죄 ×)에 해당한다(대판 2012.5.24, 2011도7943). 14. 사시, 22. 수사경과, 23. 변호사시험
4. 甲이 불특정 다수의 인터넷 이용자들에게 배포한 A프로그램(업링크솔루션)은, B포털사이트 서버가 이용자의 컴퓨터에 정보를 전송하는 데에는 아무런 영향을 주지 않고, 다만 이용자의 동의에 따라 위 프로그램이 설치된 컴퓨터 화면에서만 B포털사이트 화면이 전송받은 원래 모습과는 달리 甲의 광고가 대체 혹은 삽입된 형태로 나타나도록 하는 것에 불과한 경우, 이것만으로는 정보처리장치의 작동에 직접・간접으로 영향을 주어 그 사용목적에 부합하는 기능을 하지 못하게 하거나 사용목적과 다른 기능을 하게 하였다고 볼 수 없어 컴퓨터 등 장애 업무방해죄로 의율할 수 없다(대판 2010.9.30, 2009도12238). 14. 사시
5. 甲주식회사 대표이사인 피고인이, 악성프로그램이 설치된 피해 컴퓨터 사용자들이 실제로 인터넷 포털사이트 '네이버' 검색창에 해당 검색어로 검색하거나 검색 결과에서 해당 스폰서링크를 클릭하지 않았음에도 악성프로그램을 이용하여 그와 같이 검색하고 클릭한 것처럼 네이버의 관련 시스템 서버에 허위의 신호를 발송하는 방법으로 정보처리에 장애를 발생하게 한 경우, 피고인의 행위는 '허위의 정보'를 입력한 것에 해당하고, 정보처리의 장애가 현실적으로 발생하였으므로 컴퓨터 등 장애업무방해죄에 해당한다(대판 2013.3.28, 2010도14607).
6. 甲 등이 주식회사 야놀자의 '바로예약 애플리케이션'과 통신하는 API(Application Programming Interface) 서버로 정보를 호출하는 명령구문들을 알아낸 후, 자체 개발한 '야놀자 크롤링 프로그램'을 사용하여 API 서버에 명령구문을 입력하는 방식으로 위 회사의 숙박업소 정보를 수집한 경우 ⇨ 컴퓨터 등 장애업무방해죄 ×(대판 2022.5.12, 2021도1533 ∵ 피고인 등이 공모하여 정보처리장치에 부정한 명령을 입력하여 장애가 발생하게 하였다고 보기 어렵다.)

3 경매 · 입찰방해죄

제315조 위계 또는 위력 기타 방법으로 경매 또는 입찰의 공정을 해한 자는 2년 이하의 징역 또는 700만 원 이하의 벌금에 처한다.

보호법익 : 경매 또는 입찰의 공정, 추상적 위험범, 미수범 처벌 × 14. 법원행시

① 입찰방해죄는 위계 또는 위력 기타의 방법으로 입찰의 공정을 해하는 경우에 성립하는 위태범으로서, 입찰의 공정을 해할 행위를 하면 그것으로 족한 것이지 현실적으로 입찰의 공정을 해한 결과가 발생할 필요는 없다(대판 1994.5.24, 94도600). 17. 법원행시, 20 · 22. 순경 1차

② 여기서 '입찰의 공정을 해하는 행위'란 공정한 자유경쟁을 방해할 염려가 있는 상태를 발생시키는 것, 즉 공정한 자유경쟁을 통한 적정한 가격형성에 부당한 영향을 주는 상태를 발생시키는 것으로, 그 행위에는 가격결정뿐 아니라 '적법하고 공정한 경쟁방법'을 해하는 행위도 포함되고(대판 2023.9.21, 2022도8459),

③ 입찰참가자들 사이의 담합행위가 입찰방해죄로 되기 위하여는 반드시 입찰참가자 전원 사이에 담합이 이루어져야 하는 것은 아니고, 입찰참가자들 중 일부 사이에만 담합이 이루어진 경우라고 하더라도 그것이 입찰의 공정을 해하는 것으로 평가되는 이상 입찰방해죄는 성립하나(대판 2006.12.22, 2004도2581 예 고속도로 휴게소 운영권 입찰에서 여러 회사가 각자 입찰에 참가하되 누구라도 낙찰될 경우 동업하여 새로운 회사를 설립하고 그 회사로 하여금 휴게소를 운영하기로 합의한 후 입찰에 참가한 경우에 입찰방해죄가 성립한다. 13. 순경 3차, 14 · 17. 법원행시), 입찰방해죄가 성립하려면 최소한 적법하고 유효한 입찰 절차의 존재가 전제되어야 한다(대판 2005.9.9, 2005도3857). 17. 경찰간부, 20. 순경 1차

④ 공정한 자유경쟁을 통한 적정한 가격형성을 목적으로 하는 입찰절차가 아니라 공적 · 사적 경제주체의 임의선택에 따른 계약체결의 과정에 공정한 경쟁을 해하는 행위가 개재되었다 하여도 입찰방해죄로 처벌할 수는 없다(대판 2008.5.29, 2007도5037). 18. 법원행시, 22. 순경 2차

⑤ 입찰방해죄에서 위력이란 사람의 자유의사를 제압, 혼란케 할 만한 일체의 유형적 또는 무형적 세력을 말하는 것으로서 폭행, 협박은 물론 사회적 · 경제적 · 정치적 지위와 권세에 의한 압력 등을 포함하는 것이다(대판 2000.7.6, 99도4079). 17. 법원행시

⑥ 범죄행위가 법원경매업무를 담당하는 집행관의 구체적인 직무집행을 저지하거나 현실적으로 곤란하게 하는 데까지는 이르지 않고 입찰의 공정을 해하는 정도의 행위라면 경매 · 입찰방해죄에만 해당될 뿐, 위계에 의한 공무집행방해죄에는 해당되지 않는다(대판 2000.3.24, 2000도102). 13. 순경 3차

관련판례

1. 담합행위가 가장 경쟁자를 조작하여 단독입찰을 하면서 경쟁입찰인 것처럼 가장한 경우에는 본죄가 성립한다(대판 2003.9.26, 2002도3924). 13. 순경 3차, 14. 법원행시, 20. 순경 1차
2. 입찰자들 상호간에 특정업체가 낙찰받기로 하는 담합이 이루어진 상태에서 그 특정업체를 포함한 다른 입찰자들은 당초의 합의에 따라 입찰에 참가하였으나 일부 입찰자는 자신이 낙찰받기 위하여 당초의 합의에 따르지 아니한 채 오히려 낙찰받기로 한 특정업체보다 저가로 입찰한 경우, 이러한 일부 입찰자의 행위는 입찰방해죄에 해당한다(대판 2010.10.14, 2010도4940). 12. 경찰승진, 14. 법원행시, 22. 순경 2차
3. 입찰자 일부와 담합이 있고 그에 따른 담합금이 수수되었다 하더라도 입찰시행자의 이익을 해함이 없이 자유로운 경쟁을 한 것과 동일한 결과로 되는 경우에는 입찰의 공정을 해할 위험성이 없다(대판 1983.1.18, 81도824 ∴ 입찰방해죄 ×). 13. 순경 3차, 20. 순경 1차

형법상 위계 · 위력이 포함되는 범죄 13. 경찰승진 · 법원행시

구 분	범죄의 예
구성요건상 위계만 규정된 경우	위계에 의한 공무집행방해죄(제137조), 신용훼손죄(제313조)
위계 또는 위력이 병렬적으로 규정된 경우	위계 등에 의한 촉탁살인 등 죄(제253조), 미성년자 등에 대한 간음죄(제302조), 업무상 위력 등에 의한 간음죄(제303조 제1항), 업무방해죄(제314조), 경매 · 입찰방해죄(제315조)
위력만 규정된 경우	특수폭행죄(제261조), 특수체포 · 감금죄(제278조), 특수협박죄(제284조), 특수공무방해죄(제144조 제1항)

기출지문 확인학습(다툼이 있는 경우 판례에 의함)

1 퀵서비스 운영자인 甲이 배달 업무를 하면서, 손님의 불만이 예상되는 경우에는 평소 경쟁관계에 있는 乙이 운영하는 퀵서비스 명의로 된 영수증을 작성·교부하여 손님들로 하여금 불친절하고 배달을 지연시킨 사업체가 乙운영의 퀵서비스인 것처럼 인식하게 한 경우 신용훼손죄를 구성한다. ( ) 16. 사시, 17. 법원행시, 18. 경찰간부, 21. 경찰승진

2 형법상 업무방해죄의 보호대상이 되는 '업무'라 함은 직업 또는 계속적으로 종사하는 사무나 사업을 말하는 것으로서 타인의 위법한 행위에 의한 침해로부터 보호할 가치가 있어야 하므로, 그 업무의 기초가 된 계약 또는 행정행위는 반드시 적법하여야 한다. ( ) 16. 경찰승진, 18. 법원행시, 19. 법원직, 21. 경찰간부, 24. 해경간부

3 종중 정기총회를 주재하는 종중 회장의 의사진행업무는 형법 제314조 소정의 업무방해죄에 의하여 보호되는 업무에 해당하지 않는다. ( ) 16. 순경 2차, 17. 경찰승진, 21. 해경간부·해경승진, 23. 변호사시험

4 주주로서 주주총회에서 의결권을 행사하는 것은 형법상 업무방해죄의 보호대상이 되는 업무에 해당하지 않는다. ( ) 16. 경찰승진·순경 2차, 17. 경찰간부·7급 검찰, 20. 해경승진·해경 1차

5 의료인이나 의료법인이 아닌 자가 의료기관을 개설하여 운영하는 행위는 위법하지만, 업무방해죄의 보호대상이 되는 업무에 해당한다. ( ) 15. 사시·법원직, 16. 순경 2차, 17. 변호사시험, 21. 경찰간부

6 법원의 직무집행정지 가처분결정에 의하여 그 직무집행이 정지된 자가 법원의 결정에 반하여 직무를 수행함으로써 업무를 계속 행하는 경우 그 업무가 반사회성을 띠는 경우라고는 할 수 없으므로 업무방해죄에서 말하는 업무에 해당한다. ( ) 16. 순경 2차, 17. 7급 검찰, 18. 법원직·법원행시, 21. 해경간부·경찰간부, 22. 경찰승진, 23. 변호사시험

7 폭력조직 간부가 조직원들과 공모하여 타인이 운영하는 성매매업소 앞에 속칭 '병풍'을 치거나 차량을 주차해 놓는 등 위력으로써 성매매업을 방해한 경우 업무방해죄로 처벌할 수 없다. ( ) 15. 경찰간부, 17. 법원직, 18. 수사경과, 23. 경찰승진, 24. 해경간부

8 초등학생들이 학교에 등교하여 교실에서 수업을 듣는 것은 형법상 업무방해죄의 보호대상이 되는 업무에 해당한다고 할 수 없다. ( ) 16. 순경 2차·경찰승진, 22. 해경간부·해경승진, 23. 변호사시험·법원행시

9 공무원이 직무상 수행하는 공무를 방해하는 행위에 대해서도 업무방해죄로 의율할 수 있다. ( ) 15. 순경 2차, 19. 법원직, 20. 변호사시험, 21. 해경승진, 23. 법원행시·경찰승진

10 업무방해죄는 업무방해의 결과가 실제로 발생하여야만 성립하는 것은 아니고 업무방해의 결과를 초래할 위험이 발생하면 충분하므로 사립고등학교의 시험출제위원이 문제를 선정하여 시험실시자에게 제출하기 전에 이를 유출하였다면, 그 후 그 문제가 시험실시자에게 제출되지 아니하였을지라도 업무방해죄가 성립한다. ( ) 20. 변호사시험, 21. 순경 2차

Answer 1. × 2. × 3. × 4. ○ 5. × 6. × 7. ○ 8. ○ 9. × 10. ×

11 타인에 의하여 대작한 논문의 내용에 약간의 수정만을 가하여 석사학위논문으로 제출한 경우 업무방해죄에 해당한다. ( ) 15. 사시, 17. 7급 검찰, 20. 해경 1차, 21. 순경 2차

12 미국대사관에 비자를 신청하면서 허위의 사실을 기재한 신청서와 이를 입증할 다른 허위자료까지 제출하고 공범에게는 혹시 미국대사관에서 문의전화가 오면 허위답변을 하도록 시켰다면 업무방해죄가 성립한다. ( ) 21. 순경 2차, 23. 경찰승진

13 인터넷 자유게시판 등에 실제의 객관적인 사실을 게시하더라도 그로 인하여 피해자의 업무가 방해된 경우에는, 형법 제314조 제1항 소정의 위계에 의한 업무방해죄에 있어서의 '위계'에 해당한다. ( ) 19. 경찰승진, 21. 경찰간부, 22. 수사경과

14 신규직원 채용권한을 가지고 있는 지방공사 사장이 시험업무 담당자들에게 지시하여 상호 공모 내지 양해하에 시험성적조작 등의 부정한 행위를 한 경우 법인인 공사에게 신규직원 채용업무와 관련하여 오인·착각 또는 부지를 일으키게 한 것이 아니므로 업무방해죄에 해당하지 않는다. ( ) 20. 경찰승진·해경승진·수사경과, 23. 법원행시·변호사시험

15 대학교 시간강사 임용과 관련하여 허위의 학력이 기재된 이력서만을 제출한 경우, 임용심사업무 담당자가 불충분한 심사로 인하여 허위 학력이 기재된 이력서를 믿은 것이므로 위계에 의한 업무방해죄를 구성하지 않는다. ( ) 16. 경찰간부·사시, 18. 법원행시, 19. 수사경과, 21. 해경승진

16 컴퓨터 등 정보처리장치에 정보를 입력하는 등의 행위가 그 입력된 정보 등을 바탕으로 업무를 담당하는 사람의 오인, 착각 또는 부지를 일으킬 목적으로 행해진 경우에는 그 행위가 업무를 담당하는 사람을 직접적인 대상으로 이루어진 것이 아니더라도 위계에 해당한다. ( )
15. 법원행시, 16. 경찰간부, 21. 해경승진, 22. 법원직

17 쟁의행위로서의 파업은 위력의 요소를 가지고 있어 일단 업무방해죄의 구성요건에는 해당하지만, 다만 정당한 쟁의행위인 경우 위법성이 조각된다. ( )
15. 법원행시, 17. 순경 2차, 18. 경찰간부·법원직, 21. 수사경과, 22. 경찰승진

18 임대인 甲으로부터 건물을 임차하여 학원을 운영하던 피고인이 건물을 인도한 이후에도 자신 명의로 된 학원설립등록을 말소하지 않고 휴원신고를 연장함으로써 새로운 임차인 乙이 그 건물에서 학원설립등록을 하지 못하도록 한 경우, 위력에 의한 업무방해죄가 성립하지 아니한다. ( ) 17. 경찰간부, 18. 수사경과, 19. 경찰승진

19 피고인이 자신의 명의로 등록되어 있는 피해자 운영의 학원에 대하여 피해자에게 사전에 통고를 하였으나 피해자의 승낙을 받지 아니한 상태에서 폐원신고를 한 경우에는 위계에 의한 업무방해죄는 성립하지 않는다. ( ) 17. 경찰승진, 19. 수사경과, 21. 해경간부, 23. 법원행시

20 대부업체 직원이 대출금을 회수하기 위하여 소액의 지연이자를 문제 삼아 법적 조치를 거론하면서 소규모 간판업자인 채무자의 휴대전화로 한 달 여에 걸쳐 수백 회에 이르는 전화공세를 한 경우 업무방해죄를 구성한다. ( ) 17. 변호사시험, 17. 7급 검찰, 20. 해경 1차

Answer 11. ○ 12. ○ 13. × 14. ○ 15. ○ 16. ○ 17. × 18. ○ 19. ○ 20. ○

21 임대인이 임차인의 물건을 임의로 철거·폐기할 수 있다는 임대차계약 조항에 따라 임대인이 임차인 점포의 간판을 철거하고 출입문을 봉쇄하였다면 위력에 의한 업무방해죄가 성립하지 않는다. ( ) 13. 순경 1차, 17. 경찰간부, 18. 법원직

22 甲이 乙과 사이에 토지 지상에 창고를 신축하는 데 필요한 형틀공사 계약을 체결한 후 그 공사를 완료하였는데, 乙이 공사대금을 주지 않자 甲이 공사대금을 받을 목적으로 위 토지에 쌓아 둔 건축자재를 치우지 않았다면, 甲에게 부작위에 의한 업무방해죄가 성립한다. ( )

21. 법원행시, 22. 변호사시험, 23. 경력채용

23 주식회사의 대표이사가 회사의 직원들과 공모하여 위 회사의 주주총회에서 위력으로 개인 주주들이 발언권과 의결권을 행사하지 못하도록 한 경우에는 업무방해죄가 성립하지 않는다. ( )

17. 경찰간부·경찰승진·7급 검찰, 21. 해경간부, 22. 수사경과

24 인터넷 카페의 운영진인 피고인들이 카페 회원들과 공모하여, 특정 신문들에 광고를 게재하는 광고주들에게 불매운동의 일환으로 지속적·집단적 항의전화를 하거나 항의글을 게시하는 등의 방법으로 광고 중단을 압박한 경우, 신문사들에 대한 위력에 의한 업무방해죄를 구성한다. ( ) 19. 경찰간부, 21. 경찰승진

25 업무방해죄의 성립에는 업무방해의 결과가 실제로 발생함을 요하지 않고 업무방해의 결과를 초래할 위험이 발생하면 족하며, 업무수행 자체가 아니라 업무의 적정성 내지 공정성이 방해된 경우에는 업무방해죄가 성립한다고 볼 수 없다. ( )

15. 법원행시·순경 2차, 21. 경찰간부, 23. 경찰승진·법원직, 24. 변호사시험·해경간부·해경승진

26 대학의 컴퓨터시스템 서버를 관리하던 직원이 전보발령을 받아 더 이상 웹서버를 관리 운영할 권한이 없는 상태에서, 웹서버에 접속하여 홈페이지 관리자의 아이디와 비밀번호를 무단으로 변경한 행위는 컴퓨터 등 장애 업무방해죄에 해당한다. ( )

16. 경찰승진, 17. 변호사시험, 21. 수사경과

27 포털사이트 운영회사의 통계집계시스템 서버에 허위의 클릭정보를 전송하여 검색순위 결정 과정에서 위와 같이 전송된 허위의 클릭정보가 실제로 통계에 반영됨으로써 정보처리에 장애가 현실적으로 발생하였다면, 그로 인하여 실제로 검색순위의 변동을 초래하지는 않았다고 하더라도 컴퓨터 등 장애 업무방해죄가 성립한다. ( ) 14. 사시, 16. 변호사시험, 19. 경찰간부

28 경매·입찰방해죄는 최소한 적법하고 유효한 입찰 절차의 존재가 전제되어야 하지만, 처음부터 입찰절차가 존재하였다 할 수 없는 경우에도 입찰방해죄는 성립할 수 있다. ( )

17. 경찰간부, 20. 순경 1차

29 실제로 실시된 입찰절차에서 실질적으로는 단독입찰을 하면서 마치 경쟁입찰을 한 것처럼 가장하는 경우, 입찰방해죄가 성립되지 않는다. ( ) 12. 법원행시, 13. 순경 3차, 20. 순경 1차

Answer 21. × 22. × 23. ○ 24. × 25. × 26. ○ 27. ○ 28. × 29. ×

CHAPTER

03 기출문제

01 **다음의 설명 중 가장 적절한 것은?**(다툼이 있는 경우 판례에 의함) 21. 경찰승진

① 형법 제313조 신용훼손죄의 행위태양은 허위사실유포, 위력, 기타 위계이다.

② 퀵서비스 운영자인 피고인이 허위사실을 유포하여 손님들로 하여금 불친절하고 배달을 지연시킨 사업체가 경쟁관계에 있는 피해자 운영의 퀵서비스인 것처럼 인식하게 한 행위는 신용훼손죄에 해당한다.

③ 인터넷카페의 운영진인 피고인들이 카페 회원들과 공모하여, 특정 신문들에 광고를 게재하는 광고주들에게 불매운동의 일환으로 지속적·집단적으로 항의전화를 하거나 항의글을 게시하는 등의 방법으로 광고중단을 압박한 행위는 광고주들에 대하여는 업무방해죄에 해당하지만, 신문사들에 대하여는 업무방해죄를 구성하지 않는다.

④ 공무원이 직무상 수행하는 공무를 방해하는 행위에 대해서도 업무방해죄로 의율할 수 있다.

해설 ① ×: ~ 허위사실 유포, 기타 위계이다(위력 ×).
② ×: 신용훼손죄 ×(대판 2011.5.13, 2009도5549)
③ ○: 대판 2013.3.14, 2010도410
④ ×: ~ 의율할 수 없다(대판 2009.11.19, 2009도4166 전원합의체).

02 **업무방해죄에 관한 설명 중 옳은 것을 모두 고른 것은?**(다툼이 있는 경우 판례에 의함) 23. 변호사시험

㉠ 초등학생들이 학교에 등교하여 교실에서 수업을 듣는 것은 업무방해죄의 보호대상인 '직업 기타 사회생활상의 지위에 기하여 계속적으로 종사하는 사무 또는 사업'에 해당한다고 할 수 없다.

㉡ 주택재건축조합 조합장이 자신에 대한 감사활동을 방해하기 위하여 조합 사무실에 있던 컴퓨터에 비밀번호를 설정하고 하드디스크를 분리·보관하는 방법으로 그 조합의 정보처리 업무를 방해한 경우, 형법 제314조 제2항의 컴퓨터 등 장애 업무방해죄가 성립한다.

㉢ 지방공사 사장이 신규직원 채용권한을 행사하는 것은 공사의 기관으로서 공사의 업무를 집행하는 것이므로, 이러한 신규직원 채용업무는 위 권한의 귀속주체인 사장 본인에 대한 관계에서도 업무방해죄의 객체인 타인의 업무에 해당한다.

㉣ 종중 회장으로서의 사회적인 지위에서 계속적으로 행하여 온 종중 업무수행의 일환으로 행하여진 것이라도, 그것이 종중 정기총회에서 의사진행업무와 같은 1회성 업무인 경우에는 업무방해죄에 의하여 보호되는 업무에 해당하지 않는다.

㉤ 법원의 직무집행정지 가처분결정에 의하여 직무집행이 정지된 자가 법원의 결정에 반하여 직무를 수행함으로써 업무를 계속 행하는 경우, 그 업무가 반사회성을 띠는 경우라고까지는 할 수 없으므로 업무방해죄에 의하여 보호되는 업무에 해당한다.

Answer 01. ③ 02. ①

① ㉠, ㉡, ㉢　　② ㉠, ㉣, ㉤　　③ ㉡, ㉢, ㉣
④ ㉡, ㉣, ㉤　　⑤ ㉢, ㉣, ㉤

해설 ㉠ ○ : 대판 2013.6.14, 2013도3829
㉡ ○ : 대판 2012.5.24, 2011도7943
㉢ ○ : 대판 2007.12.27, 2005도6404
㉣ × : ~ 업무에 해당한다(대판 1995.10.12, 95도1589).
㉤ × : ~ (2줄) 경우라고까지는 할 수 없다고 하더라도 그 업무 자체는 법의 보호를 받을 가치를 상실하였으므로 업무방해죄에 의하여 보호되는 업무에 해당하지 않는다(대판 2002.8.23, 2001도5592).

03 **다음 중 위계에 의한 업무방해를 인정한 경우만으로 짝지어 놓은 것은?**(다툼이 있는 경우 판례에 의함)

16. 경찰간부, 21. 해경승진

㉠ 정당 국회의원 비례대표 후보자 추천을 위한 당내 경선과정에서 피고인들이 선고권자들로부터 인증번호를 전달받은 뒤 그들 명의로 특정후보자에게 전자투표를 하는 행위
㉡ 대학교 시간강사 임용과 관련하여 허위의 학력이 기재된 이력서만을 제출한 경우, 임용심사업무 담당자가 불충분한 심사로 인하여 허위 학력이 기재된 이력서를 믿은 경우
㉢ 방송국 프로듀서 등 피고인들이 특정 프로그램 방송보도를 통하여 미국산 쇠고기는 광우병 위험성이 매우 높은 위험한 식품이고, 우리나라 사람들이 유전적으로 광우병에 몹시 취약하다는 취지의 보도를 한 경우
㉣ 고속도로 통행요금징수 기계화시스템의 성능에 대한 한국도로공사의 현장평가시에 각종 소형화물차 16대의 타이어공기압을 낮추어 접지면을 증가시킨 후 톨게이트를 통과시킨 행위

① ㉠, ㉣　　② ㉠, ㉢　　③ ㉡, ㉣　　④ ㉢, ㉣

해설 • **위계에 의한 업무방해죄** ○ : ㉠ 대판 2013.11.28, 2013도5117 ㉣ 대판 1994.6.14, 93도288
• **위계에 의한 업무방해죄** × : ㉡ 대판 2009.1.30, 2008도6950 ㉢ 대판 2011.9.2, 2010도17237 (∵ 업무방해의 고의 ×)

04 **업무방해죄에 대한 설명이다. 아래 ㉠부터 ㉣까지의 설명 중 옳고 그름의 표시(○, ×)가 바르게 된 것은?**(다툼이 있는 경우 판례에 의함)

19. 경찰승진

㉠ 업무방해죄의 성립에는 업무방해의 결과가 실제로 발생함을 요하지 않고 업무방해의 결과를 초래할 위험이 발생하는 것이면 족하며, 업무수행 자체가 아니라 업무의 적정성 내지 공정성이 방해된 경우에도 업무방해죄가 성립한다.
㉡ 임대인 甲으로부터 건물을 임차하여 학원을 운영하던 피고인이 건물을 인도한 이후에도 자신 명의로 된 학원설립등록을 말소하지 않고 휴원신고를 연장함으로써 새로운 임차인 乙이 그 건물에서 학원설립등록을 하지 못하도록 한 경우, 위력에 의한 업무방해죄가 성립하지 아니한다.

Answer 03. ① 04. ④

> ㉢ 컴퓨터 등 정보처리장치에 정보를 입력하는 등의 행위가 그 입력된 정보 등을 바탕으로 업무를 담당하는 사람의 오인, 착각 또는 부지를 일으킬 목적으로 행해진 경우 그 행위가 업무를 담당하는 사람을 직접적인 대상으로 이루어진 것이 아니라면 위계에 의한 업무방해죄가 성립하지 아니한다.
> ㉣ 인터넷 자유게시판 등에 실제의 객관적인 사실을 게시하더라도 그로 인하여 피해자의 업무가 방해된 경우에는 형법 제314조 제1항 소정의 위계에 의한 업무방해죄에 있어서의 '위계'에 해당한다.

① ㉠(×), ㉡(×), ㉢(○), ㉣(○)
② ㉠(○), ㉡(×), ㉢(○), ㉣(×)
③ ㉠(○), ㉡(○), ㉢(×), ㉣(○)
④ ㉠(○), ㉡(○), ㉢(×), ㉣(×)

해설 ㉠ ○ : 대판 2008.1.17, 2006도1721
㉡ ○ : 대판 2010.11.25, 2010도9186
㉢ × : ~ (3줄) 이루어진 것이 아니더라도 위계에 ~ 성립한다(대판 2013.11.28, 2013도5117).
㉣ × : ~ '위계'에 해당하지 않는다(대판 2007.6.29, 2006도3839).

05 **업무방해죄에 대한 설명 중 옳은 것을 모두 고른 것은?**(다툼이 있는 경우 판례에 의함)

20. 경찰승진, 22. 해경간부

> ㉠ 폭력조직 간부가 조직원들과 공모하여 타인이 운영하는 성매매업소 앞에 속칭 '병풍'을 치거나 차량을 주차해 놓는 등 위력으로써 성매매업을 방해한 경우 업무방해죄에 해당한다.
> ㉡ 업무방해죄의 성립에는 업무방해의 결과가 실제로 발생함을 요하지 않고, 업무방해의 결과를 초래할 위험이 발생하는 것이면 족하다.
> ㉢ 신규직원 채용권한을 가지고 있는 지방공사 사장인 피고인이 시험업무 담당자들에게 부정한 지시를 하여 상호 공모 내지 양해하에 시험성적조작 등의 부정행위를 한 경우 위계에 의한 업무방해죄에 해당하지 않는다.
> ㉣ 선착장에 대한 공유수면점용허가를 받음이 없이 고흥군의 지시에 따라 선착장점용허가권자인 마을주민 대표들과 임대차계약을 체결하고 선박으로 폐석을 운반하는 업무는 업무방해죄의 보호대상이 되는 업무에 해당하지 않는다.

① ㉠, ㉡ ② ㉠, ㉣ ③ ㉡, ㉢ ④ ㉡, ㉣

해설 ㉠ × : 업무방해죄 ×(대판 2011.10.13, 2011도7081 ∵ 성매매업소 운영업무 ⇨ 보호대상이 되는 업무 ×)
㉡ ○ : 대판 2008.1.17, 2006도1721
㉢ ○ : 대판 2007.12.27, 2005도6404
㉣ × : ~ 업무에 해당한다(대판 1996.11.12, 96도2214 ∵ 업무의 기초가 된 계약 또는 행정행위 등이 반드시 적법해야 하는 것은 아님).

Answer 05. ③

06 **업무방해죄에 관한 설명 중 옳은 것을 모두 고른 것은?**(다툼이 있는 경우 판례에 의함) 20. 변호사시험

> ㉠ 업무방해죄는 업무방해의 결과를 초래할 위험이 발생하면 충분하므로 시험출제위원이 문제를 선정하여 시험실시자에게 제출하기 전에 이를 유출하였다면, 그 후 그 문제가 시험실시자에게 제출되지 아니하였더라도 업무방해죄가 성립한다.
> ㉡ 피해자에 대한 폭행행위가 동일한 피해자에 대한 업무방해죄의 수단이 된 경우에는 업무방해죄와는 별도로 폭행죄가 성립하며 두 죄는 상상적경합 관계에 있다.
> ㉢ 초등학생들이 학교에 등교하여 교실에서 수업을 듣는 것은 업무방해죄의 보호대상이 되는 업무에 해당하지 않으므로, 초등학교 교실 안에서 교사들에게 욕설을 하거나 학생들에게 욕설을 하여 수업을 할 수 없게 하였다고 하더라도 학생들의 업무를 방해하였다고 볼 수 없다.
> ㉣ 신규직원 채용권한을 가지고 있는 지방공사 사장이 신규직원 채용시험 업무담당자에게 지시하여 상호 공모 내지 양해하에 시험성적조작 등의 부정한 행위를 하였다면 위계에 의한 업무방해죄가 성립한다.
> ㉤ 지방경찰청 민원실에서 민원인이 진정사건의 처리와 관련하여 지방경찰청장과의 면담을 요구하면서 이를 제지하는 경찰관들에게 큰 소리로 욕설을 하고 행패를 부려 경찰관들의 수사 관련 업무를 방해하였더라도 위력에 의한 업무방해죄는 성립하지 아니한다.

① ㉠, ㉣ ② ㉡, ㉢ ③ ㉠, ㉡, ㉣
④ ㉠, ㉢, ㉤ ⑤ ㉡, ㉢, ㉤

해설 ㉠ ×: 업무방해죄 ×(대판 1992.12.10, 99도3487 ∵ 시험실시자의 업무방해행위 ×, 준비단계 ○ ⇨ 시험실시 업무가 방해될 추상적 위험 ×)
㉡ ○: 대판 2012.10.11, 2012도1895
㉢ ○: 대판 2013.6.14, 2013도3829
㉣ ×: 위계에 의함 업무방해죄 ×(대판 2007.12.27, 2005도6404 ∵ 법인인 공사에게 신규직원 채용업무와 관련하여 오인·착각 또는 부지를 일으키게 한 것이 아님)
㉤ ○: 대판 2009.11.19, 2009도4166 전원합의체

07 **업무방해죄에 대한 설명으로 가장 적절하지 않은 것은?**(다툼이 있는 경우 판례에 의함) 21. 순경 2차

① 다른 사람이 작성한 논문을 자신의 단독 혹은 공동으로 작성한 논문인 것처럼 학술지에 제출하여 발표한 논문연구실적을 부교수 승진심사 서류에 포함하여 제출하였지만, 당해 논문을 제외한 다른 논문만으로도 부교수 승진 요건을 월등히 충족하고 있었다면 위계에 의한 업무방해죄가 성립하지 아니한다.
② 주한외국영사관에 비자발급을 신청함에 있어 신청인이 제출한 허위의 자료 등에 대하여 업무담당자가 충분히 심사하였으나 신청사유 및 소명자료가 허위임을 발견하지 못하여 그 신청을 수리하게 된 경우에는 위계에 의한 업무방해죄가 성립한다.

Answer 06. ⑤ 07. ①

③ 석사학위 논문작성자가 지도교수의 지도에 따라 논문의 제목, 주제, 목차 등을 직접 작성하였다고 하더라도, 타인에게 전체 논문의 초안작성을 의뢰하고, 그에 따라 작성된 논문의 내용에 약간의 수정만을 가하여 제출한 경우에는 위계에 의한 업무방해죄가 성립한다.

④ 시험의 출제위원이 문제를 선정하여 시험실시자에게 제출하기 전에 이를 유출하였다고 하더라도 이는 위계를 사용하여 시험실시자의 업무를 방해하는 행위가 아니라 그 준비단계에 불과하고, 그 후 유출된 문제가 시험실시자에게 제출되지도 아니하였다면 시험실시 업무가 방해될 추상적인 위험조차도 없어 위계에 의한 업무방해죄가 성립하지 아니한다.

해설 ① ×：~ (3줄) 충족하고 있었다 하더라도 승진심사 업무의 적정성이나 공정성을 해할 위험성이 없었다고 단정할 수 없으므로, 위계에 의한 업무방해죄가 성립한다(대판 2009.9.10, 2009도4772).
② 대판 2004.3.26, 2003도7927
③ 대판 1996.7.30, 94도2708
④ 대판 1991.12.10, 99도3487

08 업무방해죄에 관한 다음 설명 중 가장 옳지 않은 것은?(다툼이 있는 경우 판례에 의함) 22. 법원직

① 위계에 의한 업무방해죄에서 '위계'란 행위자가 행위목적을 달성하기 위하여 상대방에게 오인, 착각 또는 부지를 일으키게 하여 이를 이용하는 것을 말한다.

② 컴퓨터 등 정보처리장치에 정보를 입력하는 등의 행위가 그 입력된 정보 등을 바탕으로 업무를 담당하는 사람의 오인, 착각 또는 부지를 일으킬 목적으로 행해진 경우에는 그 행위가 업무를 담당하는 사람을 직접적인 대상으로 이루어진 것이 아니라고 하여 위계가 아니라고 할 수는 없다.

③ 금융기관이 설치・운영하는 자동화기기(ATM)를 통한 무통장・무카드 입금을 하면서 '1인 1일 100만원' 한도를 준수하는 것처럼 가장하기 위하여 제3자의 이름과 주민등록번호를 자동화기기에 입력한 후 100만원 이하의 금액으로 나누어 여러 차례 현금을 입금하는 행위는 자동화기기를 설치・운영하는 금융기관관리자로 하여금 정상적인 입금인 것과 같은 오인, 착각을 일으키게 하여 금융기관의 자동화기기를 통한 입금거래업무를 방해한 것으로서 위계에 의한 업무방해죄가 성립한다.

④ 업무방해죄의 성립에는 업무방해의 결과가 실제로 발생함을 요하지 않고 업무방해의 결과를 초래할 위험이 발생하면 족하며, 업무수행 자체가 아니라 업무의 적정성 내지 공정성이 방해된 경우에도 업무방해죄가 성립한다.

해설 ① 대판 2008.1.17, 2006도1721 ② 대판 2013.11.28, 2013도5117
③ ×：위계에 의한 업무방해죄 ×〔대판 2022.2.20, 2021도15246 ∵ 무매체 입금거래(이름과 주민등록번호를 ATM에 입력한 후 입금하는 행위)가 완결되는 과정에서 은행직원 등 다른 사람의 업무가 관여되었다고 볼 만한 사정이 없어, 업무와 관련해 오인・착각・부지를 일으킨 상대방이 있었다고 볼 수 없으므로 '위계'에 해당 ×〕
④ 대판 2008.1.17, 2006도1721

Answer 08. ③

09 신용과 업무의 죄에 관한 설명으로 가장 적절하지 않은 것은?(다툼이 있는 경우 판례에 의함)

24. 경찰간부

① 컴퓨터 등 업무방해죄가 성립하기 위해서는 가해행위의 결과 정보처리장치가 그 사용목적에 부합하는 기능을 하지 못하거나 사용목적과 다른 기능을 하는 등 정보처리의 장애가 현실적으로 발생하였을 것을 요한다.

② 학칙에 따라 입학에 관한 업무가 총장 甲의 권한에 속한다고 하더라도 그중 면접업무가 면접위원 A에게 위임되었다면, 그 위임된 업무는 A의 독립된 업무에 속하므로 甲과의 관계에서도 업무방해죄의 객체인 타인의 업무에 해당한다.

③ 甲이 무자격자에 의해 개설된 의료기관에 고용된 의료인 A의 진료업무를 방해한 경우, A의 진료업무가 업무방해죄의 보호대상이 되는 업무에 해당하여 甲을 업무방해죄로 처벌하기 위해서는 의료기관의 개설·운영 형태, 해당 의료기관에서 이루어지는 진료의 내용과 방식, 甲의 행위로 인하여 방해되는 업무의 내용 등 사정을 종합적으로 고려하여 판단해야 한다.

④ 비록 다른 사람이 작성한 논문을 피고인 단독 혹은 공동으로 작성한 논문인 것처럼 학술지에 제출·발표한 논문연구실적을, 부교수 승진심사 서류에 포함하여 제출하였다고 하더라도, 당해 논문을 제외한 다른 논문만으로도 부교수 승진요건을 월등히 충족하고 있었다면 위계에 의한 업무방해죄가 성립하지 않는다.

해설 ① 대판 2009.4.9, 2008도11978
② 대판 2018.5.15, 2017도19499
③ 대판 2023.3.16, 2021도16482
④ ×: ~ (2줄) 포함하여 제출한 경우, 당해 논문을 제외한 다른 논문만으로도 부교수 승진요건을 월등히 충족하고 있었다 하더라도 위계에 의한 업무방해죄가 성립한다(대판 2009.9.10, 2009도4772).

10 신용업무경매에 관한 죄에 대한 설명으로 적절한 것을 모두 고른 것은?(다툼이 있는 경우 판례에 의함)

22. 경찰승진

㉠ 쟁의행위로서 파업이 언제나 업무방해죄에 해당하는 것으로 볼 것은 아니고, 전후 사정과 경위 등에 비추어 사용자가 예측할 수 없는 시기에 전격적으로 이루어져 사용자의 사업 운영에 심대한 혼란 내지 막대한 손해를 초래하는 등으로 사용자의 사업 계속에 관한 자유의사가 제압·혼란될 수 있다고 평가할 수 있는 경우, 집단적 노무제공의 거부는 위력에 해당하여 업무방해죄가 성립한다.

㉡ 공인중개사 甲이 공인중개사가 아닌 A와 동업하여 중개사무소를 운영하다가 동업관계가 종료된 후, 자신의 명의로 등록되어 있는 지위를 이용하여 임의로 폐업신고를 하였다면 위력에 의한 업무방해죄가 성립한다.

㉢ 위계에 의한 업무방해죄에서 '위계'란 상대방에게 오인, 착각 또는 부지를 일으키게 하여 업무수행 자체를 방해하는 것을 말하며, 그로써 업무의 적정성 내지 공정성이 방해된 정도에 그친데 불과하다면 업무방해죄가 성립하지 않는다.

Answer 09. ④ 10. ③

> ㉣ 컴퓨터 등 장애업무방해죄가 성립하기 위해서는 가해행위의 결과정보처리장치가 그 사용목적에 부합하는 기능을 하지 못하거나 사용목적과 다른 기능을 하는 등 정보처리의 장애가 현실적으로 발생하였을 것을 요한다.

① ㉠, ㉡ ② ㉠, ㉢ ③ ㉠, ㉣ ④ ㉡, ㉢, ㉣

해설 ㉠ ○ : 대판 2011.3.17, 2007도482 전원합의체
㉡ × : 위력에 의한 업무방해죄 ×〔대판 2007.1.12, 2006도6599 ∵ 피해자(A)의 중개업은 업무방해죄의 보호대상이 되는 업무 ×〕
㉢ × : ~ (2줄) 공정성이 방해된 경우에도 업무방해죄가 성립한다(대판 2008.1.17, 2006도1721).
㉣ ○ : 대판 2009.4.9, 2008도11978

11 경매 · 입찰방해죄에 관한 설명으로 가장 적절하지 않은 것은?(다툼이 있는 경우 판례에 의함)

20. 순경 1차

① 경매 · 입찰방해죄는 최소한 적법하고 유효한 입찰 절차의 존재가 전제되어야 하지만, 처음부터 입찰절차가 존재하였다 할 수 없는 경우에도 입찰방해죄는 성립할 수 있다.
② 입찰자 일부와 담합이 있고 그에 따른 담합금이 수수되었다 하더라도 입찰시행자의 이익을 해함이 없이 자유로운 경쟁을 한 것과 동일한 결과로 되는 경우에는 입찰의 공정을 해할 위험이 없다.
③ 입찰방해죄는 위계 또는 위력 기타의 방법으로 입찰의 공정을 해하는 경우에 성립하는 위태범으로서, 입찰의 공정을 해할 행위를 하면 그것으로 족하고 현실적으로 입찰의 공정을 해한 결과가 발생할 필요는 없다.
④ 담합행위가 가장경쟁자를 조작하여 실시자의 이익을 해하는 것이 아니라도 실질적으로 단독입찰을 하면서 경쟁입찰인 것처럼 가장하여 그 입찰가격으로 낙찰을 받았다면 입찰방해죄가 성립한다.

해설 ① × : ~ 전제되어야 하므로, 처음부터 ~ 경우에는 ~ 성립할 수 없다(대판 2005.9.9, 2005도3857).
② 대판 1983.1.18, 81도824 ③ 대판 1994.5.24, 94도600 ④ 대판 1988.3.8, 87도2646

12 업무방해죄에 관한 설명 중 옳지 않은 것은?(다툼이 있는 경우 판례에 의함)

24. 변호사시험

① 업무수행 자체가 아니라 업무의 적정성 내지 공정성이 방해된 경우에는 업무방해죄가 성립하지 않는다.
② 공인중개사가 아닌 사람이 영위하는 중개업을 위력으로 방해한 경우 업무방해죄가 성립하지 않는다.
③ 형법 제314조 제2항의 컴퓨터 등 장애업무방해죄가 성립하기 위해서는 정보처리에 장애가 현실적으로 발생하였을 것을 요하나, 정보처리에 장애를 발생하게 하여 업무방해의 결과를 초래할 위험이 발생한 이상, 업무방해의 결과가 실제로 발생하지 않더라도 위 죄가 성립한다.

Answer 11. ① 12. ①

④ 경찰청 민원실에서 민원인들이 진정사건의 처리와 관련하여 경찰청장과의 면담 등을 요구하면서 이를 제지하는 경찰관들에게 큰소리로 욕설을 하고 행패를 부린 행위에 대하여, 업무방해죄가 성립하지 않는다.

⑤ 위력에 의한 업무방해죄는 위력에 의해 현실적으로 피해자의 자유의사가 제압되지 않은 경우에도 성립할 수 있다.

해설 ① ×: ~ 공정성이 방해된 경우에도 업무방해죄가 성립한다(대판 2008.1.17, 2006도1721).
② 대판 2007.1.11, 2006도6599
③ 대판 2009.4.9, 2008도11978
④ 대판 2010.2.25, 2008도9049
⑤ 대판 2009.9.10, 2009도5732

13 **업무방해죄에 관한 설명으로 옳지 않은 것은 모두 몇 개인가?**(다툼이 있는 경우 판례에 의함)

24. 경위공채

㉠ 인터넷 자유게시판에 실제의 객관적인 사실을 게시하는 행위는 설령 그로 인하여 타인의 업무가 방해된다고 하더라도 형법 제314조 제1항 소정의 위계에 의한 업무방해죄에 있어서의 '위계'에 해당하지 않는다.
㉡ 업무방해죄의 성립에는 업무방해의 결과를 초래할 위험이 발생한 것만으로는 족하지 않고, 업무방해의 결과가 실제로 발생함을 요한다.
㉢ 정당의 국회의원 비례대표 후보자 추천을 위한 당내 경선과정에서 甲이 선거권자들로부터 인증번호만을 전달받은 뒤 그들의 명의로 甲 자신이 지지하는 특정 후보자에게 전자투표를 한 경우, 이는 당내 경선업무에 참여하거나 관여한 당 관계자들에 대하여 위력으로써 경선업무의 적정성이나 공정성을 방해한 경우에 해당한다.
㉣ 의료인이나 의료법인이 아닌 자가 의료기관을 개설하여 운영하는 행위는 그 위법의 정도가 중하여 사회생활상 도저히 용인될 수 없는 정도로 반사회성을 띠고 있으므로 업무방해죄의 보호대상이 되는 '업무'에 해당하지 않는다.

① 1개 ② 2개 ③ 3개 ④ 4개

해설 ㉠ ○: 대판 2007.6.29, 2006도3839
㉡ ×: ~ 위험이 발생하는 것이면 족하고, 업무방해의 결과가 실제로 발생함을 요하지 않는다(대판 2008.1.17, 2006도1721).
㉢ ×: ~ (3줄) 관계자들에 대하여 위계(위력 ×)로써 경선업무의 적정성이나 공정성을 방해한 경우에 해당한다(대판 2013.11.28, 2013도5117).
㉣ ○: 대판 2001.11.30, 2001도2015

Answer 13. ②

14 **업무방해죄에 관한 설명으로 가장 적절하지 않은 것은?**(다툼이 있는 경우 판례에 의함) **24. 순경 2차**

① 의료인이나 의료법인이 아닌 자가 의료기관을 개설하여 운영하는 행위뿐만 아니라 무자격자에 의해 개설된 의료기관에 고용된 의료인이 환자를 진료하는 행위 또한 당연히 반사회성을 띠는 행위이므로 업무방해죄의 보호대상이 되는 업무에 해당하지 않는다.

② 컴퓨터 등 정보처리장치에 정보를 입력하는 등의 행위가 그 입력된 정보 등을 바탕으로 업무를 담당하는 사람의 오인, 착각 또는 부지를 일으킬 목적으로 행해진 경우에는 그 행위가 업무를 담당하는 사람을 직접적인 대상으로 이루어진 것이 아니라고 하여도 위계에 의한 업무방해죄가 성립한다.

③ 형법상 업무방해죄에서 말하는 '위력'은 폭력 · 협박은 물론 사회적 · 경제적 · 정치적 지위와 권세에 의한 압박 등도 이에 포함되지만, 적어도 그러한 위력으로 인하여 피해자의 자유의사를 제압하기에 충분하다고 평가될 정도의 세력에는 이르러야 한다.

④ 피해자에 대한 폭행행위가 동일한 피해자에 대한 업무방해죄의 수단이 되었다고 하더라도 그러한 폭행행위는 이른바 '불가벌적 수반행위'에 해당하므로 업무방해죄에 대하여 흡수관계에 있다고 볼 수 없다.

해설 ① × : 의료인이나 의료법인이 아닌 자가 의료기관을 개설하여 운영하는 행위는 업무방해죄의 보호대상이 되는 업무에 해당하지 않는다. 그러나 무자격자에 의해 개설된 의료기관에 고용된 의료인이 환자를 진료한다고 하여 그 진료행위 또한 당연히 반사회성을 띠는 행위라고 볼 수는 없다(대판 2023.3.16, 2021도16482 ∴ 그 진료행위는 업무방해죄의 보호대상이 되는 업무에 해당한다).

② 대판 2013.11.28, 2013도5117

③ 대판 2023.3.30, 2019도7446

④ 대판 2012.10.11, 2012도1895

Answer 14. ①

CHAPTER 04

사생활의 평온에 대한 죄

www.pmg.co.kr

본장에서는 주거침입죄의 보호법익과 객체에 따른 판례, 실행의 착수시기, 거주자나 관리자의 의사에 관련된 판례, 위법성조각 여부, 타죄와의 관계 등이 출제빈도가 높다.

제1절 비밀침해의 죄

1 비밀침해죄

제316조 제1항 봉함 기타 비밀장치한 사람의 편지, 문서 또는 도화를 개봉한 자는 3년 이하의 징역이나 금고 또는 500만원 이하의 벌금에 처한다.
제316조 제2항 봉함 기타 비밀장치한 사람의 편지, 문서, 도화 또는 전자기록 등 특수매체기록을 기술적 수단을 이용하여 그 내용을 알아낸 자도 제1항의 형과 같다.
제318조 본죄는 고소가 있어야 공소를 제기할 수 있다.

친고죄 ○

관련판례

1. 문서 자체에 비밀장치가 되어 있지 않더라도, 외부 포장을 만들어서 그 안의 내용을 알 수 없게 만드는 잠금장치가 있는 용기나 서랍 등에 문서를 보관하였다면 비밀침해죄의 객체가 될 수 있다(대판 2008.11.27, 2008도9071). 18. 법원행시
2. 형법 제316조 제2항 소정의 전자기록 등 내용탐지죄의 객체인 '전자기록 등 특수매체기록'은 그 자체로서 객관적 · 고정적 의미를 가지면서 독립적으로 쓰이는 것이 아니라, 개인 또는 법인이 전자적 방식에 의한 정보의 생성 · 처리 · 저장 · 출력을 목적으로 구축하여 설치 · 운영하는 시스템에서 쓰임으로써 예정된 증명적 기능을 수행하는 것으로, 특정인의 의사가 표시되어야 하는 것은 아니므로 인터넷계정 등에 접속하는 과정에서 입력하는 아이디 및 비밀번호 등 자체는 '전자기록 등 특수매체기록'이라 할 수 있다(대판 2022.3.31, 2021도8900). 23. 순경 2차
3. 형법 제316조 제2항 소정의 전자기록 등 내용탐지죄는 봉함 기타 비밀장치한 전자기록 등 특수매체기록을 기술적 수단을 이용하여 그 내용을 알아낸 자를 처벌하는 규정인바, 전자기록 등 특수매체기록에 해당하더라도 봉함 기타 비밀장치가 되어 있지 아니한 것은 이를 기술적 수단을 동원해서 알아냈더라도 전자기록 등 내용탐지죄가 성립하지 않는다(대판 2022.3.31, 2021도8900). 23. 순경 2차

2 업무상 비밀누설죄

제317조 제1항 의사, 한의사, 치과의사, 약제사, 약종상, 조산사, 변호사, 변리사, 계리사, 공증인, 대서업자나 그 직무상 보조자 또는 차등의 직에 있던 자가 그 업무처리 중 지득한 타인의 비밀을 누설한 때에는 3년 이하의 징역이나 금고, 10년 이하의 자격정지 또는 700만원 이하의 벌금에 처한다.
제317조 제2항 종교직에 있는 자 또는 있던 자가 그 직무상 지득한 사람의 비밀을 누설한 때에는 전항의 형과 같다.
제318조 본죄는 고소가 있어야 공소를 제기할 수 있다.

친고죄 ○, 진정신분범 ○

관련판례

병원에서 분실된 진료기록의 일부를 당사자가 증거로 제출하는 것이 형법 제317조 제1항 소정의 업무상 비밀누설죄에 해당된다고 볼 수 없다(대판 1992.5.22, 91다39320). 18. 경찰간부

제2절 주거침입의 죄

1 보호법익 : 사실상 평온설(통설 · 판례)

관련판례

① 주거침입죄의 보호법익은 사적 생활관계에 있어서 사실상 누리고 있는 주거의 평온, 즉 '사실상 주거의 평온'으로서, 주거를 점유할 법적 권한이 없더라도 사실상의 권한이 있는 거주자가 주거에서 누리는 사실적 지배 · 관리관계가 평온하게 유지되는 상태를 말한다. 외부인이 무단으로 주거에 출입하게 되면 이러한 사실상 주거의 평온이 깨어지는 것이다. 이러한 보호법익은 주거를 점유하는 사실상태를 바탕으로 발생하는 것으로서 사실적 성질을 가진다(대판 2021.9.9, 2020도12630 전원합의체).

② 주거침입죄는 사실상의 주거의 평온을 보호법익으로 하는 것이므로, 그 주거자 또는 관리자가 건조물 등에 거주 또는 관리할 권리를 가지고 있는가의 여부는 범죄의 성립을 좌우하는 것이 아니며, 점유할 권리 없는 자의 점유라 하더라도 그 주거의 평온은 보호되어야 할 것이므로, 권리자가 그 권리를 실행함에 있어 법에 정하여진 절차에 의하지 아니하고 그 건조물 등에 침입한 경우에는 주거침입죄가 성립한다(대판 2007.3.15, 2006도7044 예 비닐하우스의 소유자 甲이 A가 乙로부터 비닐하우스를 인도받아 점유하고 있는 중에 함부로 열쇠를 손괴하고 그 안에 들어간 경우 ⇨ 재물손괴죄 및 주거침입죄 ○). 16. 법원행시, 20. 순경 1차, 22. 경찰간부 · 변호사시험 · 해경간부, 24. 해경경장

1. 주택의 매수인이 계약금과 중도금을 지급하고서 그 주택을 명도받아 점유하고 있던 중 위 매매계약을 해제하고 중도금반환청구소송을 제기하여 얻은 그 승소판결에 기하여 강제집행에 착수한 이후에, 매도인이 매수인이 잠그어 놓은 위 주택의 출입문을 열고 들어간 경우, 그 주택에 대하여 보호받아야 할 피해자의 주거에 대한 평온상태는 소멸되었다고 볼 수 있으므로 주거침입죄를 구성하지 아니한다(대판 1987.5.12, 87도3). 22. 경찰간부, 20·24. 법원행시, 24. 해경경장
2. 피고인 소유 건물이 하자 있는 임의경매절차에 의하여 경락되고 그에 기한 인도명령에 의한 집행으로 건물의 점유가 이전되었다면, 자력구제의 수단으로 건물에 들어갔더라도 주거침입죄가 성립한다(대판 1985.3.26, 85도122). 10. 법원직, 18. 법원행시

공동주거

① 공동주거의 경우에는 여러 사람이 하나의 생활공간에서 거주하는 성질에 비추어 공동거주자 각자는 다른 거주자와의 관계로 인하여 주거에서 누리는 사실상 주거의 평온이라는 법익이 일정 부분 제약될 수밖에 없고, 공동거주자는 공동주거관계를 형성하면서 이러한 사정을 서로 용인하였다고 보아야 한다(대판 2021.9.9, 2020도12630 전원합의체). 22. 순경 1차

② 부재중인 일부 공동거주자에 대하여 주거침입죄가 성립하는지를 판단할 때에도 이러한 주거침입죄의 보호법익의 내용과 성질, 공동주거관계의 특성을 고려하여야 한다. 공동거주자 개개인은 각자 사실상 주거의 평온을 누릴 수 있으므로 어느 거주자가 부재중이라고 하더라도 사실상의 평온상태를 해치는 행위태양으로 들어가거나 그 거주자가 독자적으로 사용하는 공간에 들어간 경우에는 그 거주자의 사실상 주거의 평온을 침해하는 결과를 가져올 수 있다. 그러나 공동거주자 중 주거 내에 현재하는 거주자의 현실적인 승낙을 받아 통상적인 출입방법에 따라 들어갔다면, 설령 그것이 부재중인 다른 거주자의 의사에 반하는 것으로 추정된다고 하더라도 주거침입죄의 보호법익인 사실상 주거의 평온을 깨트렸다고 볼 수는 없다(대판 2021.9.9, 2020도12630 전원합의체). 22. 순경 1차·수사경과

③ 대판 2021.9.9, 2020도6085 전원합의체

㉠ 공동거주자 중 한 사람이 법률적인 근거 기타 정당한 이유 없이 다른 공동 거주자가 공동생활의 장소에 출입하는 것을 금지한 경우, 다른 공동거주자가 이에 대항하여 공동생활의 장소에 들어갔더라도 이는 사전 양해된 공동주거의 취지 및 특성에 맞추어 공동생활의 장소를 이용하기 위한 방편에 불과할 뿐, 그의 출입을 금지한 공동거주자의 사실상 주거의 평온이라는 법익을 침해하는 행위라고는 볼 수 없으므로 주거침입죄는 성립하지 않는다. 23. 순경 1차, 24. 해경경위, 25. 변호사시험

㉡ 설령 그 공동거주자가 공동생활의 장소에 출입하기 위하여 출입문의 잠금장치를 손괴하는 등 다소간의 물리력을 행사하여 그 출입을 금지한 공동거주자의 사실상 평온상태를 해쳤더라도 그러한 행위 자체를 처벌하는 별도의 규정에 따라 처벌될 수 있음은 별론으로 하고, 주거침입죄가 성립하지 아니함은 마찬가지이다. 22. 순경 1차, 25. 변호사시험

㉢ 또한 그 공동거주자의 승낙을 받아 공동생활의 장소에 함께 들어간 외부인의 출입 및 이용행위가 전체적으로 그의 출입을 승낙한 공동거주자의 통상적인 공동생활 장소의 출입 및 이용행위의 일환이자 이에 수반되는 행위로 평가할 수 있는 경우라면, 이를 금지하는 공동거주자의 사실상 평온상태를 해쳤음에도 불구하고 그 외부인에 대하여도 역시 주거침입죄가 성립하지 않는다고 봄이 타당하다[예 피고인 甲이 처(妻) 乙과의 불화로 인해 乙과 공동생활을 영위하던 아파트에서 짐 일부를 챙겨 나왔는데, 그 후 자신의 부모인 피고인 丙, 丁과 함께 아파트에 찾아가 출입문을 열 것을 요구하였으나 乙은 외출한 상태로 乙의 동생인 戊가 출입문에 설치된 체인형 걸쇠를 걸

어 문을 열어 주지 않자 공동하여 걸쇠를 손괴한 후 아파트에 침입한 경우 ⇨ 폭력행위 등 처벌에 관한 법률 위반(공동주거침입)죄 ×]. 22. 7급 검찰, 23. 경찰간부 · 해경 3차, 25. 변호사시험

2 주거침입죄

제319조 제1항 사람의 주거, 관리하는 건조물, 선박이나 항공기 또는 점유하는 방실에 침입한 자는 3년 이하의 징역 또는 500만원 이하의 벌금에 처한다.
제322조 본죄의 미수범은 처벌한다. 16. 경찰승진, 17 · 22. 수사경과

(1) **행위의 객체** : 사람의 주거, 관리하는 건조물, 선박, 항공기, 점유하는 방실

① **사람의 주거**

㉠ 주거침입죄의 객체는 행위자 이외의 사람, 즉 '타인'이 거주하는 주거 등이라고 할 것이므로 행위자 자신이 단독으로 또는 다른 사람과 공동으로 거주하거나 관리 또는 점유하는 주거 등에 임의로 출입하더라도 주거침입죄를 구성하지 않는다. 다만, 다른 사람과 공동으로 주거에 거주하거나 건조물을 관리하던 사람이 공동생활관계에서 이탈하거나 주거 등에 대한 사실상의 지배 · 관리를 상실한 경우 등 특별한 사정이 있는 경우에 주거침입죄가 성립할 수 있을 뿐이다(대판 2023.6.29, 2023도3351 예 甲은 A회사의 설립 당시부터 甲의 직원 5명이 파견 근무 중인 상황에서 업무상 편의를 위해 乙로부터 A회사의 출입을 위한 스마트키를 교부받았고, A회사에는 甲의 지문까지 등록되어 있었으며, 甲은 그 이후 A회사에 여러 차례 출입을 하는 과정에서 위 스마트키를 사용하였다. 甲은 야간에 위 스마트키를 이용하여 A회사의 문을 열고 들어가 A회사 및 乙의 재물을 절취한 경우 ⇨ 야간건조물침입절도죄 × ∵ 乙이 A회사에 대한 출입권한을 부여한 이상, A회사는 乙이 단독으로 관리 · 점유하는 건조물에 해당 ×, 통상적인 출입방법으로 출입 ○ ∴ 건조물침입죄 ×, 절도죄 ○). 24. 변호사시험 · 순경 2차

㉡ 다가구용 단독주택이나 다세대주택 · 연립주택 · 아파트와 같은 공동주택 내부의 엘리베이터, 공용 계단, 복도 등 공용 부분도 그 거주자들의 사실상 주거의 평온을 보호할 필요성이 있으므로 주거침입죄의 객체인 '사람의 주거'에 해당한다(대판 2022.8.25, 2022도3801). 20. 법원행시, 21. 경찰승진, 22. 변호사시험 · 해경간부, 23. 순경 1차, 24. 해경승진 · 순경 2차

관련판례

1. 다가구용 단독주택인 빌라의 잠기지 않은 대문을 열고 들어가 공용 계단으로 빌라 3층까지 올라갔다가 1층으로 내려온 경우 ⇨ 주거침입죄(대판 2009.8.20, 2009도3452) 15. 순경 1차, 19. 경찰간부, 20. 법원행시
2. 피고인이 강간할 목적으로 피해자를 따라 피해자가 거주하는 아파트 내부의 엘리베이터에 탄 다음 그 안에서 폭행을 가하여 반항을 억압한 후 계단으로 끌고 가 피해자를 강간하고 상해를 입힌 경우 ⇨ 성폭력범죄의 처벌 등에 관한 특례법 위반[(주거침입)강간상해]죄 ○(대판 2009.9.10, 2009도4335) 13 · 18. 경찰승진

㉢ 주거의 소유권 여부는 불문한다. 또한 일단 적법하게 거주 또는 간수를 개시한 후에 그 권한을 상실하여 사법상 불법점유가 되더라도 권리자가 이를 배제하기 위하여 정당한 절차에 의하지 아니하고 그 주거 또는 건조물을 침입한 경우에는 주거침입죄가 성립한다(대판 1983.3.8, 82도1363). 20. 순경 2차

예 1. 임대차 기간 종료 후에 임대인이 정당한 절차에 의하지 않고 임차인의 의사에 반해 임차주택에 침입한 경우 ⇨ 주거침입죄(대판 1989.9.12, 89도889) 12. 변호사시험

2. 임대차 기간이 종료되어 임대인이 폐쇄한 출입구를 임차인이 뜯고 그 건물에 들어간 경우 ⇨ 주거침입죄 불성립(대판 1973.6.26, 73도460) 11. 경찰승진, 13·22. 수사경과

② **관리하는 건조물·선박·항공기**(▶ 주의 : 자동차 × 11. 순경)

주거침입죄에 있어서 건조물은 주위벽 또는 기둥과 지붕 또는 천정으로 구성된 구조물로서 사람이 기거하거나 출입할 수 있는 장소를 말하고, 또한 단순히 건조물 그 자체만을 말하는 것이 아니고 위요지를 포함한다고 할 것이나 위요지가 되기 위하여는 건조물에 인접한 그 주변 토지로서 관리자가 외부와의 경계에 문과 담 등을 설치하여 그 토지가 건조물의 이용을 위하여 제공되었다는 것이 명확히 드러나야 한다(대판 2005.10.7, 2005도5351). 16. 법원행시, 17. 법원직 그러나 관리자가 일정한 토지와 외부의 경계에 인적 또는 물적 설비를 갖추고 외부인의 출입을 제한하고 있더라도 그 토지에 인접하여 건조물로서의 요건을 갖춘 구조물이 존재하지 않는다면 이러한 토지는 건조물침입죄의 객체인 위요지에 해당하지 않는다(대판 2017.12.22, 2017도690 예 석유정제시설 중 하나인 '타워' ⇨ 건조물침입죄의 객체인 건조물 ×). 22. 경찰승진, 23. 순경 1차, 24. 해경승진

내부가 약 1.5평(정면길이 230cm, 옆면길이 110cm) 정도되는 알미늄 샷시로 된 구조물인 담배점포 ⇨ 건조물 ○(대판 1989.2.28, 88도2430), 골리앗 크레인(선박건조 자재운반용, 10평 크기) ⇨ 건조물 ○(대판 1991.6.11, 91도753), 타워 크레인의 운전실 ⇨ 건조물 ×(대판 2005.10.7, 2005도5351), 물탱크시설 ⇨ 건조물 ×(대판 2007.12.13, 2007도7247) 15. 순경 1차, 17. 법원직, 18. 경찰간부, 19. 법원행시, 20. 해경승진, 21. 해경 1차, 22. 7급 검찰, 24. 경위공채

관련판례

1. 건조물의 이용에 기여하는 인접의 부속 토지라고 하더라도 인적 또는 물적 설비 등에 의한 구획 내지 통제가 없어 통상의 보행으로 그 경계를 쉽사리 넘을 수 있는 정도라고 한다면 일반적으로 외부인의 출입이 제한된다는 사정이 객관적으로 명확하게 드러났다고 보기 어려우므로, 주거침입죄의 객체에 속하지 아니한다고 봄이 상당하다(대판 2010.4.29, 2009도14643 예 차량 통행이 빈번한 도로에 바로 접하여 있고, 입구 등에 그 출입을 통제하는 문이나 담 기타 인적·물적 설비가 전혀 없고 통로를 통하여 누구나 축사 앞 공터에 이르기까지 자유롭게 드나들 수 있는 경우에, 차를 몰고 위 통로로 진입하여 축사 앞 공터까지 들어간 경우 ⇨ 주거침입죄 ×). 19. 경찰간부·경찰승진, 20. 법원행시·해경승진, 20·22. 해경간부·순경 1차, 24. 변호사시험
2. 피해자 소유의 축사 건물 및 그 부지를 임의경매절차에서 매수한 사람이 위 부지 밖에 설치된 피해자 소유 소독시설을 통로로 삼아 위 축사건물에 출입한 경우 건조물침입죄를 구성한다(대판 2007.12.13, 2007도7247 ∵ 소독시설 ⇨ 종물 ×, 독립한 건조물 ○). 12. 경찰간부

3. 피고인들이 골프장 부지에 설치된 사드(THAAD)기지 외곽 철조망을 미리 준비한 각목과 장갑을 이용해 통과하여 300m 정도 진행하다가 내곽 철조망에 도착하자 미리 준비한 모포와 장갑을 이용해 통과하여 사드기지 내부 1km 지점까지 진입함으로써 대한민국 육군과 주한미군이 관리하는 건조물에 침입한 경우 ⇨ 폭력행위 등 처벌에 관한 법률 위반(공동주거침입)죄 ○(대판 2020.3.12, 2019도16484 ∵ 사드기지의 부지는 기지 내 건물의 위요지에 해당한다.)

---

(2) 행 위

주거침입죄의 구성요건적 행위인 '침입'은 주거침입죄의 보호법익(사실상 주거의 평온)과의 관계에서 해석하여야 한다(판례).

① 따라서 '침입'이란 '거주자가 주거에서 누리는 사실상의 평온상태를 해치는 행위태양으로 주거에 들어가는 것'을 의미하고, 침입에 해당하는지 여부는 출입 당시 객관적 · 외형적으로 드러난 행위태양을 기준으로 판단함이 원칙이다. ② 사실상의 평온상태를 해치는 행위태양으로 주거에 들어가는 것이라면 대체로 거주자의 의사에 반하는 것이겠지만, 단순히 주거에 들어가는 행위 자체가 거주자의 의사에 반한다는 거주자의 주관적 사정만으로 바로 침입에 해당한다고 볼 수는 없다. 24. 경위공채 거주자의 의사에 반하는지는 사실상의 평온상태를 해치는 행위태양인지를 평가할 때 고려할 요소 중 하나이지만 주된 평가 요소가 될 수는 없다. 따라서 침입행위에 해당하는지는 거주자의 의사에 반하는지가 아니라 사실상의 평온상태를 해치는 행위태양인지에 따라 판단하여야 한다. 24. 순경 2차 ③ 외부인이 공동거주자 중 주거 내에 현재하는 거주자로부터 현실적인 승낙을 받아 통상적인 출입방법에 따라 주거에 들어간 경우라면, 특별한 사정이 없는 한 사실상의 평온상태를 해치는 행위태양으로 주거에 들어간 것이라고 볼 수 없으므로 주거침입죄에서 규정하고 있는 침입행위에 해당하지 않는다(대판 2021.9.9, 2020도12630 전원합의체). ④ 아파트 등 공동주택의 공동현관에 공동주택 거주자의 사실상 주거의 평온상태를 해치는 행위태양으로 볼 수 있는 경우라면 공동주택 거주자들에 대한 주거침입에 해당할 것이다(대판 2022.1.27, 2021도15507).

① 침 입

㉠ **주거침입죄의 실행의 착수시기** : 주거침입죄의 실행의 착수는 주거자, 관리자, 점유자 등의 의사에 반하여 주거나 관리하는 건조물 등에 들어가는 행위(구성요건의 일부를 실현하는 행위)까지 요구하는 것은 아니지만, 주거침입의 범의로 예컨대, 주거로 들어가는 문의 시정장치를 부수거나 문을 여는 등 침입을 위한 구체적 행위를 시작함으로써 범죄구성요건의 실현에 이르는 현실적 위험성을 포함하는 행위를 개시할 것을 요한다(대판 2008.3.27, 2008도917). 18. 순경 3차, 23. 9급 검찰 · 마약수사, 24. 경찰승진 · 경위공채

관련판례

1. 출입문이 열려 있으면 안으로 들어가겠다는 의사 아래 출입문을 당겨보는 행위는 바로 주거의 사실상의 평온을 침해할 객관적인 위험성을 포함하는 행위를 한 것으로 볼 수 있어 그것으로 실행에 착수한 것으로 보아야 한다(대판 2006.9.14, 2006도2824). 15. 법원직·순경 2차, 16. 경찰승진, 17. 경찰간부, 18. 수사경과, 21. 해경 1차, 23. 해경승진, 24. 해경경위
2. 침입 대상인 아파트에 사람이 있는지를 확인하기 위해 그 집의 초인종을 누른 행위만으로는 침입의 현실적 위험성을 포함하는 행위를 시작하였다거나, 주거의 사실상의 평온을 침해할 객관적인 위험성을 포함하는 행위를 한 것으로 볼 수 없다(대판 2008.4.10, 2008도1464). 19. 순경 2차, 20. 경찰간부·수사경과, 21. 해경 2차, 23. 경력채용, 24. 변호사시험
3. 야간에 다세대주택에 침입하여 물건을 절취하기 위하여 가스배관을 타고 오르다가 순찰 중이던 경찰관에게 발각되어 그냥 뛰어내렸다면, 야간주거침입절도죄의 실행의 착수에 이르지 못했다(대판 2008.3.27, 2008도917). 11. 법원행시, 20. 순경 2차, 21. 경찰승진
4. 야간에 아파트에 침입하여 물건을 훔칠 의도하에 아파트의 베란다 철제난간까지 올라가 유리창문을 열려고 시도하였다면 야간주거침입절도죄의 실행에 착수한 것으로 보아야 한다(대판 2003.10.24, 2003도4417). 09. 법원행시

ⓛ 주거침입죄는 사실상의 주거의 평온을 보호법익으로 하는 것이므로, 반드시 행위자의 신체의 전부가 범행의 목적인 타인의 주거 안으로 들어가야만 성립하는 것이 아니라 신체의 일부만 타인의 주거 안으로 들어갔다고 하더라도 거주자가 누리는 사실상의 주거의 평온을 해할 수 있는 정도에 이르렀다면 범죄구성요건을 충족하는 것이라고 보아야 하고(대판 2001.4.24, 2001도1092 예 수일 전에 피해자를 강간하였던 甲이 대문을 몰래 열고 들어와 담장과 피해자가 거주하던 방 사이의 좁은 통로에서 창문을 통하여 방 안을 엿보던 상황이라면 피해자의 주거에 대한 사실상 평온 상태가 침해된 것으로 주거침입죄에 해당한다), 19. 경찰간부, 20. 9급 검찰·마약수사, 22. 경찰승진·7급 검찰, 24. 변호사시험·해경승진·해경경위 따라서 주거침입죄의 범의는 반드시 신체의 전부가 타인의 주거 안으로 들어간다는 인식이 있어야만 하는 것이 아니라 신체의 일부라도 타인의 주거 안으로 들어간다는 인식이 있으면 족하다[대판 1995.9.15, 94도2561 전원합의체 예 주거침입의 고의로 야간에 타인의 집 창문을 열고 집 안으로 얼굴을 들이밀어 사실상의 주거의 평온을 해한 경우 ⇨ 주거침입죄 기수(미수 ×)]. 15. 순경 2차·법원직, 16. 수사경과, 19. 순경 1차, 20. 해경승진, 23. 경찰승진·경력채용

② **거주자가 명시적으로 출입금지의 의사를 표시한 경우** : 그러한 출입금지의 의사에 반하여 주거에 들어간 경우에는 대체로 침입에 해당한다고 볼 수 있을 것이다. 그러나 거주자가 명시적으로 출입금지의 의사를 표시하였더라도 그러한 의사에 전제나 배경이 있는 경우가 있을 수 있다. 가령 거주자가 출입이 허용되는 신분이나 자격을 전제로 출입 허용 여부를 정한 경우를 생각해 볼 수 있다. 이러한 경우에는 출입이 허용되는 신분이나 자격이 있는 사람이 출입한 경우에는 침입이라고 볼 수 없으나, 출입이 허용되지 않는 신분이나 출입 자격이 없는 경우에는 침입이라고 볼 수 있다(대판 2021.9.9, 2020도6085 전원합의체).

③ 외부인이 공동거주자의 일부가 부재중에 주거 내에 현재하는 거주자의 현실적인 승낙을 받아 통상적인 출입방법에 따라 공동주거에 들어간 경우라면 그것이 부재중인 다른 거주자의 추정적 의사에 반하는 경우에도 주거침입죄가 성립하지 않는다(대판 2021.9.9, 2020도12630 전원합의체). 23. 9급 검찰 · 마약수사, 24. 법원직 · 경위공채

예 1. 피고인이 甲의 부재중에 甲의 처(妻) 乙과 혼외 성관계(간통)를 가질 목적으로 乙이 열어 준 현관 출입문을 통하여 甲과 乙이 공동으로 거주하는 아파트에 들어간 경우, 피고인이 乙로부터 현실적인 승낙을 받아 통상적인 출입방법에 따라 주거에 들어갔으므로 주거의 사실상 평온상태를 해치는 행위태양으로 주거에 들어간 것이 아니어서 주거에 침입한 것으로 볼 수 없고, 피고인의 주거 출입이 부재중인 甲의 의사에 반하는 것으로 추정되더라도 주거침입죄의 성립 여부에 영향을 미치지 않는다(대판 2021.9.9, 2020도12630 전원합의체). 21. 해경승진, 22. 법원행시 · 순경 1차, 22 · 23. 경찰승진, 23. 경찰간부, 24. 경력채용 · 해경경위

2. 피고인이 피해자의 아들과 성관계 목적으로 피해자의 주거지에 들어갔더라도 출입문을 통하여 통상적인 출입방법에 따라 피해자의 주거지에 들어갔고, 피해자의 사실상 평온상태를 해치는 행위태양으로 피해자의 주거지에 들어간 것이 아니라면 주거침입죄는 성립하지 않는다(대판 2021.12.10, 2019도13818). 22. 법원행시

3. 甲으로부터 점포를 임대하여 카페를 운영하던 乙이 임대차기간 중, 위 카페 영업을 중단하는 한편 甲에게 이러한 영업중단 사실을 고지하면서 위 점포의 열쇠를 교부하였고, 甲은 위 점포의 출입문을 열고 들어가 그곳에 있던 乙 소유 집기 등을 임의로 철거하였다. 乙은 甲에게 위 점포에 있던 집기 등을 철거할 목적이 있다는 것을 알았더라면 甲의 출입을 승낙하지 않았을 경우 ⇨ 주거침입죄 ×, 손괴죄 ○(대판 2022.7.28, 2022도419)

④ 일반인의 출입이 허용된 영업장소(음식점, 상가 등)에 영업주의 승낙을 받아 통상적인 출입방법으로 들어갔다면 특별한 사정이 없는 한 주거침입죄에서 규정하는 침입행위에 해당하지 않는다. 설령 행위자가 범죄 등을 목적으로 음식점에 출입하였거나 영업주가 행위자의 실제 출입 목적을 알았더라면 출입을 승낙하지 않았을 것이라는 사정이 인정되더라도 그러한 사정만으로는 출입 당시 객관적 · 외형적으로 드러난 행위태양에 비추어 사실상의 평온상태를 해치는 방법으로 음식점에 들어갔다고 평가할 수 없으므로 침입행위에 해당하지 않는다(대판 2022.3.24, 2017도18272 전원합의체). 23. 경찰간부 · 9급 검찰 · 마약수사 · 순경 1차, 24. 법원행시

예 1. 피고인들이 공모하여, 甲 · 乙이 운영하는 각 음식점에서 인터넷 언론사 기자 丙을 만나 식사를 대접하면서 丙이 부적절한 요구를 하는 장면 등을 확보할 목적으로 녹음 · 녹화장치를 설치하거나 장치의 작동 여부 확인 및 이를 제거하기 위하여 각 음식점의 방실에 들어간 경우 ⇨ 주거침입죄 × 22. 7급 검찰, 23. 경찰승진 · 해경 3차, 24. 법원직

2. 甲이 기관장들의 조찬모임에서의 대화내용을 도청하기 위한 도청장치를 설치할 목적(불법선거운동 적발 목적)으로 손님을 가장하여 그 조찬모임 장소인 음식점에 들어간 경우(초원복집사건) ⇨ 주거침입죄 × 19. 법원행시 · 경력채용, 20. 경찰승진, 22. 해경간부

3. 甲이 A(여, 16세)를 추행하기로 마음먹고 A를 뒤따라 ○○프라자 상가 1층에 들어가, 그곳에서 엘리베이터를 기다리던 A의 뒤에서 갑자기 A의 교복 치마 안으로 손을 넣어 A의 음부를 만진 경우 ⇨ 성폭력범죄의 처벌 등에 관한 특례법 제3조 제1항의 주거침입강제추행죄 ×, 강제추행죄 ○(대판 2022.8.25, 2022도3801)

4. 일반적으로 출입이 허용되어 개방된 건조물에 관리자의 출입 제한이나 제지가 없는 상태에서 통상적인 방법으로 들어갔다면, 사실상의 평온상태를 해치는 행위 태양으로 그 건조물에 들어갔다고 볼 수 없으므로 건조물침입죄에서 규정하는 침입행위에 해당하지 않는다〔대판 2022.9.7, 2021도9055 예 마트산업노동조합 간부와 조합원인 피고인들이 공동하여, 대형마트 지점에 방문한 대표이사 등에게 해고와 전보 인사발령에 항의하기 위하여 지점장 甲의 의사에 반하여 정문을 통해 지점 2층 매장으로 들어간 경우 ⇨ 폭력행위 등 처벌에 관한 법률 위반(공동주거침입)죄 ×〕
5. 甲은 연인관계인 A로부터 안방에 TV를 설치하여 달라는 요청을 받고 통상적인 출입방법에 따라 A의 안방에 들어간 후 A가 있는 자리에서 TV를 설치하는 등 달리 A의 사실상 평온상태가 침해되었다고 볼만한 사정이 없었다면, 甲의 출입이 실제로는 CCTV 카메라와 동영상 저장장치를 부착한 TV인 사실을 숨기고 한 것이라도 주거침입죄가 성립한다고 단정할 수 없다(대판 2022.4.28, 2022도1717). 23. 순경 2차
6. 일반적으로 출입이 허용되어 개방된 시청사 로비에 관리자의 출입 제한이나 제지가 없는 상태에서 통상적인 방법으로 들어간 이상 사실상의 평온상태를 해치는 행위 태양으로 김천시청 1층 로비에 들어갔다고 볼 수 없으므로 건조물침입죄에서 규정하는 침입행위에 해당하지 않는다(대판 2022.6.16, 2021도7087).
7. 편의점에서 담배를 절취할 목적으로 편의점 출입문을 열고 들어가 편의점 직원에게 담배 1보루를 달라고 하여 이를 받은 후 대금을 지급하지 않고 가지고 나와 달아난 경우 ⇨ 야간주거침입절도죄 ×(대판 2022.7.28, 2022도5659 ∵ 일반인의 출입이 허용된 영업점에 영업주의 승낙을 받아 통상적인 출입방법으로 들어갔다면 특별한 사정이 없는 한 주거침입죄에서 정하는 침입행위에 해당하지 않는다. 설령 행위자가 범죄 등을 목적으로 영업점에 출입하였거나 영업주가 행위자의 실제 출입목적을 알았더라면 출입을 승낙하지 않았을 것이라고 하더라도 그러한 사정만으로는 사실상의 평온상태를 해치는 것도 아니어서 침입행위에 해당한다고 볼 수 없다. ∴ 절도죄 ○)
8. 업무시간 중 출입자격 등의 제한 없이 일반적으로 개방되어 있는 장소에 들어간 경우, 관리자의 명시적 출입금지 의사 및 조치가 없었던 이상 그 출입행위가 결과적으로 관리자의 추정적 의사에 반하였다는 사정만으로는 사실상의 평온상태를 해치는 행위 태양으로 출입하였다고 평가할 수 없다(대판 2024.1.4, 2022도15955).

관련판례

- **사실상의 평온상태를 해치는 행위태양**(통상적인 출입방법이 아닌 경우) ⇨ **주거침입죄** ○

1. 일반적으로 개방되어 있는 장소인 월정사 경내라도 관리자의 출입금지 내지 제한하는 의사에 반하여 날이 새기 전에 뒷문을 넘어 들어가거나 사찰의 정문에 설치된 철조망을 걷어내고 무단으로 사찰의 경내로 진입한 경우(대판 1983.3.8, 82도1363) 05. 법원행시, 19. 경찰간부
2. 일반적으로 출입이 허가된 건물이라 하여도 피고인이 출입이 금지된 시간에 화장실 유리창문을 통해 들어간 경우(대판 1990.3.13, 90도173) 09. 경찰승진, 19. 순경 2차
3. 대학교가 한국대학총학생회연합의 행사개최를 불허하고 외부인의 출입을 금지하는 한편 경찰에 시설물 보호를 위한 경비지원을 요청하였음에도 피고인이 다른 많은 학생들과 함께 위 행사에 참여하거나 주최하기 위하여 대학교에 들어간 경우, 들어갈 당시 구체적으로 출입을 제지당하지 아니함(대판 2003.5.13, 2003도604 ∵ 특수건조물침입죄 ○) 15. 수사경과, 16. 사시

⑤ 거주자가 아닌 외부인이 공동주택 내부의 공용 부분(엘리베이터, 공용계단, 복도 등)에 출입한 것이 공동주택 거주자들에 대한 주거침입에 해당하는지를 판단할 때에는 공용 부분이 일반 공중의 출입이 허용된 공간이 아니고 주거로 사용되는 각 가구 또는 세대의 전용 부분에 필수적으로 부속하는 부분으로서 거주자들 또는 관리자에 의하여 외부인의 출입에 대한 통제·관리가 예정되어 있어 거주자들의 사실상 주거의 평온을 보호할 필요성이 있는 부분인지, 공동주택의 거주자들이나 관리자가 평소 외부인이 그곳에 출입하는 것을 통제·관리하였는지 등의 사정과 외부인의 출입 목적 및 경위, 출입의 태양과 출입한 시간 등을 종합적으로 고려하여 '주거의 사실상 평온상태가 침해되었는지'의 관점에서 객관적·외형적으로 판단하여야 한다(대판 2024.2.15, 2023도15164).

예 1. 甲이 교제하다 헤어진 A가 거주하는 아파트에 들어가려고 아파트 지하 주차장에서 A나 다른 입주자의 승낙 없이 무단으로 A가 거주하는 101동으로 연결된 출입구의 공동출입문 비밀번호를 입력하여 아파트의 공용부분에 들어가 A의 집 현관문 앞까지 출입한 경우, A와 같은 아파트 101동에 거주하는 다른 입주자들의 사실상 주거의 평온 상태를 해한 것으로 볼 수 있다면 甲에게 주거침입죄가 성립한다(대판 2022.1.27, 2021도15507). 23. 경찰간부, 24. 변호사시험·경찰승진

2. 甲이 A(여, 17세)를 추행하기로 마음먹고 A를 뒤따라가 A의 주거지인 아파트에 들어간 다음, 위 아파트 1층 계단을 오르는 A의 뒤에서 갑자기 A의 교복 치마 안으로 손을 넣어 A의 음부와 허벅지를 만지거나, 甲이 아파트 인근에서 B(여, 17세)를 발견하고 추행하기로 마음먹고 B를 뒤따라 아파트 1층 현관으로 들어간 뒤 그곳에서 엘리베이터를 기다리던 B의 뒤에서 갑자기 B의 교복 치마 안으로 손을 넣어 B의 음부를 만진 경우 ⇨ 성폭력범죄의 처벌 등에 관한 특례법 제3조 제1항의 주거침입강제추행죄 ○(대판 2022.8.25, 2022도3801)

3. 피고인이 예전 여자친구인 甲의 사적 대화 등을 몰래 녹음하거나 현관문에 甲에게 불안감을 불러일으킬 수 있는 문구가 기재된 마스크를 걸어놓거나 甲이 다른 남자와 찍은 사진을 올려놓으려는 의도로 3차례에 걸쳐 야간에 甲이 거주하는 빌라 건물의 공동현관, 계단을 통해 甲의 2층 주거 현관문 앞까지 들어간 경우, 피고인은 甲 주거의 사실상 평온상태를 해치는 행위태양으로 빌라 건물에 출입하였다고 볼 여지가 충분하다(대판 2024.2.15, 2023도15164 ∴ 주거침입죄 ○).

4. 피고인이 甲이 거주하는 빌라 건물(甲을 포함하여 8세대의 입주민들만이 거주하는 다세대주택)의 공동현관문을 열고 들어가 5층 계단까지 침입한 후 공업용 접착제를 흡입한 경우 ⇨ 주거침입죄 ○(대판 2024.6.27, 2023도16019)

⑥ 관리자에 의해 출입이 통제되는 건조물에 관리자의 승낙을 받아 건조물에 통상적인 출입방법으로 들어갔다면, 이러한 승낙의 의사표시에 기망이나 착오 등의 하자가 있더라도 특별한 사정이 없는 한 형법 제319조 제1항에서 정한 건조물침입죄가 성립하지 않는다. 23. 9급 검찰·마약수사 이러한 경우 관리자의 현실적인 승낙이 있었으므로 가정적·추정적 의사는 고려할 필요가 없다. 단순히 승낙의 동기에 착오가 있다고 해서 승낙의 유효성에 영향을 미치지 않으므로, 관리자가 행위자의 실제 출입 목적을 알았더라면 출입을 승낙하지 않았을 사정이 있더라도 건조물침입죄가 성립한다고 볼 수 없다(대판 2022.3.31, 2018도15213 예 모 방송국 기자 A 등은 보이스피싱 조직과 관련된 방송 제작 도중에 서울구치소에 수감되어 있는 B와 관련된 중요한 제보를 받고 그 신빙성을 확인하기 위하여 B와의 직접적인 면담이 필요하게 되자, 서울구치소장의 허가 없이

접견내용을 촬영·녹음할 목적으로 명함지갑 모양으로 제작된 녹음·녹화장비를 몰래 소지하고 교도관의 허락을 받아 서울구치소에 들어갔다. 서울구치소장이나 교도관이 이러한 사실을 알았더라면 A 등이 녹음·녹화장비를 소지한 채 서울구치소에 출입하는 것을 승낙하지 않았을 경우 ⇨ 주거침입죄 ×). 24. 변호사시험·경찰승진·경력채용

⑦ 사용자의 직장폐쇄가 정당한 쟁의행위로 인정되지 아니하는 때에는 다른 특별한 사정이 없는 한 근로자가 평소 출입이 허용되는 사업장 안에 들어가는 행위가 주거침입죄를 구성하지 아니한다(대판 2002.9.24, 2002도2243). 15. 경찰간부, 19. 수사경과, 20. 순경 1차, 21. 해경승진, 23. 경찰승진

⑧ 사생활 보호의 필요성이 큰 사적 주거, 외부인의 출입이 엄격히 통제되는 건조물에 거주자나 관리자의 승낙 없이 몰래 들어간 경우 또는 출입 당시 거주자나 관리자가 출입의 금지나 제한을 하였음에도 이를 무시하고 출입한 경우에는 사실상의 평온상태가 침해된 경우로서 침입행위가 될 수 있다(대판 2024.2.8, 2023도16595 예 피고인이 '甲에게 100m 이내로 접근하지 말 것' 등을 명하는 법원의 접근금지가처분 결정이 있는 등 피고인이 甲을 방문하는 것을 甲이 싫어하는 것을 알고 있음에도 임의로 甲이 근무하는 사무실 안으로 들어간 경우 ⇨ 건조물침입죄 ○).

(3) 위법성

관련판례

• 위법성이 조각되는 경우 ⇨ 주거침입죄 ×

1. 연립주택 아래층에 사는 피해자가 위층 피고인의 집으로 통하는 상수도관의 밸브를 임의로 잠근 후 이를 피고인에게 알리지 않아 하루 동안 수돗물이 나오지 않은 고통을 겪었던 피고인이 상수도관의 밸브를 확인하고 이를 열기 위하여 부득이 피해자의 집에 들어간 경우(대판 2004.2.13, 2003도7393 ∴ 정당행위 ○) 15·20. 경찰간부, 24. 경찰승진
2. 이혼 후 자녀를 직접 양육하지 아니하는 모(母)가 자녀를 양육하고 있는 부(父)의 허락을 받지 않고 그 주거에 들어가 자녀들의 양육에 필요한 최소한의 행위만을 한 경우(대판 2003.11.28, 2003도5931 ∴ 정당행위 ○) 06. 경찰승진

• 위법성이 조각되지 않는 경우 ⇨ 주거침입죄 ○

1. 피고인이 피해자가 사용 중인 공중화장실의 용변칸에 노크하여 남편으로 오인한 피해자가 용변칸 문을 열자 강간할 의도로 용변칸에 들어간 것이라면 피해자가 명시적 또는 묵시적으로 이를 승낙하였다고 볼 수 없어 주거침입죄에 해당한다(대판 2003.5.30, 2003도1256). 16. 법원행시·경찰승진, 20. 수사경과, 21. 해경 2차, 22. 경찰간부, 23. 해경 3차, 24. 해경경장
2. 사용자가 제3자와 공동으로 관리·사용하는 공간을 사용자에 대한 쟁의행위를 이유로 관리자의 의사에 반하여 침입·점거한 경우 비록 그 공간의 점거가 사용자에 대한 관계에서 정당한 쟁의행위로 평가된다 할지라도 그 제3자의 명시적 또는 추정적 승낙이 없는 이상 주거침입죄는 성립한다(대판 2010.3.11, 2009도5008). 16. 법원행시, 19. 경찰승진, 20. 해경승진, 21. 해경 1차
3. 건물의 소유권에 대한 분쟁이 계속되고 있는 상황이라면 건물의 소유자라고 주장하는 피고인이 그 건물에 침입하는 것에 대한 건물점유자의 추정적 승낙이 있었다거나 사회상규에 위배되지 않는 것이라 볼 수 없다(대판 1989.9.12, 89도889). 18. 순경 3차, 20. 경찰간부, 21. 해경 2차

4. 현행범을 추격하여 그 범인의 아버지의 집에 들어가서 그와 시비 끝에 상해를 입힌 경우(대판 1965.12.21, 65도899) 15. 경찰간부, 18. 법원행시, 21. 해경승진
5. 간통현장을 목격하고 그 사진을 촬영하기 위해 상간자의 주거에 침입한 경우(대판 2003.9.26, 2002도3924) 12. 법원행시, 15. 경찰간부
6. 甲주식회사 감사인 피고인이 회사 경영진과의 불화로 한 달 가까이 결근하다가 자신의 출입카드가 정지되어 있는데도 이른 아침에 경비원에게서 출입증을 받아 컴퓨터 하드디스크를 절취하기 위해 회사 감사실에 들어간 경우, 위 방실침입 행위가 정당행위에 해당하지 않는다(대판 2011.8.18, 2010도9570 ∴ 방실침입죄 ○). 14. 변호사시험
7. A회사는 해고된 근로자에게 복직협의를 위한 회사출입을 허용해 왔는데, 그 근로자는 노조원들의 불법시위로 회사가 점거된 상태에서 노조간부들이 무단점거하여 사용하고 있던 노조임시사무실에 들어간 경우 ⇨ 회사 측의 의사 내지 추정적 의사에 반함(대판 1994.2.8, 93도120 ∴ 건조물침입죄) 06. 경찰승진
8. 집행관이 집행채권자 甲조합 소유 아파트에서 유치권을 주장하는 피고인을 상대로 부동산인도집행을 실시하여, 甲조합이 집행관으로부터 아파트를 인도받은 후 출입문의 잠금장치를 교체하는 등으로 그 점유가 확립된 상태에서 피고인이 이에 불만을 갖고 아파트 출입문과 잠금장치를 훼손하며 강제로 개방하고 아파트에 들어간 경우 민법상 자력구제에 해당하지 않는다(대판 2017.9.7, 2017도9999 ∴ 재물손괴죄와 건조물침입죄 ○).

(4) 죄수와 타죄와의 관계

관련판례

1. 다른 사람의 주택에 무단 침입한 범죄사실로 이미 유죄판결을 받은 사람이 그 판결이 확정된 후에도 퇴거하지 않은 채 계속하여 당해 주택에 거주한 경우, 위 판결 확정 이후의 행위는 별도의 주거침입죄를 구성한다(대판 2008.5.8, 2007도11322). 21. 해경 2차, 22. 수사경과 · 경찰간부 · 경찰승진, 23. 해경승진 · 경력채용, 24. 법원행시 · 순경 2차 · 해경경장
2. 형법 제330조에 규정된 야간주거침입절도죄 및 형법 제331조 제1항에 규정된 특수절도(야간손괴침입절도)죄를 제외하고 일반적으로 주거침입은 절도죄의 구성요건이 아니므로 절도범인이 그 범행수단으로 주거침입을 한 경우에 그 주거침입행위는 절도죄에 흡수되지 아니하고 별개로 주거침입죄를 구성하여 절도죄와는 실체적 경합의 관계에 서는 것이 원칙이다. 그러므로 형법 제332조에 규정된 상습절도죄를 범한 범인이 그 범행의 수단으로 주간에 주거침입을 한 경우 그 주간 주거침입행위는 상습절도죄와 별개로 주거침입죄를 구성한다(대판 2015.10.15, 2015도8169). 20. 수사경과, 21. 법원행시 · 해경 1차, 24. 법원직
   ▶ **비교판례** : 특정범죄 가중처벌 등에 관한 법률 제5조의 4 제6항에 규정된 상습절도 등 죄를 범한 범인이 그 범행의 수단으로 주거침입을 한 경우에 주거침입행위는 상습절도 등 죄에 흡수되어 위 조문에 규정된 상습절도 등 죄의 1죄만이 성립하고 별개로 주거침입죄를 구성하지 않는다(대판 2017.7.11, 2017도4044). 16. 경찰간부, 19. 법원행시, 22. 변호사시험 · 해경간부, 24. 법원직

3. 흉기를 휴대하거나 2인 이상이 합동하여 타인의 재물을 절취하는 형법 제331조 제2항의 특수절도에 있어서 절도범인이 그 범행수단으로 주거침입을 한 경우에 그 주거침입행위는 절도죄에 흡수되지 아니하고 별개로 주거침입죄를 구성하여 절도죄와는 실체적 경합의 관계에 있게 되고, 2인 이상이 합동하여 야간이 아닌 주간에 절도의 목적으로 타인의 주거에 침입하였다 하여도 아직 절취할 물건의 물색행위를 시작하기 전이라면 특수절도죄의 실행에는 착수한 것으로 볼 수 없는 것이어서 그 미수죄가 성립하지 않는다(대판 2009.12.24, 2009도9667). 13 · 24. 법원행시

3 퇴거불응죄

제319조 제2항 제319조 제1항의 장소에서 퇴거요구를 받고 응하지 아니한 자도 전항의 형과 같다.
제322조 본죄의 미수범은 처벌한다.

주거침입죄와 법정형이 동일하며, 미수범 처벌됨 18. 순경 3차, 19. 법원직, 21. 경찰승진 · 해경승진

주거침입죄가 계속범이라는 견해에 따르면 불법하게 주거에 침입한 자가 퇴거요구를 받고 불응한 때에는 퇴거불응죄가 별도로 성립하지 아니한다. 13. 사시, 20. 경찰승진

관련판례

1. 정당한 퇴거요구를 받고 건물에서 나가면서 가재도구 등을 남겨둔 경우 퇴거불응죄를 구성하지 않는다(대판 2007.11.15, 2007도6990 ∵ 주거침입죄에서의 침입이 신체적 침해로서 행위자의 신체가 주거에 들어가야 함을 의미하는 것과 마찬가지로 퇴거불응죄의 퇴거 역시 행위자의 신체가 주거에서 나감을 의미한다). 19. 수사경과, 20. 순경 2차, 22. 변호사시험 · 해경간부, 24. 법원행시 · 경력채용
2. 적법한 직장점거를 개시한 근로자들이 적법히 직장폐쇄를 단행한 사용자의 퇴거요구를 받고 불응한 경우 ⇨ 본죄(대판 1991.8.13, 91도1324) 07. 경찰승진, 11. 법원행시
   ▶ **비교판례** : 적법한 쟁의행위로서 사업장을 점거 중인 근로자들이 직장폐쇄를 단행한 사용자로부터 퇴거 요구를 받고 이에 불응한 채 직장점거를 계속하더라도 사용자의 직장폐쇄가 정당한 쟁의행위로 인정되지 아니하는 때(예 노동조합이 파업을 시작한 지 불과 4시간 만에 사용자가 바로 직장폐쇄 조치를 취한 경우)에는 퇴거불응죄가 성립하지 아니한다(대판 2007.12.28, 2007도5204). 12. 사시, 18. 경찰간부, 21. 해경 1차
3. 형법 제319조 제2항의 퇴거불응죄는 주거나 건조물 · 방실 등의 사실상 주거의 평온을 보호법익으로 하는 것으로, 거주자나 관리자 · 점유자로부터 주거나 건조물 · 방실 등에서 퇴거요구를 받고도 응하지 아니하면 성립하는데, 이때 주거 등에 관하여 거주 · 관리 · 점유할 법률상 정당한 권한을 가지고 있어야만 거주자나 관리자 · 점유자가 될 수 있는 것은 아니다. 이는 숙박업자가 고객에게 객실을 제공하여 일시적으로 이를 사용할 수 있도록 하고 고객으로부터 사용에 따른 대가를 지급받는 숙박계약이 종료됨에 따라 고객이 숙박업소의 관리자 등으로부터 퇴거요구를 받은 경우에도 원칙적으로 같다. 다만, 고객의 개별 객실에 대한 점유가 숙박업자의 전체 숙박업소에 대한 사실상 주거의 평온을 침해하는 것으로 평가할 수 있는 특별한 사정이 있는 경우에는 숙박업자가 고객에게 적법하게 퇴거요구를 하였음에도 고객이 응하지 않을 때 퇴거불응죄가 성립할 수 있다(대판 2023.12.14, 2023도9350).

4 특수주거침입죄, 주거 · 신체수색죄

제320조 단체 또는 다중의 위력을 보이거나 위험한 물건을 휴대하여 제319조의 죄를 범한 때에는 5년 이하의 징역에 처한다.

제321조 사람의 신체, 주거, 관리하는 건조물이나 자동차, 선박, 항공기 또는 점유하는 방실을 수색한 자는 3년 이하의 징역에 처한다.

제322조 본죄의 미수범은 처벌한다. 13. 경찰승진, 19. 수사경과

기출지문 확인학습(다툼이 있는 경우 판례에 의함)

1 점유할 권리없는 자가 점유하는 주거라 할지라도 권리자가 그 권리를 실현함에 있어 법적 절차에 의하지 아니하고 그 주거에 침입하면 본죄가 성립한다. ( )

16. 법원행시, 19. 9급 검찰 · 마약수사, 20. 순경 1차, 22. 변호사시험 · 경찰간부 · 해경간부

2 다가구용 단독주택이나 다세대주택 · 연립주택 · 아파트 등 공동주택의 내부에 있는 엘리베이터, 공용계단과 복도는 특별한 사정이 없는 한 주거침입죄의 객체인 '사람의 주거'에 해당하지 않는다. ( )

19. 법원직, 20. 법원행시 · 순경 2차, 21. 해경승진 · 경찰승진, 22. 변호사시험, 23. 순경 1차

3 수일 전에 2차례에 걸쳐 甲을 강간하였던 A가 대문을 몰래 열고 들어와 담장과 피해자가 거주하던 방 사이의 좁은 통로에서 창문을 통하여 방 안을 엿보기만 하였던 경우에는 A의 행위는 주거침입죄를 구성하지 않는다. ( ) 19. 경찰간부, 20. 법원행시 · 9급 검찰 · 순경 2차, 22. 경찰승진 · 7급 검찰

4 다가구용 단독주택인 빌라의 잠기지 않은 대문을 열고 들어가 공용 계단으로 빌라 3층까지 올라갔다가 1층으로 내려온 경우 주거침입죄를 구성한다. ( )

14. 경찰승진, 15. 순경 1차, 19. 경찰간부, 20. 법원행시

5 건조물의 이용에 기여하는 인접의 부속 토지라고 하더라도 인적 또는 물적 설비 등에 의한 구획 내지 통제가 없어 통상의 보행으로 그 경계를 쉽사리 넘을 수 있는 정도라고 한다면 일반적으로 외부인의 출입이 제한된다는 사정이 객관적으로 명확하게 드러났다고 보기 어려우므로, 주거침입죄의 객체에 속하지 아니한다고 봄이 상당하다. ( )

19. 경찰간부 · 경찰승진, 20. 법원행시 · 해경승진 · 순경 1차, 22. 해경간부, 24. 변호사시험

6 출입문이 열려 있으면 안으로 들어가겠다는 의사 아래 출입문을 당겨보는 행위는 바로 주거의 사실상의 평온을 침해할 객관적인 위험성을 포함하는 행위를 한 것으로 볼 수 있어 주거침입의 실행에 착수한 것으로 보아야 한다. ( )

15. 법원직 · 순경 2차, 16. 경찰승진, 17. 경찰간부, 18. 수사경과, 21. 해경 1차, 23. 해경승진

7 침입대상인 아파트에 사람이 있는지를 확인하기 위해 그 집의 초인종을 누른 행위만으로는 침입의 현실적 위험성을 포함하는 행위를 시작하였다거나, 주거의 사실상의 평온을 침해할 객관적인 위험성을 포함하는 행위를 한 것으로 볼 수 없다. ( )

19. 순경 2차, 20. 경찰간부 · 수사경과, 21. 해경 2차, 23. 경력채용

8 타인의 주거에 신체의 일부만이 들어갔더라도 사실상의 주거의 평온을 해한 경우에는 주거침입죄의 기수가 되고, 사실상의 주거의 평온을 해한 정도에 이르지 못한 경우에는 미수가 된다. ( ) 15. 순경 2차 · 법원직, 16. 수사경과, 19. 순경 1차, 20. 해경승진, 23. 경찰승진 · 경력채용

9 공동거주자의 일부가 부재중인 사이에 외부인이 주거 내에 현재하는 거주자의 현실적인 승낙을 받아 통상적인 출입방법에 따라 공동 주거에 들어간 경우라면, 그것이 부재중인 다른 거주자의 추정적 의사에 반하는 경우에도 주거침입죄가 성립하지 않는다. ( ) 22. 경찰승진, 23. 9급 검찰 · 마약수사

Answer 1. ○ 2. × 3. × 4. ○ 5. ○ 6. ○ 7. ○ 8. ○ 9. ○

10 甲이 A의 부재중에 A의 아내인 B와 혼인 외 성관계를 가질 목적으로 B가 열어준 출입문을 통해서 A와 B가 공동거주하는 아파트에 들어간 경우, 甲이 B의 승낙을 얻어 통상적인 출입방법에 의하여 들어갔다 하더라도 甲의 출입은 부재중인 A의 추정적 의사에 반하므로 주거침입죄가 성립한다. ( ) 18. 순경 3차, 22. 순경 1차, 22 · 23. 경찰승진, 23. 경찰간부 · 경력채용

11 사용자의 직장폐쇄가 정당한 쟁의행위로 인정되지 아니하는 경우라 하더라도 근로자가 평소 출입이 허용되는 사업장 안에 들어가는 행위는 주거침입죄를 구성한다. ( ) 15. 경찰간부 · 순경 2차, 19. 수사경과, 21. 해경승진, 23. 경찰승진

12 사용자의 직장폐쇄가 정당한 쟁의행위로 인정되지 아니하는 때에는 적법한 쟁의행위로서 사업장을 점거 중인 근로자들이 직장폐쇄를 단행한 사용자로부터 퇴거요구를 받고 이에 불응한 채 직장점거를 계속하더라도 퇴거불응죄가 성립하지 아니한다. ( ) 12. 사시, 18. 경찰간부

13 피고인 甲이 다른 손님들의 대화내용 및 장면을 녹음 · 녹화할 수 있는 장치를 설치할 목적으로 음식점의 방실에 들어간 경우 음식점 영업주로부터 승낙을 받아 통상적인 출입방법에 따라 음식점의 방실에 들어갔더라도 주거침입죄는 성립한다. ( ) 22. 7급 검찰, 23. 경찰승진 · 해경 3차

14 피고인이 피해자가 사용 중인 공중화장실의 용변칸에 노크하여 남편으로 오인한 피해자가 용변칸 문을 열자 강간할 의도로 용변칸에 들어간 것이라면, 피해자가 명시적 또는 묵시적으로 이를 승낙하였다고 볼 수 없어 주거침입에 해당한다. ( ) 16. 법원행시 · 경찰승진, 21. 해경 1차, 22. 경찰간부, 23. 해경 3차

15 근로자들이 사용자와 제3자가 공동으로 관리 · 사용하는 공간을 사용자에 대한 정당한 쟁의행위를 이유로 관리자의 의사에 반하여 침입 · 점거한 경우, 위 제3자에 대하여는 정당행위로서 주거침입의 위법성이 조각되지 않는다. ( ) 16. 법원행시, 18. 경찰간부, 19. 경찰승진, 20. 해경승진, 21. 해경 1차

16 건물의 소유자라고 주장하는 피고인과 그것을 점유관리하는 피해자 사이에 건물의 소유권에 대한 분쟁이 계속되고 있는 상황이라면 피고인이 피해자의 허락 없이 그 건물에 침입하는 행위를 주거침입죄로 처벌할 수 없다. ( ) 18. 순경 3차, 20. 경찰간부, 21. 해경 1차

17 형법 제332조에 규정된 상습절도죄를 범한 범인이 범행의 수단으로 주간에 주거침입을 한 경우, 주간 주거침입행위는 상습절도죄에 흡수되어 별개로 주거침입죄를 구성하지 아니한다. ( ) 19. 법원직, 20. 수사경과, 21. 해경 1차

18 다른 사람의 주택에 무단 침입한 범죄사실로 이미 유죄판결을 받은 사람이 그 판결이 확정된 후에도 퇴거하지 않은 채 계속하여 당해 주택에 거주한 경우, 위 판결 확정 이후의 행위는 별도의 주거침입죄를 구성하지 않는다. ( ) 15. 순경 2차, 19. 법원행시, 21. 해경 2차, 22. 경찰간부 · 경찰승진, 23. 해경승진 · 경력채용

19 정당한 퇴거요구를 받고 건물에 나가면서 가재도구 등을 남겨둔 경우에는 퇴거불응죄를 구성한다. ( ) 19. 수사경과, 20. 순경 2차, 22. 변호사시험 · 해경간부

Answer 10. × 11. × 12. ○ 13. × 14. ○ 15. ○ 16. × 17. × 18. × 19. ×

CHAPTER 04

기출문제

01 주거침입죄와 관련된 설명 중 옳은 것은 모두 몇 개인가?(다툼이 있는 경우 판례에 의함) 20. 경찰간부

> ㉠ 다른 사람의 주택에 무단 침입하여 이미 유죄판결을 받은 사람이 판결 확정 후에도 퇴거하지 않은 채 계속하여 당해 주택에 거주하였다면 퇴거불응죄가 성립할 뿐 다시 주거침입죄를 구성하는 것은 아니다.
> ㉡ 침입 대상인 아파트에 사람이 있는지를 확인하기 위해 그 집의 초인종을 누른 것만으로는 침입의 현실적 위험성을 포함하는 행위를 시작하였다거나 주거의 사실상의 평온을 침해할 객관적인 위험성을 포함하는 행위를 한 것으로 볼 수 없다.
> ㉢ 건물의 소유자라고 주장하는 사람과 그것을 점유관리하고 있는 사람 사이에 건물의 소유권에 대한 분쟁이 계속되고 있는 상황이라면 소유자라고 주장하는 사람이 그 건물에 침입하는 것에 대하여 점유자의 추정적 승낙이 있었다거나 침입행위가 사회상규에 위배되지 않는다고 볼 수 없다.
> ㉣ 연립주택 아래층에 사는 피해자가 위층 피고인의 집으로 통하는 상수도관의 밸브를 임의로 잠근 후 이를 피고인에게 알리지 않아 하루 동안 수돗물이 나오지 않은 고통을 겪었던 피고인이 상수도관의 밸브를 확인하고 이를 열기 위하여 부득이 피해자의 집에 들어간 것이라면 이는 정당행위에 해당한다.

① 1개 ② 2개 ③ 3개 ④ 4개

해설 ㉠ ×: 별도의 주거침입죄 ○, 퇴거불응죄 ×(대판 2008.5.8, 2007도11322)
㉡ ○: 대판 2008.4.10, 2008도1464 ㉢ ○: 대판 1989.9.12, 89도889
㉣ ○: 대판 2004.2.13, 2003도7393

02 주거침입의 죄에 관한 설명 중 옳지 않은 것은 몇 개인가?(다툼이 있는 경우 판례에 의함)

15 · 18. 경찰간부

> ㉠ 근로자들이 직장 또는 사업장 시설을 전면적 · 배타적으로 점거하여 조합원 이외의 자의 출입을 저지하거나 사용자 측의 관리지배를 배제하여 업무의 중단 또는 혼란을 야기케 하는 것과 같은 행위는 쟁의행위의 정당성의 한계를 벗어난 것이다.
> ㉡ 근로자들이 사용자와 제3자가 공동으로 관리 · 사용하는 공간을 사용자에 대한 정당한 쟁의행위를 이유로 관리자의 의사에 반하여 침입 · 점거한 경우, 위 제3자에 대하여는 정당행위로서 주거침입의 위법성이 조각되지 않는다.
> ㉢ 근로자들이 타워크레인에 올라가 이를 점거한 사안에서, 타워크레인은 건설기계의 일종으로서 작업을 위하여 토지에 고정되었을 뿐이고 운전실은 기계를 운전하기 위한 작업공간 그 자체이지 건조물침입죄의 객체인 건조물에 해당하지 아니한다.

Answer 01. ③ 02. ②

㉣ 사용자의 직장폐쇄가 정당한 쟁의행위로 인정되지 아니하는 때에는 적법한 쟁의행위로서 사업장을 점거 중인 근로자들이 직장폐쇄를 단행한 사용자로부터 퇴거 요구를 받고 이에 불응한 채 직장점거를 계속하더라도 퇴거불응죄가 성립하지 아니한다. ㉤ 간통현장을 직접 목격하고 그 사진을 촬영하기 위하여 상간자의 주거에 들어간 행위는 정당행위에 해당하여 주거침입죄가 성립하지 않는다. ㉥ 사용자의 직장폐쇄가 정당한 쟁의행위로 인정되지 아니하는 때에는 다른 특별한 사정이 없는 한 근로자가 평소 출입이 허용되는 사업장 안에 들어가는 행위는 주거침입죄를 구성하지 아니한다.

① 0개 ② 1개 ③ 2개 ④ 3개

해설 ㉠ ○ : 대판 1991.6.11, 91도383
㉡ ○ : 대판 2010.3.11, 2009도5008
㉢ ○ : 대판 2005.10.7, 2005도5351
㉣ ○ : 대판 2007.12.28, 2007도5204
㉤ × : 주거침입죄 ○(대판 2003.9.26, 2002도3924 ∵ 정당행위 ×)
㉥ ○ : 대판 2002.9.24, 2002도2243

03 주거침입죄에 대한 설명으로 가장 적절하지 않은 것은?(다툼이 있는 경우 판례에 의함) 22. 경찰간부

① 주택의 매수인이 계약금과 중도금을 지급하고서 그 주택을 명도받아 점유하고 있던 중 위 매매계약을 해제하고 중도금반환청구소송을 제기하여 얻은 그 승소판결에 기하여 강제집행에 착수한 이후에 매도인이 매수인이 잠가 놓은 위 주택의 출입문을 열고 들어간 경우, 매도인에게 주거침입죄가 성립한다.

② 乙이 사용 중인 공중화장실의 용변칸에 甲이 노크하여 남편으로 오인한 乙이 용변칸 문을 열자 강간할 의도로 甲이 용변칸에 들어간 것이라면 乙이 명시적 또는 묵시적으로 이를 승낙하였다고 볼 수 없어 甲의 행위는 주거침입죄에 해당한다.

③ 다른 사람의 주택에 무단 침입한 범죄사실로 이미 유죄판결을 받은 사람이 그 판결이 확정된 후에도 퇴거하지 않은 채 계속하여 당해 주택에 거주한 사안에서, 위 판결 확정 이후의 행위는 별도의 주거침입죄를 구성한다.

④ 주거침입죄는 정당한 사유없이 사람의 주거 또는 간수하는 저택, 건조물 등에 침입하거나 또는 요구를 받고 그 장소로부터 퇴거하지 않음으로써 성립하는 것이고 사실상의 주거의 평온을 보호법익으로 하는 것이므로 그 거주자 또는 간수자가 건조물 등에 거주 또는 간수할 권리를 가지고 있는 여부는 범죄의 성립을 좌우하는 것이 아니다.

해설 ① × : 주거침입죄 ×〔대판 1987.5.12, 87도3 ∵ 그 주택에 대하여 보호받아야 할 피해자(매수인)의 주거에 대한 평온상태는 소멸되었음〕
② 대판 2003.5.30, 2003도1256 ③ 대판 2008.5.8, 2007도11322
④ 대판 2007.3.15, 2006도7044

Answer 03. ①

04 **주거침입의 죄에 관한 설명 중 옳지 않은 것은?**(다툼이 있는 경우 판례에 의함)

22. 변호사시험 · 해경간부

① 주거침입죄는 사실상의 주거의 평온을 보호법익으로 하는 것이므로 그 거주자 또는 관리자가 건조물 등에 거주 또는 관리할 권한을 가지고 있는가 여부는 범죄의 성립을 좌우하는 것이 아니다.

② 다가구용 단독주택이나 아파트 등 공동주택 안에서 공용으로 사용하는 계단과 복도는 특별한 사정이 없는 한 주거침입죄의 객체인 '사람의 주거'에 해당한다.

③ 특정범죄 가중처벌 등에 관한 법률 제5조의 4 제6항에 규정된 상습절도 등 죄를 범한 범인이 그 범행의 수단으로 주거침입을 한 경우에 주거침입행위는 상습절도 등 죄에 흡수되어 위 조문에 규정된 상습절도 등 죄의 1죄만이 성립하고 별개로 주거침입죄를 구성하지 않는다.

④ 주거침입죄의 객체는 건조물 그 자체뿐만 아니라 그에 부속하는 위요지를 포함하나, 건조물의 이용에 기여하는 인접의 부속 토지가 인적 또는 물적 설비 등에 의한 구획 내지 통제가 없어 통상의 보행으로 그 경계를 쉽사리 넘을 수 있는 정도라면 특별한 사정이 없는 한 위요지에 해당하지 않는다.

⑤ 정당한 퇴거요구를 받고 열쇠를 반환한 다음 건물에서 퇴거하였더라도 건물에 가재도구 등을 남겨 두었다면 퇴거불응죄에 해당한다.

해설 ① 대판 2007.3.15, 2006도7044 ② 대판 2009.9.10, 2009도4335 ③ 대판 2017.7.11, 2017도4044 ④ 대판 2010.4.29, 2009도14643 ⑤ × : 퇴거불응죄 ×(대판 2007.11.15, 2007도6990 ∵ 퇴거불응죄의 '퇴거'는 행위자의 신체가 주거에서 나감을 의미함.)

05 **주거침입죄에 관한 설명으로 가장 적절하지 않은 것은?**(다툼이 있는 경우 판례에 의함) 22. 순경 1차

① 건조물의 이용에 기여하는 인접의 부속토지라고 하더라도 인적 또는 물적 설비 등에 의한 구획 내지 통제가 없어 통상의 보행으로 그 경계를 쉽사리 넘을 수 있는 정도라고 한다면, 이는 다른 특별한 사정이 없는 한 주거침입죄의 객체에 속하지 아니한다.

② 공동거주자 중 주거 내에 현재하는 거주자의 현실적인 승낙을 받아 통상적인 출입방법에 따라 들어갔다면, 설령 그것이 부재중인 다른 거주자의 의사에 반하는 것으로 추정되더라도 주거침입죄의 보호법익인 사실상 주거의 평온을 깨트렸다고 볼 수 없다.

③ 공동주거의 경우 여러 사람이 하나의 생활공간에서 거주하는 성질에 비추어 공동거주자 각자는 다른 거주자와의 관계로 인하여 주거에서 누리는 사실상 주거의 평온이라는 법익이 일정부분 제약될 수밖에 없고, 공동거주자는 공동주거관계를 형성하면서 이러한 사정을 서로 용인하였다고 보아야 한다.

④ 공동거주자 중 한 사람인 A가 정당한 이유 없이 다른 공동거주자가 공동생활의 장소에 출입하는 것을 금지한 경우, 다른 공동거주자인 甲이 이에 대항하여 공동생활의 장소에 들어갔더라도 주거침입죄는 성립하지 않고, 다만 甲이 그 장소에 출입하기 위하여 출입문의 잠금장치를 손괴하는 등 다소간의 물리력을 행사한 경우에는 주거침입죄가 성립할 수 있다.

Answer 04. ⑤ 05. ④

해설 ① 대판 2010.4.29, 2009도14643
② 대판 2021.9.9, 2020도12630 전원합의체
③ 대판 2021.9.9, 2020도12630 전원합의체
④ ×: ~ (3줄) 성립하지 않고, 설령 甲이 ~ 행사하여 그 출입을 금지한 공동거주자의 사실상 평온상태를 해쳤더라도 그러한 행위 자체를 처벌하는 별도의 규정에 따라 처벌될 수 있음은 별론으로 하고, 주거침입죄가 성립하지 아니함은 마찬가지이다(대판 2021.9.9, 2020도6085 전원합의체).

06 **甲에게 주거침입죄가 성립하는 것은?**(다툼이 있는 경우 판례에 의함) 22. 7급 검찰

① 甲이 언론사 기자 B를 만나 식사를 대접하면서 B가 부적절한 요구를 하는 장면을 확보할 목적으로 몰래 녹화장치를 설치해 두기 위하여 A가 운영하는 식당 룸에 통상적인 방법에 따라 들어간 다음 녹화장치를 설치하였고, 이후 그 식당 룸에서 B와의 식사를 마친 후에 이 녹화장치를 제거하기 위해 그 식당 룸에 다시 들어간 경우
② 수일 전에 2차례에 걸쳐 피해자를 강간하였던 甲이 대문을 몰래 열고 들어가 담장과 피해자가 거주하던 방 사이의 좁은 통로에서 창문을 통하여 방 안을 엿본 경우
③ 남편 甲은 아내 乙과의 불화로 인해 乙과 공동생활을 영위하던 아파트에서 짐 일부를 챙겨 나왔는데, 그 후 아파트에 찾아가 출입문을 열어 줄 것을 요구하였으나 乙은 출타한 상태로 乙의 동생 丙이 출입문에 설치된 체인형 걸쇠를 걸어 문을 열어주지 않자 걸쇠를 손괴하고 아파트에 들어간 경우
④ 파업참가 근로자 甲이 건물신축을 위한 골조공사현장에 무단으로 들어간 뒤 타워크레인에 올라가 이를 점거한 경우

해설 • **주거침입죄** ○: ② 대판 2001.4.24, 2001도1092
• **주거침입죄** ×: ① 대판 2022.3.24, 2017도18272 전원합의체 ③ 대판 2021.9.9, 2020도6085 전원합의체 ④ 대판 2005.10.17, 2005도5351(∵ 타워크레인 ⇨ 건조물 ×)

07 **주거침입의 죄에 대한 설명 중 옳은 것만을 모두 고른 것은?**(다툼이 있는 경우 판례에 의함)
23. 경찰간부, 24. 해경간부

㉠ 甲이 A의 부재중에 A의 아내인 B와 혼인 외 성관계를 가질 목적으로 B가 열어준 출입문을 통해서 A와 B가 공동거주하는 아파트에 들어간 경우, 甲이 B의 승낙을 얻어 통상적인 출입방법에 의하여 들어갔다 하더라도 甲의 출입은 부재중인 A의 추정적 의사에 반하므로 주거침입죄가 성립한다.
㉡ 甲이 일반인의 출입이 허용된 음식점에 영업주의 승낙을 받아 통상적인 출입방법으로 들어갔다면, 설령 甲이 범죄 등의 목적으로 음식점에 출입하였거나 영업주가 甲의 실제 출입 목적을 알았더라면 출입을 승낙하지 않았을 것이라는 사정이 인정되더라도 주거침입죄가 성립하지 아니한다.

Answer 06. ② 07. ③

ⓒ 甲이 아내 A와의 불화로 인해 A와 공동생활을 영위하던 아파트에서 짐 일부를 챙겨 나온 후 A의 외출 중 자신의 어머니 乙과 함께 그 아파트에 들어가려고 그 안에 있던 처제 B에게 출입문을 열어달라고 요구하였으나 A로부터 열어주지 말라는 말을 들은 B가 체인형 걸쇠를 걸어 잠그며 현관문을 열어주지 않자 甲이 乙과 함께 그 걸쇠를 부수고 아파트에 들어간 경우, 甲과 乙에게는 주거침입죄의 공동정범이 성립한다.

ⓓ 甲이 교제하다 헤어진 A가 거주하는 아파트 109동 305호에 들어가려고 아파트 지하 주차장에서 위 305호가 있는 109동으로 연결된 출입구의 공동출입문에 A나 다른 입주자의 승낙 없이 무단으로 비밀번호를 입력하여 아파트의 공용 부분에 들어가 위 305호 현관문 앞까지 출입한 경우, A와 같은 109동에 거주하는 다른 입주자들의 사실상 주거의 평온상태를 해한 것으로 볼 수 있다면 주거침입죄가 성립한다.

① ⓐ, ⓑ　　② ⓑ, ⓒ　　③ ⓑ, ⓓ　　④ ⓑ, ⓒ, ⓓ

해설 ⓐ ×: 주거침입죄 ×〔외부인이 공동거주자의 일부가 부재중에 주거 내에 현재하는 거주자의 현실적인 승낙을 받아 통상적인 출입방법에 따라 공동주거에 들어간 경우라면 그것이 부재중인 다른 거주자의 추정적 의사에 반하는 경우에도 주거침입죄가 성립하지 않는다(대판 2021.9.9, 2020도12630 전원합의체).〕
ⓑ ○: 대판 2022.3.24, 2017도18272 전원합의체
ⓒ ×: 주거침입죄의 공동정범 ×(대판 2021.9.9, 2020도6085 전원합의체)
ⓓ ○: 대판 2022.1.27, 2021도15507

08 주거침입죄에 대한 설명 중 가장 적절하지 않은 것은?(다툼이 있는 경우 판례에 의함) 23. 경찰승진

① 야간에 타인의 집의 창문을 열고 집 안으로 얼굴을 들이미는 등의 행위를 한 경우 피고인이 자신의 신체의 일부만 집 안으로 들어간다는 인식하에 행위하였더라도 주거침입죄의 범의는 인정된다.

② 사용자의 직장폐쇄가 정당한 쟁의행위로 인정되지 아니하는 경우 다른 특별한 사정이 없는 한 근로자가 평소 출입이 허용되는 사업장 안에 들어가는 행위는 주거침입죄를 구성하지 아니한다.

③ 피고인 甲이 A의 부재중에 A의 처인 B와 혼외 성관계를 가질 목적으로 B가 열어준 현관 출입문을 통하여 A와 B가 공동으로 거주하는 아파트에 3회에 걸쳐 들어간 경우 주거침입죄가 성립하지 않는다.

④ 피고인 甲이 다른 손님들의 대화내용 및 장면을 녹음·녹화할 수 있는 장치를 설치할 목적으로 음식점의 방실에 들어간 경우 음식점 영업주로부터 승낙을 받아 통상적인 출입방법에 따라 음식점의 방실에 들어갔더라도 주거침입죄는 성립한다.

해설 ① 대판 1995.9.15, 94도2561 ② 대판 2002.9.24, 2002도2243
③ 대판 2021.9.9, 2020도12630 전원합의체
④ ×: ~ (3줄) 방실에 들어갔다면 주거침입죄는 성립하지 않는다(대판 2022.3.24, 2017도18272 전원합의체).

Answer 08. ④

09 **주거**(건조물)**침입죄에 관한 설명 중 옳은 것은?**(다툼이 있는 경우 판례에 의함) 24. 변호사시험

① 침입 대상인 아파트에 사람이 있는지를 확인하기 위해 그 집의 초인종을 누른 행위만으로도 주거침입죄의 실행에 착수한 것으로 보아야 한다.

② 건조물의 이용에 기여하는 인접의 부속 토지에 해당한다면 그 토지가 인적 또는 물적 설비 등에 의하여 구획 또는 통제되지 않아 통상의 보행으로 그 경계를 쉽사리 넘을 수 있는 정도라고 하더라도 건조물침입죄의 객체에 해당한다.

③ 甲이 수개월 전 헤어진 연인인 A를 폭행하기 위하여 A가 사는 오피스텔 공동현관의 출입문에 교제 당시 알게 된 비밀번호를 눌러 들어간 후 엘리베이터를 타고 A의 집 현관문 앞으로 이동해 침입하려다 실패하여 도주한 경우, 알고 있던 공동현관 비밀번호를 입력하여 출입한 이상 공용부분에 대한 주거침입을 인정할 여지는 없다.

④ 수일 전에 피해자를 강간하였던 甲이 대문을 몰래 열고 들어와 담장과 피해자가 거주하던 방 사이의 좁은 통로에서 창문을 통하여 방 안을 엿보던 상황이라면 피해자의 주거에 대한 사실상 평온 상태가 침해된 것으로 주거침입죄에 해당한다.

⑤ 甲이 처(妻) A와의 불화로 인해 A와 같이 살던 아파트에서 나온 후 위 아파트에 임의로 출입한 경우 甲이 공동생활관계에서 이탈하거나 위 아파트 주거 등에 대한 사실상의 지배・관리를 상실하였다는 등의 특별한 사정이 있는 경우라 하더라도 주거침입죄가 성립할 여지는 없다.

해설 ① ×：~ 착수한 것으로 볼 수 없다(대판 2008.4.10, 2008도1464).
② ×：건조물의 이용에 기여하는 인접의 부속 토지라고 하더라도 그 토지가 인적 또는 물적 설비 등에 의하여 구획 또는 통제되지 않아 통상의 보행으로 그 경계를 쉽사리 넘을 수 있는 정도라고 한다면 건조물침입죄의 객체에 해당하지 않는다(대판 2010.4.29, 2009도14643).
③ ×：~ 인정할 여지가 있다(대판 2022.1.27, 2021도15507). ④ ○：대판 2001.4.24, 2001도1092
⑤ ×：~ (3줄) 특별한 사정이 있는 경우에는 주거침입죄가 성립할 수 있다(대판 2023.6.29, 2023도3351).

10 **주거침입죄에 관한 설명으로 가장 적절하지 않은 것은?**(다툼이 있는 경우 판례에 의함) 24. 경찰승진

① 주거침입죄의 실행의 착수는 구성요건의 일부를 실현하는 행위까지 요구하는 것은 아니고 범죄구성요건의 실현에 이르는 현실적 위험성을 포함하는 행위를 개시하는 것으로 족하다.

② 연립주택 아래층에 사는 피해자가 위층 피고인의 집으로 통하는 상수도관의 밸브를 임의로 잠근 후 이를 피고인에게 알리지 않아 하루 동안 수돗물이 나오지 않은 고통을 겪었던 피고인이 상수도관의 밸브를 확인하고 이를 열기 위하여 부득이 피해자의 집에 들어간 것이라면 이는 정당행위에 해당하여 주거침입죄가 성립하지 않는다.

③ 甲이 교제하다 헤어진 A가 거주하는 아파트에 들어가려고 아파트 지하 주차장에서 A나 다른 입주자의 승낙 없이 무단으로 A가 거주하는 101동으로 연결된 출입구의 공동출입문 비밀번호를 입력하여 아파트의 공용부분에 들어가 A의 집 현관문 앞까지 출입한 경우, A와 같은 아파트 101동에 거주하는 다른 입주자들의 사실상 주거의 평온 상태를 해한 것으로 볼 수 있다면 甲에게 주거침입죄가 성립한다.

Answer 09. ④ 10. ④

④ 관리자의 현실적인 승낙을 받아 건조물에 통상적인 출입방법으로 들어간 경우에도 관리자의 가정적 추정적 의사는 고려되어야 하며, 그 승낙의 동기에 착오가 있었던 경우 승낙의 유효성에 영향을 미쳐 건조물침입죄가 성립할 수 있다.

해설 ① 대판 2008.3.27, 2008도917 ② 대판 2004.2.13, 2003도7393(∵ 정당행위 ○) ③ 대판 2022.1.27, 2021도15507 ④ × : 관리자에 의해 출입이 통제되는 건조물에 관리자의 승낙을 받아 건조물에 통상적인 출입방법으로 들어갔다면, 이러한 승낙의 의사표시에 기망이나 착오 등의 하자가 있더라도 특별한 사정이 없는 한 형법 제319조 제1항에서 정한 건조물침입죄가 성립하지 않는다. 이러한 경우 관리자의 현실적인 승낙이 있었으므로 가정적·추정적 의사는 고려할 필요가 없다. 단순히 승낙의 동기에 착오가 있다고 해서 승낙의 유효성에 영향을 미치지 않으므로, 관리자가 행위자의 실제 출입 목적을 알았더라면 출입을 승낙하지 않았을 사정이 있더라도 건조물침입죄가 성립한다고 볼 수 없다(대판 2022.3.31, 2018도15213).

11 **다음 중 가장 적절한 것은?**(다툼이 있는 경우 판례에 의함) 23. 순경 2차

① 甲을 비롯한 직원들의 임금이 체불되고 사무실 임대료를 내지 못할 정도로 재정 상태가 좋지 않는 등 회사의 경영상황이 우려되고 대표이사 겸 최대주주인 A의 경영능력이 의심받던 상황에서, 甲이 동료 직원들과 함께 A를 만나 사임제안서만을 전달한 행위는 협박죄에서의 '협박'에 해당한다.

② 형법 제316조 제2항 소정의 전자기록 등 내용탐지죄의 객체인 '전자기록 등 특수매체기록'이 되기 위해서는 특정인의 의사가 표시되어야 하는바, 인터넷계정 등에 접속하는 과정에서 입력하는 아이디 및 비밀번호 등 자체는 특정인의 의사를 표시한 것으로 보기 어려워 '전자기록 등 특수매체기록'이라 할 수 없다.

③ 형법 제316조 제2항 소정의 전자기록 등 내용탐지죄는 봉함 기타 비밀장치한 전자기록 등 특수매체기록을 기술적 수단을 이용하여 그 내용을 알아낸 자를 처벌하는 규정인바, 전자기록 등 특수매체기록에 해당하더라도 봉함 기타 비밀장치가 되어 있지 아니한 것은 이를 기술적 수단을 동원해서 알아냈더라도 전자기록 등 내용탐지죄가 성립하지 않는다.

④ 甲은 연인관계인 A로부터 안방에 TV를 설치하여 달라는 요청을 받고 통상적인 출입방법에 따라 A의 안방에 들어간 후 A가 있는 자리에서 TV를 설치하는 등 달리 A의 사실상 평온상태가 침해되었다고 볼만한 사정이 없었더라도, 甲의 출입이 실제로는 CCTV 카메라와 동영상 저장장치를 부착한 TV인 사실을 숨기고 이루어졌다면 甲에게는 주거침입죄가 성립한다.

해설 ① × : ~ (4줄) '협박으로 볼 수 없고, 설령 '협박'에 해당하더라도 사회통념상 용인할 수 있는 정도이거나 이 사건 회사의 경영 정상화라는 정당한 목적을 위한 상당한 수단에 해당하여 사회상규에 반하지 아니한다고 봄이 타당하다(대판 2022.12.15, 2022도9187 ∴ 협박죄 ×). ② × : 형법 제316조 제2항 소정의 전자기록 등 내용탐지죄의 객체인 '전자기록 등 특수매체기록'은 그 자체로서 객관적·고정적 의미를 가지면서 독립적으로 쓰이는 것이 아니라, 개인 또는 법인이 전자적 방식에 의한 정보의 생성·처리·저장·출력을 목적으로 구축하여 설치·운영하는 시스템에서 쓰임으로써 예정된 증명적 기능을 수행하는 것으로, 특정인의 의사가 표시되어야 하는 것은 아니므로 인터넷계정 등에 접속하는 과정에서 입력하는 아이디 및 비밀번호 등 자체는 '전자기록 등 특수매체기록'이라 할 수 있다(대판 2022.3.31, 2021도8900). ③ ○ : 대판 2022.3.31, 2021도8900 ④ × : ~ (3줄) 볼만한 사정이 없었다면, 甲의 출입이 실제로는 CCTV 카메라와 동영상 저장장치를 부착한 TV인 사실을 숨기고 한 것이라도 주거침입죄가 성립한다고 단정할 수 없다(대판 2022.4.28, 2022도1717).

Answer 11. ③

12 **주거침입의 죄에 관한 설명으로 옳지 않은 것은?**(다툼이 있는 경우 판례에 의함) 24. 경위공채

① 주거침입죄의 실행의 착수가 인정되기 위해서는 주거자 등의 의사에 반하여 주거나 관리하는 건조물 등에 들어가는 행위, 즉 구성요건의 일부를 실현하는 행위까지 요구하는 것은 아니고, 범죄구성요건의 실현에 이르는 현실적 위험성을 포함하는 행위를 개시하는 것으로 족하다.

② 건물신축 공사 현장에 무단으로 들어간 뒤 타워크레인에 올라가 이를 점거한 경우, 작업을 위하여 토지에 고정되어 있는 타워크레인과 그 운전실은 건조물침입죄의 객체인 건조물에 해당한다.

③ 외부인이 공동거주자의 일부가 부재중인 주거 내에 현재하는 거주자의 현실적인 승낙을 받아 통상적인 출입방법으로 그 주거에 들어갔다면, 설령 그것이 부재중인 다른 공동거주자의 의사에 반하는 것으로 추정되더라도 사실상 주거의 평온을 깨뜨렸다고 볼 수 없다.

④ 사실상 평온상태를 해치는 행위태양으로 주거에 들어가는 것이라면 대체로 거주자의 의사에 반하는 것이겠으나, 단순히 주거에 들어가는 행위 자체가 거주자의 의사에 반한다는 거주자의 주관적 사정만으로 바로 주거침입죄의 '침입'에 해당한다고 볼 수 없다.

해설 ① 대판 2008.3.27, 2008도917
② ×: ~ 건조물에 해당하지 않는다(대판 2005.10.7, 2005도5351).
③ 대판 2021.9.9, 2020도12630 전원합의체 ④ 대판 2021.9.9, 2020도12630 전원합의체

13 **주거침입죄에 관한 설명으로 가장 적절하지 않은 것은?**(다툼이 있는 경우 판례에 의함) 24. 순경 2차

① 다가구용 단독주택이나 아파트와 같은 공동주택 내부의 엘리베이터, 공용 계단, 복도 등 공용부분도 주거침입죄의 객체인 '사람의 주거'에 해당한다.

② 주거침입죄의 침입에 해당하는지는 거주자의 의사에 반하는지를 기준으로 판단하는 것이 원칙이며, 출입 당시 객관적·외형적으로 드러난 행위태양은 사실상의 평온상태를 해치는 행위태양인지를 평가할 때 고려할 요소 중 하나이지만 주된 평가요소가 될 수 없다.

③ 다른 사람의 주택에 무단 침입한 범죄사실로 이미 유죄판결을 받은 사람이 그 판결이 확정된 후에도 퇴거하지 않은 채 계속하여 당해 주택에 거주한 경우, 위 판결 확정 이후의 행위는 별도의 주거침입죄를 구성한다.

④ 행위자 자신이 다른 사람과 공동으로 거주하거나 관리 또는 점유하는 주거 등에 임의로 출입하더라도 주거침입죄를 구성하지 않지만, 다른 사람과 공동으로 주거에 거주하거나 건조물을 관리하던 사람이 공동생활관계에서 이탈하거나 주거 등에 대한 사실상의 지배·관리를 상실한 경우 등 특별한 사정이 있는 경우에 주거침입죄가 성립할 수 있다.

해설 ① 대판 2022.8.25, 2022도3801
② ×: 거주자의 의사에 반하는지는 사실상의 평온상태를 해치는 행위태양인지를 평가할 때 고려할 요소 중 하나이지만 주된 평가 요소가 될 수는 없다. 따라서 침입행위에 해당하는지는 거주자의 의사에 반하는지가 아니라 사실상의 평온상태를 해치는 행위태양인지에 따라 판단하여야 한다(대판 2021.9.9, 2020도12630 전원합의체). ③ 대판 2008.5.8, 2007도11322 ④ 대판 2023.6.29, 2023도3351

Answer 12. ② 13. ②

CHAPTER 05

재산에 대한 죄

단원 advice

본장은 어느 시험에서나 형법 각칙 중 가장 출제빈도가 높은 분야이며, 최근에는 갈수록 그 비중이 높아지고 있다. 9가지 재산범죄 중 어느 것 하나 중요하지 않은 것이 없으므로 철저한 이해와 반복학습이 필요하다. 특히 최근에는 판례와 관련된 문제가 집중적으로 출제되고 있으므로 본서에서도 최신 판례까지 반영하여 전면개정하였으므로 반복학습하면 좋은 결과가 나올 것이다.

제1절 재산죄 일반론

1 재산죄의 의의 및 분류

(1) 의 의

재산죄란 개인의 재산을 보호법익으로 하는 범죄를 말하며, 형법이 규정하고 있는 재산죄에는 절도죄 · 강도죄 · 사기죄 · 공갈죄 · 횡령죄 · 배임죄 · 장물죄 · 손괴죄 · 권리행사방해죄가 있다.

(2) 분 류 22. 순경 2차, 24. 순경 1차

보호법익에 따른 분류	소유권을 보호법익으로 하는 범죄	절도죄, 횡령죄, 손괴죄, 장물죄
	소유권 이외의 물권 또는 채권을 보호법익으로 하는 범죄	권리행사방해죄
	전체로서의 재산권을 보호법익으로 하는 범죄	강도죄, 사기죄, 공갈죄, 배임죄
객체에 따른 분류	재물죄(재물만을 객체로 하는 범죄)	절도죄, 횡령죄, 손괴죄, 장물죄
	이득죄(재산상 이익만을 객체로 하는 범죄)	배임죄, 컴퓨터 등 사용사기죄
	재물죄인 동시에 이득죄	강도죄, 사기죄, 공갈죄
영득의사에 따른 분류	영득죄(불법영득의사를 필요로 하는 범죄)	절도죄, 강도죄, 사기죄, 공갈죄, 횡령죄
	비영득죄	손괴죄
침해방법에 따른 분류 (영득죄에 대해)	탈취죄(타인의 의사에 의하지 않고 재물을 취득하는 방법)	절도죄, 강도죄, 장물죄, 횡령죄
	편취죄(타인의 하자 있는 의사에 의하여 재물을 취득하는 범죄)	사기죄, 공갈죄

2 친족상도례

> **제328조 제1항** 직계혈족, 배우자, 동거친족, 동거가족 또는 그 배우자 간의 제323조의 죄는 그 형을 면제한다.
> **제328조 제2항** 제1항 이외의 친족간에 제323조의 죄를 범한 때에는 고소가 있어야 공소를 제기할 수 있다.
> **제328조 제3항** 전2항의 신분관계가 없는 공범에 대하여는 전2항을 적용하지 아니한다.

(1) 의의와 법적 성질

① **의의** : 친족상도례란 일정한 친족 사이의 재산범죄에 대하여는 형을 면제하거나 친고죄로 하고 있는 특례규정을 말한다.

② **법적 성질** : 친족상도례의 법적 성질에 대하여는 인적 처벌조각사유로 봄이 통설・판례이다. 즉, 범죄는 성립하지만 형벌권이 발동되지 않을 뿐이다.

(2) 친족상도례의 내용

① 직계혈족, 배우자, 동거친족, 동거가족 또는 그 배우자 간의 재산범죄 ⇨ 형을 면제한다(제328조 제1항). 예 장물범이 본범의 피해자와 동거하지 않는 직계혈족인 경우 ⇨ 친고죄 ×, 형면제 16. 순경 1차, 17. 수사경과, 19. 변호사시험

② 제328조 제1항 이외의 친족간의 재산범죄 ⇨ 친고죄〔피해자의 고소가 있어야 공소제기(제328조 제2항)〕 22. 변호사시험

관련판례

1. 형법 제328조 제1항에서 "직계혈족, 배우자, 동거친족, 동거가족 또는 그 배우자 간의 제323조의 죄는 그 형을 면제한다."고 규정하고 있는바, 여기서 '그 배우자'는 동거가족의 배우자만을 의미하는 것이 아니라 직계혈족, 동거친족, 동거가족 모두의 배우자를 의미한다(대판 2011.5.13, 2011도1765). 17・19. 순경 1차, 20. 법원직, 21. 경찰간부・법원행시
2. 사기죄를 범하는 자가 금원을 편취하기 위한 수단으로 피해자와 혼인신고를 한 것이어서 그 혼인이 무효인 경우라면, 그러한 피해자에 대한 사기죄에서는 친족상도례를 적용할 수 없다고 할 것이다(대판 2015.12.10, 2014도11533). 21. 변호사시험・순경 1차, 21・23. 경찰간부, 23. 법원직

③ 장물범과 본범 간에 제328조 제1항의 친족관계가 있는 경우, 그 형을 감경 또는 면제한다(형을 면제한다. ×)(제365조 제2항). 12. 순경 1차, 14・23. 9급 검찰・마약수사

주의 : 제1항 이외의 친족간에 적용되는 제2항의 친고죄 규정은 준용규정이 없음. 17. 순경 1차, 21. 경찰간부

(3) 친족의 범위

① **친족관계의 존재범위** : 행위자와 재물소유자・점유자 모두와의 친족관계가 있어야 한다(대판 1980.11.11, 80도131). 또한 재물의 소유자가 수인이면 모든 소유자와 행위자 사이에 친족관계가 있어야 한다(대판 1966.1.31, 65도1183). 22. 경찰승진, 23. 경찰간부・법원직, 24. 변호사시험・해경경위

예
- 아버지가 친구에게서 빌려쓰고 있는 시계를 아들이 절도 ⇨ 친족상도례규정 적용 ×
- 아버지 친구가 점유하고 있는 아버지 시계를 아들이 절도 ⇨ 친족상도례규정 적용 ×

관련판례

1. 손자가 할아버지 소유의 농업협동조합 예금통장을 절취하여 이를 현금자동지급기에 넣고 조작하는 방법으로 예금잔고를 자신의 거래은행 계좌로 이체한 컴퓨터 등 사용사기죄는 친족상도례를 적용할 수 없다(대판 2007.3.15, 2006도2704 ∵ 해당 농협이 피해자임). 17. 수사경과, 18·20. 순경 1차, 21. 법원행시, 20·23. 법원직·9급 검찰·마약수사, 24. 변호사시험
2. 법원을 기망하여 제3자로부터 재물을 편취한 경우에 피기망자인 법원은 피해자가 될 수 없고 재물을 편취당한 제3자가 피해자라고 할 것이므로 피해자인 제3자와 사기죄를 범한 자가 직계혈족의 관계에 있을 때에는 그 범인에 대하여 형법 제328조 제1항을 준용하여 형을 면제하여야 한다(대판 1976.4.13, 75도781). 18. 순경 1차, 19. 9급 검찰·마약수사·법원직, 20. 경찰간부, 22. 해경 2차, 24. 해경경위
3. 甲이 위탁자가 소유자를 위해 보관하고 있는 물건을 위탁자로부터 보관받아 이를 횡령한 경우, 친족상도례에 관한 규정은 甲과 피해물건의 소유자 및 위탁자 쌍방 사이에 친족관계가 있는 경우에만 적용되는 것이고, 단지 甲과 피해물건의 소유자 간에만 친족관계가 있거나 甲과 피해물건의 위탁자 간에만 친족관계가 있는 경우에는 그 적용이 없다(대판 2008.7.24, 2008도3438). 19. 순경 1차, 20. 변호사시험·수사경과, 21. 법원행시, 22. 경찰승진·해경 2차, 24. 해경경위
4. 피고인이 백화점 내 점포에 입점시켜 주겠다고 속여 피해자로부터 입점비 명목으로 돈을 편취하였는데, 피고인의 딸과 피해자의 아들이 혼인하여 피고인과 피해자가 사돈지간인 경우 ⇨ 친족상도례 적용 × ⇨ 친고죄 ×(대판 2011.4.28, 2011도2170) 18. 순경 1차, 20. 법원행시·변호사시험·수사경과·경찰간부·해경승진, 21. 법원직, 22. 해경 2차, 23. 9급 검찰·마약수사, 24. 해경간부
5. 피고인이 피해자 甲과 피고인의 8촌 혈족인 乙, 피고인의 부친인 丙을 기망하여 甲, 乙, 丙의 합유로 등기되어 있는 부동산에 관하여 매매계약을 체결하고 소유권을 이전받은 다음 잔금을 지급하지 않아 재산상의 이익을 편취한 경우 ⇨ 친족상도례 적용 ×〔대판 2015.6.11, 2015도3160 ∵ 합유(공동소유)자 중 일부만 친족인 경우 ⇨ 친족상도례규정 적용 ×〕 20. 법원행시, 22. 해경 2차, 24. 해경경위
6. 피해품인 민화가 피고인의 오빠가 매수한 것이라면 이는 동인의 특유재산으로서 이에 대한 점유·관리권은 동인에게 있다 할 것이고 범행 당시 비록 동인이 집에 없었다 하더라도 그것이 동인소유의 집 벽에 걸려있었던 이상 동인의 지배력이 미치는 범위 안에 있는 것이라 할 것이므로 동인의 소지에 속하고 그 부부의 공동점유하에 있다고 볼 수는 없어 이를 절취한 행위에 대하여는 친족상도례가 적용된다(대판 1985.3.26, 84도365). 12. 법원행시, 18. 경찰승진

② **친족관계의 존재시기** : 범죄행위시에 존재해야 하며, 행위 후에 소멸되더라도 상관없다(예 법률혼 관계 중 배우자의 물건을 절취한 자는 이혼으로 인해 혼인관계가 해소된 뒤에도 그 절취행위에 대해서는 친족상도례가 적용된다). 18. 수사경과, 21. 경력채용, 24. 해경승진

관련판례

친족관계는 원칙적으로 범행 당시에 존재해야 하나, 혼인 외의 출생자에 대한 인지가 범행 후에 이루어진 경우라도 그 소급효(민법 제860조)에 따라 친족상도례규정 적용 ○〔대판 1997.1.24, 96도1731 예 甲이 사실상의 부(父)인 乙의 예금증서를 절취한 후 乙이 甲을 친생자로 인지한 경우에는 친족상도례가 적용되어 형이 면제된다.〕 16. 변호사시험·법원행시, 19. 순경 1차, 20. 해경승진·법원직, 23. 9급 검찰·마약수사, 24. 해경간부·순경 1차

③ **친족의 범위** : 친족의 법률적 정의와 범위는 민법에 따른다.

㉠ 동거친족이란 같은 주거에서 일상생활을 공동으로 하는 친족을 말하며, 일시적으로 숙박하고 있는 친족은 여기에 해당하지 않는다. 06. 사시

㉡ 배우자란 법률상 배우자를 말하며, 사실혼 관계에 있는 배우자는 포함되지 않는다. 17. 법원행시, 20. 해경승진, 23. 경찰간부

(4) 친족상도례의 적용범위

형법은 친족상도례를 권리행사방해죄에서 규정하고 다른 재산죄와 그 미수범에 준용하고 있다.

KEY point

- 강도죄, 손괴죄(경계침범죄), (준)점유강취죄, 강제집행면탈죄 ⇨ 친족상도례규정 적용 없음 16. 사시, 17. 순경 1차, 18. 수사경과, 20. 변호사시험 · 해경 1차, 21. 법원직, 23. 경찰간부, 24. 해경승진
- 특정경제범죄 가중처벌 등에 관한 법률 제3조 제1항 위반죄(사기죄)에도 적용(대판 2010.2.11, 2009도12627), 흉기 기타 위험한 물건을 휴대하고 공갈죄를 범하여 '폭력행위 등 처벌에 관한 법률' 제3조 제1항 위반죄'에 의하여 가중처벌되는 경우에도 적용(대판 2010.7.29, 2010도5795) 18. 변호사시험, 20. 법원행시 · 경찰간부 · 해경승진, 21. 경력채용, 23. 법원직, 24. 순경 1차

(5) 친족관계의 인식 및 착오

친족관계는 객관적으로 존재하면 족하고, 행위자가 그 존재를 인식할 필요는 없다. 17. 법원행시, 20. 해경승진 객관적 구성요건요소만 고의의 대상이 되며 인적 처벌조각사유는 여기에 포함되지 않기 때문이다.

예
- 甲이 자기 아버지의 지갑인 줄 알고 절취했는데 아버지의 친구의 것이었을 경우 ⇨ 친족상도례 적용 ×
- 甲이 아버지 친구의 지갑인 줄 알고 절취했는데 사실은 자기 아버지 것이었을 경우 ⇨ 친족상도례 적용 ○ 14. 9급 검찰 · 마약수사, 22. 경찰승진

관련판례

피고인이 타인의 재물을 부(父)의 물건으로 잘못 알고 이를 절취한 경우, 그 오신은 형의 면제사유에 관한 것으로서 이에 범죄의 구성요건 사실에 관한 제15조 제1항은 적용되지 않는 것이므로 그 오신은 본건 범죄의 성립이나 처벌에 아무런 영향도 미치지 아니한다(대판 1966.6.28, 66도104). 21. 법원행시, 24. 해경간부

(6) 공범관계

친족상도례는 친족관계에 있는 자에게만 적용되므로 비친족에게는 친족상도례의 적용이 없다. 19. 9급 검찰 · 마약수사, 20. 변호사시험

예
- 甲과 乙이 甲의 父의 물건을 공동으로 절취한 경우 甲은 절도죄는 성립하나 형면제, 乙은 절도죄로 처벌
- 乙이 甲을 교사하여 甲의 父의 물건을 절취한 경우 甲은 절도죄는 성립하나 형면제, 乙은 절도죄의 교사범

기출지문

확인학습(다툼이 있는 경우 판례에 의함)

1 제328조 제1항에서 "직계혈족, 배우자, 동거친족, 동거가족 또는 그 배우자 간의 제323조의 죄는 그 형을 면제한다."고 규정하고 있는바, 여기서 '그 배우자'는 동거가족의 배우자만을 의미하는 것이 아니라, 직계혈족, 동거친족, 동거가족 모두의 배우자를 의미하는 것으로 볼 것이다. (　)

19. 순경 1차, 20. 법원직, 21. 경찰간부 · 법원행시

2 절도죄에 있어 친족상도례에 관한 규정은 범인과 피해물건의 소유자 및 점유자 모두 사이에 친족관계가 있는 경우에만 적용되는 것이고 절도범인이 피해물건의 소유자나 점유자의 어느 일방과 사이에서만 친족관계가 있는 경우에는 그 적용이 없다. (　)

17. 법원행시, 20. 해경승진, 22. 경찰승진, 23. 경찰간부 · 법원직, 24. 변호사시험

3 손자가 할아버지 소유 농업협동조합 예금통장을 절취하여 이를 현금자동지급기에 넣고 조작하는 방법으로 예금 잔고를 자신의 거래 은행 계좌로 이체한 경우 친족상도례에 의하여 형이 면제된다. (　)

18 · 20. 순경 1차, 23. 9급 검찰 · 마약수사 · 법원직, 24. 변호사시험

4 법원을 기망하여 제3자로부터 재물을 편취한 경우에는 피해자인 제3자와 사기죄를 범한 자가 직계혈족의 관계에 있더라도 친족상도례를 적용할 수 없다. (　)

18. 순경 1차, 19. 9급 검찰 · 마약수사, 20. 법원직 · 법원행시 · 경찰간부, 22. 해경 2차

5 횡령범인과 피해물건의 소유자 및 위탁자 쌍방 사이에 친족관계가 있는 경우에만 친족상도례가 적용되고, 단지 횡령범인과 피해물건의 소유자 간에만 친족관계가 있거나 횡령범인과 피해물건의 위탁자 간에만 친족관계가 있는 경우에는 적용되지 않는다. (　)

19. 순경 1차, 20. 변호사시험, 21. 법원행시, 22. 경찰승진 · 해경 2차

6 甲이 백화점 내 점포에 입점시켜 주겠다고 속여 사돈지간에 있는 乙로부터 입점비 명목으로 돈을 편취한 경우, 친족상도례가 적용된다. (　)

18. 순경 1차, 20. 변호사시험 · 경찰간부, 21. 법원직, 23. 9급 검찰 · 마약수사, 24. 해경간부 · 해경승진

7 혼인 외의 출생자 甲이 생부 A의 자동차를 절취한 후 친자임을 알게 된 A가 甲을 인지하여도 친족상도례의 규정이 적용되지 않는다. (　)

16. 변호사시험 · 법원행시, 18. 법원직, 19. 순경 1차, 20. 해경승진, 23. 9급 검찰, 24. 해경간부

8 사기죄로 인하여 취득한 재물의 가액이 5억원 이상일 경우에는 특정경제범죄 가중처벌 등에 관한 법률 제3조에 의하여 가중처벌되는데, 이 경우 친족상도례에 관한 형법 규정은 적용되지 아니한다. (　)

15. 순경 1차, 18. 변호사시험, 20. 법원행시 · 경찰간부 · 해경승진, 21. 경력채용, 23. 법원직

9 타인소유의 물건을 자기 아버지의 소유물로 오인하여 절취한 경우, 친족관계에 대한 착오가 인정되고 형법상 절도죄의 과실범 처벌규정이 없으므로 불가벌이 된다. (　)

14. 9급 검찰 · 마약수사, 21. 법원행시, 22. 경찰승진, 24. 해경간부

Answer 1. ○　2. ○　3. ×　4. ×　5. ○　6. ×　7. ×　8. ×　9. ×

CHAPTER

05 기출문제

01 **다음 중 친족상도례에 관한 설명으로 가장 옳은 것은?**(다툼이 있는 경우 판례에 의함) 21. 해경 1차

① 직계혈족, 배우자, 동거친족, 동거가족 또는 그 배우자 간의 절도의 죄는 그 형을 면제할 수 있다.

② 직계혈족, 배우자, 동거친족, 동거가족 또는 그 배우자 이외의 친족 간에 공갈의 죄를 범한 때에는 고소가 없어도 공소를 제기할 수 있다.

③ 형법은 친족상도례를 권리행사방해죄에서 규정하고 이를 절도죄, 사기죄, 공갈죄, 횡령죄, 배임죄 및 손괴의 죄에 준용하고 있다.

④ 법원을 기망하여 제3자로부터 재물을 편취한 경우에 피기망자인 법원은 피해자가 될 수 없고 재물을 편취당한 제3자가 피해자라고 할 것이므로 피해자인 제3자와 사기죄를 범한 자가 직계혈족의 관계에 있을 때에는 그 범인에 대하여는 형법 제354조에 의하여 준용되는 형법 제328조 제1항에 의하여 그 형을 면제하여야 할 것이다.

해설 ① × : ~ 그 형을 면제한다(제328조 제1항). ② × : ~ 제기할 수 없다(제328조 제2항).
③ × : 손괴의 죄에 준용규정 × ④ ○ : 대판 1976.4.13, 75도781

02 **친족상도례에 관한 설명으로 가장 적절한 것은?**(다툼이 있는 경우 판례에 의함) 19. 순경 2차

① 가출 후 오랫동안 연락없이 지내던 甲이 자신의 딸과 결혼한 사위 乙을 기망하여 백화점 입점비 명목으로 돈을 편취한 경우, 친족상도례가 적용되지 않는다.

② 장물죄에 있어서 장물범과 피해자 간에 동거친족의 신분관계가 있는 때에는 형이 면제되지만, 장물범과 본범 간에 동거친족의 신분관계가 있는 때에는 형을 감경 또는 면제한다.

③ 타인소유의 물건을 자기 아버지의 소유물로 오인하여 절취한 경우, 친족관계에 대한 착오가 인정되고 형법상 절도죄의 과실범 처벌규정이 없으므로 불가벌이 된다.

④ 절도피해자인 아버지가 체포된 절도범인이 자신의 혼외자임을 알고 비로소 인지(認知)를 하더라도 친족관계는 원칙적으로 범행 당시에 존재하여야 하기 때문에 친족상도례는 적용되지 않는다.

해설 ① × : 친족상도례 적용 ○(∵ 甲과 乙은 제328조 제1항의 친족(직계혈족의 배우자)임), 피고인과 피해자가 사돈지간인 경우 ⇨ 친족상도례 적용 ×(대판 2011.4.28, 2011도2170)
② ○ : 제365조 제1항 · 제2항
③ × : 그 오신은 형의 면제사유에 관한 것으로서 이에 범죄의 구성요건 사실에 관한 제15조 제1항은 적용되지 않는 것이므로 그 오신은 본건 범죄의 성립이나 처벌에 아무런 영향도 미치지 아니한다(대판 1966.6.28, 66도104).
④ × : 친족상도례 적용 ○(대판 1997.1.24, 96도1731)

Answer 01. ④ 02. ②

03 친족상도례에 대한 설명으로 옳은 것은?(다툼이 있는 경우 판례에 의함) 21. 경찰간부

① 장물죄를 범한 자와 본범 간에 형법 제328조 제2항의 신분관계가 있는 때에는 고소가 있어야 공소를 제기할 수 있다.

② 친족상도례 규정은 권리행사방해죄에 대하여 규정되어 있고, 의사자유 침해의 성격을 가진 강도의 죄를 제외한 모든 재산범죄에 준용된다.

③ 사기죄를 범하는 자가 금원 편취의 수단으로 피해자와 혼인신고를 한 것이어서 그 혼인이 무효인 경우라면, 그러한 피해자에 대한 사기죄에서는 친족상도례를 적용할 수 없다.

④ 형법 제328조 제1항은 "직계혈족, 배우자, 동거친족, 동거가족 또는 그 배우자 간의 제323조의 죄는 그 형을 면제한다."라고 규정하고 있는바, 여기서 '그 배우자'는 앞에서 언급된 '배우자'와의 관계로 볼 때 동거가족의 배우자만을 의미하는 것으로 볼 것이다.

해설 ① × : 장물범과 본범 간에 제328조 제1항의 신분관계가 있는 때 ⇨ 필감면(제365조 제2항), 제328조 제2항의 신분관계가 있는 때 ⇨ 친족상도례 준용규정 ×(∴ 친고죄 ×)
② × : 강도죄, 손괴죄, 강제집행면탈죄 ⇨ 친족상도례 준용규정 ×
③ ○ : 대판 2015.12.10, 2014도11533
④ × : 여기서 '그 배우자'는 동거가족의 배우자만을 의미하는 것이 아니라, 직계혈족, 동거친족, 동거가족 모두의 배우자를 의미한다(대판 2011.5.13, 2011도1765).

04 친족상도례에 대한 설명으로 가장 적절하지 않은 것은?(다툼이 있는 경우 판례에 의함) 22. 경찰승진

① 甲이 자신의 친구 A소유의 재물로 알고 이를 절취하였는데 사실은 따로 거주하고 있는 자신의 숙부 B소유의 물건이었던 경우에는 B의 고소가 있어야 공소를 제기할 수 있다.

② 甲과 친구 乙이 합동하여 甲의 아버지 A소유의 물건을 절취한 경우, 甲에게는 친족상도례가 적용되어 형이 면제되고 乙에게는 친족상도례가 적용되지 않는다.

③ 甲의 숙부 A가 B에게 금원을 교부하면서 C에게 전달해달라고 부탁하였는데, 甲이 'C에게 전달해 주겠다'며 B로부터 위 금원을 교부받아 임의로 사용하였다면, 甲과 B 사이에 친족관계가 없더라도 친족상도례가 적용된다.

④ 甲의 아버지 A가 손님 B로부터 가공을 의뢰받아 보관하고 있던 다이아몬드를 甲이 절취한 경우, 甲과 B 사이에 친족관계가 없다면 친족상도례가 적용되지 않는다.

해설 ① 친족관계는 객관적으로 존재하면 족하고, 행위자가 그 존재를 인식할 필요는 없으므로 B는 제328조 제2항의 친족에 해당되므로 옳다.
② 甲에게는 제328조 제1항이 적용되고, 乙에게는 제328조 제3항이 적용되므로 옳다.
③ × : 甲과 피해물건의 소유자(A) 및 위탁자(B) 쌍방 사이에 친족관계가 있는 경우에만 친족상도례가 적용되므로 甲과 B 사이에 친족관계가 없다면 친족상도례가 적용되지 않는다(대판 2008.7.24, 2008도3438).
④ 행위자(甲)와 재물소유자(B) 및 점유자(A) 모두와의 친족관계가 있어야 하므로 옳다(대판 1980.11.11, 80도131).

Answer 03. ③ 04. ③

05 친족상도례에 관한 다음 설명 중 옳지 않은 것은?(다툼이 있는 경우 판례에 의함)

18. 변호사시험, 22. 해경 2차

① 특정경제범죄 가중처벌 등에 관한 법률에는 친족상도례에 관한 규정을 적용한다는 명시적인 규정이 없으므로 특정경제범죄 가중처벌 등에 관한 법률위반(사기)죄에는 친족상도례에 관한 규정이 적용되지 않는다.
② 절도범인이 피해물건의 소유자나 점유자의 어느 일방과의 사이에서만 친족관계가 있는 경우에는 친족상도례에 관한 규정이 적용되지 않는다.
③ 법원을 기망하여 제3자로부터 재물을 편취한 경우 피해자는 법원이 아니라 재물을 편취당한 제3자이므로 제3자와 사기죄를 범한 자가 직계혈족의 관계에 있을 때에는 그 범인에 대하여 형을 면제하여야 한다.
④ A와 B를 기망하여 이들의 합유로 되어 있는 부동산에 대한 매매계약을 체결하고 소유권을 이전받은 다음 잔금을 지급하지 않은 경우, A와는 형이 면제되는 친족관계가 있으나 B와는 아무런 친족관계가 없다면 친족상도례에 관한 규정이 적용되지 않는다.
⑤ 사돈지간은 민법상 친족이 아니므로 백화점 내 점포에 입점시켜 주겠다고 거짓말을 하여 사돈지간인 피해자로부터 입점비 명목으로 돈을 편취하였다면 친족상도례에 관한 규정이 적용되지 않는다.

해설 ① ×：~ 규정이 적용된다(대판 2010.2.11, 2009도12627).
② 대판 1980.11.11, 80도131
③ 대판 1976.4.13, 75도781
④ 대판 2015.6.11, 2015도3160
⑤ 대판 2011.4.28, 2011도2170

06 친족상도례에 대한 설명으로 옳지 않은 것은?(다툼이 있는 경우 판례에 의함)

23. 경찰간부

① 사돈 사이 및 사실혼 관계에 있는 배우자는 친족상도례의 적용을 받지 아니한다.
② 절도죄에서 친족상도례가 적용되기 위해서는 범인과 피해물건의 소유자 및 점유자 모두 간에 친족관계가 있어야 한다.
③ 동거하지 않는 형제의 재물을 강취한 경우에 강도죄에 해당하나, 그 형이 면제된다.
④ 사기죄를 범하는 자가 혼인의 의사 없이 금원을 편취하기 위한 수단으로 A와 혼인신고를 한 것이어서 그 혼인이 무효인 경우라면, A에 대한 사기죄에서는 친족상도례를 적용할 수 없다.

해설 ① 대판 2011.4.28, 2011도2170
② 대판 1980.11.11, 80도131
③ ×：강도죄 ⇨ 친족상도례 적용 ×
④ 대판 2015.12.10, 2014도11533

Answer 05. ① 06. ③

07 **재산죄 기초이론에 관한 설명으로 가장 적절하지 않은 것은?**(다툼이 있는 경우 판례에 의함)

24. 순경 1차

① 사기죄 및 컴퓨터 등 사용사기죄는 재물뿐만 아니라 재산상의 이익도 객체로 하는 재물죄 겸 이득죄이다.

② 절도죄는 재물만을 객체로 하는 재물죄인 반면, 강도죄는 재물뿐만 아니라 재산상의 이익도 객체로 하는 재물죄 겸 이득죄이다.

③ 형법상 친족상도례 규정은 특정경제범죄 가중처벌 등에 관한 법률 제3조 제1항에 의하여 가중처벌되는 사기죄에도 적용된다.

④ 부(父)가 혼인 외의 출생자를 인지하는 경우 민법상 인지의 소급효는 친족상도례에 관한 규정의 적용에도 미친다고 보아야 할 것이므로, 인지가 범행 후에 이루어졌다 하더라도 그 소급효에 따라 형성되는 친족관계를 기초로 하여 형법상 친족상도례 규정이 적용된다.

해설 ① ×: 사기죄 ⇨ 재물 겸 이득죄(제347조), 컴퓨터 등 사용사기죄 ⇨ 이득죄(제347조의 2)
② 옳다(제329조, 제333조).
③ 대판 2010.2.11, 2009도12627
④ 대판 1997.1.24, 96도1731

Answer 07. ①

제2절 절도의 죄

1 절도죄

> **제329조** 타인의 재물을 절취한 자는 6년 이하의 징역 또는 1천만원 이하의 벌금에 처한다.
> **제342조** 본죄의 미수범은 처벌한다.

(1) **객 체** : 타인이 점유하는 타인(소유)의 재물

재물죄의 행위객체

1. **타인이 점유하는 타인(소유)의 재물** : 절도 · 강도 · 사기 · 공갈죄
2. **자기가 점유하는 타인(소유)의 재물** : 횡령죄
3. **타인이 점유하는 자기 재물** : 권리행사방해죄
4. **타인의 재물**(점유자 불문) : 손괴죄
5. **재산죄에 의해 영득한 재물** : 장물죄
6. **누구의 점유에도 속하지 않는 타인(소유)의 재물** : 점유이탈물횡령죄

① **재 물**

㉠ **재물의 개념** : 형법은 제346조에서 "본장의 죄(절도 · 강도죄의 죄)에 있어서 관리할 수 있는 동력은 재물로 간주한다."라고 규정하고 이를 사기죄, 공갈죄, 횡령죄, 배임죄, 손괴죄에 각각 준용하고 있다〔장물죄, 권리행사방해죄 ⇨ 준용규정이 없으나 해석상 당연히 이를 인정한다(통설)〕. 21. 법원행시

관련판례

1. 컴퓨터에 저장된 정보를 출력하여 가져간 경우 ⇨ 절도죄 ×〔대판 2002.7.12, 2002도745 예 甲이 회사 컴퓨터에 저장되어 있는 신제품시스템의 설계도면을 자신 소유의 USB 메모리에 저장하여 몰래 가지고 나온 경우 ⇨ 절도죄 × ∵ 회사의 컴퓨터에 저장되어 있는 설계도면(정보)을 출력하여 생성한 문서 ⇨ 회사의 업무와 관계 없이 새로이 생성시킨 문서 ○, 타인(회사) 소유의 문서 × ⇨ 타인의 재물 ×〕 16. 사시 · 법원직, 18. 9급 검찰 · 마약수사, 21. 법원행시, 21 · 23. 해경승진
2. 정보를 알아내거나, 문서를 복사하여 원본은 그대로 두고 사본만 가져간 경우 ⇨ 문서의 사본에 대한 절도죄 ×(대판 1996.8.23, 95도192) 10. 경찰승진, 24. 법원행시
   ▶ **비교판례** : 사원이 A회사를 퇴사하면서 가져간 A회사 연구실에 보관 중이던 회사의 목적업무상 기술분야에 관한 문서사본, 사실상 퇴사하면서 회사의 승낙 없이 가지고 간 부동산매매계약서 사본 ⇨ 재물 ○ ⇨ 절도죄 ○(대판 1986.9.23, 86도1205 ; 대판 2007.8.23, 2007도2595) 14. 법원행시, 18. 경찰승진, 23. 해경승진
3. 타인이 사용하는 일반전화(유선전화기)를 무단으로 사용한 경우 ⇨ 절도죄 ×(대판 1998.6.23, 98도700 ∵ 무형적인 이익에 불과 ⇨ 물리적 관리대상 × ⇨ 재물 ×), 사기죄 ×(대판 1999.6.25, 98도3891) 14. 법원행시 · 순경 2차, 15. 경찰간부, 17. 수사경과, 23. 해경승진

㉡ **재물의 경제적 가치** : 재물은 반드시 객관적인 금전적 교환가치를 가질 필요는 없고 소유자, 점유자가 주관적인 가치를 가지고 있음으로써 족하다(대판 1996.5.10, 95도3057). 14. 법원행시, 20. 해경승진

예 발행자가 회수하여 세 조각으로 찢어버린 약속어음(대판 1976.1.27, 74도3442), 16. 경찰승진, 20. 해경승진 무효인 약속어음(대판 1976.1.27, 74도3442), 10. 경찰승진 주민등록증(대판 1971.10.19, 70도1399), 백지의 자동차출고의뢰서용지(대판 1996.5.10, 95도3057), 폐지로 소각할 도시계획구조변경계획서(대판 1981.3.24, 80도2902), 주권포기각서(대판 1996.9.10, 95도2747), 14. 법원행시, 20. 해경승진 위조된 유가증권(대판 1998.11.24, 98도2967), 23. 해경승진 법원으로부터 송달된 심문기일소환장(대판 2000.2.25, 99도5775), 14. 순경 1차, 16. 수사경과, 15. 경찰승진 인감증명서(대판 2011.11.10, 2011도9919) ⇨ 재물 ○

관련판례

유가증권도 그것이 정상적으로 발행된 것은 물론 비록 작성권한 없는 자에 의하여 위조된 것(위조된 스키장 리프트탑승권)이라고 하더라도 절차에 따라 몰수되기까지는 그 소지자의 점유를 보호하여야 한다는 점에서 형법상 재물로서 절도죄의 객체가 된다(대판 1998.11.24, 98도2967). 14. 법원행시, 24. 경찰간부

② **타인의 재물** : 절취의 대상은 타인의 재물이어야 한다.

타인과 공동소유하는 재물(공유물 · 합유물 · 총유물)도 다른 공동소유자와의 관계에서는 타인의 재물이 된다(대판 1994.11.25, 94도2432). 17. 순경 2차

관련판례

1. ① 타인소유의 토지상에 권원 없이 식재한 수목(감나무)의 소유권은 토지소유자에게 귀속 : 식재한 자가 감나무에서 감을 수확한 경우 ⇨ 절도죄(대판 1998.4.24, 97도3425) 20. 경찰승진, 21. 해경승진 · 법원행시 · 경찰간부, 21 · 22. 순경 2차 · 수사경과
   ② 甲이 자신의 토지를 임차하여 대나무를 식재하고 가꾸어 온 A의 대나무를 그의 의사에 반하여 벌채하여 간 경우 ⇨ 절도죄〔대판 1980.9.30, 80도1874 ∵ 타인의 토지상에 권원(임대차)에 의하여 식재한 수목의 소유권은 식재한 자(A)에게 있음〕 14. 법원행시, 22. 순경 2차
2. 피고인이 자신의 모(母) 甲명의로 구입 · 등록하여 甲에게 명의신탁한 자동차를 乙에게 담보로 제공한 후 乙 몰래 가져간 경우 乙에 대한 관계에서 자동차의 소유자는 甲이고 피고인은 소유자가 아니므로 乙이 점유하고 있는 자동차를 임의로 가져간 이상 절도죄가 성립한다(대판 2012.4.26, 2010도11771). 16. 순경 1차 · 법원행시, 19. 경찰간부 · 수사경과, 20. 해경 1차, 21. 법원직, 24. 해경간부 · 경찰승진
   ▶ **비교판례** : 피고인이 자신의 명의로 등록된 자동차를 사실혼 관계에 있던 甲에게 증여하여 甲만이 이를 운행 · 관리하여 오다가 서로 별거하면서 재산분할 내지 위자료 명목으로 甲이 소유하기로 하였는데, 피고인이 이를 임의로 운전해 간 경우, 자동차 등록명의와 관계없이 피고인과 甲 사이에서는 甲을 소유자로 보아야 하므로 절도죄가 성립한다(대판 2013.2.28, 2012도15303). 16. 사시, 19. 경찰승진, 20. 변호사시험 · 순경 2차, 21. 순경 1차
3. 자동차 명의신탁관계에서 제3자가 명의수탁자로부터 승용차를 가져가 매도할 것을 허락받고 인감증명 등을 교부받아 위 승용차를 명의신탁자 몰래 가져간 경우, 위 제3자와 명의수탁자의 공모 · 가공에 의한 절도죄의 공모공동정범이 성립한다(대판 2007.1.11, 2006도4498). 16. 사시, 17. 경찰승진

4. 채권자가 양도담보 목적물을 제3자에게 처분하여 그 목적물의 소유권을 취득하게 한 다음 그 제3자로 하여금 채권자로부터 목적물반환청구권을 양도받는 방법으로 그 목적물을 취거하게 한 경우 그 제3자의 목적물 취거행위는 절도죄를 구성하지 않는다(대판 2008.11.27, 2006도4263 ∵ 제3자는 자기의 소유물을 취거한 것에 불과함). 18 · 20. 경찰간부, 20. 경찰승진, 21. 법원행시
5. 명의대여 약정에 따른 신청에 의해 발급된 영업허가증과 사업자등록증을 명의대여자가 가져가면 ⇨ 절도죄(대판 2004.3.12, 2002도5090 ∵ 명의차용인이 인도받음으로써 그의 소유가 됨) 14. 순경 2차, 17. 경찰승진, 19. 수사경과
6. 양식어업 면허구역 안에서 자연적으로 번식하는 식물(바지락) ⇨ 타인의 재물 ×(대판 1983.2.8, 82도696), 어업권자와 어업권행사계약을 체결하고 어업권을 행사하는 피해자의 양식장에서 '자연산' 모시조개를 무단 채취한 행위는 절도죄에 해당하지 아니한다(대판 2010.4.8, 2009도11827). 16. 사시
7. 돈사에서 대량으로 사육되는 돼지에 대한 이중의 양도담보설정계약이 체결된 경우 뒤에 양도담보설정계약을 체결한 이중양수 채권자가 임의로 돼지를 반출한 경우 동산의 이중양도담보에 있어서 현실의 인도가 아닌 점유개정의 방법으로는 선의취득이 인정되지 아니하므로 결국 뒤의 채권자는 적법하게 양도담보권을 취득할 수 없다. 따라서 뒤의 채권자인 피고인이 타인의 소유와 점유에 속하는 돼지를 임의로 반출한 행위는 절도죄를 구성한다(대판 2007.2.22, 2006도8649). 12. 경찰간부

---

③ 타인의 점유

㉠ 형법상의 점유란 현실적으로 어떠한 재물을 지배하는 순수한 사실상의 관계를 말하는 것으로서 민법상의 점유와 구별된다(대판 1982.3.9, 81도3396). 따라서 민법과 달리 상속에 의한 점유이전은 인정되지 않으며(대판 2012.4.26, 2010도6334), 민법상 점유보조자(점원)라고 할지라도 그 물건에 대하여 사실상 지배력을 행사하는 경우에는 형법상 보관의 주체로 볼 수 있다(대판 1982.3.9, 81도3396). 20. 순경 1차, 21. 법원행시

㉡ 어떤 물건이 타인의 점유하에 있다고 할 것인지의 여부는, 객관적인 요소로서의 관리범위 내지 사실적 관리가능성 외에 주관적 요소로서의 지배의사를 참작하여 결정하되 궁극적으로는 당해 물건의 형상과 그 밖의 구체적인 사정에 따라 사회통념에 비추어 규범적 관점에서 판단할 수밖에 없다(대판 1999.11.12, 99도3801).

관련판례

1. 임차인이 임대계약 종료 후 식당건물에서 퇴거하면서 종전부터 사용하던 냉장고의 전원을 켜 둔 채 그대로 두었다가 약 1개월 후 철거해 가는 바람에 그 기간 동안 전기가 소비된 경우(전기사용료 22,965원) ⇨ 절도죄 ×〔대판 2008.7.10, 2008도3252 ∵ 자기(임차인)의 점유 · 관리하에 있던 전기 ○, 타인(임대인)의 점유 · 관리하에 있던 전기 ×〕 18. 9급 검찰, 20. 순경 2차, 20 · 21. 경찰간부, 21. 경찰승진 · 해경승진, 24. 법원행시 · 경위공채
2. 종전 점유자의 점유가 그의 사망으로 인한 상속에 의하여 당연히 그 상속인에게 이전된다는 민법 제193조는 절도죄의 요건으로서의 '타인의 점유'와 관련하여서는 적용의 여지가 없고, 재물을 점유하는 소유자로부터 이를 상속받아 그 소유권을 취득하였다고 하더라도 상속인이 그 재물에 관하여 사실상의 지배를 가지게 되어야만 이를 점유하는 것으로서 그때부터 비로소 상속인에 대한 절도죄가

성립할 수 있다(대판 2012.4.26, 2010도6334 예 피고인이 내연관계에 있는 甲과 단둘이서 아파트에서 동거하다가, 甲의 사망으로 甲의 상속인인 乙 및 丙소유에 속하게 된 부동산 등기권리증 등 서류들이 들어 있는 가방을 위 아파트에서 가지고 간 경우 ⇨ 절도죄 × ∵ 상속인 乙 등이 아파트에 있던 가방을 사실상 지배하여 점유하고 있었다고 볼 수 없다). 19. 수사경과·경찰간부·순경 2차, 19·21. 법원행시·경찰승진, 24. 해경간부

3. 甲이 A의 자취방에서 재물강취의사 없이 A를 살해한 후 4시간 30분 동안 그 곁에 있다가 예금통장과 인장이 들어 있는 A의 잠바를 걸치고 나온 경우, A의 점유가 인정되므로 甲은 절도죄로 처벌된다〔대판 1993.9.28, 93도2143 ∵ 사자(A)의 생전의 점유(상속인 점유 ×)를 인정〕. 17. 변호사시험, 20. 9급 검찰·마약수사, 21. 경찰승진, 22. 수사경과, 24. 경찰간부
4. 승객이 고속버스(대판 1993.3.16, 92도3170)나 지하철의 바닥·선반 위(대판 1999.11.26, 99도3963)에 두고 내린 물건을 다른 승객이 가져간 경우 ⇨ 점유이탈물횡령죄 ○, 절도죄 ×(∵ 고속버스운전자나 지하철승무원이 현실적으로 발견하지 않는 한 새로운 점유가 개시 ×) 14. 법원행시, 19·22. 순경 2차, 23. 경찰간부·해경 3차
5. 당구장 종업원이 당구대 밑에서 어떤 사람이 잃어버린 금반지를 주워서 손가락에 끼고 다니다가 전당포에 전당잡힌 경우 ⇨ 절도죄 ○(대판 1988.4.25, 88도409 ∵ 주인의 점유 ○), 11. 법원행시, 14. 수사경과 피해자가 피씨방에 두고 간 핸드폰(피씨방 관리자의 점유 ○) ⇨ 제3자가 가져가면 절도죄(대판 2007.3.14, 2006도9338) 14. 변호사시험, 20. 9급 검찰·마약수사, 22. 순경 2차
6. A가 육지에서 멀리 떨어진 섬에서 광산을 개발하기 위하여 발전기, 경운기 엔진을 섬으로 반입하였다가 광업권 설정이 취소됨으로써 광산 개발이 불가능하게 되자 그 물건들을 창고 안에 두고 철수한 뒤 10년 동안 나타나지 않고 사망한 후, 그 섬에서 거주하는 甲이 그 물건들을 자신의 집 근처로 옮겨 놓은 경우, A의 상속인에게 그 물건에 대한 점유가 인정되지 않으므로 甲은 절도죄로 처벌되지 않는다(대판 1994.10.11, 94도1481). 13. 변호사시험, 16. 법원행시
   - ▶ **유사판례** : 분묘의 후손들이 묘는 이장하고 망부석만 30년 방치된 상태에서 임야의 관리인으로서 망부석을 사실상 점유하여 온 자가 이를 처분한 경우 ⇨ 절도죄 ×(∵ 임야소유자의 점유 ×, 임야관리인의 점유 ○), 횡령죄 ×(해당 망부석은 후손들이 소유권을 포기한 것으로 인정되기 때문에 무주물임) ∴ 무죄(대판 1981.8.25, 80도509) 18. 경찰승진
   - ▶ **비교판례** : 종중 소유의 분묘를 간수하고 있는 산지기가 분묘에 설치된 석등과 문관석을 반출한 경우 ⇨ 횡령죄 ×, 절도죄 ○(대판 1985.3.26, 84도3024 ∵ 분묘에 설치된 석등과 문관석 등에 대한 산지기의 점유가 인정 안 됨) 08. 경찰승진, 21. 경찰간부
7. 甲에게 강간을 당한 피해자 A가 도피하면서 자신의 지갑을 현장에 놓아두고 간 경우, 그 지갑은 사회통념상 A의 지배하에 있는 물건이므로 甲이 그 지갑을 가져갔다면 절도죄를 구성한다(대판 1984.2.28, 84도38). 09. 사시, 21. 법원직, 23. 경찰간부·해경 3차
8. 자기 논에 물을 넣기 위하여 토지개량조합의 배수로에 토지개량조합규칙에 위배되는 행위로서 특수한 공작물을 설치하여 자기 논에 물을 저수한 경우 ⇨ 절도죄 ×(대판 1964.6.23, 64도209 ∵ 그 물이 물을 막은 사람의 사실상이나 법률상 지배 ×) 07. 경찰승진

㉢ **공동점유** : 공동점유란 재물에 대하여 다수인이 사실상 지배하는 점유형태를 말한다. 이는 다시 동등한 공동점유와 상하관계의 공동점유로 나눌 수 있다.

ⓐ 대등관계의 공동점유 : 예를 들면 같은 권한을 갖는 조합원이나 동업자, 부부간의 점유처럼 동등한 권리를 가진 수인의 점유자 간에는 점유의 타인성이 인정되어 상호간의 점유 침탈에 대해서는 절도죄가 성립한다.

- 공동소유의 재물을 공동점유자 중 1인이 불법하게 영득 ⇨ 절도죄
- 공동소유의 재물을 1인이 단독점유하고 있는 중에 영득 ⇨ 횡령죄

관련판례

• 공동소유 · 공동점유 ⇨ 타인소유 · 타인점유 ⇨ 절도죄 객체 ○

1. 피해자와 동업자금으로 구입하여 피해자가 관리하고 있던 포크레인 1대를 그의 허락 없이 다른 사람을 시켜 운전하게 한 경우 ⇨ 절도죄〔대판 1990.9.11, 90도1021 ∵ 공동소유(타인소유) · 타인점유〕 15. 법원직, 22. 경찰승진
2. 조합원의 1인이 조합원의 공동점유에 속하는 합유의 물건을 다른 조합원의 승낙 없이 자신의 단독지배로 이전한 경우 ⇨ 절도죄(대판 1982.12.28, 82도2058) 17. 수사경과, 20. 순경 1차, 23. 경찰간부 · 해경 3차
3. 하나의 교회가 두 개 이상으로 분열된 경우 교회 재산에 대하여 다른 교파의 점유를 배제하고 자기 교파만의 지배에 옮긴다는 인식 아래 이를 가져간 경우 ⇨ 절도죄〔대판 1998.7.10, 98도126 ∵ 공동소유(총유) · 공동점유〕 09. 경찰승진, 20. 순경 1차
4. 별거 중인 남편과 처가 돈궤짝 속에 공동보관 중인 남편의 인장을 돈궤짝의 열쇠를 소지한 처가 남편의 동의 없이 불법영득의사로 취거한 경우 ⇨ 절도죄(대판 1984.1.31, 83도3027) 20. 순경 1차
5. 동업체에 제공된 물품이 원래 피고인의 소유이거나 피고인이 다른 곳에서 빌려서 제공하였더라도 피고인이 다른 동업자의 승낙 없이 임의로 가져간 경우 ⇨ 절도죄(대판 1995.10.12, 94도2076 ∵ 동업관계가 청산되지 않는 한 동업자들의 공동소유 · 공동점유) 21. 법원직, 24. 해경간부

ⓑ 상하관계에 의한 공동점유 : 상하관계(종속관계)에 의한 공동점유인 경우에는 종속된 점유자가 주된 점유자의 점유를 침해하면 절도죄가 성립한다. 그러나 민법상 점유보조자(점원)라고 할지라도 그 물건에 대하여 특별한 위임이 있어 사실상 지배력을 행사한 경우에는 형법상 보관의 주체로 볼 수 있으므로 이를 영득한 경우에는 절도죄가 아니라 횡령죄에 해당한다(대판 1982.3.9, 81도3396). 12. 경찰간부

관련판례

1. 점포주인이 점원에게 금고 열쇠와 오토바이 열쇠를 맡기고 금고 안의 돈은 가스대금으로 지급할 것을 지시한 후 외출하자 점원이 금고 안의 현금을 꺼내 오토바이를 타고 도주한 경우 ⇨ 절도죄 ×, 횡령죄 ○〔대판 1982.3.9, 81도3396 ∵ 자기(점원)가 점유하는 타인(주인)의 재물〕 20. 순경 2차 · 9급 검찰 · 마약수사
2. 범행 당시 휴업 중인 싸롱의 소유자로부터 열쇠를 받고 그 관리를 위임받아 보관 중인 싸롱 내의 물품을 부정처분한 경우 ⇨ 절도죄 ×, 횡령죄 ○(대판 1983.2.22, 82도3092)
3. 승낙을 받고 심부름으로 오토바이를 타고 가서 수표를 현금으로 바꾼 후 도주한 경우 ⇨ 절도죄 ×, 횡령죄 ○〔대판 1986.8.19, 86도1093 ∵ 자기(점원)가 점유하는 타인(주인)의 재물〕 22. 순경 2차

㉣ **재물의 운반 위탁** : 재물의 운반을 위탁한 경우에 그에 대한 위탁자의 현실적인 감독과 통제가 가능한가의 여부에 따라 결정하지 않을 수 없다.

- 감독 · 통제 가능 ⇨ 위탁자 점유 인정(운반자가 영득하면 절도죄)
- 감독 · 통제 불가능 ⇨ 운반자 점유 인정(운반자가 영득하면 횡령죄)

관련판례

1. 지게꾼에게 단독으로 물건(의류 48장) 운반을 위탁한 경우 ⇨ 지게꾼 점유 인정(대판 1982.12.23, 82도2394) : 지게꾼이 운반해 주지 않고 용달차에 싣고 가서 처분하면 횡령죄 16. 경찰승진, 20. 해경승진
2. 총무과 직원인 甲은 경리담당직원 乙의 요청으로 동행하여 은행에서 인출한 현금(200여 만원) 중 일부(50만원)를 乙의 부탁으로 소지 운반 후 乙에게 교부함에 있어 그중 일부(10만원)를 빼냈을 경우 ⇨ 절도죄(대판 1966.1.31, 65도1178 ∵ 피해자 乙의 점유에 종속하는 소지에 불과하므로) 13. 경찰승진
3. 동직원이 사환에게 단독으로 시청금고에 입금시키도록 돈을 위탁한 경우 ⇨ 사환 점유 인정(대판 1968.10.29, 68도1222) : 사환이 영득하면 횡령죄 05. 경찰승진, 11. 법원행시
4. 화물자동차의 물건(커피 3상자) 운반 ⇨ 운전사 점유 인정(대판 1957.9.20, 4290형상281) : 운전사가 운송하던 도중 자의로 매각처분하면 업무상 횡령죄
5. 운반 중인 철도 화물 ⇨ 철도청 점유 인정(대판 1967.7.8, 65도798) : 철도공무원이 영득하면 절도죄 08. 경찰승진

---

(2) **행 위** : 절취

절취란 폭행 · 협박 또는 기망에 의하지 아니하고 타인이 점유하고 있는 자기 이외의 자의 소유물을 점유자의 의사에 반하여 그 점유를 배제하고 자기 또는 제3자의 점유로 옮기는 것을 말한다(대판 2008.7.10, 2008도3252 : 타인의 점유의 배제+새로운 점유의 취득). 17. 경찰승진, 20. 순경 1차

① **점유의 배제**(침탈) : 점유의 배제라 함은 점유자 또는 처분권자의 의사에 반해 재물에 대한 그의 사실상 지배를 배제하는 것을 말한다(▶ 상대방의 하자 있는 의사에 의한 경우 ⇨ 사기 · 공갈).

관련판례

1. 피고인이 타인의 명의를 모용하여 발급받은 신용카드를 사용하여 현금자동지급기에서 현금대출을 받는 행위 ⇨ 절도죄 ○(대판 2002.7.12, 2002도2134 ∵ 현금자동지급기의 관리자의 의사에 반하여 그의 지배를 배제한 채 그 현금을 자기의 지배하에 옮겨 놓는 행위) 16. 순경 1차, 19. 변호사시험, 20. 경찰간부, 23. 7급 검찰

   ▶ **비교판례** : 절취한 타인의 신용카드를 이용하여 현금지급기에서 자신의 계좌로 돈을 이체한 행위는 컴퓨터 등 사용사기죄에 해당함은 별론으로 하고 절도죄에 해당한다고 할 수는 없고, 이렇듯 계좌이체한 후 현금지급기에서 현금을 인출한 행위는 자신의 신용카드나 현금카드를 이용한 것이어서 이러한 현금인출이 현금지급기 관리자의 의사에 반한다고 볼 수 없으므로, 이 또한 절도죄에 해당하지 않는다(대판 2008.6.12, 2008도2440). 15. 법원직 · 순경 3차, 22. 수사경과, 24. 경위공채
2. 강취한 현금카드를 사용하여 현금자동지급기에서 예금을 인출한 행위는 피해자의 승낙에 기한 것이라고 할 수 없으므로, 현금자동지급기 관리자의 의사에 반하여 그의 지배를 배제하고 그 현금을 자

기의 지배하에 옮겨 놓는 것이 되어서 강도죄와는 별도로 절도죄를 구성한다(대판 2007.5.10, 2007도1375). 18. 순경 1차, 20. 순경 2차, 21. 변호사시험 · 경찰간부

▶ **비교판례** : 현금카드 소유자를 공갈(협박)하여 예금인출승낙과 함께 카드를 교부받은 후 현금자동지급기에서 수차례(17회)에 걸쳐 예금을 인출한 경우 ⇨ 포괄하여 1개의 공갈죄(대판 1996.9.20, 95도1728 ∵ 피해자의 승낙 ⇨ 예금인출 ⇨ 절도죄 ×, 현금카드를 교부받은 행위와 예금인출행위는 단일 · 계속된 범의에서 이루어진 일련의 행위임) 18. 변호사시험, 19. 경찰간부, 20. 경찰승진, 21. 법원직, 23. 순경 2차, 24. 법원행시

3. 피고인이 동거 중인 피해자의 지갑에서 현금을 꺼내가는 것을 피해자가 현장에서 목격하고도 만류하지 아니하였다면 피해자가 이를 허용하는 묵시적 의사가 있었다고 봄이 상당하여 이는 절도죄를 구성하지 않는다(대판 1985.11.26, 85도1487 ∵ 구성요건해당성 조각 ○, 위법성조각 ×). 22. 경찰승진

▶ **유사판례** : 밍크 45마리에 관하여 자기에게 그 권리가 있다고 주장하면서 이를 가져간 데 대해 묵시적 동의가 있었다면 그 주장이 후에 허위임이 밝혀졌더라도 절도죄의 절취행위에는 해당 × (대판 1990.8.10, 90도1211 ∵ 절도죄의 구성요건해당성 ×) 18. 법원행시, 19. 경찰간부, 23. 변호사시험

4. 피고인이 동거하던 여인에게 증여한 물건을 동 여인이 동거장소에 그대로 두고 친가에 돌아가서 다시 돌아오지 않을 뜻을 명백히 하자 이것을 마음대로 다른 곳으로 옮겨 버린 경우 ⇨ 절도죄 × (대판 1972.8.31, 72도1449 ∵ 피고인이 사실상 지배한 점유자 ○)

5. 주점점원의 초청을 받아 피해자가 경영하는 주점의 잠겨 있는 샷타문을 열고 주방 안에 있던 맥주 등을 꺼내어 마신 경우 ⇨ 절도죄 ○(대판 1986.9.9, 86도1439 ∵ 피해자의 승낙 ×, 불법영득의사 ○).

책략절도 : 기망행위가 있었더라도 그것이 점유침탈의 한 방법에 불과하고 그것에 의한 재물의 처분(교부)행위가 있다고 보기 어려운 때(∴ 사기죄 ×)에는 절도가 된다(∵ 피해자의 의사에 반함 ⇨ 피해자의 점유 ○).

관련판례

1. 금은방에서 귀금속을 구입할 것처럼 가장하여 이를 건네 받고 화장실에 갔다 오겠다는 핑계를 대고 도주한 경우 ⇨ 절도죄(대판 1994.8.12, 94도1487), 사기죄 × 15. 법원직, 16. 경찰승진, 17. 순경 2차 · 수사경과, 20. 해경승진, 23. 경찰간부 · 해경 3차, 24. 순경 1차

2. 결혼식장에서 신부 측 축의금 접수인인 것처럼 행세하여 축의금을 교부받아 가로챈 경우 ⇨ 절도죄(대판 1996.12.20, 96도2227), 사기죄 × 15. 순경 2차, 16 · 17. 법원직 · 수사경과, 19 · 23. 경찰간부

3. 타인이 보고 있는 책을 잠시 보겠다고 하면서 보는 척 하다가 가져간 경우 ⇨ 절도죄(대판 1983.2.22, 82도3115) 08. 경찰승진, 16. 수사경과

▶ **비교판례** : 자동차 · 오토바이 · 자전거를 살 의사 없이 시운전을 빙자하여 이를 교부받아 시운전을 하는 척 하다가 그대로 도망한 경우 ⇨ 사기죄(대판 1968.5.21, 68도480)

---

② 실행의 착수시기(물색행위 · 밀접행위시), 기수시기(새로운 점유의 취득)

관련판례

1. 실행의 착수가 인정되는 경우 : ① 호주머니 겉을 더듬은 경우(84도2524) 15. 순경 2차, 16. 경찰승진
② 구리를 찾기 위해 담벽에 붙어 걸어가다가 붙잡힌 경우(89도1153) 13. 7급 검찰, 16. 경찰간부 · 경찰승진
③ 자동차 안에 있는 밍크코트를 훔치려고 앞문 손잡이를 잡아당긴 경우(86도2256) 14. 경찰간부, 16.

경찰승진, 17. 법원직 ④야간에 차량 안에 있는 현금을 훔치려고 운전석 문의 손잡이를 잡고 열려고 하던 중 경찰관에게 발각된 경우(2009도5595) 19. 7급 검찰, 22. 수사경과, 23. 경찰간부 ⑤주간에 거실을 통하여 안방으로 들어가 여기저기를 둘러보고 다시 거실로 나와서 두리번거리다가 발각된 경우(2003도1985) 18. 법원행시, 21. 7급 검찰

2. 실행의 착수가 인정되지 않는 경우 : ①자동차 안에 있는 물건을 훔칠 생각으로 유리창을 통해 그 내부를 손전등으로 비추어 본 경우(85도464) 15. 변호사시험 · 경찰승진 · 순경 2차, 16. 법원행시, 19. 7급 검찰 ②가방으로 돈이 들어 있는 피해자의 주머니를 스치면서 지나간 경우(86도1109) 16. 경찰간부, 19. 7급 검찰 ③건축자재를 훔칠 생각으로 건축 중인 아파트의 지하실 안쪽을 살핀 경우(2009도14554) 19. 7급 검찰 ④전화채권을 사주겠다고 유인하여 돈을 절취하려고 기회를 엿본 경우(82도2944) 16. 경찰간부 · 경찰승진
3. 절취목적으로 핸드브레이크를 풀자 내리막길에 주차된 자동차가 10m 정도 굴러가다가 멈춘 경우 ⇨ 절도기수 ×, 절도미수 ○(대판 1994.9.9, 94도1522) 13. 변호사시험, 18. 9급 검찰, 21. 해경승진
4. 입목을 절취하기 위하여 캐낸 때에 절도죄는 기수에 이르는 것이지 이를 운반하거나 반출하는 등의 행위는 필요하지 않다(대판 2008.10.23, 2008도6090). 16. 사시, 17. 7급 검찰, 18. 순경 3차, 21. 경찰승진, 22. 순경 1차, 23. 해경승진

---

(3) **주관적 구성요건** : 고의+불법영득의사

① **불법영득의사** : 절도죄의 성립에 필요한 불법영득의 의사는 타인의 재물에 대해서 소유자와 유사한 지배력을 행사하여 이용 · 처분하려는 의사를 말하는 것으로, 영구적으로 그 물건의 경제적 이익을 보유할 의사는 필요 없고 일시적이어도 무방하나 단순한 점유의 침해만으로서는 절도죄를 구성할 수 없고 소유권 또는 이에 준하는 본권을 침해하는 의사, 즉 목적물의 물질을 영득할 의사이거나 또는 그 물질의 가치만을 영득할 의사이든 적어도 그 재물에 대한 영득의 의사가 있어야 한다(대판 2006.3.24, 2005도8081). 21. 수사경과 · 순경 1차, 22. 경찰승진

관련판례

1. 외상매매계약을 해제하여 외상매매물품의 반환청구권이 피고인에게 있을 경우 매수인의 승낙을 받지 아니하고 그 물품을 가져간 경우 ⇨ 절도죄(대판 1973.2.28, 72도2538) 13. 7급 검찰
2. 점유개정의 방법에 의한 양도담보부 금전소비대차계약의 채권자가 변제기일 후 채무자의 의사에 반하여 담보목적물(쇄석장비)을 가져간 경우 ⇨ 절도죄(대판 2005.6.24, 2005도2861) 12. 순경 2차
3. 자기의 채권의 추심을 위하여 타인(채무자)점유하에 있는 타인(채무자)소유의 금원을 불법하게 탈취한 경우 ⇨ 절도죄(대판 1983.4.12, 83도297)

---

② 타인의 재물을 점유자의 승낙 없이 무단사용하는 경우에 있어서 ㉠ 그 사용으로 인하여 물건 자체가 가지는 경제적 가치가 상당한 정도로 소모되거나 또는 ㉡ 사용 후 그 재물을 본래 있었던 장소가 아닌 다른 장소에 버리거나 ㉢ 곧 반환하지 아니하고 장시간 점유하고 있는 것과 같은 때에는 그 소유권 또는 본권을 침해할 의사가 있다고 보아 불법영득의 의사를 인정할 수 있을 것이나, 그렇지 않고 그 사용으로 인한 가치의 소모가 무시할 수 있을 정도로 경미하고,

또한 사용 후 곧 반환한 것과 같은 때에는 그 소유권 또는 본권을 침해할 의사가 있다고 할 수 없어 불법영득의 의사가 있다고 인정할 수 없다(대판 2006.3.9, 2005도7819). 14. 법원직, 18. 경찰간부

관련판례

불법영득의사란 권리자를 배제하고〔소극적 요소 : 재물에 대한 권리자의 지위를 계속적 · 지속적으로 제거 · 배제하려는 의사 ▶ 사용절도(일시적으로 사용한 후 곧 반환할 의사로 타인의 재물 절취) ⇨ 절도죄 ×〕 타인의 물건을 자기의 소유물과 같이 그 경제적 용법에 따라 이용 · 처분할 의사〔적극적 요소 : 소유권자처럼 지배력을 행사하여 이용 · 처분하려는 의사 ▶ 손괴의사로 재물 취거 후에 손괴 ⇨ 손괴죄 ○, 절도죄 ×〕를 말한다(대판 1996.5.10, 95도3057). 20. 경찰간부

- **소극적 요소를 부정한 경우 ⇨ 불법영득의사 × ⇨ 절도죄 ×**

1. 상사와의 의견 충돌 끝에 항의표시로 사표를 제출한 다음 평소 자신이 전적으로 보관 · 관리해 오던 비자금관계서류 및 금품이 든 가방을 들고 나온 경우(대판 1995.9.5, 94도3033 ; 불법영득의사 ×, 타인이 점유하는 물건 ×) 15. 경찰승진 · 순경 3차, 20. 경찰간부
2. 피해자의 책상서랍에서 인감도장을 몰래 꺼내서 가지고 가서 차용금증서의 연대보증인란에 날인한 후 곧 제자리에 넣어 둔 경우(대판 1987.12.8, 87도1959) 16. 9급 검찰, 20. 경찰간부, 21. 해경승진, 22. 해경 2차
3. 피해자의 승낙 없이 혼인신고서를 작성하기 위하여 피해자의 도장을 몰래 꺼내어 사용한 후 곧바로 제자리에 갖다 놓은 경우(대판 2000.3.28, 2000도493) 16. 사시, 17. 법원직, 18. 경찰승진, 21. 수사경과
4. 동네선배의 차량을 빌렸다가 반환하지 아니한 보조열쇠를 이용하여 그 후 3차례에 걸쳐 2~3시간 정도 운행한 후 원래 주차된 곳에 갖다 놓은 경우(대판 1992.4.24, 92도118) 15. 경찰간부, 22. 해경 2차
5. 내연관계를 회복시킬 목적으로 내연관계에 있던 여자의 물건(패물)을 가져왔고 그녀의 가족에게 그 사실을 알리고 보관한 경우(대판 1992.5.12, 92도280) 17. 법원직
6. 피고인이 타인소유의 버스요금함 서랍 견본 1개를 그에 대한 최초 고안자로서의 권리를 확보하겠다는 생각으로 가지고 나가 변리사에게 의장출원을 의뢰하고 그 도면을 작성한 뒤 당일 이를 원래 있던 곳에 가져다 둔 경우(대판 1991.6.11, 91도878) 11. 법원행시
7. 甲이 부정행위를 한 A를 꾸짖어 줄 목적으로 A의 소유물건을 가져와 보관하고 있으면 A가 이를 찾으러 올 것이고 그때에 그 물건을 반환하면서 A를 꾸짖어 줄 생각으로 그 물건을 가져온 경우(대판 1973.2.28, 72도2812) 18. 경찰승진

- **적극적 요소를 부정한 경우 ⇨ 불법영득의사 × ⇨ 절도죄 ×**

1. 피해자를 살해한 후 피해자의 지갑을 꺼내 다른 증거품(살해도구로 이용한 골프채와 옷 등)들과 함께 차량에 싣고 가다가 쓰레기 소각장에서 태워버린 경우(대판 2000.10.13, 2000도3655) 15. 사시, 17. 법원직, 18. 7급 검찰
2. 피해자의 전화번호를 알기 위해 상대방이 떨어뜨린 전화요금 영수증을 습득한 후 돌려주지 않은 경우(대판 1989.11.28, 89도1679) 11. 경찰승진, 14. 수사경과
3. 군인이 분실한 총기(M16소총 1정)를 보충하기 위하여 다른 내무반에서 총기를 취거한 경우(대판 1977.6.7, 77도1069) 15. 사시, 21. 해경간부

   ▶ **비교판례** : 피고인이 소총 소지자를 총기로 협박하여 그 소총을 교부받아 실탄을 장전한 후 소속

부대 하급자에게 건네주어 그로 하여금 소속 부대원들이 내무반에서 나오는지 여부를 감시하도록 지시한 경우 ⇨ 군용물특수강도죄 ○(대판 1995.7.11, 95도910 ∵ 불법영득의사 ○) 21. 해경승진

4. 사격장에서 총기를 휴대한 채 군무를 이탈하였더라도 총기를 휴대하고 있는지조차 인식할 수 없는 정신 상태에 있었던 경우(대판 1992.9.8, 91도3149) 20. 경찰간부
5. 사촌형제인 피해자와의 분규로 재단법인 이사장직을 사임한 뒤 피해자의 집무실에 찾아가 잘못을 나무라는 과정에서 화가 나서 피해자를 혼내주려고 피해자의 가방을 들고 나온 경우(대판 1993.4.13, 93도328) 06. 경찰승진
6. 가구회사의 디자이너가 채택되지 않아 임의처분이 허용된 자신이 제작한 가구디자인 도면(회사소유)을 가지고 나온 경우(대판 1992.3.27, 91도2831)
7. 매수인이 매수한 배추를 약정기일까지 수거해 가지도 않고 연락두절인 데다가 배추가 썩기 시작하자 이를 처분하고 대금을 정기예탁한 경우(대판 1982.2.23, 81도2371)
8. 시비하는 중에 그들 중 일행이 피고인을 식칼로 찔러 죽이겠다고 위협을 하여 주위를 살펴보니 식칼이 있어 이를 갖고 파출소에 가져가 협박의 증거물로 제시한 경우(대판 1986.7.8, 86도354)

• 불법영득의사를 인정한 경우 ⇨ 절도죄 ○

1. 피고인이 甲의 영업점 내에 있는 甲소유의 휴대전화를 허락 없이 가지고 나와 이를 이용하여 통화를 하고 문자메시지를 주고받은 다음 약 1~2시간 후 甲에게 아무런 말을 하지 않고 위 영업점 정문 옆 화분에 놓아두고 간 경우(대판 2012.7.12, 2012도1132) 16. 사시·법원행시·법원직, 22. 변호사시험·수사경과·경찰간부·7급 검찰, 23. 해경승진, 24. 경찰승진
2. 어떠한 물건을 점유자의 의사에 반하여 취거하는 행위가 결과적으로 소유자의 이익으로 된다는 사정 또는 소유자의 추정적 승낙이 있다고 볼 만한 사정이 있다고 하더라도, 그러한 사유만으로 불법영득의 의사가 없다고 할 수는 없다(대판 2014.2.21, 2013도14139 예 甲은 리스한 승용차를 사채업자 A에게 담보로 제공하였고 사채업자 A는 甲이 차용금을 변제하지 못하자 승용차를 B에게 매도하였는데, 이후 甲은 위 승용차를 발견하고 이를 본래 소유자였던 리스 회사에 반납하기 위하여 취거한 경우 ⇨ 불법영득의사 ○ ∴ 절도죄 ○). 16. 변호사시험, 18. 경찰승진·7급 검찰, 20. 경찰간부, 21. 법원직, 22. 순경 1차, 24. 해경간부·경찰승진
3. 타인의 예금통장을 무단사용하여 예금을 인출한 후 바로 예금통장을 반환하였다 하더라도 그 사용으로 인한 위와 같은 경제적 가치의 소모가 무시할 수 있을 정도로 경미한 경우가 아닌 이상, 예금통장 자체가 가지는 예금액 증명기능의 경제적 가치에 대한 불법영득의 의사를 인정할 수 있으므로 절도죄가 성립한다(대판 2010.5.27, 2009도9008). 16. 9급 검찰·마약수사, 19. 변호사시험, 20. 순경 2차, 21. 법원행시·수사경과, 22. 경찰간부, 24. 경찰승진·순경 1차

▶ 비교판례

① 타인의 신용카드(현금카드)를 사용하여 현금자동지급기에서 현금을 인출하였다 하더라도 신용카드(현금카드) 자체가 가지는 경제적 가치가 인출된 예금액만큼 소모되었다고 할 수 없으므로, 이를 일시 사용하고 곧 반환한 경우에는 불법영득의 의사가 없다(대판 1999.7.9, 99도857 ; 대판 1998.11.1, 98도2642 ∴ 절도죄 ×). 16. 9급 검찰·마약수사, 20. 해경 1차

② 타인의 직불카드를 무단 사용하여 그 타인의 예금계좌에서 자기의 예금계좌로 돈을 이체시킨 후 바로 반환한 경우 ⇨ 절도죄 ×(대판 2006.3.9, 2005도7819 ∵ 불법영득의사 ×) 16. 9급 검찰·마약수사, 18. 법원직, 22. 경찰간부·7급 검찰

4. 강도상해의 범행을 저지르고 도주하기 위해 중국집 앞에 세워져 있는 타인의 오토바이를 승낙 없이 타고 가서 다른 곳에 버린 다음 버스를 타고 다른 지방으로 도주한 경우(대판 2002.9.6, 2002도3465 ∴ 강도상해죄와 절도죄의 실체적 경합범) 14. 순경 1차, 23. 법원행시
5. 후일 변제할 의사로 피해자의 승낙 없이 현금이 들어 있는 지갑을 가져간 경우(대판 1999.4.9, 99도519) 15. 경찰간부, 17. 수사경과, 22. 해경 2차
6. 주점 점원의 초청을 받고 주점에 온 자가 주점 주인이 잠가둔 샷타문을 열고 그 곳 주방 안에 있는 맥주를 꺼내 마신 경우(대판 1986.9.9, 86도1439) 15. 경찰간부, 22. 해경 2차
7. 甲주식회사 감사인 피고인이 회사 경영진과의 불화로 한 달 가까이 결근하다가 회사 감사실에 침입하여 자신이 사용하던 컴퓨터에서 하드디스크를 떼어간 후 4개월 가까이 지난 시점에 반환한 경우(대판 2011.8.18, 2010도9570) 16. 변호사시험
8. 회사의 총무과장이 회사의 물품대금채권을 확보할 목적으로 채무자의 승낙을 받지 아니한 채 그의 의사에 반하여 부산에 있는 그의 점포 앞에 세워놓은 그의 소유인 자동차를 운전하여 광주에 있는 위 회사로 옮겨놓은 경우(대판 1990.5.25, 90도573) 11. 법원행시
9. 일시 사용의 목적으로 타인의 점유를 침탈할 경우에도 이를 반환할 의사 없이 상당히 오래도록 점유하고 있거나 본래의 장소와 다른 곳에 유기하는 경우(대판 1988.9.13, 88도917) 11. 법원직
10. 길가에 시동을 걸어놓은 채 세워둔 자동차를 함부로 운전하고 약 200m 가량 간 경우(대판 1992.9.22, 92도1949)
11. 길가에 세워져 있는 오토바이를 소유자의 승낙 없이 타고가서 용무를 마친 약 1시간 30분 후 본래 있던 곳에서 약 7, 8미터 되는 장소에 방치한 경우(대판 1981.10.13, 81도2394)
12. 해변에 매어 놓은 선박을 그 소유자의 승낙 없이 사용한 후 다른 장소에 방치한 경우(대판 1961.6.28, 4294형상179)

(4) 죄수론

관련판례

1. 피고인이 A의 집에 침입하여 그 집의 방안에서 A소유의 재물을 절취하고 그 무렵 그 집에 세들어 사는 B의 방에 침입하여 재물을 절취하려다 미수에 그쳤다면 위 두 범죄는 그 범행장소와 물품의 관리자를 달리하고 있어서 별개의 범죄를 구성한다(대판 1989.8.8, 89도664). 15. 사시, 17. 9급 철도경찰, 23. 법원행시
2. 자동차를 절취한 후 자동차등록번호판을 떼어내는 행위는 새로운 법익의 침해로 보아야 하므로 이와 같은 번호판을 떼어내는 행위가 절도범행의 불가벌적 사후행위가 되는 것은 아니다(대판 2007.9.6, 2007도4739). 18. 경찰간부, 20. 변호사시험 · 7급 검찰, 23. 해경승진 · 순경 2차

2 야간주거침입절도죄

제330조 야간에 사람의 주거, 관리하는 건조물, 선박, 항공기 또는 점유하는 방실에 침입하여 타인의 재물을 절취한 자는 10년 이하의 징역에 처한다(▶ **주의** : 자동차, 기차 ⇨ ×).
제342조 본죄의 미수범은 처벌한다.

① **성격** : 주거침입죄와 절도죄의 결합범이다(다수설).

② **야간** : '야간에'라고 함은 일몰 후부터 다음날 일출 전까지를 말한다(대판 2015.8.27, 2015도5381).

③ **실행의 착수와 기수시기**

㉠ **실행의 착수** : 본죄의 실행의 착수시기는 주거침입시이다. 주거침입 자체가 아직 종료되지 않았다 하더라도 단순주거침입죄의 미수가 아니라 본죄의 미수이다.

예 1. 야간에 절도의 고의로 행한 주거침입행위가 미수에 그친 경우 ⇨ 야간주거침입절도미수
2. 주간에 절도의 고의로 주거에 침입하였으나 아직 절취할 물건의 물색행위를 시작하기 전에 체포 ⇨ 주거침입죄 ○, 절도미수 × 23. 해경승진

㉡ **기수시기** : 본죄의 기수시기는 재물취득시이다. 이 경우에 절취행위가 기수에 이르면 주거침입의 미수·기수를 불문하고 본죄의 기수가 된다.

관련판례

1. 형법은 야간에 이루어지는 주거침입행위의 위험성에 주목하여 그러한 행위를 수반한 절도를 야간주거침입절도죄로 중하게 처벌하고 있는 것으로 보아야 하고, 따라서 주거침입이 주간에 이루어진 경우에는 야간주거침입절도죄가 성립하지 않는다고 해석하는 것이 타당하다〔대판 2011.4.14, 2011도300 예 주간(15 : 40경)에 모텔 객실에 들어간 다음, 같은 날 야간(21 : 00경)에 LCD모니터 1대를 가지고 나온 경우 ⇨ 야간주거(방실)침입절도죄 ×, 주거침입죄와 절도죄의 실체적 경합범 ○〕. 17. 경찰간부·순경 2차, 20. 해경 1차, 21. 수사경과, 22. 변호사시험, 23. 경력채용, 23·24. 순경 1차
2. 야간에 타인의 재물을 절취할 목적으로 사람의 주거에 침입한 경우에는 주거에 침입한 단계(출입문이 열려 있으면 안으로 들어가겠다는 의사 아래 출입문을 당겨보는 행위)에서 이미 형법 제330조에서 규정한 야간주거침입절도죄라는 범죄행위의 실행에 착수한 것이라고 보아야 한다(대판 2006.9.14, 2006도2824). 17. 경찰간부, 23. 법원행시
3. 야간에 까페 내실에 침입하여 정기적금통장을 꺼내 들고 까페로 나오던 중 발각되어 돌려준 경우 ⇨ 본죄의 기수 ○, 미수 ×(대판 1991.4.23, 91도476) 08. 법원직, 14. 변호사시험
4. 편의점에서 담배를 절취할 목적으로 새벽에 편의점 출입문을 열고 들어가 편의점 직원에게 담배 1보루를 달라고 하여 이를 받은 후 대금을 지급하지 않고 가지고 나와 달아난 경우 ⇨ 야간주거침입절도죄 ×(대판 2022.7.28, 2022도5659 ∴ 주거침입죄 ×, 절도죄 ○)
5. 甲은 A회사의 설립 당시부터 甲의 직원 5명이 파견 근무 중인 상황에서 업무상 편의를 위해 乙로부터 A회사의 출입을 위한 스마트키를 교부받았고, A회사에는 甲의 지문까지 등록되어 있었으며, 甲은 그 이후 A회사에 여러 차례 출입을 하는 과정에서 위 스마트키를 사용하였다. 甲은 야간에 위 스마트

키를 이용하여 A회사의 문을 열고 들어가 A회사 및 乙의 재물을 절취한 경우 ⇨ 야간건조물침입절도죄 ×(대판 2023.6.29, 2023도3351 ∵ 乙이 A회사에 대한 출입권한을 부여한 이상, A회사는 乙이 단독으로 관리 · 점유하는 건조물에 해당 ×, 통상적인 출입방법으로 출입 ○ ∴ 건조물침입죄 ×, 절도죄 ○)

3 특수절도죄

제331조 제1항 야간에 문이나 담 그 밖의 건조물의 일부를 손괴하고 제330조의 장소에 침입하여 타인의 재물을 절취한 자는 1년 이상 10년 이하의 징역에 처한다.
제331조 제2항 흉기를 휴대하거나 2명 이상이 합동하여 타인의 재물을 절취한 자도 제1항의 형에 처한다.
제342조 본죄의 미수범은 처벌한다.

(1) 제331조 제1항(손괴 후 야간주거침입절도)의 특수절도죄

① 야간에 문이나 담 그 밖의 건조물의 일부를 손괴하고 야간주거침입절도죄를 범한 경우에 성립한다(손괴죄 + 주거침입죄 + 절도죄 : 결합범).

관련판례

1. 피고인이 야간에 피해자들이 운영하는 식당의 창문과 방충망을 창틀에서 분리하고 침입하여 현금을 절취한 경우 ⇨ 형법 제331조 제1항의 특수절도죄 ×(대판 2015.10.29, 2015도7559 ∵ 피고인은 창문과 방충망을 창틀에서 분리하였을 뿐 물리적으로 훼손하여 효용을 상실하게 한 것은 아님) 17. 변호사시험, 18. 순경 3차, 24. 9급 검찰 · 마약수사
2. 피해자가 부도를 낸 이후 피해자에 대한 자신들의 물품대금채권을 다른 채권자들보다 우선적으로 확보할 목적으로 피해자의 승낙 없이 새벽에 시건장치를 쇠톱으로 절단하고 침입하여 피해자의 가구들을 화물차에 싣고 갔다면 피해자의 추정적 승낙이 있다고 볼 수 없다〔대판 2006.3.24, 2005도8081 ▶ 자구행위 ×, 피해자의 추정적 승낙 ×, 불법영득의사 ○ ⇨ ∴ 특수절도죄(손괴 후 야간주거침입절도죄)〕. 10. 9급 검찰, 22. 경찰승진
3. 야간에 연탄집게와 식도로서 방문고리를 파괴하고 방에 침입하여 재물을 절취하면 이는 문호의 손괴에 해당되어 특수절도죄가 성립한다(대판 1979.9.11, 79도1736).
4. 야간에 불이 꺼져 있는 편의점의 출입문을 발로 걷어차자 잠금고리가 출입문에서 떨어지면서 출입문이 열려 상점 안으로 침입하여 재물(담배 · 현금)을 절취한 경우 ⇨ 특수절도죄(대판 2004.10.15, 2004도4505)

② 본죄의 실행착수시기는 야간에 침입의 목적으로 건조물 등의 일부를 손괴하기 시작한 때이며, 그 기수시기는 재물취득시이다. 본죄에 해당한 때에는 손괴죄는 따로 성립하지 않는다.

관련판례

1. 두 사람이 공모 합동하여 야간에 타인의 재물을 절취하려고 한 사람은 망을 보고 또 한 사람은 기구(드라이버)를 가지고 출입문의 자물쇠를 떼어내거나 출입문의 환기창문을 열었다면 특수절도죄의 실행에 착수한 것이다(대판 1986.7.8, 86도843). 16·20. 변호사시험, 20. 해경 1차
2. 현실적으로 절취목적물에 접근하지 못하였다 하더라도 야간에 타인의 주거에 침입하여 건조물의 일부인 방문고리를 손괴하였다면 특수절도죄의 실행에 착수한 것이다(대판 1977.7.26, 77도1802). 07. 법원직, 20. 해경 1차

(2) 제331조 제2항(흉기휴대 및 합동절도)의 특수절도죄

흉기(본래 살상용 파괴용으로 만들어진 것이거나 이에 준할 정도의 위험성을 가진 것; 대판 2012.6.14, 2012도4175)를 휴대하거나 2인 이상이 합동하여 절도행위를 범한 경우에 성립한다. 22. 순경 1차

현장설(통설·판례) : 합동은 공동보다는 좁은 의미로 합동이란 시간적·장소적 협동을 의미한다고 보는 견해이다. 18. 순경 3차

예 대법원은 망을 본 경우(대판 1986.7.8, 86도843)는 물론 범행현장 부근에 대기하면서 지켜보거나(대판 1988.9.13, 88도1197) 가까운 곳에 대기하고 있다가 절취품을 같이 가지고 나온 경우(대판 1996.3.22, 96도313)는 시간적·장소적 협동관계에 있다고 보아 합동범(특수절도)이 성립한다고 한다. 18. 순경 2차

판례 : 3인(2인 ×) 이상이 합동절도를 공모한 후 적어도 2인(1인 ×) 이상의 범인이 범행현장에서 시간적·장소적 협동관계를 이루어 절도범행을 한 경우에는, 공동정범의 일반이론에 비추어 그 공모에는 참여하였으나 현장에서 절도의 실행행위를 직접 분담하지 아니한 다른 범인에 대하여도 절도범행을 실행한 공모자들의 행위를 자기 의사의 수단으로 하여 합동절도의 범행을 하였다고 평가할 수 있는 정범성의 표지를 갖추고 있다면 합동절도의 공동정범이 된다. 23. 변호사시험 그러므로 합동절도에서의 공동정범과 교사범·종범의 구별기준은 일반원칙에 따라야 하고, 그 결과 범행현장에 존재하지 아니한 범인도 공동정범이 될 수 있으며, 상황에 따라서는 장소적으로 협동한 범인도 방조만 한 경우에는 종범으로 처벌될 수 있다(대판 1998.5.21, 98도321 전원합의체). 09. 법원행시

관련판례

1. 형법 제331조 제2항의 특수절도에 있어서 주거침입은 그 구성요건이 아니므로, 절도범인이 그 범행수단으로 주거침입을 한 경우에 그 주거침입행위는 절도죄에 흡수되지 아니하고 별개로 주거침입죄를 구성하여 절도죄와는 실체적 경합의 관계에 있게 되고, 2인 이상이 합동하여 야간이 아닌 주간에 절도의 목적으로 타인의 주거에 침입하였다 하여도 아직 절취할 물건의 물색행위를 시작하기 전이라면 특수절도죄의 실행에는 착수한 것으로 볼 수 없는 것이어서 그 미수죄가 성립하지 않는다(대판 2009.12.24, 2009도9667; 대판 2010.4.29, 2009도14554 예 ① 甲과 乙이 합동하여 주간에 피해자의 아파트 출입문 시정장치를 손괴하다가 마침 귀가하던 피해자에게 발각되어 도주한 경우, ② 甲이 아파트 신축공사 현장 안에 있는 건축자재 등을 훔칠 생각으로 乙과 함께 마스크를 착용하고 위 공사현장 안으로 들어간 후 창문을 통하여 신축 중인 아파트의 지하실 안쪽을 살핀 경우 ⇨ 형법 제331조 제2항에 정한 특수절도죄의 실행의 착수 ×). 16. 변호사시험·법원행시, 18. 순경 3차·수사경과·경찰간부, 20. 경찰승진
2. 甲이 혼자 입목(영산홍)을 절취하기 위하여 땅에서 완전히 캐낸 후에 비로소 乙이 가담하여 함께 입목을 운반한 경우(대판 2008.10.23, 2008도6080) ⇨ 甲 : 절도죄의 기수 ○(미수 ×), 특수절도죄 ×

(∵ 입목을 절취하기 위하여 캐낸 때에 절도죄는 기수에 이르지 이를 운반하거나 반출하는 등의 행위는 不要), 乙 : 특수절도죄 ×(장물운반죄는 가능) 16. 사시 · 순경 1차, 17. 경찰승진, 18. 순경 3차, 21. 7급 검찰, 24. 법원행시

3. 피고인이 절도 범행을 함에 있어서 택시 운전석 창문을 파손하는 데 사용한 드라이버는 일반적인 드라이버와 동일한 것으로 특별히 개조된 바는 없는 것으로 보이고, 그 크기와 모양 등 제반 사정에 비추어 보더라도 피고인의 범행이 흉기를 휴대하여 타인의 재물을 절취한 경우에 해당한다고 보기는 어렵다(대판 2012.6.14, 2012도4175 ∴ 특수절도죄 ×). 15. 수사경과

---

4 자동차 등 불법사용죄

제331조의 2 권리자의 동의 없이 타인의 자동차, 선박, 항공기 또는 원동기장치자전거를 일시 사용한 자는 3년 이하의 징역, 500만원 이하의 벌금, 구류 또는 과료에 처한다(▶ 자전거, 기차 ⇨ 객체 ×).
제342조 본죄의 미수범을 처벌한다.

관련판례

1. 일시사용의 목적으로 소유자의 승낙 없이 오토바이를 타고 가다가 원래 있던 장소로부터 3km 정도 떨어진 장소에 버린 경우 ⇨ 절도죄 ○, 자동차 등 불법사용죄 ×(대판 2002.9.6, 2002도3465 ∵ 불법영득의사 ○) 12. 7급 검찰, 13. 사시
2. 삼촌이 경영하는 카센터의 종업원이 친구와 함께 카센터 앞에 주차한 삼촌친구의 승용차를 잠깐 타보고 돌려줄 생각으로 밤늦게 카센터에서 잠자고 있는 삼촌친구의 호주머니에서 열쇠를 가지고 나와 며칠동안 운전하여 인근지역을 돌아다니다가 불심검문에 걸린 경우(대판 1998.9.4, 98도2061) ⇨ 자동차불법사용죄 ○, 절도죄 ×(∵ 불법영득의사 ×)
3. 불법영득의 의사 없이 타인의 자동차를 일시 사용한 경우, 이에 따른 유류소비행위는 위 자동차의 일시사용에 필연적으로 부수되어 생긴 결과로서 절도죄를 구성하지 않는 위 자동차의 일시사용행위에 포함된 것이라 할 것이므로 자동차 자체의 일시사용과 독립하여 별개의 절도죄를 구성하지 않는다(대판 1985.3.26, 84도1613 ∴ 자동차불법사용죄 ○, 절도죄 ×). 23. 법원행시, 24. 해경승진

---

5 상습절도죄

제332조 상습으로 절도, 야간주거침입절도, 특수절도, 자동차 등 불법사용죄를 범한 자는 그 죄에 정한 형의 2분의 1까지 가중한다.
제342조 본죄의 미수범은 처벌한다.

관련판례

1. 절도습벽 있는 자가 절도, 야간주거침입절도, 특수절도와 함께 절도습벽의 발현으로 자동차 등 불법사용의 범행을 저지른 경우 ⇨ 상습절도죄 일죄만 성립(대판 2002.4.26, 2002도429) 20. 해경승진, 22·23. 순경 1차, 23. 해경승진, 21·24. 경찰간부
2. 형법 제330조에 규정된 야간주거침입절도죄 및 형법 제331조 제1항에 규정된 특수절도(야간손괴침입절도)죄를 제외하고 일반적으로 주거침입은 절도죄의 구성요건이 아니므로 절도범인이 그 범행수단으로 주거침입을 한 경우에 그 주거침입행위는 절도죄에 흡수되지 아니하고 별개로 주거침입죄를 구성하여 절도죄와는 실체적 경합의 관계에 서는 것이 원칙이다. 그러므로 형법 제332조에 규정된 상습절도죄를 범한 범인이 그 범행의 수단으로 주간에 주거침입을 한 경우 그 주간 주거침입행위는 상습절도죄와 별개로 주거침입죄를 구성한다(대판 2015.10.15, 2015도8169). 16. 사시, 17·19. 변호사시험, 21·22. 순경 1차, 21·23. 법원행시, 24. 해경승진

확인학습(다툼이 있는 경우 판례에 의함)

1 甲이 회사 컴퓨터에 저장되어 있는 신제품시스템의 설계도면을 자신 소유의 USB 메모리에 저장하여 몰래 가지고 나온 경우 절도죄가 성립한다. ( )

15. 법원행시, 16. 사시 · 법원직, 18. 9급 검찰, 21. 해경승진, 23. 해경승진

2 甲이 A소유 토지에 임대차계약 등을 체결하지 않는 등 권한 없이 식재한 감나무에서 감을 수확한 경우 그 감나무는 甲의 소유라고 볼 수 있으므로 甲은 절도죄로 처벌되지 않는다. ( )

16 · 20. 경찰승진, 20 · 21. 해경승진, 21. 경찰간부 · 법원행시, 21 · 22. 순경 2차

3 피고인이 자신의 모친 甲명의로 구입 · 등록하여 甲에게 명의 신탁한 자동차를 乙에게 담보로 제공한 후 乙 몰래 가져갔더라도 위 자동차의 실질적인 소유자인 이상 절도죄로 처벌받지 않는다. ( ) 16. 순경 1차, 19. 경찰간부, 20. 경찰승진 · 해경 1차, 21. 변호사시험 · 법원직, 24. 해경간부 · 경찰승진

4 자동차등록명의자가 등록명의는 그대로 두고 자동차의 소유권은 상대방이 보유하도록 하는 약정을 체결한 이후 약정상대방이 점유하던 그 자동차를 임의로 가져간 경우, 자동차 등록명의와 관계없이 약정상대방이 소유자이므로 절도죄가 성립한다. ( )

16. 사시, 19. 경찰승진, 20. 변호사시험 · 순경 2차, 21. 순경 1차

5 자동차 명의신탁관계에서 제3자가 명의수탁자로부터 승용차를 가져가 매도할 것을 허락받고 인감증명 등을 교부받아 위 승용차를 명의신탁자 몰래 가져간 경우 위 제3자와 명의수탁자는 절도죄의 공모공동정범에 해당한다. ( ) 15. 법원직, 16. 사시, 17. 경찰승진, 19. 순경 2차

6 채권자 甲이 채무자가 점유하고 있는 양도담보 목적물인 동산을 제3자인 乙에게 매각하여 그 목적물의 소유권을 취득하게 한 다음 乙로 하여금 甲으로부터 목적물반환청구권을 양도받는 방법으로 그 목적물을 취거하게 한 경우 乙의 취거행위는 절도죄로 처벌되지 않지만 甲의 목적물 처분행위는 절도죄로 처벌된다. ( ) 18 · 20. 경찰간부, 20. 경찰승진, 21. 법원행시

7 민법상의 점유보조자라도 그 물건에 대하여 사실상 지배력을 행사하는 경우에는 형법상 보관의 주체로 볼 수 있다. ( ) 20. 순경 1차, 21. 법원행시

8 임차인이 임대계약 종료 후 식당 건물에서 퇴거하면서 종전부터 사용하던 냉장고의 전원을 켜 둔 채 그대로 두었다가 약 1개월 후 철거해 가는 바람에 그 기간 동안 전기가 소비된 경우 임차인의 행위는 전기에 대한 절도죄가 성립한다. ( )

18. 9급 검찰, 20. 순경 2차, 21. 경찰간부 · 경찰승진 · 해경승진

9 피고인이 내연관계에 있는 甲과 단둘이서 아파트에서 동거하다가, 甲의 사망으로 상속인인 乙 및 丙소유에 속하게 된 부동산 등기권리증 등이 들어 있는 가방을 위 아파트에서 가지고 나온 경우, 피고인은 절도죄의 기수의 죄책을 지게 된다. ( )

19. 경찰간부 · 순경 2차, 19 · 21. 법원행시 · 경찰승진, 24. 해경간부

Answer 1. × 2. × 3. × 4. ○ 5. ○ 6. × 7. ○ 8. × 9. ×

10 甲이 A의 자취방에서 재물강취의사 없이 A를 살해한 후 4시간 30분 동안 그 곁에 있다가 예금통장과 인장이 들어 있는 A의 잠바를 걸치고 나온 경우, A의 점유가 인정되므로 甲은 절도죄로 처벌된다. (　)
17. 변호사시험, 20. 9급 검찰·마약수사, 21. 경찰승진, 24. 경찰간부

11 승객이 고속버스 내에 잊고 내린 물건을 고속버스 운전사가 발견하기 전에 다른 승객인 피고인이 가져간 경우 절도죄가 성립한다. (　)
14. 법원행시, 19·22. 순경 2차, 23. 경찰간부·해경 3차

12 甲과 A의 동업자금으로 구입하여 A가 관리하고 있던 건설기계를 甲이 A의 허락 없이 乙로 하여금 운전하여 가도록 한 행위는 절도죄를 구성하지 않는다. (　)
15. 법원직, 22. 경찰승진

13 동업자, 조합원, 부부 사이와 같이 수인이 대등하게 재물을 점유하는 공유물, 합유물 그리고 총유물의 경우에도 공동점유자 상호간에 점유의 타인성이 인정되므로 그중 1인이 다른 공동점유자의 점유를 배제하고 단독점유로 옮긴 때에는 절도죄가 성립한다. (　)
17. 수사경과, 20. 순경 1차, 23. 경찰간부·해경 3차

14 점원에게 금고 열쇠와 오토바이 열쇠를 맡기고 금고 안의 돈을 배달될 가스대금으로 지급할 것을 지시한 후 외출하자 점원이 금고 안에서 현금을 꺼내 도주한 행위는 절도죄를 구성한다. (　)
20. 순경 2차·9급 검찰·마약수사

15 물건의 운반을 의뢰받은 짐꾼이 그 물건을 의뢰인에게 운반해 주지 않고 용달차에 싣고 가서 처분한 경우에는 절도죄를 구성한다. (　)
16. 경찰승진, 20. 해경승진

16 타인의 명의를 모용하여 발급받은 신용카드를 사용하여 현금자동지급기에서 현금대출을 받았다면 현금대출을 받은 부분에 대해서는 절도죄가 성립한다. (　)
16. 순경 1차, 19. 변호사시험, 20. 경찰간부, 23. 7급 검찰

17 피고인이 절취한 타인의 신용카드를 이용하여 현금지급기에서 자신의 계좌로 돈을 이체한 후 현금지급기에서 피고인 자신의 신용카드나 현금카드를 이용하여 현금을 인출한 행위는 절도죄를 구성한다. (　)
14. 경찰승진, 15. 법원직·순경 3차, 22. 수사경과

18 금은방에서 마치 귀금속을 구입할 것처럼 가장하여 순금목걸이 등을 건네받은 다음 화장실에 갔다 오겠다는 핑계를 대고 도주한 경우 판례에 의하면 절도죄가 성립한다. (　)
16. 경찰승진, 17. 순경 2차, 20. 해경승진, 23. 경찰간부·해경 3차

19 결혼식장에서 축의금 접수인인 것처럼 가장하여 하객으로부터 결혼식 축의금을 받아 가로챈 경우 절도죄가 성립한다. (　)
15. 순경 2차, 16·17. 법원직, 19·23. 경찰간부

20 반드시 영구적으로 보유할 의사가 아니더라도 재물의 소유권 또는 이에 준하는 본권을 침해하는 의사가 있으면 절도죄의 성립에 필요한 불법영득의 의사를 인정할 수 있고, 그것이 물건 자체를 영득할 의사인지 물건의 가치만을 영득할 의사인지는 불문한다. (　)
20·21. 수사경과·순경 1차, 22. 경찰승진

Answer 10. ○　11. ×　12. ×　13. ○　14. ×　15. ×　16. ○　17. ×　18. ○　19. ○　20. ○

21 甲이 상사와의 의견충돌 끝에 항의의 표시로 사표를 제출한 다음 평소 자신이 전적으로 보관·관리해 오던 비자금관련 서류 및 금품이 든 가방을 가지고 나온 경우 불법영득의사가 인정되어 절도죄가 성립한다. (　) 14. 변호사시험, 15. 경찰승진·순경 3차, 20. 경찰간부

22 타인의 인감도장을 몰래 가지고 가서 차용금증서의 연대보증인란에 찍고 난 후 바로 제자리에 넣어 둔 경우 그 인감도장에 대한 절도죄가 성립한다. (　) 16. 9급 검찰·마약수사, 20. 경찰간부, 21. 해경승진, 22. 해경 2차

23 타인의 예금통장을 무단 사용하여 예금을 인출한 후 바로 예금통장을 반환한 경우에는 예금통장에 대한 불법영득의 의사를 인정할 수 없으므로 절도죄가 성립하지 않는다. (　) 19. 변호사시험, 20. 순경 2차, 21. 법원행시·수사경과, 22. 경찰간부, 24. 경찰승진

24 타인의 직불카드(신용카드)를 무단 사용하여 현금자동지급기에서 현금을 인출한 후 바로 반환한 경우 그 카드에 대한 절도죄가 성립한다. (　) 16. 9급 검찰·마약수사, 18. 법원직, 22. 경찰간부·7급 검찰

25 피고인이 甲의 영업점 내에 있는 甲소유의 휴대전화를 허락 없이 가지고 나와 이를 이용하여 통화를 하고 문자메시지를 주고받은 다음 약 1~2시간 후 위 영업점 정문 옆 화분에 놓아두고 간 경우 절도죄가 성립되지 않는다. (　) 16. 사시·법원행시·법원직, 22. 변호사시험·수사경과·경찰간부·7급 검찰, 23. 해경승진, 24. 경찰승진

26 어떠한 물건을 점유자의 의사에 반하여 취거하는 행위가 결과적으로 소유자의 이익으로 된다는 사정 또는 소유자의 추정적 승낙이 있다고 볼 만한 사정이 있다고 하더라도, 다른 특별한 사정이 없는 한 불법영득의 의사가 인정된다. (　) 16. 법원행시, 18. 경찰승진, 20. 경찰간부, 21. 법원직, 22. 순경 1차, 24. 해경간부·경찰승진

27 甲이 피해자 A의 승낙 없이 혼인신고서를 작성하기 위하여 A의 도장을 몰래 꺼내어 사용한 후 곧바로 제자리에 가져다 놓았는데, 그 가치의 소모가 경미하다고 하더라도 도장에 대한 불법영득의 의사가 인정된다. (　) 16. 사시, 17. 법원직, 18. 경찰승진, 21. 수사경과

28 주간에 사람의 주거에 침입하여 야간에 타인의 재물을 절취한 행위는 야간주거침입절도죄가 성립하지 않는다. (　) 17. 경찰간부·순경 2차, 20. 해경 1차, 21. 변호사시험, 23. 순경 1차·경력채용

29 2인 이상이 합동하여 주간에 절도의 목적으로 아파트 출입문 잠금장치를 손괴하다가 발각되어 도주한 경우라면 특수절도죄의 실행의 착수로 볼 수 없다. (　) 16. 변호사시험·법원행시, 18. 순경 3차·경찰간부, 20. 경찰승진

30 절도범이 혼자 입목을 땅에서 완전히 캐낸 후에 비로소 제3자가 가담하여 함께 입목을 운반하였다면 특수절도죄가 성립한다. (　) 16. 사시·순경 1차, 17. 경찰승진, 18. 순경 3차, 21. 7급 검찰

31 형법 제332조에 규정된 상습절도죄를 범한 범인이 그 범행의 수단으로 주간에 주거침입을 한 경우 그 주간 주거침입행위는 상습절도죄와 별개로 주거침입죄를 구성한다. (　) 16. 사시, 19. 변호사시험, 21. 법원행시, 22. 순경 1차, 24. 해경승진

Answer 21. × 22. × 23. × 24. × 25. × 26. ○ 27. × 28. ○ 29. ○ 30. × 31. ○

CHAPTER 05

기출문제

01 **재산죄에 관한 설명 중 가장 적절하지 않은 것은?**(다툼이 있는 경우 판례에 의함) 22. 순경 2차

① 절도죄, 강도죄, 공갈죄는 탈취죄에 속한다.

② 영득죄는 범죄성립에 불법영득의사를 필요로 하고, 손괴죄는 이를 필요로 하지 않는다.

③ 강도죄, 사기죄, 공갈죄는 재물죄인 동시에 이득죄이다.

④ 영득죄는 침해방법에 따라 탈취죄와 편취죄로 나눌 수 있다.

해설 ① × : 탈취죄(절도죄, 강도죄), 편취죄(사기죄, 공갈죄)
②③④ 옳다.

02 **형법상 점유에 대한 설명으로 옳지 않은 것은?**(다툼이 있는 경우 판례에 의함) 23. 경찰간부

① 甲이 마치 귀금속을 구입할 것처럼 가장하여 금은방 주인으로부터 순금목걸이를 건네받은 다음 화장실에 갔다 오겠다는 핑계를 대고 도주하는 경우, 그 목걸이는 도주하기 전부터 이미 甲의 점유하에 있다.

② 고속버스 운전사는 승객이 차내에 두고 내린 물건을 점유하는 것이 아니고, 승객이 잊고 내린 유실물을 교부받을 권능을 가질 뿐이므로 그 물건을 현실적으로 발견하지 아니하는 한 이에 대한 점유를 개시하였다고 할 수 없다.

③ 甲에게 강간을 당한 피해자 A가 도피하면서 자신의 지갑을 현장에 놓아두고 간 경우, 그 지갑은 사회통념상 A의 지배하에 있는 물건이므로 甲이 그 지갑을 가져갔다면 절도죄를 구성한다.

④ 공동점유의 경우에 공동점유자 중 1인이 다른 점유자의 동의를 받지 않고 불법영득의사를 가지고 물건을 자신의 단독점유로 옮긴 때에는 절도죄가 성립한다.

해설 ① × : ~ (2줄) 도주하기 전까지는 아직 피해자(금은방 주인)의 점유하에 있다〔대판 1994.8.12, 94도1487 ∴ 타인(금은방 주인)이 점유하는 타인(금은방 주인)의 재물 ⇨ 절도죄 ○〕.
② 대판 1993.3.16, 92도3170 ③ 대판 1984.2.28, 84도38 ④ 대판 1982.12.28, 82도2058

03 **절도죄에 대한 설명으로 옳지 않은 것은?**(다툼이 있는 경우 판례에 의함)
18. 9급 검찰·마약수사, 21. 해경승진

① 직원 甲이 회사 컴퓨터에 저장되어 있는 신제품시스템의 설계도면을 자신의 USB 저장장치에 저장하여 가지고 나온 경우 설계도면에 대한 절도죄가 성립한다.

② 甲이 A소유의 토지에 권원 없이 식재한 감나무에서 감을 수확한 경우 감에 대한 절도죄가 성립한다.

Answer 01. ① 02. ① 03. ①

③ 임차인 甲이 임대계약 종료 후 식당건물에서 퇴거하면서 종전부터 사용하던 냉장고의 전원을 켜 둔 채 그대로 두었다가 약 1개월 후 철거해 가는 바람에 그 기간 동안 전기가 소비되게 한 경우 전기에 대한 절도죄가 성립하지 않는다.

④ 甲이 내리막길에 주차된 자동차를 절취할 목적으로 조수석 문을 열고 시동을 걸려고 차 안의 기기를 만지다가 핸드 브레이크를 풀게 되어 시동이 걸리지 않은 상태에서 약 10미터 전진하다가 가로수를 들이받은 경우 자동차에 대한 절도죄의 기수범이 성립하지 않는다.

해설 ① ×: 절도죄 ×(대판 2002.7.12, 2002도745 ∵ 컴퓨터에 저장된 정보 ⇨ 재물 ×)
② 대판 1998.4.24, 97도3425 ③ 대판 2008.7.10, 2008도3252 ④ 대판 1994.9.9, 94도1522

04 절도죄에 대한 설명으로 옳은 것은?(다툼이 있는 경우 판례에 의함) 21. 경찰간부

① 산지기로서 종중 소유의 분묘를 간수하고 있는 자라고 하여도 그 분묘에 설치된 석등이나 문관석 등을 점유하고 있다고는 할 수 없으므로, 그가 이러한 물건 등을 반출하여 가는 행위는 절도죄를 구성한다.

② 임차인이 임대계약 종료 후 식당 건물에서 퇴거하면서 종전부터 사용하던 냉장고의 전원을 켜 둔 채 그대로 두었다가 약 1개월 후 철거해 가는 바람에 그 기간 동안 전기가 소비된 경우, 임차인에게는 전기에 대한 절도죄가 성립한다.

③ 타인의 토지상에 권원 없이 식재한 수목의 소유권은 토지소유자에게 귀속하고 권원에 의하여 식재한 경우에는 그 소유권이 식재한 자에게 있으므로, 타인이 권원 없이 자신의 토지에 식재한 감나무에서 토지소유자가 감을 수확한 것은 절도죄에 해당한다.

④ 피고인이 절도의 습벽으로 자동차 등 불법사용의 범행을 하였으나 검사가 자동차 등 불법사용의 점을 제외한 나머지 범행에 대하여만 상습절도 등의 죄로 기소하였다면, 자동차 등 불법사용의 범행은 상습절도 등 죄의 위법성 평가에 포함되어 있지 않다고 봄이 상당하다.

해설 ① ○: 대판 1985.3.26, 84도3024
② ×: 절도죄 ×(대판 2008.7.10, 2008도3252)
③ ×: 절도죄 ×(대판 1998.4.24, 97도3425 그러나 식재한 자가 수확한 경우 ⇨ 절도죄 ○)
④ ×: ~ (3줄) 포함되어 있다고 보는 것이 타당하다(대판 2002.4.26, 2002도429 ∴ 자동차 등 불법사용의 범행은 상습절도 등의 죄에 흡수되어 상습절도죄 일죄만 성립됨. 별개로 자동차 등 불법사용죄 ×).

05 절도의 죄에 대한 설명으로 가장 적절하지 않은 것은?(다툼이 있는 경우 판례에 의함) 21. 경찰승진

① 피해자를 살해한 방에서 사망한 피해자 곁에 4시간 30분쯤 있다가 그 곳 피해자의 자취방 벽에 걸려 있던 피해자가 소지하는 물건들을 영득의 의사로 가지고 나온 경우 절도죄가 성립한다.

② 입목을 절취하기 위하여 캐낸 때에 소유자의 입목에 대한 점유가 침해되어 범인의 사실적 지배하에 놓이게 되므로 범인이 그 점유를 취득하고 절도죄는 기수에 이른다.

Answer 04. ① 05. ③

③ 임차인이 임대계약 종료 후 식당건물에서 퇴거하면서 종전부터 사용하던 냉장고의 전원을 켜 둔 채 그대로 두었다가 약 1개월 후 철거해 가는 바람에 그 기간 동안 전기가 소비된 경우 타인의 전기에 대한 절도죄가 성립한다.

④ 종전 점유자의 점유가 그의 사망으로 인한 상속에 의하여 당연히 그 상속인에게 이전된다는 민법 제193조는 절도죄의 요건으로서의 '타인의 점유'와 관련하여서는 적용의 여지가 없고, 재물을 점유하는 소유자로부터 이를 상속받아 그 소유권을 취득하였다고 하더라도 상속인이 그 재물에 관하여 사실상의 지배를 가지게 되어야만 이를 점유하는 것으로서 그때부터 비로소 상속인에 대한 절도죄가 성립할 수 있다.

해설 ① 대판 1993.9.28, 93도2143 ② 대판 2008.10.23, 2008도6090
③ ×: 절도죄 ×〔대판 2008.7.10, 2008도3252 ∵ 자기(임차인)의 점유·관리하에 있던 전기 ○, 타인(임대인)의 점유·관리하에 있던 전기 ×〕 ④ 대판 2012.4.26, 2010도6334

06 **재산죄에 관한 설명으로 가장 적절하지 않은 것은?**(다툼이 있는 경우 판례에 의함) 20. 순경 1차

① 형법상의 점유란 현실적으로 어떠한 재물을 지배하는 순수한 사실상의 관계를 말하는 것으로서 민법상의 점유와 동일하다.

② 절도죄에서의 절취는 폭행 협박에 의하지 않고 타인점유의 재물을 점유자의 의사에 반하여 그 점유를 배제하고 자기 또는 제3자의 점유하에 옮기는 것을 말한다.

③ 동업자, 조합원, 부부 사이와 같이 수인이 대등하게 재물을 점유하는 공유물, 합유물 그리고 총유물의 경우에도 공동점유자 상호간에 점유의 타인성이 인정되므로 그중 1인이 다른 공동점유자의 점유를 배제하고 단독점유로 옮긴 때에는 절도죄가 성립한다.

④ 절도죄의 성립에 필요한 불법영득의 의사라 함은 타인의 재물에 대해서 소유자와 유사한 지배력을 행사하여 이용 처분하려는 의사를 말하는 것으로, 영구적으로 그 물건의 경제적 이익을 보유할 의사는 필요 없고, 일시적이어도 무방하다.

해설 ① ×: ~ 민법상의 점유와 구별된다(대판 1982.3.9, 81도3396). ② 대판 2008.7.10, 2008도3252
③ 대판 1984.1.31, 83도3027; 대판 1982.12.28, 82도2058; 대판 1998.7.10, 98도126
④ 대판 2006.3.24, 2005도8081

07 **다음 설명 중 가장 옳지 않은 것은?**(다툼이 있는 경우 판례에 의함) 21. 법원직

① 어떠한 물건을 점유자의 의사에 반하여 취거하더라도, 그것이 결과적으로 소유자의 이익으로 된다는 사정 또는 소유자의 추정적 승낙이 있다고 볼 만한 사정이 인정된다면, 다른 특별한 사정이 없는 한 불법영득의 의사가 있다고 할 수 없다.

② 피고인이 자신의 모친 甲명의로 구입·등록하여 甲에게 명의신탁한 자동차를 乙에게 담보로 제공한 후 乙 몰래 가져가 절취한 경우, 乙에 대한 관계에서 자동차의 소유자는 甲이고 피고인은 소유자가 아니므로 乙이 점유하고 있는 자동차를 임의로 가져간 이상 절도죄가 성립한다.

Answer 06. ① 07. ①

③ 강간을 당한 피해자가 도피하면서 현장에 놓아두고 간 손가방은 점유이탈물이 아니라 사회통념상 피해자의 지배하에 있는 물건이라고 보아야 하므로, 피고인이 그 손가방 안에 들어 있는 피해자 소유의 돈을 꺼낸 경우 절도죄에 해당한다.

④ 동업체에 제공된 물품은 동업관계가 청산되지 않는 한 동업자들의 공동점유에 속하므로, 그 물품이 원래 피고인의 소유라거나 피고인이 다른 곳에서 빌려서 제공하였다는 사유만으로는 절도죄의 객체가 됨에 지장이 없다.

해설 ① × : 어떠한 물건을 점유자의 의사에 반하여 취거하는 행위가 결과적으로 소유자의 이익으로 된다는 사정 또는 소유자의 추정적 승낙이 있다고 볼 만한 사정이 있다고 하더라도, 그러한 사유만으로 불법영득의 의사가 없다고 할 수는 없다(대판 2014.2.21, 2013도14139).
② 대판 2012.4.26, 2010도11771 ③ 대판 1984.2.28, 84도38 ④ 대판 1995.10.12, 94도2076

08 형법 제331조의 특수절도죄에 대한 설명으로 가장 적절한 것은?(다툼이 있는 경우 판례에 의함)

18. 순경 3차

① 피고인이 야간에 식당에 침입하여 현금을 절취한 사안에서, 피고인이 피해자들이 운영하는 식당의 창문과 방충망을 창틀에서 분리하였을 뿐 물리적으로 훼손하여 효용을 상실하게 한 것이 아니라면, 형법 제331조 제1항의 특수절도죄의 손괴에는 해당한다고 할 수 없다.

② 피고인이 혼자 영산홍 1그루를 땅에서 완전히 캐낸 후에 비로소 제3자를 전화로 불러 함께 해당 입목을 운반하였다면 형법 제331조 제2항의 특수절도죄가 성립한다.

③ 형법 제331조 제2항의 특수절도죄에서의 합동은 공동정범의 공동과 동일한 의미로 사용되며, 반드시 시간적·장소적 협동을 필요로 하지 않는다.

④ 피고인들이 합동하여 재물을 절취하기 위해 주간에 아파트 출입문 잠금장치를 손괴하다가 발각되어 도주하였다면, 아직 절취할 물건의 물색행위를 시작하기 전이라 하더라도 형법 제331조 제2항의 특수절도죄의 실행의 착수를 인정할 수 있다.

해설 ① ○ : 대판 2015.10.29, 2015도7559
② × : 절도죄의 기수 ○, 특수절도죄 ×(대판 2008.10.23, 2008도6080)
③ × : 공동보다는 좁은 의미로 합동이란 시간적·장소적 협동을 의미한다(현장설 ; 대판 1998.5.21, 98도321 전원합의체).
④ × : ~ 인정할 수 없다(대판 2009.12.24, 2009도9667).

09 절도의 죄에 대한 설명으로 가장 적절한 것은?(다툼이 있는 경우 판례에 의함)

22. 경찰승진

① 甲이 동거 중인 A의 지갑에서 현금을 꺼내가는 것을 A가 목격하고서도 만류하지 않은 경우에는 위법성이 조각되어 절도죄가 성립하지 않는다.

② 甲과 A의 동업자금으로 구입하여 A가 관리하고 있던 건설기계를 甲이 A의 허락 없이 乙로 하여금 운전하여 가도록 한 행위는 절도죄를 구성하지 않는다.

Answer 08. ① 09. ④

③ 甲과 乙이 자신들의 A에 대한 물품대금 채권을 다른 채권자들보다 우선적으로 확보할 목적으로 A가 부도를 낸 다음날 새벽에 A의 승낙을 받지 아니한 채 시정장치를 쇠톱으로 절단하고 그곳에 침입하여 A의 가구들을 화물차에 싣고 가 다른 장소에 옮겨놓은 경우에는 甲과 乙에게 불법영득의사가 인정되지 않아 특수절도죄가 성립하지 않는다.
④ 반드시 영구적으로 보유할 의사가 아니더라도 재물의 소유권 또는 이에 준하는 본권을 침해하는 의사가 있으면 절도죄의 성립에 필요한 불법영득의 의사를 인정할 수 있고, 그것이 물건 자체를 영득할 의사인지 물건의 가치만을 영득할 의사인지는 불문한다.

해설 ① ×：~ 경우에는 구성요건해당성(위법성 ×)이 조각되어 ~ 않는다(대판 1985.11.26, 85도1487).
② ×：절도죄 ○〔대판 1990.9.11, 90도1021 ∵ 타인이 점유하는 타인소유(공동소유)의 재물〕
③ ×：특수절도죄 ○(대판 2006.3.24, 2005도8081 ∵ 불법영득의사 ○)
④ ○：대판 2014.2.21, 2013도14139

10

甲은 밤 10시경 절취의 목적으로 피해자 A가 집에 없는 틈을 타 드라이버로 A의 집 현관문을 부수고 들어가 A의 귀금속을 가지고 나왔다. 다음 설명 중 옳은 것은?(다툼이 있는 경우 판례에 의함)

20. 변호사시험·해경 1차, 22. 해경간부

① 甲에게는 형법 제331조 제1항의 특수절도(야간손괴침입절도)죄가 성립한다.
② 만약 위 사례에서 甲이 현관문을 부순 시점에 집으로 돌아오는 A에게 들켜 도망간 경우, 아직 A의 집 안으로 들어가지 않았으므로 실행의 착수가 인정되지 않아 절도범행은 처벌할 수 없다.
③ 만약 乙이 甲에게 절도를 교사하고 甲이 범행 후 훔친 귀금속을 맡아 달라고 부탁하자 乙이 이를 수락하고 귀금속을 교부받아 갖고 있다가 임의로 처분하였다면, 乙에게는 절도교사죄 이외에 장물보관죄 및 횡령죄가 성립한다.
④ 만약 甲이 A의 현금카드를 사용하여 돈을 인출할 목적으로 현금카드를 가지고 나와 현금자동지급기에서 돈을 인출한 후 현금카드를 제자리에 가져다 놓은 경우, 현금카드에 대한 절도죄와 인출한 현금에 대한 절도죄가 성립한다.
⑤ 만약 甲이 A로부터 명의수탁을 받아 자신의 명의로 등록되어 있는 자동차를 A 몰래 가져간 경우, 자동차의 소유권은 등록명의를 기준으로 하므로 절도죄는 성립하지 않는다.

해설 ① ○：제331조 제1항
② ×：야간손괴침입절도죄의 실행의 착수시기는 건조물 등의 일부를 손괴한 때(현관문을 부순 시점)이므로 실행의 착수가 인정되어 제331조 제1항의 특수절도 미수로 처벌된다(대판 1977.7.26, 77도1802 참고).
③ ×：절도교사죄와 장물보관죄 ○, 횡령죄 ×(대판 2004.4.9, 2003도8219 ∵ 불가벌적 사후행위 ○)
④ ×：현금에 대한 절도죄 ○, 현금카드에 대한 절도죄 ×(대판 1998.11.10, 98도2642 ∵ 불법영득의사 ×)
⑤ ×：당사자 사이에 소유권을 등록명의자가 아닌 자가 보유하기로 약정하였다는 등의 특별한 사정이 있는 경우에는 그 내부관계에 있어서는 등록명의자 아닌 자(A)가 소유권을 보유하게 되므로 절도죄가 성립한다(대판 2013.2.28, 2012도15303).

Answer 10. ①

11 **다음 사례 중 甲의 행위가 동일한 범죄구성요건에 해당하는 것으로만 짝지어진 것은?**(다툼이 있는 경우 판례에 의함) 22. 순경 2차

> ㉠ A는 B가 운영하는 피씨방을 이용하고 나오면서 자신의 핸드폰을 두고 왔는데, 그때 B의 피씨방을 이용하고 있던 甲이 A가 두고 간 핸드폰을 발견하고 그것을 가지고 갔다.
> ㉡ 甲은 A로부터 그의 오토바이를 타고 심부름을 다녀와 달라는 부탁을 받고 다녀오던 중, 마음이 변하여 A에게 오토바이를 돌려주지 않고 그대로 타고 가버렸다.
> ㉢ A는 지하철 선반 위에 올려둔 가방을 깜빡 잊고 그대로 지하철에서 내렸고, 이를 본 甲은 A가 가방을 두고 내린 것을 아무도 알아채지 못한 틈을 타 그 가방을 들고 지하철에서 내렸다.
> ㉣ 甲은 자신의 토지를 임차하여 대나무를 식재하고 가꾸어 온 A의 대나무를 그의 의사에 반하여 벌채하여 갔다.
> ㉤ 甲은 A의 토지 위에 권원 없이 식재한 자신의 감나무에 열린 감을 수확해 갔다.

① ㉠, ㉡, ㉣ ② ㉡, ㉢, ㉤ ③ ㉠, ㉢, ㉣ ④ ㉠, ㉣, ㉤

해설 • **절도죄** ○ : ㉠ 대판 2007.3.15, 2006도9338 ㉣ 대판 1980.9.30, 80도1874〔∵ 타인의 토지상에 권원(임대차)에 의하여 식재한 수목의 소유권은 식재한 자(A)에게 있음〕 ㉤ 대판 1998.4.24, 97도3425〔∵ 타인의 토지상에 권원 없이 식재한 수목의 소유권은 토지소유자(A)에게 있음〕
• **횡령죄** ○ : ㉡ 대판 1986.8.19, 86도1093
• **점유이탈물횡령죄** ○ : ㉢ 대판 1999.11.26, 99도3963

12 **절도죄에 관한 설명으로 가장 적절한 것은?**(다툼이 있는 경우 판례에 의함) 24. 경찰승진

① 甲이 피해 회사의 사무실에서 피해 회사 명의의 농협 통장을 몰래 가지고 나와 예금 1,000만 원을 인출한 후 다시 위 통장을 제자리에 갖다 놓은 경우, 위 통장에 대한 불법영득의사는 없다고 보아야 하므로 위 통장에 대한 절도죄는 성립하지 않는다.
② 甲이 자신의 모친 A의 명의로 구입 등록하여 A에게 명의신탁한 자동차를 B에게 담보로 제공한 후 B 몰래 가져간 경우, 甲에게 절도죄가 성립한다.
③ 피해자의 영업점 내에 있는 피해자 소유의 휴대전화를 허락 없이 가지고 나와 사용한 다음 약 1~2시간 후 위 영업점 정문 옆 화분에 놓아두고 간 경우, 절도죄의 불법영득의사가 인정되지 않는다.
④ 어떠한 물건을 점유자의 의사에 반하여 취거하더라도 그것이 결과적으로 소유자의 이익으로 된다는 사정 또는 소유자의 추정적 승낙이 있다고 볼 만한 사정이 인정된다면, 다른 특별한 사정이 없는 한 불법영득의 의사가 있다고 할 수 없다.

해설 ① × : 절도죄 ○(대판 2010.5.27, 2009도9008 ∵ 예금액 증명기능의 경제적 가치에 대한 불법영득의사 ○) ② ○ : 대판 2012.4.26, 2010도11771
③ × : 절도죄 ○(대판 2012.7.12, 2012도1132 ∵ 불법영득의사 ○)
④ × : ~ (2줄) 볼 만한 사정이 있다고 하더라도 다른 특별한 사정이 없는 한 불법영득의 의사가 없다고 할 수 없다(대판 2014.2.21, 2013도14139).

Answer 11. ④ 12. ②

제3절 강도의 죄

1 강도죄

제333조 폭행 또는 협박으로 타인의 재물을 강취하거나 기타 재산상의 이익을 취득하거나 제3자로 하여금 이를 취득하게 한 자는 3년 이상의 유기징역에 처한다.
제342조 본죄의 미수범은 처벌한다.

(1) 행 위

폭행·협박으로 타인의 재물이나 재산상 이익을 취득하거나 제3자로 하여금 취득하게 하는 것

① **폭행·협박**

㉠ 폭행·협박의 정도는 사회통념상 객관적으로 상대방의 반항을 억압하거나 항거불능케 할 정도의 것이라야 한다(대판 1993.3.9, 92도2884). 14. 순경 2차, 16. 경찰승진

관련판례

• 폭행 또는 협박에 해당하는 경우

신경안정제(아티반 4알)를 탄 우유를 마시게 하여 졸음에 빠지게 하고 그 틈에 乙의 물건을 가지고 달아난 경우 ⇨ 강도죄(대판 1979.9.25, 79도1735), 약물을 탄 오렌지주스를 마시도록 권유하여 깊은 잠에 빠져 항거불능상태에 이르자 가방 속의 현금을 가지고 달아난 경우 ⇨ 강도죄(대판 1984.12.11, 84도2324) 08. 법원직, 23. 해경 3차

• 폭행 또는 협박에 해당하지 않는 경우

타인에게 상해를 가하여 혼미상태에 빠지게 한 후에 우발적으로 그의 재물을 탈취한 경우는 폭행을 탈취의 수단으로 사용한 것이 아니므로 강도죄가 성립하지 아니한다(대판 1956.8.17, 4289형상170 ∴ 강도상해죄 ×, 상해죄+절도죄). 13. 7급 검찰

㉡ 강도죄가 상대방의 반항을 불가능하게 할 정도의 폭행·협박이 있어야 성립한다고 하여 상대방의 반항이 현실적으로 있었을 것을 요하는 것은 아니다(대판 1981.3.24, 81도409).

㉢ 폭행·협박의 판단은 피해자의 주관적 표준이 아니라 모든 사정을 종합적으로 고려하여 객관적 표준에 의해 해야 하며(객관적 : 통설·판례), 그 상대방은 반드시 재물 또는 재산상 이익의 피해자와 일치할 필요는 없다〔예 강도죄에 있어서의 폭행, 협박은 반드시 재물의 소유자 또는 점유자에 대하여 가해져야 하는 것은 아니다(대판 2010.12.9, 2010도9630)〕. 17. 법원행시

② **재물의 강취** : 재물의 강취란 폭행·협박을 수단으로 상대방의 의사에 반하여 타인의 재물을 자기 또는 제3자의 점유로 옮기는 것을 말한다.

관련판례

1. 차량을 이용한 날치기 수법의 절도시 피해자에 대한 상해가 점유침탈과정에서 우연히 가해진 것에 불과하고 그에 수반된 강제력행사도 반항을 억압하기 위한 목적이나 정도의 것이 아닌 경우(예 피고인들이 승용차에 승차하여 범행 대상을 물색하던 중, 마침 그 곳을 지나가는 피해자에게 접근한 후 피고인 중 1인이 창문으로 손을 내밀어 피해자 소유의 손가방 1개를 낚아채어감으로써 피해자로 하여금 약 4주간의 치료를 요하는 손가락골절상을 입게 한 경우) ⇨ 절도죄 ○(대판 2003.7.25, 2003도2316), 강도치상죄 × 17. 법원행시, 19. 수사경과, 22. 경력채용, 23. 해경승진 · 해경 3차, 24. 순경 2차
   ▶ **비교판례** : 날치기 수법으로 피해자가 들고 있던 가방을 탈취하면서 가방을 놓지 않고 버티는 피해자를 5m 가량 끌고 감으로써 피해자의 무릎 등에 상해를 입힌 경우 ⇨ 강도치상죄 ○(대판 2007.12.13, 2007도7601 ∵ 날치기 수법의 점유탈취 과정에서 이를 알아채고 재물을 뺏기지 않으려는 상대방의 반항에 부딪혔음에도 계속하여 피해자를 끌고 가면서 억지로 재물을 빼앗은 행위는 반항을 억압하기 위한 목적으로 가해진 강제력으로서 그 반항을 억압할 정도에 해당됨) 16. 경찰승진, 19. 경찰간부, 20. 해경 3차, 21. 수사경과 · 순경 2차, 23. 변호사시험, 24. 경위공채
2. 주점 도우미인 피해자와의 윤락행위 도중 시비 끝에 피해자를 이불로 덮어씌우고 폭행한 후 이불 속에 들어 있는 피해자를 두고 나가다가 탁자 위 피해자 손가방 안에서 현금 20만원 등이 든 피해자의 키홀더를 우발적으로 가져간 경우 강도죄가 성립하지 않는다(대판 2009.1.30, 2008도10308 ∵ 폭행과 절취행위 사이에 인과관계 ×). 18. 수사경과, 19. 경찰간부, 21. 순경 1차, 23. 해경 3차, 24. 해경승진
3. 강간범인이 부녀를 강간할 목적으로 폭행, 협박에 의하여 반항을 억압한 후 반항억압 상태가 계속 중임을 이용하여 재물을 탈취하는 경우에는 재물탈취를 위한 새로운 폭행, 협박이 없더라도 강도죄가 성립한다(대판 2010.12.9, 2010도9630). 15. 경찰간부 · 경찰승진, 22. 경력채용, 23. 해경 3차
4. 폭행 · 협박이 있고, 그로부터 상당한 시간이 경과한 후 다른 장소에서 금원을 교부받은 경우 ⇨ 본죄의 미수(대판 1995.3.28, 95도91 ∵ 금원 교부 당시 폭행 · 협박 ×, 강취된 것 ×) 07. 경찰승진

---

③ **재산상 이익의 취득** : 폭행 · 협박에 의하여 재산상 이익을 취득하거나 제3자로 하여금 이를 취득하게 한 때에도 강도죄는 성립한다. 18. 순경 3차, 21. 해경승진

관련판례

1. 강도죄의 성질상 그 권리의무관계의 외형상 변동의 사법상 효력의 유무는 그 범죄의 성립에 영향이 없고, 법률상 정당하게 그 이행을 청구할 수 있는 것이 아니라도 강도죄에 있어서의 재산상의 이익에 해당한다(대판 1994.2.22, 93도428). 19. 경찰승진, 20. 변호사시험, 22. 법원행시 · 해경간부
2. 형법 제333조 후단의 강도죄(이른바 강제이득죄)의 요건이 되는 재산상의 이익이란 재물 이외의 재산상의 이익을 말하는 것으로서, 적극적 이익(적극적인 재산의 증가)이든 소극적 이익(소극적인 부채의 감소)이든 묻지 않는다(대판 1994.2.22, 93도428). 24. 순경 2차 또한 그 재산상의 이익은 사법상 유효한 재산상의 이득만이 아니고 외견상 재산상의 이득을 얻을 것이라고 인정할 수 있는 사실관계만 있으면 여기에 해당한다(대판 1997.2.25, 96도3411 예 甲과 乙이 폭행 · 협박으로 피해자로 하여금 신용카드의 매출전표에 서명하게 하여 이를 교부받아 소지함으로써 외관상 매출전표를 제출하여 신용카드회사로부터 그 금액을 지급받을 상태가 된 경우(비록 신용카드회사가 금액지급을 거절할

가능성이 있더라도) ⇨ 특수강도죄 기수 ○, 특수강도죄 미수 ×). 14. 법원행시, 15. 경찰승진, 21. 해경간부, 22. 순경 1차, 24. 해경승진·순경 2차

④ **실행착수와 기수시기**

㉠ **실행의 착수시기** : 강도죄의 실행의 착수시기는 폭행·협박을 개시한 때이다.

예 강도의사로 주거에 침입하여 재물을 물색하던 중 체포 ⇨ 주거침입죄와 강도예비

㉡ **기수시기** : 강도죄의 기수시기는 피해자의 점유를 배제하고 행위자 또는 제3자가 점유를 취득한 때에 또는 재산상 이익을 얻은 때에 기수로 된다(취득시설).

(2) 주관적 구성요건

강도죄가 성립하려면 불법영득 또는 불법이득의 의사가 있어야 한다. 채권자를 폭행·협박하여 채무를 면탈함으로써 성립하는 강도죄에서 불법이득의사는 단순 폭력범죄와 구별되는 중요한 구성요건 표지이다. 불법이득의사는 마음속에 있는 의사이므로, 범행 전후의 객관적인 사정을 종합하여 불법이득의사가 있었는지를 판단할 수밖에 없다(대판 2021.6.30, 2020도4539).

관련판례

1. 강간과정에서 도망가지 못하게 손가방을 빼앗은 경우 ⇨ 절도죄 ×, 강도죄 ×, 강도강간죄 ×, 강간죄 ○(대판 1985.8.13, 85도1170 ∵ 불법영득의사 ×) 15. 경찰승진, 21. 수사경과
2. 피해자를 강간한 후 항거불능 상태에 있는 피해자에게 돈을 내놓으라고 하여 피해자가 서랍 안에서 꺼내주는 돈을 받는 즉시 팁이라고 하면서 피해자의 브레지어 속으로 그 돈을 집어 넣어준 경우 ⇨ 강도죄 ×(대판 1986.6.24, 86도776 ∵ 불법영득의사 ×) 22. 경력채용

(3) 위법성

권리자가 권리 실행의 방법으로 폭행·협박에 의하여 재물을 강취하거나 재산상 이익을 취득한 경우 위법성이 조각되는가에 대하여 견해의 대립이 있으나, 판례는 강도죄의 성립을 인정하고 있다(채권추심 목적으로 타인의 재물을 강취한 경우 : 대판 1962.2.15, 4294형상677, 외상물품대금채권회수를 의뢰받은 자가 추심과정에서 채무자의 반항을 억압할 정도의 폭행·협박으로 재물 또는 재산상 이익을 취득한 때 : 대판 1995.12.12, 95도2385 ⇨ 강도죄 ○).

(4) 죄 수

관련판례

1. 절도범인이 체포를 면탈할 목적으로 경찰관에게 폭행·협박을 가한 때에는 준강도죄와 공무집행방해죄는 상상적 경합관계에 있으나, 강도범인이 체포를 면탈할 목적으로 경찰관에게 폭행을 가한 때에는 강도죄와 공무집행방해죄는 실체적 경합관계에 있다(대판 1992.7.28, 92도917). 16. 사시·경찰간부·경찰승진, 17. 순경 2차, 19. 변호사시험, 20. 해경승진, 22. 수사경과, 24. 법원행시
2. 강도가 동일 기회에 수명의 피해자에게 각각 폭행을 가하여 상해를 입힌 경우 ⇨ 강도상해죄의 실체적 경합(대판 1991.6.25, 91도643) 16. 경찰간부, 20. 변호사시험·법원직, 21. 해경 1차, 24. 해경수사

3. 재물을 강취한 후 살해할 목적으로 현주건조물에 방화하여 사망하게 한 경우 ⇨ 강도살인죄와 현주건조물방화치사죄의 상상적 경합(대판 1998.12.8, 98도3416) 18. 변호사시험·경찰승진·순경 1차·2차, 21. 경찰간부
4. 감금행위가 강도의 수단이 된 경우 ⇨ 강도죄와 감금죄의 상상적 경합(대판 1997.1.21, 96도2715) 18. 경찰간부, 22. 경찰승진·법원행시, 24. 해경승진
   ▶ 그러나 감금행위가 강도상해범행의 수단이 되는 데 그치지 않고 강도상해 후에도 계속된 경우 ⇨ 강도상해죄와 감금죄의 실체적 경합(대판 2003.1.10, 2001도3292) 15. 사시·경찰간부, 18. 순경 2차, 19. 순경 1차, 22. 해경간부
5. 강도가 재물강취에 실패하고 그 자리에서 항거불능한 상태의 피해자를 간음하려다가 미수에 그쳤으나 반항을 억압하기 위한 폭행으로 상해를 입힌 경우 ⇨ 강도강간미수죄와 강도치상죄의 상상적 경합(대판 1988.6.28, 88도820) 15. 사시, 21. 해경간부
6. 강도가 여관에서 칼로 종업원에게 상해를 가하고 여관 주인도 같은 방에 밀어넣은 후 금품을 강취한 후 종업원의 현금을 꺼내간 경우 ⇨ 강도상해죄와 특수강도죄의 상상적 경합(대판 1991.6.25, 91도643 ∵ 종업원과 주인을 폭행·협박한 행위는 법률상 1개의 행위) 13. 경찰승진, 14. 법원행시
   ▶ 여관 1층 안내실에서 관리인을 찔러 상해를 가해 금품을 강취한 다음 각 객실에 들어가 투숙객들로부터 금품을 강취한 경우 ⇨ 피해자별로 강도상해죄와 강도죄의 실체적 경합 15·19. 경찰승진, 19·22. 법원행시, 22. 해경간부
7. 강도가 시간적으로 접착된 상황에서 수인의 가족에게 폭행·협박하여 집안의 재물을 강취한 경우(대판 1996.7.30, 96도1285 ∵ 가족의 공동점유, 소유자는 불문) ⇨ 포괄하여 1개의 강도죄 19. 법원행시, 24. 해경수사

---

2 특수강도

제334조 제1항 야간에 사람의 주거, 관리하는 건조물, 선박이나 항공기 또는 점유하는 방실에 침입하여 제333조(강도죄)의 죄를 범한 자는 무기 또는 5년 이상의 징역에 처한다.
제334조 제2항 흉기를 휴대하거나 2인 이상이 합동하여 전조의 죄를 범한 자도 전항의 형과 같다.
제342조 본죄의 미수범은 처벌한다.

① 단순강도에 비해 행위의 방법때문에 불법이 가중된 구성요건이다.

② **야간주거침입강도**(제1항)**의 실행의 착수시기**(▶ 야간주거침입절도죄의 실행착수시기 : 주거침입시)

㉠ 폭행·협박의 개시시〔대판 1991.11.22, 91도2296 예 강도의 범의로 야간에 칼을 휴대한 채 타인의 주거에 침입하여 집안의 동정을 살피다가 피해자를 발견하고 갑자기 욕정을 일으켜 칼로 협박하여 강간한 경우 ⇨ 특수강도의 실행의 착수 × ⇨ 특수강도강간죄(성폭력범죄의 처벌 등에 관한 특례법) ×, 강도예비죄와 특수강간죄(성폭력범죄의 처벌 등에 관한 특례법)의 실체적 경합범 ○〕 16. 순경 2차, 20. 경찰간부, 21. 해경 1차, 22. 해경간부

㉡ 주거침입시(대판 1992.7.28, 92도917 예 甲과 乙은 야간에 丙의 집에 이르러 재물을 강취할 의도로 甲은 출입문 옆의 창살을 통하여 침입하고, 乙은 부엌 방충망을 뜯고 들어가다가 丙의 시아버지의 헛기침에 발각된 것으로 알고 도주한 경우 甲과 乙의 죄책은 특수강도미수죄이다.) 16. 순경 2차

③ 제2항은 특수절도죄에 대응하는 규정으로 '흉기휴대나 2인 이상이 합동하여'는 내용이 동일하다.

관련판례

1. 수인이 택시강도를 모의하고 그중 1인이 다른 자들이 폭행에 착수하기 전 겁을 먹고 도망친 경우 ⇨ 특수강도의 합동범 ×(대판 1985.3.26, 84도2956) 06. 법원행시, 11. 경찰승진
2. 특수강도를 모의한 이상 공범자가 강취해 온 장물만을 처분한 경우 ⇨ 특수강도의 공동정범(대판 1983.2.22, 82도3130)

3 준강도

> **제335조** 절도가 재물의 탈환에 항거하거나 체포를 면탈하거나 범죄의 흔적을 인멸할 목적으로 폭행 또는 협박한 때에는 제333조(강도) 및 제334조(특수강도)의 예에 따른다.
> **제342조** 본죄의 미수범은 처벌한다. 11. 경찰승진, 14. 경찰간부

(1) 의의 및 성격

① **의의** : 준강도죄는 절도가 재물의 탈환에 항거하거나, 체포를 면탈하거나, 범죄의 흔적을 인멸할 목적으로 폭행·협박을 가함으로써 성립하는 범죄로 강도 또는 특수강도죄에 의하여 처벌한다.

② **성격** : 준강도죄는 신분범·목적범이며, 사후강도에 해당한다. 강도죄의 특수유형이나 절도죄의 가중유형이 아니라 독립된 범죄이다(다수설). 13. 경찰승진, 16. 경찰간부

(2) 주 체

준강도의 주체는 절도범(단순절도·야간주거침입절도·특수절도·상습절도)이다. 본죄의 절도범인은 실행에 착수한 자이어야 하나, 미수·기수를 불문한다(대판 2003.10.24, 2003도4417 ∴ 절도의 예비만으로는 부족함). 15. 변호사시험, 20. 법원행시·수사경과, 21. 해경간부, 24. 해경승진·해경수사

예 절도의사로
- 대낮에 주거에 침입하였다가 발각되자 주인을 폭행한 경우 ⇨ 주거침입죄와 폭행죄의 경합범 13. 법원행시·법원직, 23. 해경승진, 25. 변호사시험
- 야간에 주거에 침입하였다가 발각되자 주인을 폭행한 경우 ⇨ 준강도미수죄

본죄의 주체는 절도죄의 정범에 국한된다(교사범·방조범은 불포함 : 다수설), 강도 포함 여부(긍정설 : 다수설, 부정설 : 판례) 07. 법원행시

관련판례

피고인이 술집 운영자 甲으로부터 술값의 지급을 요구받자 술값의 지급을 면하기로 마음먹고 甲을 유인·폭행하고 도주함으로써 술값의 지급을 면하여 재산상 이익을 취득한 경우 ⇨ 준강도죄 ×(대판 2014.5.16, 2014도2521 ∵ 준강도죄의 주체는 절도범인이고, 절도죄의 객체는 재물이므로, 사안의 경우

절도죄의 실행의 착수가 없고, 재물을 객체로 한 것이 아님). 15. 변호사시험, 16. 사시 · 법원행시, 21. 해경간부, 22. 경찰간부 · 수사경과 · 경찰승진 · 순경 1차, 24. 순경 2차

---

(3) **행 위** : 폭행 또는 협박을 가하는 것

① 준강도죄의 성립에 필요한 수단으로서의 폭행이나 협박의 정도는 상대방의 반항을 억압하는 수단으로서 일반적 · 객관적으로 가능하다고 인정되는 정도의 것이면 되고 현실적으로 반항을 억압하였음을 필요로 하는 것은 아니다(대판 1981.3.24, 81도409). 17. 법원행시, 20 · 21. 수사경과, 20. 해경 3차

관련판례

1. 절도범이 옷을 잡히자 체포를 면탈할 목적으로 충동적으로 저항을 시도하여 잡은 손을 뿌리친 것만으로는 준강도의 폭행에 해당한다고 볼 수 없다(대판 1985.5.14, 85도619). 13. 7급 검찰, 20. 법원행시 · 수사경과 · 해경 3차, 24. 경위공채
2. 절도범을 체포하려는 피해자가 체포에 필요한 정도를 넘어서서 발로차며 전치 3개월을 요하는 중상을 입힐 정도로 심한 폭력을 가해오자 절도범이 이를 피하기 위하여 엉겁결에 곁에 있던 솥뚜껑을 들어 위 폭력을 막아 내려다가 그 솥뚜껑에 스치어 피해자가 상처를 입게 된 경우 ⇨ 준강도상해 ×(대판 1990.4.24, 90도193 ∵ 객관적으로 피해자의 체포의사를 제압할 정도의 폭행에 해당 ×) 11. 법원행시, 16. 경찰간부, 24. 해경수사
3. 절도피해자가 잠을 자다가 이마를 맞고 잠이 깨어 비로소 맞은 것을 알았다고 진술할 뿐이라면 준강도상해의 죄책을 지울 수 없다(대판 1984.6.5, 84도460 ∵ 피고인이 체포면탈하기 위하여 피해자를 때린 것 ×). 17. 법원행시
4. 오토바이를 절취하여 끌고 가던 절도범이 자신을 추격하여 온 A에게 멱살을 잡히게 되자 A의 얼굴을 주먹으로 때리고 놓아주지 않으면 죽여 버리겠다고 협박한 경우, 준강도죄가 성립한다(대판 1983.3.8, 82도2838). 24. 해경수사

---

② 폭행 · 협박은 절도의 기회에 행해져야 한다(통설 · 판례). 즉, 폭행 · 협박은 절도와 장소적 · 시간적으로 근접한 관계에 있어야 한다.

관련판례

1. 본죄의 폭행 · 협박은 절도의 실행에 착수하여 실행 중이거나 실행 직후 또는 실행의 범의를 포기한 직후로서 사회통념상 범죄행위가 완료되지 아니하였다고 인정될만한 단계에서 행해짐을 요한다. 따라서 피해자의 집에서 절도범행을 마친지 10분 가량 지나 200m 떨어진 버스정류장에서 뒤쫓아 온 피해자에게 붙잡혀 피해자의 집으로 돌아왔을 때 비로소 폭행한 경우 ⇨ 준강도죄 ×(대판 1999.2.26, 98도3321 ∵ 사회통념상 절도범행이 이미 완료된 이후에 폭행이 행해짐), 주거침입죄와 절도죄와 폭행죄의 실체적 경합 15. 법원행시, 16. 수사경과, 20. 해경승진 22. 경력채용
2. 피해자 측이 추적태세에 있는 경우나 범인이 일단 체포되어 아직 신병확보가 확실하다고 할 수 없는 경우(절도의 기회에 해당) ⇨ 체포된 상태를 벗어나기 위해 폭행(준강도)하여 상해를 입힌 경우 ⇨

강도상해죄(대판 2001.10.23, 2001도4142 예 甲이 절도행위 중 발각되어 도주하다가 곧바로 뒤쫓아 온 보안요원에게 붙잡혀서 보안사무실에서 그 경위를 확인받던 중 체포된 상태를 벗어나기 위해 보안요원을 폭행하여 상해를 가한 경우) 16. 사시, 17. 수사경과, 20. 순경 2차, 22. 법원행시, 25. 변호사시험

3. 절도행위 직후 방범대원에 체포되어 파출소로 연행되는 도중에 방범대원을 폭행하거나(대판 1967.1.31, 66도1501), 절도범인이 체포현장에서 경비원과 시비하다 경비원이 주위사람들에게 도주를 방지해 달라고 부탁하고 파출소에 신고전화를 하는 중 주먹으로 얼굴을 때리고 놓아주지 않으면 죽여버리겠다고 협박한 경우(대판 1984.7.24, 84도1167) ⇨ 준강도죄 07. 법원행시, 18. 경찰승진
4. 야간에 절도의 목적으로 피해자의 집에 담을 넘어 들어갔다가 피해자에게 발각되어 계속 추격당하거나 재물을 면탈하고자 범행현장으로부터 200m 떨어진 곳에서 폭행을 가했다면 절도의 기회 계속 중에 폭행을 가한 것이라고 보아야 하고(대판 1984.9.11, 84도1398), 범죄현장에서 2km 떨어진 곳까지 추격당하여 폭행·협박을 한 경우에도 장소적 근접성이 인정된다(대판 1982.7.13, 82도1352). 08. 경찰승진, 19. 경찰간부

---

(4) 주관적 구성요건

본죄가 성립하기 위해서는 주관적 구성요건으로 고의와 불법영득의사 이외에 일정한 목적(재물 탈환을 항거, 체포면탈, 죄적인멸)이 있어야 한다. '재물의 탈환을 항거할 목적'이라 함은 일단 절도가 재물을 자기의 배타적 지배하에 옮긴 뒤 탈취한 재물을 피해자 측으로부터 탈환당하지 않기 위하여 대항하는 것을 말한다(대판 2003.7.25, 2003도2316). 12. 법원행시

예 절도가 발각되자 재물을 강취하기 위하여 폭행·협박 ⇨ 강도죄 ○, 준강도 × 12. 경찰간부

(5) 미수범 : 처벌(제342조)

본죄의 미수·기수는 절도의 미수·기수에 의해 결정된다는 견해(절취행위기준설 : 다수설·판례)와 폭행·협박의 미수·기수에 따라 결정된다는 견해(폭행·협박 행위기준설)가 대립한다.

관련판례

형법 제335조에서 준강도를 강도죄의 예에 따라 처벌하는 취지는, 강도죄와 준강도죄의 구성요건인 재물탈취와 폭행·협박 사이에 시간적 순서상 전후의 차이가 있을 뿐 실질적으로 위법성이 같다고 보기 때문에 취지와 본질을 달리 한다고 볼 수 없으므로, 준강도죄의 기수 여부는 절도행위의 기수 여부를 기준으로 하여 판단하여야 하며, 이와는 달리 폭행 또는 협박이 종료되었는가 하는 점에 따라 결정할 것이 아니다(대판 2004.11.18, 2004도5074 전원합의체 예 양주를 절취할 목적으로 주점에 들어가 양주를 담고 있던 중 피해자가 들어오는 소리에 이를 두고 도망가려다가 피해자에게 붙잡혀 체포를 면탈하기 위해 폭행을 가한 경우 ⇨ 준강도죄의 미수범 ○, 기수범 ×). 17. 경찰승진, 18. 경찰간부·순경 3차, 19. 수사경과, 20. 법원행시·해경 3차, 21. 해경간부·순경 1차, 22. 해경 2차, 23. 해경승진, 24·25. 변호사시험

---

(6) 준강도와 공동정범

관련판례

1. 특수절도(합동범)의 범인들이 범행이 발각되어 각기 다른 길로 도주하다가 그중 1인이 체포를 면탈할 목적으로 폭행하여 상해를 가한 때 나머지 범인의 죄책 ⇨ 강도상해죄(대판 1984.10.10, 84도1887 ∵ 예기하지 못하였다고 볼 수 없음), 2인 이상이 합동하여 절도를 한 경우에 범인 중의 1인이 체포를 면할 목적으로 폭행하여 상해를 가한 때 나머지 범인이 예기하지 못하였다고 볼 수 없는 경우(즉, 예기하였던 경우) ⇨ (준)강도상해죄 ○, 예기할 수 없었던 경우 ⇨ (준)강도상해죄 ×(대판 1984.12.26, 84도2552) 16. 경찰간부, 17. 법원행시, 23. 해경승진
2. 절도를 공모한 후 1인은 망을 보고, 다른 범인이 재물을 절취한 다음 달아나려다가 체포를 면탈할 목적으로 피해자에게 상해를 입힌 경우 망본 자의 죄책 ⇨ 강도상해죄(대판 1989.12.12, 89도1991 ∵ 예기하지 못하였다고 볼 수 없음) 15. 순경 1차, 16. 경찰간부, 21. 수사경과, 23. 해경승진

   ▶ **비교판례**

   ① 다만, 망을 보다가 도주한 후에 다른 절도공범자가 폭행·상해를 가한 때 ⇨ 강도상해죄 ×(대판 1984.2.28, 83도3321 : 절도를 공모한 후 담배가게가 사람이 없는 가게로 알고 밖에서 망을 보던 자가 도주해버린 이후에 다른 공범자가 체포면탈 목적으로 폭행을 가하여 상해를 입힌 경우 ⇨ 준강도상해죄 × ∵ 예기할 수 없었음) 06. 사시

   ② 甲과 乙이 자기 집에서 물건을 훔쳐 나왔다는 연락을 받은 A가 1km 가량 추격하여 甲을 체포하여 동리 사람들에게 인계하고 1km를 더 추격하여 乙을 체포하기 위해 가지고 간 나무 몽둥이로 乙을 1회 구타하자 乙이 위 몽둥이를 빼앗아 A를 구타 상해를 가한 경우 ⇨ 乙 : 준강도상해죄 ○, 甲 : 준강도상해죄 ×(대판 1982.7.13, 82도1352 ∵ 甲이 이를 예기하지 못하였음)
3. 피고인들이 합동하여 절도범행을 하는 도중에 사전에 구체적인 의사연락이 없었다고 하여도, 피고인이 체포를 면탈할 목적으로 피해자를 힘껏 떠밀어 콘크리트바닥에 넘어뜨려 상처를 입게 함으로써 추적을 할 수 없게 한 경우, 피고인들은 강도상해의 죄책을 면할 수 없다(대판 1991.11.26, 91도2267). 07. 법원직

(7) 처 벌

본죄에 해당한 때에는 전 2조에 의한다. 즉, 강도죄 또는 특수강도죄와 같이 취급한다. 강도와 특수강도 어느 것에 해당하느냐는 폭행·협박의 태양(▶ **주의** : 절도의 태양 ×)에 따라서 판단해야 한다.

관련판례

1. 절도 범인이 처음에는 흉기를 휴대하고 있지 않았으나 체포를 면탈할 목적으로 폭행 또는 협박을 할 때 비로소 흉기를 휴대 사용하게 된 경우에는 특수강도죄의 준강도가 되며, 이 경우 행위의 주체인 절도의 태양에 따라 단순강도죄의 준강도가 된다고 할 것이 아니다(대판 1973.11.13, 73도1553 전원합의체). 17. 법원행시·수사경과, 19. 변호사시험, 20. 경찰간부, 21. 순경 2차
2. 절도범이 체포를 면탈할 목적으로 여러 명의 피해자에게 같은 기회에 폭행을 가하여 그중 1인에게만 상해를 가한 때 ⇨ (포괄하여) 1개의 강도상해죄(대판 2001.8.21, 2001도3447) 16. 사시·법원행시, 18. 변호사시험, 20. 해경승진, 21. 해경간부·순경 2차, 22. 경찰승진, 24. 변호사시험·해경승진

4 인질강도

제336조 사람을 체포·감금·약취 또는 유인하여 이를 인질로 삼아 재물 또는 재산상 이익을 취득하거나 제3자로 하여금 이를 취득하게 한 자는 3년 이상의 유기징역에 처한다.
제342조 본죄의 미수범은 처벌한다.

체포·감금·약취·유인죄와 공갈죄의 결합범 12. 경찰승진

5 강도상해·치상죄

제337조 강도가 사람을 상해하거나 상해에 이르게 한 때에는 무기 또는 7년 이상의 징역에 처한다.
제342조 본죄의 미수범은 처벌한다.

① **의의** : 강도상해란 강도가 고의로 상해하는 것을 말하고, 강도치상이란 강도가 고의 없이 상해의 결과를 가져오는 경우를 말한다.

② **주체** : 강도(단순강도, 특수강도, 준강도, 인질강도 ▶ 강도의 미수·기수는 불문)

③ **행위** : 강도가 사람을 상해하거나, 상해에 이르게 하는 것(▶ 상해·치상의 원인이 강도의 기회에 이루어진 것이면 족하지 강도의 수단인 폭행·협박으로 인한 것임을 요하지 않음)

관련판례

1. 피고인이 절취품을 물색 중 피해자가 잠에서 깨어나 "도둑이야."라고 고함치자 체포를 면탈할 목적으로 그녀에게 이불을 덮어씌우고 입과 목을 졸라 상해를 입혔다면 절도의 목적달성 여부에 관계없이 강도상해죄가 성립한다(대판 1985.5.28, 85도682). 15. 변호사시험, 20. 경찰승진
2. 택시운전수를 협박하여 요금지급을 면할 목적으로 과도로 운전수 목뒤를 겨누고 협박하자 놀란 운전수가 급우회전을 하면서 과도에 찔려 상처를 입은 경우 ⇨ 강도치상죄(대판 1985.1.15, 84도2397) 12. 7급 검찰, 16. 수사경과
   ▶ 그러나 피해자의 부상이 피해자의 적극적인 체포행위과정에서 스스로의 행위의 결과로 입은 경우 ⇨ 강도상해죄 ×(대판 1985.7.9, 85도1109 : 도주하는 강도를 체포하기 위해 뒤에서 덮치다가 강도가 들고 있던 벽돌 속에 철사에 찔려 부상을 입었거나 도망하는 공범을 뒤에서 붙잡고 내려오다 같이 넘어져 부상을 입은 경우) 11. 사시
3. 재물강취 후 피해자에게 운전케 하여 자동차를 타고 도주하다가 단속경찰관이 뒤따라오자 피해자를 찔러 상해를 가한 경우(단, 강취와 상해 사이에 1시간 20분의 시간적 간격이 있었음) ⇨ 강도상해죄(대판 1992.1.21, 91도2727) 15. 법원행시
   ▶ **유사판례** : 강도범행 이후에도 피해자를 계속 끌고 다니거나 차량에 태우고 함께 이동하는 등으로 강도범행으로 인한 피해자의 심리적 저항불능 상태가 해소되지 않은 상태에서 강도범인의 상해행위가 있었다면 강취행위와 상해행위 사이에 다소의 시간적·공간적 간격이 있었다는 것만으로는 강도상해죄의 성립에 영향이 없다(대판 2014.9.26, 2014도9567 ∵ 반드시 강도범행의 수단으로 한 폭행에 의하여 상해를 입힐 것을 요하는 것은 아니고, 상해행위가 강도가 기수에 이르기 전에 행하여져야만 하는 것은 아님). 18. 변호사시험·순경 3차, 20. 법원행시, 21. 해경 1차, 22·24. 경찰간부

4. 강취현장에서 강도범의 발을 붙잡고 늘어지는 피해자를 30m 쯤 끌고 가서 폭행·상해한 경우 ⇨ 강도상해죄(대판 1984.6.26, 84도970) 09. 경찰승진, 20. 경찰간부
5. 강도의 폭행·협박으로 극도의 공포심에서 이를 피하기 위해 창문을 뛰어내려 탈출을 시도하다 상해를 입은 경우 ⇨ 강도치상죄(대판 1996.7.12, 96도1142 ∵ 인과관계 ○)
6. 피고인이 강도의 범의 없이 공범들과 함께 피해자의 반항을 억압함에 충분한 정도로 피해자를 폭행하던 중 공범들이 피해자를 계속하여 폭행하는 사이에 피해자의 재물을 취거한 경우 강도죄의 성립을 인정할 수 있고, 그 과정에서 피해자가 상해를 입었다면 강도상해죄가 성립한다(대판 2013.12.12, 2013도11899).

④ **미수와 기수** : 강도상해의 미수는 상해가 미수인 때를 말하며, 강도행위의 미수·기수와는 무관하다(대판 1969.3.18, 69도154). 준강도죄의 기수 여부는 절도행위의 기수 여부를 기준으로 판단하여야 하지만 절도미수범이 체포를 면탈할 목적으로 상해를 가한 경우 강도상해의 기수범으로 처벌된다(대판 2004.11.18, 2004도5074 전원합의체). 15. 변호사시험, 20. 해경승진

⑤ **공범관계**

관련판례

1. 甲은 乙 등 4인과 합동하여 A의 집에서 금품을 강취할 것을 공모하고 甲은 집밖에서 망을 보기로 하였으나 乙 등이 A의 집에 침입하여 강도의 실행에 착수한 이후 甲이 담배생각이 나서 담배를 사러 가기 위하여 망을 보고 있지 않은 사이에 乙 등이 A에게 상해를 가한 경우 甲은 강도상해죄의 공동정범의 죄책을 면할 수 없다(대판 1984.1.31, 83도2941).
2. 강도합동범 중 1인이 피고인과 공모한대로 과도를 들고 강도를 하기 위하여 피해자의 거소를 들어가 피해자들을 과도로 찔러 상해를 가하였다면 대문 밖에서 망을 본 공범인 피고인이 구체적으로 상해를 가할 것까지 공모하지 않았다 하더라도 피고인은 상해의 결과에 대하여도 공범으로서의 책임을 면할 수 없다(대판 1998.4.14, 98도356 ∴ 강도상해죄의 공동정범). 16. 수사경과

6 강도살인·치사죄

제338조 강도가 사람을 살해한 때에는 사형 또는 무기징역에 처한다. 사망에 이르게 한 때에는 무기 또는 10년 이상의 징역에 처한다.
제342조 본죄의 미수범은 처벌한다.

강도살인죄는 강도가 고의로 살해하는 것을 말하며, 강도치사죄는 강도가 고의 없이 사망의 결과를 발생시키는 경우를 말한다. 강도살인죄(강도상해죄)는 강도범인이 강도의 기회에 살인행위(상해행위)를 함으로써 성립하는 것이므로, 강도범행의 실행 중이거나 그 실행 직후 또는 실행의 범의를 포기한 직후로서 사회통념상 범죄행위가 완료되지 아니하였다고 볼 수 있는 단계에서 살인이(상해가) 행하여짐을 요건으로 한다(대판 2004.6.24, 2004도1098 ; 대판 2014.9.26, 2014도9567). 15. 법원행시, 17. 경찰승진, 20. 경찰간부

관련판례

1. 강도살인죄의 주체인 강도는 준강도죄의 범인을 포함한다고 할 것이어서 절도가 체포를 면탈하거나 죄적을 인멸할 목적으로 사람을 살해한 때에도 강도살인죄가 성립한다(대판 1987.9.22, 87도1592). 16. 사시, 20. 경찰간부
2. 강도범행 직후 경찰관에게 붙잡혀 파출소로 연행되던 자가 체포를 면하기 위해 과도로 경찰관을 찔러 사망하게 한 경우 ⇨ 강도살인죄(대판 1996.7.12, 96도1108 ▶ **주의** : 강도죄와 살인죄의 실체적 경합범 ×) 14. 경찰간부, 15. 법원행시, 18. 수사경과
3. 채무면탈의 목적으로 피해자를 살해한 경우
   ① 채무면탈의 목적으로 피해자를 살해하고 즉석에서 피해자가 소지하였던 재물을 탈취한 경우 ⇨ 강도살인죄〔채무(택시요금)면탈의 목적으로 택시운전수를 살해하고 즉석에서 피해자가 소지하였던 재물을 탈취한 경우 : 대판 1985.10.22, 85도1527, 소주방 주인과 단 둘뿐인 상황에서 술값을 요구하는 술집주인을 살해하고 즉석에서 피해자가 소지하였던 현금을 탈취한 경우 : 대판 1999.3.9, 99도242〕 18. 경찰간부, 24. 해경승진
   ② 채무의 존재가 명백하고 존재하는 상속인에게 채권존재를 확인할 방법이 확보되어 있는 경우에 채무를 면탈할 의사로 채권자를 살해한 경우 ⇨ 강도살인죄 ×(대판 2004.6.24, 20004도1098 ; 대판 2010.9.30, 2010도7405 ∵ 일시적으로 채권자 측의 추급을 면한 것에 불과하여 재산상 이익의 지배가 채권자 측으로부터 범인 앞으로 이전되었다고 보기 어려움 예 차용증서는 없지만 대여금채권자의 처가 채권의 존재를 알고 있는 경우에 채무자가 채무지급을 면할 목적으로 채권자를 망치로 때려 살해한 경우) 17. 경찰승진, 18. 7급 검찰, 19. 경찰간부, 20. 법원행시·해경 3차, 21. 수사경과·순경 1차, 22. 해경 2차, 23. 해경승진
4. 피고인이 피해자 소유의 돈과 신용카드에 대하여 불법영득의 의사를 갖게 된 것이 살해 후 상당한 시간이 지난 후로서 살인의 범죄행위가 이미 완료된 후의 일이라면, 살해 후 상당한 시간이 지난 후에 별도의 범의에 터잡아 이루어진 재물 취거행위를 그보다 앞선 살인행위와 합쳐서 강도살인죄로 처단할 수 없다(대판 2004.6.24, 2004도1098). 14. 경찰간부, 18. 7급 검찰, 22. 해경 2차
5. 수인이 합동하여 강도를 한 경우 그중 1인이 사람을 살해하는 행위를 하였다면 그 범인은 강도살인죄의 기수 또는 미수의 죄책을 지는 것이고 다른 공범자도 살해행위에 관한 고의의 공동이 있었으면 그 또한 강도살인죄의 기수 또는 미수의 죄책을 지는 것이 당연하다 하겠으나, 고의의 공동이 없었으면 피해자가 사망한 경우에는 강도치사의, 강도살인이 미수에 그치고 피해자가 상해만 입은 경우에는 강도상해 또는 치상의, 피해자가 아무런 상해를 입지 아니한 경우에는 강도의 죄책만 진다고 보아야 할 것이다(대판 1991.11.12, 91도2156). 07. 사시, 20. 경찰승진
6. 강도가 피해자를 살해할 목적으로 현주건조물에 방화하여 사망하게 한 경우 ⇨ 강도살인죄와 현주건조물방화치사죄의 상상적 경합(대판 1998.12.8, 98도3416) 15. 순경 1차
7. 강도가 베개로 피해자의 머리부분을 약 3분간 누르던 중 피해자가 저항을 멈추고 사지가 늘어졌음에도 계속하여 눌러 사망한 경우 ⇨ 강도살인죄(대판 2002.2.8, 2001도6425)
8. 재물강취의 목적과 수단으로 사람을 살해한 이상 그 살해행위가 강취행위의 전후를 불문하고 또 강취행위의 기수이거나 미수임을 구별치 않고 강도살인죄가 성립한다(대판 1957.10.11, 4290형상313).
9. 甲과 乙 등은 A회사 사무실에 들어가 금품을 강취하기로 공모하고, 1인을 제외하고 전원이 과도 또는 쇠파이프 등을 휴대하고 사무실에 침입한 후, 甲 등은 사무실의 금고를 강취하고 그 사이에

乙은 숙직직원 丙을 감시하다가 丙이 외부로 연락을 취하려 하자 乙은 소지하고 있던 쇠파이프로 丙을 강타 살해한 경우 ⇨ 수인이 합동하여 강도를 한 경우 1인이 강취하는 과정에서 간수자를 강타, 사망케 한 때에는 나머지 범인도 이를 예기하지 못한 것으로 볼 수 없는 경우에는 강도살인죄의 죄책을 면할 수 없다(대판 1984.2.28, 83도3162 ∴ 모두 강도살인죄의 공동정범).

▶ **비교판례** : 甲 · 乙 · 丙은 등산용 칼을 이용하여 강도를 하기로 공모한 후 甲은 차 안에서 망을 보고, 乙과 丙은 차에서 내려 행인 A로부터 금품을 강취하려는 중 우연히 범행현장을 목격하게 된 B를 丙은 소지하고 있던 등산용 칼로 찔러 살해한 경우 ⇨ 丙 : 강도살인죄, 甲 · 乙 : 강도치사죄(대판 1990.11.27, 90도2262, 丙의 강도살인행위를 예견가능했음) 08. 7급 검찰, 14. 수사경과

7 강도강간죄

제339조 강도가 사람을 강간한 때에는 무기 또는 10년 이상의 징역에 처한다.
제342조 본죄의 미수범은 처벌한다.

① **의의** : 본죄는 강도가 사람을 강간함으로써 성립하며, 강도죄와 강간죄의 결합범이다.

② **주체** : 본죄의 주체는 강도이며, 강도의 미수 · 기수를 불문한다.

관련판례

1. 강간범인이 강간 후에 특수강도의 범의를 일으켜 그 부녀의 재물을 강취한 경우 ⇨ 강간죄와 특수강도죄 경합범(대판 2002.2.8, 2001도6425 ∴ 특수강도강간죄 ×) 12. 법원행시, 23. 7급 검찰

   ▶ **유사판례** : 강간범이 강간행위 후에 강도의 범의를 일으켜 그 부녀의 재물을 강취하는 경우 ⇨ 강도강간죄 ×, 강간죄와 강도죄의 경합범 ○(대판 1977.9.28, 77도1350) 17. 법원행시, 21. 경찰간부

2. 강간범이 강간의 종료 전(강간실행행위 계속 중)에 강도행위를 한(강도의 신분취득) 이후에 강간행위를 계속한 경우 ⇨ 강도강간죄(대판 1988.9.9, 88도1240) 18. 변호사시험, 21. 경찰간부, 24. 순경 1차

   ▶ **유사판례** : 다른 특별한 사정이 없는 한 특수강간범이 강간행위 종료 전에 특수강도의 행위를 한 이후에 그 자리에서 강간행위를 계속하는 때에도 특수강도가 부녀를 강간한 때에 해당하여 구 성폭력범죄의 처벌 및 피해자보호 등에 관한 법률 제5조 제2항에 정한 특수강도강간죄로 의율할 수 있다(대판 2010.7.15, 2010도3594 ; 대판 2010.12.9, 2010도9630).

③ **행위**(강간) : 강간은 강도의 기회에 행하여지면 족하고, 사람이 강도피해자와 일치할 것을 요하지 않으며(대판 1991.11.12, 91도2241 예 피해자 甲男으로부터 금품을 빼앗고 이어서 피해자 乙女를 강간한 경우 ⇨ 강도강간죄), 강취의 전후도 불문하다(대판 1984.10.10, 84도1880). 18. 순경 3차, 19. 수사경과, 20. 해경승진

④ **미수 · 기수** : 강간행위의 미수 · 기수를 기준으로 결정됨(강도가 기수라도 강간이 미수이면 강도강간미수, 반대로 강도가 미수라도 강간이 기수이면 강도강간기수) 19. 9급 검찰 · 마약수사, 21. 경찰간부, 22. 경찰승진

⑤ **죄 수**

㉠ 강도가 부녀를 강간하려다가 미수에 그치고 폭행으로 피해자에게 상해를 입힌 경우 ⇨ 강도강간미수죄와 강도치상죄의 상상적 경합(대판 1988.6.28, 88도820) 11. 법원행시, 20. 경찰승진, 21. 경찰간부

㉡ 강도가 피해자에게 상해를 입혔으나 재물의 강취에는 이르지 못하고 그 자리에서 항거불능 상태에 빠진 피해자를 간음한 경우에는 강도상해죄와 강도강간죄만 성립하고, 그 실행행위의 일부인 강도미수 행위는 위 각 죄에 흡수되어 별개의 범죄를 구성하지 않는다(대판 2010.4.29, 2010도1099). 15. 사시

8 해상강도죄

제340조 제1항 다중의 위력으로 해상에서 선박을 강취하거나 선박 내에 침입하여 타인의 재물을 강취한 자는 무기 또는 7년 이상의 징역에 처한다. 03. 법원직

결과적 가중범인 해상강도치상 · 치사죄의 미수범처벌규정이 있다(제342조).

관련판례

선박(파나마 선적의 원양어선)이 항해하는 도중에 일부선원들(조선족)이 선박의 지배권을 장악한 후 이를 매각하려는 의도로 한국인선원 7명을 살해한 후 사체를 바다에 던진 경우 ⇨ 해상강도살인죄와 사체유기죄의 실체적 경합범(대판 1997.7.25, 97도1142)

9 상습강도죄

제341조 상습으로 제333조, 제334조, 제336조 또는 전조 제1항의 죄를 범한 자는 무기 또는 10년 이상의 징역에 처한다.

제342조 본죄의 미수범은 처벌한다.

특정범죄가중처벌 등에 관한 법률 제5조의 4 제3항에 규정된 상습강도죄를 범한 범인이 그 범행 외에 강도상습성의 발현으로 강도예비행위를 한 경우 위 법조에 규정된 상습강도죄에 흡수되고 별개의 강도예비죄를 구성하지 않는다(대판 2003.3.28, 2003도665). 11. 법원직, 14. 법원행시

10 강도예비 · 음모죄

제343조 강도할 목적으로 예비 또는 음모한 자는 7년 이하의 징역에 처한다.

관련판례

1. 강도예비 · 음모죄가 성립하기 위해서는 예비 · 음모 행위자에게 미필적으로라도 '강도'를 할 목적이 있음이 인정되어야 하고 그에 이르지 않고 단순히 '준강도'할 목적이 있음에 그치는 경우에는 강도예비 · 음모죄로 처벌할 수 없다(대판 2006.9.14, 2004도6432 예 절도 범행이 발각되었을 경우 체포를 면탈하는 데 도움이 될 수 있을 것이라는 정도의 생각으로 등산용 칼을 휴대한 경우). 16. 법원행시, 19. 순경 1차, 20. 경찰간부, 21. 해경 1차, 22. 수사경과, 24. 해경승진, 24 · 25. 변호사시험
2. 절취한 차량이라는 정을 알면서도 차량절도범들이 위 차량을 이용하여 강도를 함에 있어 차량을 운전해 달라는 부탁을 받고 위 차량을 운전해 준 경우 ⇨ 강도예비죄와 장물운반죄(대판 1999.3.26, 98도3030) 17. 순경 1차
3. 피고인들이 수회에 걸쳐 '총을 훔쳐 전역 후 은행이나 현금수송차량을 털어 한탕 하자'는 말을 나눈 정도만으로는 강도음모를 인정하기에 부족하다(대판 1999.11.12, 99도3801). 11. 경찰승진, 23. 경찰간부

확인학습(다툼이 있는 경우 판례에 의함)

1 날치기 수법으로 피해자가 들고 있던 가방을 탈취하면서 가방을 놓지 않고 버티는 피해자를 5m 가량 끌고 감으로써 피해자의 무릎 등에 상해를 입힌 경우에는 강도치상죄가 성립한다. ( ) 16. 법원행시 · 경찰승진, 19. 경찰간부, 20. 해경 3차, 21. 순경 2차, 23. 변호사시험

2 타인에 대하여 반항을 억압함에 충분한 정도의 폭행 또는 협박을 가한 사실이 있다 해도 그 타인이 재물 취거의 사실을 알지 못하는 사이에 그 틈을 이용하여 우발적으로 타인의 재물을 취거한 경우, 강도죄가 성립하지 않는다. ( ) 18. 수사경과, 19. 경찰간부, 21. 순경 1차, 24. 해경승진

3 강간범인이 부녀를 강간할 목적으로 폭행, 협박에 의하여 반항을 억압한 후 반항억압 상태가 계속 중임을 이용하여 재물을 탈취하는 경우에는 재물탈취를 위한 새로운 폭행, 협박이 없더라도 강도죄가 성립한다. ( ) 15. 경찰간부 · 경찰승진, 22. 경력채용, 23. 해경 3차

4 강도죄의 성질상 그 권리의무관계의 외형상 변동의 사법상 효력의 유무는 그 범죄의 성립에 영향이 없고, 법률상 정당하게 그 이행을 청구할 수 있는 것이 아니라도 강도죄에 있어서의 재산상의 이익에 해당한다. ( ) 19. 경찰승진, 20. 변호사시험, 22. 해경간부 · 법원행시

5 절도범인이 체포를 면탈할 목적으로 경찰관에게 폭행 · 협박을 가한 때에는 준강도죄와 공무집행방해죄는 상상적 경합관계에 있으나, 강도범인이 체포를 면탈할 목적으로 경찰관에게 폭행을 가한 때에는 강도죄와 공무집행방해죄는 실체적 경합관계에 있다. ( )
16. 경찰간부 · 경찰승진, 17. 순경 2차, 19. 변호사시험, 20. 해경승진, 22. 수사경과

6 여관에 들어가 안내실에 있던 여관의 관리인을 칼로 찔러 상해를 가하고 그로부터 금품을 강취한 다음, 각 객실에 들어가 각 투숙객들로부터 금품을 강취한 행위가 시간적으로 접착된 상황에서 동일한 방법으로 이루어진 것이라면 포괄하여 1개의 강도상해죄만을 구성한다. ( )
15 · 19. 경찰승진, 19 · 22. 법원행시, 22. 해경간부

7 甲은 강도의 범의로 야간에 칼을 휴대한 채 타인의 주거에 침입하여 동정을 살피다가 피해자 乙을 발견하고 갑자기 욕정을 일으켜 칼로 협박하고 강간하였다. 甲의 죄책은 특수강도강간죄이다. ( ) 16. 순경 2차, 20. 경찰간부, 21. 해경 1차, 22. 해경간부

8 피고인이 술집 운영자 甲으로부터 술값의 지급을 요구받자 甲을 유인 · 폭행하고 도주하였다면, 甲에게 지급해야 할 술값의 지급을 면하여 재산상 이익을 취득하였으므로 준강도죄가 성립한다. ( ) 15. 변호사시험 · 순경 2차, 16. 사시 · 법원행시, 22. 경찰간부 · 경찰승진 · 순경 1차

9 판례에 의하면 준강도죄에 있어서의 폭행이나 협박은 현실적으로 반항을 억압하였음을 필요로 한다. ( ) 17. 법원행시, 20. 수사경과 · 해경 3차

Answer 1. ○ 2. ○ 3. ○ 4. ○ 5. ○ 6. × 7. × 8. × 9. ×

10 절도범인이 일단 체포되었으나 아직 신병의 확보가 확실하지 않은 단계에서 체포 상태를 면하기 위해 상해를 가한 경우에는 강도상해죄가 성립한다. ( )

16. 사시, 17. 수사경과, 20. 순경 2차, 22. 법원행시

11 강도죄와 준강도죄는 그 취지와 본질을 달리한다고 보아야 하므로, 준강도죄의 기수여부는 폭행 또는 협박이 종료되었는가를 기준으로 하여 판단하여야 한다. ( )

17. 법원행시 · 경찰승진, 18. 경찰간부 · 순경 3차, 19. 순경 1차, 21. 해경간부 · 순경 2차, 22. 해경 2차, 23. 해경승진

12 2인 이상이 합동하여 절도를 한 경우 범인 중의 1인이 체포를 면탈할 목적으로 폭행을 하여 상해를 가한 때에는 나머지 범인도 이를 예기하지 못한 것으로 볼 수 없으면 강도상해죄의 죄책을 면할 수 없다. ( )

15. 순경 1차, 16. 경찰간부, 17. 법원행시, 21. 수사경과, 23. 해경승진

13 절도범인이 처음에는 흉기를 휴대하지 아니하였으나, 체포를 면탈할 목적으로 폭행 또는 협박을 가할 때에 비로소 흉기를 휴대 사용하게 된 경우에도 특수강도의 준강도가 된다. ( )

17. 법원행시, 19. 변호사시험, 20. 경찰간부, 21. 순경 2차

14 절도범이 체포를 면탈할 목적으로 체포하려는 여러 명의 피해자에게 같은 기회에 폭행을 가하여 그중 1인에게만 상해를 가한 경우에는 포괄하여 하나의 강도상해죄만 성립한다. ( )

17. 법원행시, 21. 해경간부 · 순경 2차, 22. 경찰승진, 24. 변호사시험 · 해경승진

15 강도상해죄가 성립하기 위해서는 강도의 수단인 폭행에 의하여 상해를 입힐 것을 요하므로, 피고인의 상해행위는 강도가 기수에 이르기 전에 행하여져야만 한다. ( )

18. 변호사시험 · 순경 3차, 19 · 20. 법원행시, 21. 해경 1차, 22 · 24. 경찰간부

16 절도가 체포를 면탈할 목적으로 사람을 살해한 때에는 준강도죄와 살인죄의 실체적 경합이 성립한다. ( )

13. 9급 검찰 · 마약수사, 16. 사시, 20. 경찰간부

17 채무자가 채무를 면탈할 의사로 채권자를 살해한 경우 비록 채무의 존재가 명백할 뿐만 아니라 채권자의 상속인이 존재하고 그 상속인에게 채권의 존재를 확인할 방법이 확보되어 있다 하더라도 강도살인죄가 성립한다. ( )

17. 경찰승진, 18. 7급 검찰, 19. 경찰간부 · 법원행시, 20. 해경 3차, 21. 수사경과 · 순경 1차, 22 · 23. 해경승진

18 강도가 실행에 착수하였으나 강도행위를 완료하기 전에 강간을 한 경우에는 강도강간죄가 성립하지 아니한다. ( )

19. 9급 검찰 · 마약수사, 21. 경찰간부, 22. 경찰승진

19 뜻하지 않게 절도범행이 발각되었을 경우 체포를 면탈하는 데 도움이 될 수 있을 것이라는 생각에서 등산용 칼을 준비한 경우 강도예비 · 음모죄가 성립한다. ( )

17. 법원행시, 19. 순경 1차, 20. 경찰간부, 21. 해경 1차, 22. 수사경과, 24. 변호사시험 · 해경승진

Answer 10. ○ 11. × 12. ○ 13. ○ 14. ○ 15. × 16. × 17. × 18. × 19. ×

기출문제

01 **다음 〈보기〉의 사례에서 강도죄의 구성요건이 실현된 경우는 모두 몇 개인가?**(다툼이 있는 경우 판례에 의함) 23. 해경 3차

> ㉠ 피고인이 피해자의 가방을 날치기하려고 조용히 다가가 순간적으로 가방을 낚아채어 도주하였는데 피해자가 이를 빼앗기지 않으려고 가방을 꽉 붙잡는 바람에 손가락에 골절상을 입은 경우
> ㉡ 신경안정제를 탄 음료수를 사람에게 마시게 하여 졸음에 빠지게 하고 그 틈을 이용해 그 사람의 지갑을 가져간 경우
> ㉢ 강간범인이 부녀를 강간할 목적으로 폭행·협박으로 반항을 억압한 후 반항 억압상태가 계속 중임을 이용하여 피해녀의 재물을 탈취하는 경우
> ㉣ 주점도우미와 합의하여 윤락행위 중 시비가 붙어 피해자를 이불을 덮어 폭행하고 이불 속에 들어있는 피해자를 두고 나가다가 탁자 위에 있는 피해자 가방에 든 현금을 가져간 경우

① 1개 ② 2개 ③ 3개 ④ 4개

해설 • **강도죄의 구성요건이 실현된 경우** ○ : ㉡ 대판 1984.12.11, 84도2324 ㉢ 대판 2010.12.9, 2010도9630
• **강도죄의 구성요건이 실현된 경우** × : ㉠ 대판 2003.7.25, 2003도236(강도죄 ×, 절도죄 ○) ㉣ 2009.1.30, 2008도10308(∵ 폭행과 절취행위 사이에 인과관계 ×)

02 **강도죄에 대한 설명 중 옳지 않은 것은 모두 몇 개인가?**(다툼이 있으면 판례에 의함) 16. 순경 2차

> ㉠ 甲과 乙은 야간에 丙의 집에 이르러 재물을 강취할 의도로 甲은 출입문 옆의 창살을 통하여 침입하고, 乙은 부엌 방충망을 뜯고 들어가다가 丙의 시아버지의 헛기침에 발각된 것으로 알고 도주한 경우 甲과 乙의 죄책은 특수강도미수죄이다.
> ㉡ 甲은 강도의 범의로 야간에 칼을 휴대한 채 타인의 주거에 침입하여 동정을 살피다가 피해자 乙을 발견하고 갑자기 욕정을 일으켜 칼로 협박하고 강간하였다. 甲의 죄책은 특수강도강간죄이다.
> ㉢ 형법 제334조 제1항(특수강도)은 야간에 사람의 주거, 관리하는 건조물, 선박이나 항공기 또는 자동차에 침입하여 제333조(강도)의 죄를 범한 자를 처벌한다고 규정하고 있다.
> ㉣ 형법 제336조(인질강도)의 죄를 범한 자가 인질을 안전한 장소로 풀어준 경우 형법 각칙에 해방감경 규정이 있다.

① 1개 ② 2개 ③ 3개 ④ 4개

해설 ㉠ ○ : 대판 1992.7.28, 92도917(형법 제334조 제1항 소정의 야간주거침입강도죄는 주거침입과 강도의 결합범으로서 시간적으로 주거침입행위가 선행되므로 주거침입을 한 때에 본죄의 실행에 착수한 것으로 볼 것인바, 같은 조 제2항 소정의 흉기휴대 합동강도죄에 있어서도 그 강도행위가 야간에 주거에 침입하여 이루어지는 경우에는 주거침입을 한 때에 실행에 착수한 것으로 보는 것이 타당하다.)
㉡ × : 특수강도강간죄 ×(대판 1991.11.22, 91도2296 ∵ 특수강도의 실행의 착수 ×)
㉢ × : ~ 항공기 또는 점유하는 방실(자동차 ×)에 침입하여 ~ ㉣ × : 해방감경 규정 ×

Answer 01. ② 02. ③

03 준강도죄에 관한 설명 중 옳지 않은 것을 모두 고른 것은?(다툼이 있는 경우 판례에 의함) 16. 사시

㉠ 절도범이 순찰 중이던 경찰관에게 발각되어 도주하다가 체포를 면하기 위하여 경찰관의 머리와 가슴을 수회 때린 경우 준강도죄와 공무집행방해죄가 성립하고, 양 죄는 상상적 경합관계에 있다.
㉡ 절도범이 체포를 면탈할 목적으로 피해자를 살해한 때에는 준강도죄와 살인죄의 경합범이 성립한다.
㉢ 절도범이 일단 체포되었다고 하지만 아직 신병확보가 확실하다고 할 수 없는 단계에서 체포된 상태를 면하기 위해서 피해자를 폭행하여 상해를 가한 경우 준강도죄와 강도상해죄가 성립한다.
㉣ 절도범이 체포를 면탈할 목적으로 체포하려는 여러 명의 피해자에게 같은 기회에 폭행을 가하여 그중 1인에게만 상해를 가한 경우 포괄하여 하나의 강도상해죄만 성립한다.
㉤ 피고인이 피해자의 집에서 절도범행을 마친지 10분 가량 지나 피해자의 집에서 200m 가량 떨어진 버스정류장이 있는 곳에서, 피고인을 절도범인이라고 의심하고 뒤쫓아 온 피해자에게 붙잡혀 피해자의 집으로 돌아와서 체포를 면탈하기 위해 피해자를 폭행한 경우에는 준강도죄가 성립하지 않는다.
㉥ 피고인이 피해자가 운영하는 술집에서 술을 마신 후 피해자로부터 술값의 지급을 요구받자, 술값의 지급을 면할 목적으로 피해자를 유인·폭행하여 도주하였다면 준강도죄가 성립한다.

① ㉠, ㉤ ② ㉡, ㉢ ③ ㉡, ㉥ ④ ㉡, ㉢, ㉥
⑤ ㉢, ㉣, ㉥ ⑥ ㉠, ㉡, ㉢, ㉥ ⑦ ㉡, ㉢, ㉣, ㉥

해설 ㉠ ○ : 대판 1992.7.28, 92도917
㉡ × : 강도살인죄 ○(대판 1987.9.22, 87도1592 ∵ 강도살인죄의 주체인 강도는 준강도죄의 범인을 포함한다.) ㉢ × : 강도상해죄 ○(대판 2001.10.23, 2001도4142)
㉣ ○ : 대판 2001.8.21, 2001도3447 ㉤ ○ : 대판 1999.2.26, 98도3321
㉥ × : 준강도죄 ×(대판 2014.5.16, 2014도2521 ∵ 준강도죄의 주체는 절도범인이고, 절도죄의 객체는 재물이므로, 사안의 경우 절도죄의 실행의 착수가 없고, 재물을 객체로 한 것이 아님)

04 준강도죄에 대한 설명으로 가장 적절한 것은?(다툼이 있는 경우 판례에 의함) 21. 순경 2차

① 단순절도범인이 처음에는 흉기를 휴대하지 아니하였으나, 체포를 면탈할 목적으로 폭행 또는 협박을 가할 때에 비로소 흉기를 휴대 사용하게 된 경우에는 단순강도의 준강도가 된다.
② 가방 날치기 수법의 점유탈취 과정에서 재물을 뺏기지 않으려고 바닥에 넘어진 상태로 가방끈을 놓지 않은 채 "내 가방, 사람 살려!!!"라고 소리치며 끌려가는 피해자를 5m 가량 끌고 가면서 무릎에 상해를 입힌 경우는 절도죄와 상해죄의 경합범으로 처벌된다.
③ 절도범이 체포를 면탈할 목적으로 자신을 체포하려는 여러 명의 피해자에게 같은 기회에 폭행을 가하여 그중 1인에게만 상해를 가한 경우에는 포괄하여 하나의 강도상해죄만 성립한다.
④ 양주를 절취할 목적으로 주점에 들어가 양주를 담고 있던 중 피해자가 들어오는 소리에 이를 두고 도망가려다가 피해자에게 붙잡혀 체포를 면탈하기 위해 폭행을 가한 경우는 준강도죄의 기수범으로 처벌된다.

Answer 03. ④ 04. ③

해설 ① × : ~ 특수강도(단순강도 ×)의 준강도가 된다(대판 1973.11.13, 73도1553 전원합의체).
② × : ~ 경우는 강도치상죄로 처벌된다(대판 2007.12.13, 2007도7601).
③ ○ : 대판 2001.8.21, 2001도3447
④ × : ~ 준강도죄의 미수범(기수범 ×)으로 처벌된다(대판 2004.11.18, 2004도5074 전원합의체).

05 **다음 사례(가~라)와 그에 대한 죄책(㉠~㉩)이 옳게 연결된 것은?**(다툼이 있는 경우 판례에 의함)
21. 경찰간부

가. 강도가 실행에 착수하였으나 아직 강도행위를 완료하기 전에 강간을 한 경우
나. 강간범이 강간행위가 종료한 후에 강도의 범의를 일으켜 그 부녀의 재물을 강취한 경우
다. 강간범이 강간 실행행위의 계속 중에 강도행위를 하고, 이후에 그 자리에서 강간행위를 계속하여 종료한 경우
라. 강도가 재물강취의 뜻을 재물의 부재로 이루지 못한 채 미수에 그치고, 그 자리에서 항거불능 상태에 빠진 피해자에 대한 강간의 실행에 착수했으나 역시 미수에 그쳤으며, 이 과정에서 반항을 억압하기 위한 폭행으로 피해자에게 상해를 입힌 경우

㉠ 강도죄	㉡ 강간죄	㉢ 강도강간죄	㉣ 강도미수죄
㉤ 강간미수죄	㉥ 강도강간미수죄	㉦ 강도치상죄	㉧ 강간치상죄
㉨ 경합범	㉩ 상상적 경합		

① 가(㉢) 나(㉠, ㉡, ㉨) 다(㉢) 라(㉥, ㉦, ㉩)
② 가(㉢) 나(㉠, ㉡, ㉨) 다(㉠, ㉡, ㉨) 라(㉥, ㉦, ㉩)
③ 가(㉢) 나(㉠, ㉡, ㉨) 다(㉢) 라(㉥, ㉧, ㉩)
④ 가(㉡, ㉣, ㉨) 나(㉢) 다(㉠, ㉡, ㉨) 라(㉣, ㉤, ㉩)

해설 **가** : ㉢(∵ 강도강간죄의 미수·기수는 강간행위의 미수·기수를 기준으로 결정되므로 강도가 기수라도 강간이 미수이면 강도강간미수죄, 반대로 강도가 미수라도 강간이 기수이면 강도강간기수죄)
나 : ㉡과 ㉠의 ㉨(대판 1977.9.28, 77도1350)
다 : ㉢(대판 1988.9.9, 88도1240)
라 : ㉥과 ㉦의 ㉩(대판 1988.6.28, 88도820)

06 **강도의 죄에 대한 설명으로 가장 적절한 것은?**(다툼이 있는 경우 판례에 의함) 18. 순경 3차

① 강도죄는 재물죄이며, 재산상의 이익은 강도죄의 객체가 될 수 없다.
② 피고인이 강도하기로 모의를 한 후 남성피해자의 금품을 빼앗고, 그 기회에 이어서 여성피해자를 강간하였다면 강도죄와 강간죄의 경합범이 성립한다.
③ 강도상해죄가 성립하기 위해서는 강도의 수단인 폭행에 의하여 상해를 입힐 것을 요하므로, 피고인의 상해행위는 강도가 기수에 이르기 전에 행하여져야만 한다.
④ 절도미수범이 체포를 면탈할 목적으로 피해자를 폭행한 경우에는 준강도죄의 미수범이 성립한다.

Answer 05. ① 06. ④

해설 ① × : 재산상의 이익도 강도죄의 객체 ○(제333조 후단 : 강제이득죄)
② × : 강도강간죄 ○(대판 1984.10.10, 84도1880)
③ × : ~ 입힐 것을 요하는 것은 아니고, 피고인의 ~ 전에 행하여져야만 하는 것은 아니다(대판 2014.9.26, 2014도9567). ④ ○ : 대판 2004.11.18, 2004도5074 전원합의체

07 **강도의 죄에 대한 설명 중 가장 적절한 것은?**(다툼이 있는 경우 판례에 의함) **20. 경찰승진**

① 甲이 A의 집에 침입하여 TV를 훔쳐 나오다가 A와 A의 아내 B가 소리를 지르며 쫓아오자 체포면탈 목적으로 A의 얼굴을 팔꿈치로 1회 가격하여 폭행하고, 곧바로 B의 정강이를 발로 걷어 차 B에게만 약 3주간의 치료가 필요한 상해를 가한 경우 甲은 포괄하여 하나의 강도상해죄만 성립한다.
② 甲이 절취품을 물색하던 중 피해자가 잠에서 깨어 '도둑이야'라고 고함치자 체포면탈목적으로 이불을 덮어씌우고 목을 졸라 상해를 입힌 경우 절도의 목적 달성 여부에 따라 강도상해죄의 성립 여부가 결정된다.
③ 甲과 乙이 합동하여 강도를 하던 중 乙이 사람을 살해한 경우 살해행위에 대해 甲과 乙이 공모한 바 없더라도 甲에게 강도살인죄가 성립한다.
④ 甲이 피해자의 재물을 강취하려 했으나 피해자가 가진 것이 없어 미수에 그쳤고, 그 자리에서 피해자를 강간하려고 했으나 역시 미수에 그치고 반항을 억압하기 위한 폭행으로 피해자에게 상해를 입힌 경우 강도강간미수죄와 강도치상죄의 실체적 경합범이 성립한다.

해설 ① ○ : 대판 2001.8.21, 2001도3447
② × : ~ 목적달성 여부에 관계없이 강도상해죄가 성립한다(대판 1985.5.28, 85도682).
③ × : ~ 공모한 바 없다면 甲에게 강도치사죄(강도살인죄 ×)가 성립한다(대판 1991.11.12, 91도2156).
④ × : 강도강간미수죄와 강도치상죄의 상상적 경합범(실체적 경합범 ×)(대판 1988.6.28, 88도820)

08 **강도의 죄에 대한 설명으로 가장 적절한 것은?**(다툼이 있는 경우 판례에 의함) **22. 경찰승진**

① 감금행위가 강도죄의 수단이 된 경우에는 강도죄 외에 별도로 감금죄가 성립하고 양죄는 실체적 경합관계에 있다.
② 절도범이 체포를 면탈할 목적으로 체포하려는 여러 명의 피해자에게 같은 기회에 폭행을 가하여 그중 1인에게만 상해를 가하였다면 피해자 각자에 대한 강도죄 및 1인에 대한 강도상해죄가 성립하고 이들 죄는 상상적 경합관계에 있다.
③ 강도가 실행에 착수하였으나 강도행위를 완료하기 전에 강간을 한 경우에는 강도강간죄가 성립하지 아니한다.
④ 재산상 이익을 취득한 후 체포를 면탈할 목적으로 피해자를 폭행하더라도 준강도죄는 성립할 수 없다.

해설 ① × : ~ 상상적(실체적 ×) 경합관계에 있다(대판 1997.1.21, 96도2715).
② × : ~ (2줄) 상해를 가하였다면 포괄하여 1개의 강도상해죄가 성립한다(대판 2001.8.21, 2001도3447).

Answer 07. ① 08. ④

③ × : ~ 성립한다(∵ 강도강간죄의 미수·기수는 강간행위의 미수·기수를 기준으로 결정되므로 강도가 기수라도 강간이 미수이면 강도강간미수죄, 반대로 강도가 미수라도 강간이 기수이면 강도강간기수죄).
④ ○ : 대판 2014.5.16, 2014도2521

09 다음 사례에 대한 설명으로 옳지 않은 것은?(다툼이 있는 경우 판례에 의함) 19. 9급 검찰·마약수사

> 甲과 乙은 주간에 함께 A의 집에 침입하여 도품을 물색하던 중, A에게 발각되어 각자 다른 길로 도주했다. 도주 중 甲은 자신을 추적해 오는 A를 발로 차서 넘어지게 하였다. 한편 乙은 순찰 중에 "도둑이야!"라는 소리를 듣고 범인을 체포하려고 달려온 사복 경찰관을 집주인 A라고 생각하고 체포를 면탈하기 위해 각목을 주워 그의 머리를 내리쳐 전치 8주의 상처를 입혔다.

① 甲과 乙이 A의 집에 침입한 행위는 공동주거침입에 해당한다.
② 甲과 乙이 A의 집에서 도품을 물색한 행위는 합동절도의 실행의 착수에 해당한다.
③ 甲이 자신을 추적해 오는 A를 폭행한 행위는 준강도죄를 구성한다.
④ 乙이 경찰관에게 상해를 가한 행위는 강도상해죄와 특수공무집행방해치상죄를 구성한다.

해설 ① 폭력행위 등 처벌에 관한 법률 제2조 제2항 제1호
② 대판 2009.12.24, 2009도9667 ③ 대판 1984.9.11, 84도1398
④ × : 강도상해죄 ○, 특수공무집행방해치상죄 ×(∵ 사복경찰관을 집주인 A라고 생각하였으므로 상대방이 직무를 집행하는 공무원이라는 사실에 대한 인식이 없어 공무집행방해죄의 고의가 부정됨)

10 다음 사례에 대한 설명으로 옳지 않은 것은?(다툼이 있는 경우 판례에 의함) 18. 7급 검찰, 22. 해경 2차

> 甲은 A와 채무 변제기의 유예 여부 등을 놓고 언쟁을 벌이다가 순간적으로 A를 살해하여 채무의 지급을 면하기로 마음먹고, 망치로 A의 뒷머리 부분을 수회 때리는 등의 방법으로 살해하였다. 마침 A의 옷에 지갑이 있는 것을 발견하고, 장차 사체가 발견될 때 A의 신원이 밝혀지는 게 두려워 이를 숨기기 위하여 지갑을 꺼내 A가 타고 온 차량의 사물함에 통째로 넣어두었다. 그로부터 15시간 가량 지난 후인 그 다음 날 10 : 00경 범행현장에 다시 와서 A의 사체를 인근 공사장 창고에 버리고, 지갑 속에 들어 있던 돈을 꺼내어 가서 담뱃값으로 사용하였다.

① 채무면탈 목적으로 A를 살해하는 행위는 채무의 존재가 명백할 뿐만 아니라 채권자의 상속인이 존재하고 그 상속인에게 채권의 존재를 확인할 방법이 확보되어 있다면 강도살인죄가 성립하지 않는다.
② A의 사체가 발견될 때 피해자의 신원이 밝혀지는 게 두려워 이를 숨기기 위하여 지갑을 꺼내 차량의 사물함에 통째로 넣어 두는 행위에 대하여 甲에게 지갑에 대한 불법영득의 의사를 인정하기 어렵다.
③ 지갑 속의 돈을 꺼내어 담뱃값으로 사용한 행위는 살인행위와 시간상 및 거리상 극히 근접하여 사회통념상 범죄행위가 완료되지 아니한 상태에서 이루어진 것이므로 甲에게는 강도살인죄가 성립한다.

Answer 09. ④ 10. ③

④ A의 사체를 공사장 창고에 버리는 행위는 사체유기죄에 해당하며, 사체유기죄는 살인행위 등으로 성립될 범죄와 실체적 경합관계에 있다.

해설 ① 대판 2004.6.24, 2004도1098 ② 대판 2000.10.13, 2000도3655
③ ×: 살해 후 상당한 시간이 지난 후에 별도의 범의에 터 잡아 이루어진 재물 취거행위를 그보다 앞선 살인행위와 합쳐서 강도살인죄로 처단할 수 없다(대판 2004.6.24, 2004도1098).
④ 대판 2004.6.24, 2004도1098

11 **절도 및 강도의 죄에 관한 설명 중 가장 적절한 것은?**(다툼이 있는 경우 판례에 의함) 23. 순경 1차

① 주거침입이 주간에 이루어졌더라도 야간에 절취행위를 하였다면 야간주거침입절도죄가 성립한다.
② 절도습벽의 발현으로 절도, 야간주거침입절도, 특수절도, 자동차 등 불법사용의 범행을 함께 저지른 경우, 자동차 등 불법사용의 범행은 상습절도죄에 흡수되지 않고 자동차불법사용죄가 따로 성립한다.
③ 절도범인이 처음에는 흉기를 휴대하지 아니하였으나, 체포를 면탈할 목적으로 폭행 또는 협박을 가할 때에 비로소 흉기를 휴대 사용하게 된 경우에는 형법 제334조의 예에 의한 준강도(특수강도의 준강도)가 된다.
④ 강도살인죄의 주체인 '강도'에는 준강도죄의 강도범인이 포함되지 않는다.

해설 ① ×: 주간에 사람의 주거에 침입하여 야간에 타인의 재물을 절취한 행위는 야간주거침입절도죄가 성립하지 않는다(대판 2011.4.14, 2011도300).
② ×: ~ (2줄) 상습절도죄에 흡수되어 자동차불법사용죄가 따로 성립하지 않는다(대판 2002.4.26, 2002도429 ∴ 상습절도죄 일죄만 성립됨).
③ ○: 대판 1973.11.13, 73도1553 전원합의체
④ ×: ~ 강도범인이 포함된다(대판 1987.9.22, 87도1592).

12 **절도와 강도의 죄에 관한 설명으로 옳은 것은 모두 몇 개인가?**(다툼이 있는 경우 판례에 의함) 24. 경찰간부

㉠ 작성권한 없는 자에 의하여 위조된 유가증권이라고 하더라도 절차에 따라 몰수되기까지는 그 소지자의 점유를 보호하여야 한다는 점에서 절도죄의 객체가 될 수 있다.
㉡ 강도범행 이후에도 피해자를 계속 끌고 다니거나 차량에 태우고 함께 이동하는 등으로 강도범행으로 인한 피해자의 심리적 저항불능 상태가 해소되지 않은 상태에서 강도 범인의 상해행위가 있었다면 강취행위와 상해행위 사이에 다소의 시간적·공간적 간격이 있었으므로 강도상해죄가 성립하지 않는다.
㉢ 甲이 A의 방에서 A를 살해한 후 불법영득의사가 생겨 비로소 A의 물건을 가지고 나온 경우, 그 물건에 대한 A의 점유가 계속되고 있어 甲의 행위는 절도죄에 해당한다.

Answer 11. ③ 12. ③

ⓔ 절도 습벽의 발현으로 절도, 야간주거침입절도, 특수절도, 자동차 등 불법사용의 범행을 함께 저지른 경우, 자동차 등 불법사용의 범행은 상습절도 등의 죄에 흡수되어 1죄만이 성립하고 이와 별개로 자동차 등 불법사용죄가 성립하는 것은 아니다.

① 1개 ② 2개 ③ 3개 ④ 4개

해설 ㉠ ○ : 대판 1998.11.24, 98도2967
㉡ × : ~ (3줄) 시간적 · 공간적 간격이 있었다는 것만으로는 강도상해죄의 성립에 영향이 없다(대판 2014.9.26, 2014도9567).
㉢ ○ : 대판 1993.9.28, 93도2143
㉣ ○ : 대판 2002.4.26, 2002도429

13 다음 사례와 관련된 설명 중 옳은 것은?(다툼이 있는 경우 판례에 의함)

24. 변호사시험

甲이 절도의 고의로 이웃집에 담을 넘어 들어갔다가 훔칠 물건을 찾을 새도 없이 때마침 귀가한 A에게 곧바로 발각되었다. A가 甲을 향해 "너, 누구야?"라고 소리치며 붙잡으려 하자, 甲이 도망치기 위해 A를 폭행하였다.

① 위 사례가 주간에 발생했다면, 甲에게 절도미수죄가 성립한다.
② 위 사례가 주간에 발생했고, 甲이 담을 넘어 들어갈 때 범행에 사용할 의도로 칼을 소지하고 있었다고 하더라도, 실제 甲이 A를 폭행할 때 칼을 사용하지 않았다면 특수주거침입죄나 특수폭행죄는 성립하지 않는다.
③ 위 사례가 야간에 발생했다면, 甲에게 준강도기수죄가 성립한다.
④ 위 사례가 야간에 발생했고, 甲이 A를 폭행한 후 곧이어 뒤따라 온 B에게 붙잡히게 되자 도망치기 위해 B에게 상해를 가한 경우, 甲에게는 포괄하여 하나의 강도상해죄가 성립한다.
⑤ 위 사례와는 별도로, 甲이 차량 내부의 물건을 훔치려고 하다가 혹시라도 발각되었을 때 체포를 면탈하는 데 도움이 될 수 있을 것이라는 생각에서 칼을 소지하고 심야에 인적이 드문 길가에 주차된 차량들을 살피던 중 적발된 경우, 甲에게 강도예비죄가 성립한다.

해설 ① × : 야간이 아닌 주간에 절도의 목적으로 타인의 주거에 침입하였다고 하여도 아직 절취할 물건의 물색행위를 시작하기 전이라면 주거침입죄만 성립할 뿐 절도죄의 실행에 착수한 것으로 볼 수 없다(대판 1992.9.8, 92도1650).
② × : ~ 칼을 소지하고 있었다면, 실제 甲이 A를 폭행할 때 칼을 사용하지 않았다 하더라도 특수주거침입죄나 특수폭행죄가 성립한다(대판 2007.3.30, 2007도914).
③ × : ~ 준강도미수죄가 성립한다(대판 2004.11.18, 2004도5074 전원합의체 ∵ 절도의 기수 ×).
④ ○ : 대판 2001.8.21, 2001도3447
⑤ × : 강도예비죄 ×(대판 2006.9.14, 2004도6432 ∵ '강도'할 목적 ×, '준강도'할 목적 ○)

Answer 13. ④

14 **절도와 강도의 죄에 관한 설명으로 가장 적절한 것은?**(다툼이 있는 경우 판례에 의함) **24. 순경 1차**

① 타인의 예금통장을 무단사용하여 예금을 인출한 후 바로 통장을 반환한 경우, 그 사용으로 인한 경제적 가치의 소모 정도를 불문하고 예금통장에 대한 절도죄는 성립하지 않는다.

② 강간범이 강간행위의 계속 중에 강도행위를 한 경우, 이후에 그 자리에서 강간행위를 계속한다 하더라도 형법상 강도강간죄가 성립하지 않는다.

③ 형법상 권리자의 동의없이 타인의 자동차를 일시 사용한 자는 처벌되는 데 반해, 권리자의 동의없이 타인의 원동기장치자전거를 일시 사용한 자는 처벌되지 않는다.

④ 甲이 2024. 1. 1. 15 : 40경 문이 열려 있는 A의 주거에 침입하여 머물러 있다가, 같은 날 21 : 00경 그곳에 있던 A소유의 시가 100만원 상당 노트북 1대를 가지고 나와 절취한 경우, 甲에게는 야간주거침입절도죄가 성립하지 않는다.

해설 ① × : 타인의 예금통장을 무단사용하여 예금을 인출한 후 바로 예금통장을 반환하였다 하더라도 그 사용으로 인한 위와 같은 경제적 가치의 소모가 무시할 수 있을 정도로 경미한 경우가 아닌 이상, 예금통장 자체가 가지는 예금액 증명기능의 경제적 가치에 대한 불법영득의 의사를 인정할 수 있으므로 절도죄가 성립한다(대판 2010.5.27, 2009도9008).
② × : ~ 강간행위를 계속한 경우 강도강간죄가 성립한다(대판 1988.9.9, 88도1240).
③ × : 형법상 권리자의 동의 없이 타인의 자동차, 선박, 항공기 또는 원동기장치자전거를 일시 사용한 자는 처벌된다(제331조의 2).
④ ○ : 대판 2011.4.14, 2011도300

15 **절도와 강도의 죄에 관한 설명으로 옳지 않은 것은?**(다툼이 있는 경우 판례에 의함) **24. 경위공채**

① 절도범인이 피해자로부터 옷을 잡히자 체포를 면하려고 충동적으로 저항을 시도하여 잡은 손을 뿌리친 경우, 이러한 정도의 폭행은 피해자의 체포력을 억압함에 족한 정도에 이르지 않은 것으로 봄이 상당하여 준강도죄로 의율할 수 없다.

② 날치기 수법의 점유탈취 과정에서 이를 알아채고 재물을 뺏기지 않으려는 피해자의 반항에 부딪혔음에도 계속하여 그 피해자를 끌고 가면서 억지로 재물을 빼앗는 행위는 피해자의 반항을 억압한 후 재물을 강취한 경우로서 강도에 해당한다.

③ 절취한 타인의 신용카드를 이용하여 현금지급기에서 타인의 계좌에서 자신의 계좌로 돈을 이체한 후 자신의 신용카드나 현금카드를 이용하여 현금을 인출한 경우, 이러한 현금인출행위는 현금지급기 관리자의 의사에 반한다고 볼 수 없어 절취행위에 해당하지 않으므로 절도죄를 구성하지 않는다.

④ 식당건물의 임차인이 임대계약종료 후 퇴거하면서 종전부터 사용하던 냉장고의 전원을 켜 둔 채 그대로 두었다가 약 한달 후에 철거하여 그 기간동안 전기가 소비된 경우, 타인의 점유·관리하에 있던 전기를 사용한 것이므로 절도죄가 성립한다.

해설 ① 대판 1985.5.14, 85도619 ② 대판 2007.12.13, 2007도7601 ③ 대판 2008.6.12, 2008도2440
④ × : 절도죄 ×〔대판 2008.7.10, 2008도3252 ∵ 자기(임차인)의 점유·관리하에 있던 전기 ○, 타인(임대인)의 점유·관리하에 있던 전기 ×〕

Answer 14. ④ 15. ④

제4절 사기의 죄

1 사기죄

> **제347조 제1항** 사람을 기망하여 재물의 교부를 받거나 재산상의 이익을 취득한 자는 10년 이하의 징역 또는 2천만원 이하의 벌금에 처한다.
> **제347조 제2항** 전항의 방법으로 제3자로 하여금 재물의 교부를 받게 하거나 재산상의 이익을 취득하게 한 때에도 전항의 형과 같다.

미수범 처벌(제352조), 상습범 가중처벌(제351조), 친족상도례 적용(제354조)

기망에 의하여 국가적·사회적 법익을 침해하거나, 개인적 법익 중 재산권을 침해하지 않을 때에는 사기죄가 성립하지 않는다.

예 1. 기망행위에 의하여 조세를 포탈하거나 조세의 환급·공제를 받은 경우 ⇨ 조세범처벌법 위반죄 ○, 국가 또는 지방자치단체에 대한 사기죄 ×(대판 2008.11.27, 2008도7303 예 주유소 운영자가 농·어민 등에게 조례특례제한법에 정한 면세유를 공급한 것처럼 위조한 유류공급확인서로 정유회사를 기망하여 면세유를 공급받은 경우) 17. 경찰간부·변호사시험, 19. 수사경과, 21. 경찰승진, 24. 법원행시

2. 사기죄의 보호법익은 재산권이므로, 기망행위에 의하여 국가적 또는 공공적 법익이 침해되었다는 사정만으로 사기죄가 성립한다고 할 수 없다. 따라서 도급계약이나 물품구매 조달계약 체결 당시 관련 영업 또는 업무를 규제하는 행정법규나 입찰 참가자격, 계약절차 등에 관한 규정을 위반한 사정이 있더라도 그러한 사정만으로 도급계약을 체결한 행위가 기망행위에 해당한다고 단정해서는 안 되고, 그 위반으로 말미암아 계약 내용대로 이행되더라도 일의 완성이 불가능하였다고 평가할 수 있을 만큼 그 위법이 일의 내용에 본질적인 것인지 여부를 심리·판단하여야 한다(대판 2023.1.12, 2017도14104). 21. 법원직, 23. 순경 2차·해경 3차

3. 도급계약에서 편취에 의한 사기죄의 성립 여부는 계약 당시를 기준으로 피고인에게 일을 완성할 의사나 능력이 없음에도 피해자에게 일을 완성할 것처럼 거짓말을 하여 피해자로부터 일의 대가 등을 편취할 고의가 있었는지 여부에 의하여 판단하여야 한다. 이때 법원으로서는 도급계약의 내용, 체결 경위 및 계약의 이행과정이나 결과 등을 종합하여 판단하여야 한다(대판 2023.1.12, 2017도14104 예 피고인이 설립한 A주식회사는 설립 자본금을 가장납입하고, 무자격 건설업자로 전문공사를 하도급받을 수 없었음에도, 하도급 계약을 체결한 후, 공사대금을 지급받아 편취한 경우 ⇨ 사기죄 × ∵ 피고인에게 각 공사를 완성할 의사나 능력이 없었다고 단정하기 어렵고, 기망행위로 인한 재물의 편취에 해당한다고 보기 어렵다). 24. 법원행시

4. 기망행위에 의하여 국가적 또는 공공적 법익을 침해하는 경우라도 그와 동시에 형법상 사기죄의 보호법익인 재산권을 침해하는 것과 동일하게 평가할 수 있는 때에는 행정법규에서 사기죄의 특별관계에 해당하는 처벌규정을 별도로 두고 있지 않는 한 사기죄가 성립할 수 있다. 그런데 권력작용으로 부담금을 부과하는 침해행정 영역에서 일반 국민이 담당 공무원을 기망하여 권력작용에 의한 재산권 제한을 면하는 경우에는 부과권자의 직접적인 권력작용(예 조세를 강제적으로 징수)을 사기죄의 보호법익인 재산권과 동일하게 평가할 수 없는 것이므로, 사기죄는 성립할 수 없다(대판 2019.12.24, 2019도2003 예 피고인이 담당공무원을 기망하여 납부의무가 있는 농지보전부담금을 면제받아 재산상 이익을 취득한 경우 ⇨ 사기죄 ×). 21. 법원행시, 22. 경찰승진·7급 검찰, 21·22. 순경 1차

(1) 의 의

사기죄는 사람을 기망하여 재물의 교부를 받거나 재산상의 이익을 취득하는 행위 혹은 제3자로 하여금 이를 취득하게 함으로써 성립하는 범죄이다.

관련판례

1. 甲은 전매금지된 택지분양권을 A에게 매도한 뒤 이를 다시 B에게 매도한 다음 이중매도한 사실을 고지하지 아니한 채 B가 C에게 이 분양권을 전매하는 매매계약에 형식적인 매도인으로 관여하면서 직접 매매대금을 수령하지 않고 C로 하여금 B에게 매매대금을 교부하게 한 경우 甲에게 사기죄가 성립한다(대판 2009.1.30, 2008도9985 ∵ 재물편취를 내용으로 하는 사기죄에 있어서는 기망으로 인한 재물교부가 있으면 그 자체로써 피해자의 재산침해가 되어 곧 사기죄는 성립하는 것이고, 그로 인한 이익이 결과적으로 누구에게 귀속하는지는 사기죄의 성부에 아무런 영향이 없다). 16. 7급 검찰·철도경찰, 19. 경찰간부
2. 타인을 기망하여 그를 피해자로부터 편취한 재물이나 재산상 이익을 전달하는 도구로서만 이용한 경우, 피해자에 대한 사기죄가 성립할 뿐 도구로 이용된 타인에 대한 사기죄가 별도로 성립한다고 할 수 없다(대판 2017.5.31, 2017도3894). 18·20. 변호사시험, 22. 경찰간부, 23. 순경 1차, 24. 해경간부
3. 범인이 기망행위에 의해 스스로 재물을 취득하지 않고 제3자로 하여금 재물의 교부를 받게 한 경우에 사기죄가 성립하려면, 그 제3자가 범인과 사이에 정을 모르는 도구 또는 범인의 이익을 위해 행동하는 대리인의 관계에 있거나, 그렇지 않다면 적어도 불법영득의사와의 관련상 범인에게 그 제3자로 하여금 재물을 취득하게 할 의사가 있어야 한다(대판 2012.5.24, 2011도15639).

(2) **행위의 객체** : 타인이 점유하는 타인의 재물 또는 재산상의 이익

① **재물** : 타인이 점유하는 타인의 재물을 말한다(여기서 재물에는 부동산도 포함).

甲이 乙에게서 매수한 재개발아파트 수분양권을 이미 매도하였는데도 위 수분양권을 이중으로 매도할 목적으로 마치 자신이 乙의 입주권을 정당하게 보유하고 있는 것처럼 乙의 딸과 사위에게 거짓말하여 乙명의의 인감증명서 3장을 교부받은 경우 ⇨ 사기죄 ○(대판 2011.11.10, 2011도9919 ∵ 인감증명서는 형법상의 '재물'에 해당한다.) 15. 사시, 19. 법원직, 22. 경력채용

② **재산상의 이익** : 채권을 취득하거나 담보를 제공받는 등의 적극적 이익뿐만 아니라 채무를 면제받는 등의 소극적 이익까지 포함한다(대판 2012.4.13, 2012도1101). 사법상 유효할 것도 요하지 않으며 외관상 재산상 이익을 취득하였다는 사실관계가 있으면 족하다. 그리고 사기죄에 있어서 재산상의 이익은 계산적으로 산출할 수 있는 이익에 한정하지 아니하므로 범죄사실을 판시함에 있어서도 그 이익의 수액을 명시하지 않았다 하더라도 위법이라고 할 수 없다(대판 1997.7.25, 97도1095). 09. 법원행시

관련판례

1. 채무자의 기망행위로 인하여 채권자가 채무를 확정적으로 소멸 내지 면제시키는 특약 등 처분행위를 한 경우에는 채무의 면제라고 하는 재산상 이익에 관한 사기죄가 성립하고, 후에 재산적 처분행위가 사기를 이유로 민법에 따라 취소될 수 있다고 하여 달리 볼 것은 아니다(대판 2012.4.13, 2012도1101 예 甲이 피해자를 속여 부동산을 매도하면서 매매대금 전부를 피해자의 甲에 대한 기존 채권과 상계하는 방법으로 지급받은 경우 ⇨ 사기죄 ○ ∵ 상계에 의하여 기존 채무가 소멸되는 재산상 이익 취득 ○). 15. 사시, 18·24. 법원행시, 20. 경찰간부

2. 금품을 받을 것을 전제로 성행위를 하는 부녀를 기망하여 성행위대가의 지급을 면한 경우 ⇨ 사기죄 ○(대판 2001.10.23, 2001도2991 ∵ 부녀가 금품 등을 받을 것을 전제로 하는 성행위의 대가는 사기죄의 객체인 경제적 이익에 해당) 17. 경찰간부, 18. 수사경과, 20. 변호사시험, 24. 순경 2차
3. 보험가입사실증명원에 의한 보험가입사실을 증명 ⇨ 재산상 이익 취득 × ⇨ 사기죄 ×(대판 1997.3.28, 96도2625) 10. 사시, 16. 순경 2차, 24. 해경승진·법원행시
4. 통정허위표시로서 무효인 임대차계약에 기초하여 임차권등기를 마침으로써 외형상 임차인으로서 취득하게 된 권리는 사기죄에서의 재산상 이익에 해당한다(대판 2012.5.24, 2010도12732). 17. 변호사시험
5. 채무이행을 연기받는 것은 사기죄에 있어서 재산상의 이익이 되므로 채무자가 채권자에 대하여 소정기일까지 지급할 의사나 능력이 없음에도 종전 채무의 변제기를 늦출 목적에서 어음을 발행·교부한 경우에는 사기죄가 성립한다(대판 1997.7.25, 97도1059). 18. 경찰간부, 20. 법원직, 24. 해경승진
6. 발행인의 자금부족으로 지급이 거절된 약속어음도 사기죄의 객체가 된다(대판 1985.3.9, 85도951 ∵ 소지인은 소구권을 행사할 수 있어서 그 효용이 소멸된 것이 아님). 11. 경찰승진, 19. 경찰간부
7. 위조된 약속어음을 진정한 약속어음인 것처럼 속여 기왕의 물품대금의 변제를 위해 채권자에게 교부한 경우 ⇨ 사기죄 ×(대판 1983.4.12, 82도2938 ∵ 어음이 결재되지 않는 한 물품대금채무 소멸 × ⇨ 재산상 이익 취득 ×) 20. 법원직·경찰간부, 22. 수사경과, 23. 해경승진
8. 채무자가 채권자에 대한 채무이행으로 제3자에 대한 허위의 채권을 양도한 경우 ⇨ 사기죄 ×(대판 1985.3.12, 85도74 ∵ 기존채무가 소멸 × ⇨ 재산상 이익 취득 ×) 22. 경찰승진, 24. 해경승진
9. 경제적 이익을 기대할 수 있는 자금운용의 권한 내지 지위의 획득도 그 자체로 경제적 가치가 있는 것으로 평가할 수 있다면 사기죄의 객체인 재산상의 이익에 포함된다(대판 2012.9.27, 2011도282). 13. 순경 2차
10. 피고인(매수인)과 피해자(매도인)들 사이의 매매계약이 토지거래허가를 받지 아니하여 유동적 무효의 상태에 있었다 하더라도, 피고인이 대출금 및 매매대금을 정산해 줄 것처럼 피해자를 기망하여 그로 하여금 근저당권을 설정하게 함으로써 재산상의 이익을 취득한 이상 피고인으로서는 사기죄의 죄책을 면할 수 없다(대판 2008.2.14, 2007도10658). 10. 사시
11. 피해자를 기망하여 그를 연대보증인으로 하여 자신이 경영하는 회사와 보증보험회사 간에 차량들의 할부판매보증보험계약을 체결하게 함으로써 그 차량매매대금 중 선지급금을 제외한 나머지 금액 상당의 재산상의 이익을 편취한 경우 ⇨ 사기죄 ○(대판 1995.8.25, 94도2132) 06. 법원행시
12. 채무자가 채무변제를 위해 채권자에게 대물변제하기로 한 물건을 제3자에게 처분한 경우 ⇨ 사기죄 ×(대판 1989.10.24, 89도1397 ∵ 제3자를 기망하여 매매대금을 편취 ×)
13. 비트코인은 경제적인 가치를 디지털로 표상하여 전자적으로 이전, 저장과 거래가 가능하도록 한 가상자산의 일종으로 사기죄의 객체인 재산상 이익에 해당한다(대판 2021.11.11, 2021도9855). 22. 순경 1차·법원행시, 23. 경력채용, 24. 경찰승진·해경승진, 25. 변호사시험

(3) 행 위

사기죄가 성립하려면 행위자의 기망행위, 피기망자의 착오와 그에 따른 처분행위, 그리고 행위자 등의 재물이나 재산상 이익의 취득이 있고, 그 사이에 순차적인 인과관계가 존재하여야 한다(대판 2017.9.26, 2017도8449). 17. 순경 2차, 18. 수사경과

① 기 망

㉠ **의의** : 기망이란 널리 재산상의 거래관계에서 서로 지켜야 할 신의와 성실의 의무를 저버리는 모든 적극적 또는 소극적 행위를 말하는 것으로서, 반드시 법률행위의 중요부분에 관한 것임을 요하지 않고, 상대방을 착오에 빠지게 하여 행위자가 희망하는 재산적 처분행위를 하도록 하기 위한 판단의 기초 사실에 관한 것이면 충분하다(대판 2007.10.25, 2005도1991). 09 · 12. 경찰승진

관련판례

1. 타인으로부터 금전을 차용하면서 그 용도를 속였고, 만일 사실대로 고지하였더라면 상대방이 응하지 않았을 경우에 차용금채무에 대한 상당한 담보를 제공하였더라도 사기죄가 성립한다(대판 2005.9.15, 2003도5382). 13. 수사경과, 15. 법원행시, 18. 순경 2차
2. 민간사업자가 국민주택건설자금으로 사용할 것처럼 용도를 속여 대출받아 대출자금 중 일부를 나중에 국민주택건설자금으로 사용한 경우 ⇨ 대출금전액에 대한 사기죄(대판 2002.7.26, 2002도2620) 12. 순경 1차
3. 명의상의 학원원장에 불과한 자가 창업자금 대출금 중 일부를 개인적인 용도로 사용할 생각이었음에도 불구하고 위 대출금을 학원 운전자금 용도로 사용하겠다면서 보증을 신청하여 대출받은 경우 ⇨ 사기죄(대판 2003.12.12, 2003도4450) 07. 순경

㉡ **기망의 수단 · 방법** : 기망의 수단 · 방법에는 제한이 없다. 명시적인 기망행위이나 묵시적인 기망행위는 물론 부작위에 의한 기망도 가능하다.

ⓐ 명시적 기망 : 언어나 문서의 표현수단을 사용하여 허위의 주장을 하는 것을 말한다.

관련판례

• **사기죄가 성립되는 경우**

1. 비의료인이 개설한 의료기관이 의료법에 의하여 적법하게 개설된 요양기관인 것처럼 국민건강보험공단에 요양급여비용의 지급을 청구하여 지급받은 경우, 명의를 빌려준 의료인으로 하여금 요양급여를 제공하도록 하였더라도 사기죄가 성립한다(대판 2015.7.9, 2014도11843). 17 · 20. 법원직, 21 · 23. 경찰승진, 23. 해경승진 적법하게 개설되지 아니한 의료기관의 실질 개설 · 운영자가 적법하게 개설된 의료기관인 것처럼 의료급여비용의 지급을 청구하여 이에 속은 국민건강보험공단으로부터 의료급여비용 명목의 금원을 지급받아 편취한 경우, 국민건강보험공단을 피해자로 보아야 하고, 의료급여비용이 시 · 도에 설치된 의료급여기금을 재원으로 지급된다거나, 의료급여비용 편취 범행으로 인한 재산상 손해가 최종적으로 국민건강보험공단에 귀속되지 않는다고 하여 달리 볼 것은 아니다(대판 2023.10.26, 2022도90). 24. 법원행시

▶ **유사판례** : 약사가 아닌 자가 개설한 약국이 마치 약사법에 의하여 적법하게 개설된 요양기관인 것처럼 국민건강보험공단에 요양급여비용의 지급을 청구하는 것은 국민건강보험공단으로 하여금 요양급여비용 지급에 관한 의사결정에 착오를 일으키게 하는 것으로서 사기죄의 기망행위에 해당하고, 이러한 기망행위에 의하여 국민건강보험공단으로부터 요양급여비용을 지급받을 경우

에는 사기죄가 성립하며, 설령 그 약국의 개설 명의인인 약사가 직접 의약품을 조제·판매하고 환자들을 상대로 복약지도를 하였다 하여 달리 볼 것은 아니다(대판 2022.6.30, 2022도4108).

▶ **비교판례**

① 비의료인(의료인의 자격이 없는 일반인)이 의료법을 위반하여 개설한 의료기관에서, 면허를 갖춘 의료인을 통해 교통사고 환자 등에 대한 진료를 한 후 ㉠ 자동차손해배상보장법에 따라 자동차보험 진료수가를 청구하거나, ㉡ 실손의료보험계약에 따라 실손의료비를 청구하는 보험수익자에게 진료사실증명 등을 발급해 준 경우 ⇨ 사기죄 ×(대판 2018.4.10, 2017도17699 ∵ 진료한 의료기관이 의료법에 위반되어 개설된 것이라는 사정은 해당 피보험자에 대한 보험회사의 자동차보험진료수가나 실손의료비 지급의무에 영향을 미칠 수 있는 사유가 아니어서 기망이 있다고 볼 수는 없다.)

② 의료인이 의료법에 따라 다른 의료인의 명의로 의료기관을 개설(의료법 위반)하여 요양급여를 실시하고 국민건강보험공단으로부터 요양급여비용을 지급받은 경우 ⇨ 사기죄 ×(대판 2019.5.30, 2019도1839 ∵ 그 의료기관은 요양급여비용을 청구할 수 있는 요양기관에서 제외 ×) 21. 법원직·순경 1차, 23. 해경 3차

2. 분식결산서(대판 2000.9.8, 2000도1447), 분식회계에 의한 재무제표 등으로 금융기관을 기망하여 대출을 받은 경우(대판 2005.4.29, 2002도7262) 10. 사시, 11. 경찰승진
3. 신용카드 가맹점주가 매출전표를 허위로 작성하여 신용카드회사에 제출하여 금원을 교부받은 경우(대판 1999.2.12, 98도3549) 10. 법원행시
4. 융통어음을 진정어음인 것처럼 적극적인 위장수단을 강구하여 할인받은 경우(대판 1997.7.25, 97도1095 : 일부의 담보를 제공한 경우 ⇨ 담보가액을 공제하지 아니한 편취금액 전부에 대한 사기죄) 07. 경찰승진

• 사기죄가 성립되지 않는 경우

1. 타인의 일반전화를 무단으로 이용하여 전화통화를 한 경우 ⇨ 한국전기통신공사에 대한 기망행위 ×, 한국전기통신공사의 처분행위 × ⇨ 사기죄 ×(대판 1999.6.25, 98도3891)
2. 임상병리사가 아닌 간호사가 당직의사의 지도하에서 제한적으로 환자에 대하여 심전도 검사를 하고, 의료법인 대표가 이에 대한 검사료를 청구하여 보험금을 수령한 경우 편취행위에 해당하지 않는다(대판 2009.6.11, 2009도794).

ⓑ 부작위에 의한 기망 : 법률상 고지의무 있는 자가 일정한 사실에 관해 상대방이 착오에 빠져 있음을 알면서도 그 사실을 고지하지 않는 경우로 일반 거래의 경험칙상 상대방이 그 사실을 알았더라면 법률행위를 하지 않았을 것이 명백한 경우에는 신의칙상 그 사실을 고지할 법률상 의무가 인정된다(대판 2004.5.27, 2003도4531). 13. 수사경과, 21. 법원직, 22. 경찰승진, 23. 순경 1차 따라서 이를 고지하지 아니한 것은 고지할 사실을 묵비함으로써 상대방을 기망한 것이 되어 사기죄를 구성한다(대판 1996.7.30, 96도1081). 24. 순경 1차

관련판례

• 사기죄가 성립되는 경우

1. 상대방이 착오로 과다한 거스름돈을 주는 것을 알면서 받은 경우(소위 잔전사기) ⇨ 과분한 거스름돈임을 현장에서 알고 받으면 사기죄, 사후에 알고 영득한 때에는 점유이탈물횡령죄(대판 2004.5.27,

2003도4531 ; 부동산 매수인이 매도인에게 매매잔금을 지급함에 있어 착오에 빠져 지급액을 초과하여 교부하는 경우 매도인이 교부받기 전이나 교부받던 중에 그 사실을 알면서 그대로 수령한 경우에는 사기죄, 잔금을 교부받은 후에야 비로소 그 사실을 알게 되었을 경우에는 점유이탈물횡령죄) 16. 7급 검찰·철도경찰, 23. 경찰간부

2. ① 여관건물이 경매진행 중임에도 불구하고 이를 알리지 않고 임대하여 보증금을 수령한 경우(대판 1998.12.8, 98도3263 ; 임차인이 등기부를 확인·열람하는 것이 가능하더라도 사기죄 성립) 17. 법원행시, 20. 법원직, 21. 해경 2차 ② 토지소유자로 등기된 자가 진정한 소유자가 아님을 알면서 수용보상금으로 공탁된 공탁금 출급을 신청한 경우(대판 1994.10.14, 94도1911) 12. 경찰간부 ③ 매매목적물에 관하여 소유권귀속에 관한 분쟁이 있어 재심소송이 계속 중에 있는 사실을 매도인이 매수인에게 숨기고 매도하여 대금을 교부받은 경우(대판 1986.9.9, 86도956) 07. 경찰승진 ④ 토지에 관해 도시계획이 입안되어 있어 협의매수나 수용될 것이라는 사정을 고지하지 않고 매도한 경우(대판 1993.7.13, 93도14) 17. 법원행시, 19. 경찰간부, 21. 해경 2차 ⑤ 근저당권자로부터 근저당권에 기한 경매신청이 있을 것이라는 통고를 받고서도 이를 고지하지 않고 임대차계약을 체결한 경우(대판 2004.10.27, 2004도4974) ⑥ 매매목적물에 관하여 매수인에게 이미 제3자의 신청에 의하여 처분금지가처분결정이 된 사실을 고지하지 않고 매도한 경우(대판 1991.12.24, 91도2698) 17. 법원행시, 21. 해경 2차 ⑦ 토지를 매도함에 있어서 채무담보를 위한 가등기와 근저당권설정등기가 경료되어 있는 사실을 숨기고 이를 고지하지 아니하고 토지를 매도한 경우(대판 1981.8.20, 81도1638) 16. 법원행시, 20. 경찰간부
3. 주식매도인이 주식거래의 목적물이 증자 전의 주식이 아니라 증자 후의 주식이라는 점을 주식매수인들에게 제대로 알리지 않은 경우(대판 2006.10.27, 2004도6503) 18. 경찰간부, 20. 수사경과
4. 특정 질병을 앓고 있는 사람이 보험회사가 정한 약관에 그 질병에 대한 고지의무를 규정하고 있음을 알면서도 이를 고지하지 아니한 채 그 사실을 모르는 보험회사와 그 질병을 담보하는 보험계약을 체결한 다음 바로 그 질병의 발병을 사유로 하여 보험금을 청구한 경우(대판 2007.4.12, 2007도967) 18. 변호사시험, 22. 9급 검찰·마약수사, 23. 경력채용, 24. 경위공채
5. 보험계약자가 보험계약 체결시 보험금액이 목적물의 가액을 현저하게 초과하는 초과보험 상태를 의도적으로 유발한 후 보험사고가 발생하자 초과보험 사실을 알지 못하는 보험자에게 목적물의 가액을 묵비한 채 보험금을 청구한 행위는 사기죄의 실행행위로서의 기망행위에 해당한다(대판 2015.7.23, 2015도6905). 16·17. 법원직, 21. 경찰승진
6. 회사를 고의로 부도내려고 준비한 사실 등을 숨긴 채 회사 명의로 대한주택보증 주식회사와 임대보증금 보증약정을 체결해 보증서를 발급받은 경우(대판 2013.11.28, 2011도7229). 17. 법원직, 24. 해경순경
7. 부작위에 의한 기망은 보험계약자가 보험자와 보험계약을 체결하면서 상법상 고지의무를 위반한 경우에도 인정될 수 있다. 다만, 상법상 고지의무 위반은 보험사고가 이미 발생하였음에도 이를 묵비한 채 보험계약을 체결하거나 보험사고 발생의 개연성이 농후함을 인식하면서도 보험계약을 체결하는 경우 또는 보험사고를 임의로 조작하려는 의도를 가지고 보험계약을 체결하는 경우와 같이 '보험사고의 우연성'이라는 보험의 본질을 해할 정도에 이르러야 비로소 보험금 편취를 위한 고의의 기망행위에 해당한다(대판 2017.4.26, 2017도1405). 20. 법원행시, 23. 해경승진
8. 물품의 국내 독점판매계약을 체결함에 있어 이미 다른 회사가 같은 용도와 성능을 가진 이름도 같은 제품을 판매하고 있는 사실을 고지하지 않고 계약을 체결한 경우(대판 1996.7.30, 96도1081)

9. 사채업자가 자동차의 실제 구입자가 아닌 대출희망자가 실제로 자동차를 할부로 구입하는 것처럼 그 명의의 대출신청서 등을 작성한 후 할부금융회사(서울보증보험)에 제출하여 자동차할부금융으로 대출금을 받은 경우(대판 2004.4.9, 2003도7828)

• **사기죄가 성립되지 않는 경우**

1. 중고자동차 매매시 매도인이 할부금융회사·보증보험에 대한 할부금 채무의 존재를 매수인에게 고지하지 않고 매도한 경우(대판 1998.4.14, 98도231 ∵ 할부금 채무가 매수인에게 당연히 승계 × ⇨ 부작위에 의한 기망 ×) 16. 순경 1차, 19. 경찰승진, 21. 수사경과·해경승진, 22. 해경 2차, 24. 법원행시
2. 부동산을 매매함에 있어서 매매로 인한 법률관계에 아무런 영향도 미칠 수 없는 것이어서 매수인의 권리의 실현에 장애가 되지 아니하는 사유까지 매도인이 매수인에게 고지할 의무가 있다고는 볼 수 없다. 예 ① 부동산중개업자인 피고인이 아파트 입주권을 매도하면서 그 입주권을 2억 5,000만원에 확보하여 2억 9,500만원에 전매한다는 사실을 매수인에게 고지하지 않은 경우 ⇨ 사기죄 ×(대판 2011.1.27, 2010도5124) 15. 사시, 19. 순경 2차 ② 부동산의 이중매매에 있어서 제2의 매수인에게 이중매매라는 사정을 고지하지 아니한 경우 ⇨ 사기죄 ×(대판 2008.5.8, 2008도1652) 20. 수사경과, 21. 해경 2차
3. 채권양도 통지 전에 채권자가 위 채권의 양도사실을 밝히지 아니하고 직접 위 외상대금을 수령한 경우(대판 1984.5.9, 83도2270 ∵ 채무자는 채권자로부터 채권의 양도통지를 받지 않은 이상 채무금은 원래의 채권자에게 반환할 의무가 있는 것이므로). 02. 법원행시, 18. 수사경과
4. 어떤 법률행위를 하려는 사람이 그 법률행위에 따른 상대방의 법률상 지위에 아무런 영향도 미칠 수 없는 사유까지 상대방에게 고지할 의무가 있다고 볼 수는 없다(대판 2012.4.13, 2011도2989 예 피고인이 오피스텔 공사대금의 채권자인 甲과 신탁금지약정을 체결한 사실을 乙은행에 알리지 아니한 채 위 부동산을 담보신탁하고 乙은행에서 대출을 받아 대출금을 편취한 경우, 乙은행을 기망하였다고 평가할 수 없다. ∴ 부작위에 의한 사기죄 ×). 20. 순경 2차
5. 피고인이 화가 甲에게 돈을 주고 자신의 기존 콜라주 작품을 회화로 그려오게 하거나, 자신이 추상적인 아이디어만 제공하고 이를 甲이 임의대로 회화로 표현하게 하는 등의 작업을 지시한 다음 甲으로부터 완성된 그림을 건네받아 경미한 작업만 추가하고 자신의 서명을 하였음에도, 위와 같은 방법으로 그림을 완성한다는 사실을 고지하지 아니하고 사실상 甲 등이 그린 그림을 마치 자신이 직접 그린 친작(親作)인 것처럼 전시하여 피해자들에게 그림(미술작품)을 판매하고 대금 상당의 돈을 편취한 경우 ⇨ 부작위에 의한 사기죄 ×(대판 2020.6.25, 2018도13696 ∵ 피해자들이 위 미술작품을 피고인의 친작으로 착오한 상태에서 구매한 것이라고 단정하기 어렵다.)

㉢ **기망의 정도** : 기망은 경험칙상 일반인을 착오에 빠지게 할 수 있는 정도로 거래관계에서 지켜야 할 신의성실의무에 위반하는 정도에 이르러야 한다.

관련판례

• **기망을 인정한 경우 ⇨ 사기죄 ○**

1. 전대금지특약이 있음에도 불구하고 임차인이 피해자에게 임대인의 승낙은 받은 것처럼 기망하여 임차권양도계약을 체결하고 보증금 및 권리금을 교부받은 경우(대판 1984.1.17, 83도293 ∵ 전차인이 유효한 임차권 취득 ×)

2. 투자약정 당시 투자받은 사람이 일정 기간 내에 투자자에게 원금을 반환할 것처럼 거짓말을 하여 투자자가 원금반환 약정을 전적으로 믿고 투자를 한 경우(대판 2013.9.26, 2013도3631)

- **기망을 부정한 경우 ⇨ 사기죄 ×**

1. 피고인 등이 피해자 甲 등에게 자동차를 매도하겠다고 거짓말하고 자동차를 양도하면서 매매대금을 편취한 다음, 자동차에 미리 부착해 놓은 지피에스(GPS)로 위치를 추적하여 자동차를 절취한 경우 ⇨ 특수절도죄 ○, 사기죄 ×(대판 2016.3.24, 2015도17452 ∵ 자동차를 인도하고 소유권이전등록에 필요한 일체의 서류를 교부 ⇨ 자동차의 소유권을 이전하여 줄 의사 ○ ⇨ 자동차를 매도할 당시 기망행위 ×) 18. 변호사시험, 19. 경찰승진 · 7급 검찰, 20. 법원직, 23. 해경승진, 24. 해경간부
2. 자동차나 부동산의 명의수탁자가 명의신탁 사실을 고지하지 않고, 나아가 자신소유라는 말을 하면서 자동차나 부동산을 제3자에게 매도하고 이전등록이나 이전등기까지 마쳐 준 경우일지라도 매수인에 대한 사기죄가 성립하지 않는다(대판 2007.1.11, 2006도4498 ∵ 수탁자에게 처분권한 ○, 제3자에게 재산상 손해 × ⇨ 신의칙상 고지의무 ×, 기망행위 ×). 17. 경찰승진, 18. 순경 2차, 20. 경찰간부 · 변호사시험, 22. 7급 검찰, 24. 법원행시
3. 타인의 폭행으로 상해를 입고 병원에서 치료를 받으면서, 상해를 입은 경위에 관하여 거짓말을 하여 국민건강보험공단으로부터 보험급여 처리를 받아 사기죄로 기소된 사안에서, 위 상해가 '전적으로 또는 주로 피고인의 범죄행위에 기인하여 입은 상해'라고 할 수 없다면 사기죄가 성립하지 않는다(대판 2010.6.10, 2010도1777). 14. 경찰승진, 15. 순경 1차 · 2차
4. 피고인이 이동통신 판매대리점의 컴퓨터를 이용하여 이동통신회사들의 전산망에 접속한 다음 전산상으로 사용정지된 휴대전화를 사용할 수 있도록 하거나 유심칩 읽기를 통해 문자메시지 발송한도를 해제하고 광고성 문자를 대량 발송하여 이용대금 상당의 재산상 이득을 취득한 경우 ⇨ 사기죄 ×(대판 2011.7.28, 2011도5299 ∵ '사람을 기망하여 재산상 이득을 취득한 경우'에 해당한다고 볼 수 없다.) 16. 경찰간부, 17. 수사경과, 22. 경력채용

과장광고 : 일반적으로 상품의 선전, 광고에 있어 다소의 과장, 허위가 수반되는 것은 그것이 일반 상거래의 관행과 신의칙에 비추어 시인될 수 있는 한 기망성이 결여된다고 하겠으나 거래에 있어서 중요한 사항에 관하여 구체적 사실을 거래상의 신의성실의 의무에 비추어 비난받을 정도의 방법으로 허위로 고지한 경우에는 과장, 허위광고의 한계를 넘어 사기죄의 기망행위에 해당한다(대판 1997.9.9, 97도1561).

관련판례

1. 음식점과 정육점을 동일장소에서 운영하는 주인이 한우만을 취급하는 것으로 광고하고 수입쇠고기를 조리 · 판매하는 경우 ⇨ 사기죄 ○(대판 1997.9.9, 97도1561) 15. 경찰승진 · 순경 1차 · 2차, 22. 수사경과 · 해경 2차, 23. 경찰간부
2. 백화점의 변칙세일(신상품에 대해 첫 출하시부터 종전가격 및 할인가격을 비교 · 표시하여 막바로 세일에 들어가는 경우) ⇨ 사기죄 ○(대판 1992.9.14, 91도2994) 15. 경찰간부
3. 백화점 식품매장에서 남은 생식품에 대해 가공일을 고친 바코드라벨을 부착하여 판매한 경우 ⇨ 사기죄 ○(대판 1996.2.13, 95도2121) 08. 법원행시, 15. 경찰간부
4. 농협의 검품위원이 아닌 자가 인공재배한 삼이라는 사실을 알면서도 TV홈쇼핑 광고방송에 출연하여 그 삼이 산양산삼이며 자신이 검품위원으로서 감정을 받은 것처럼 광고 · 판매한 경우 ⇨ 사기죄 ○(대판 2002.2.5, 2001도5789) 07 · 14. 경찰승진

5. 매도인이 매수인에게 토지의 매수를 권유하면서 언급한 내용이 객관적 사실에 부합하거나, 확정된 것은 아닐지라도 연구용역보고서와 신문스크랩 등에 기초한 것인 경우, 사기죄에 있어서 기망행위에 해당한다고 보기 어렵다(대판 2007.1.25, 2004도45). 10. 경찰승진, 16. 법원직
6. 아파트를 분양함에 있어 분양이 쉽게 이루어지도록 평형의 수치를 다소 과장광고한 경우(대판 1991.6.11, 91도788 ∵ 광고가 거래당사자 사이에서 매매대금 산정기준 ×), 빌라를 분양함에 있어 평형의 수치를 다소 과장하여 광고한 경우 ⇨ 사기죄 × 05 · 07. 경찰승진
7. '녹동달오리골드'(누에, 동충하초, 녹용 등을 혼합 · 제조)라는 제품이 성인병에 특효약이라고 허위광고하여 고가에 판매한 경우 사기죄가 인정된다(대판 2014.1.15, 2001도1429). 16. 경찰승진
8. 인터넷 사이트의 초기화면에 성인 동영상물에 대한 광고용 선전문구 및 영상을 게재하고 이를 통해 접속한 사람들을 유료회원으로 가입시킨 경우, 실제 제공하는 영상물과 광고내용에 다소 차이가 있더라도 사기의 기망행위에 해당하지 않는다(대판 2008.6.12, 2008도76).
9. 남편의 폭행으로 목을 다친 피고인이 교통사고로 상해를 입었다는 취지로 보험금을 청구하여 교부받은 경우, 보험약관상 교통재해만이 보험사고로 규정되어 있거나 교통재해의 보험금이 일반재해의 보험금보다 다액으로 규정되어 있는 경우에 해당한다는 점이 전제되어야만 보험회사에 대한 기망에 해당할 수 있다(대판 2011.2.24, 2010도17512).

㉣ **기망의 상대방** : 사기죄에서 처분행위자와 피기망자는 동일인이어야 하나, 피기망자와 재산상 피해자는 동일인이 아니어도 무방하다(대판 1994.10.11, 94도1575). 12. 변호사시험, 13 · 15. 수사경과, 17. 순경 1차

KEY point **소송사기(소위 '삼각사기')**

1. 법원을 기망하여 자기에게 유리한 판결을 얻음으로써 상대방의 재물 또는 재산상의 이익을 취득하는 것을 내용으로 하는 범죄로서 그 주장의 채권이 존재하지 않는 사실이나(원고측) 그 주장의 채무가 존재한다는 사실을(피고측) 잘 알고 있으면서도 허위의 주장과 입증으로써 법원을 기망한다는 인식을 하고 있어야만 한다(대판 2004.3.12, 2003도333). 11. 법원직, 21. 해경간부, 24. 경찰승진 이는 피기망자(처분행위자 : 법원)와 피해자(소송의 상대방)가 일치하지 않는 경우로 적극적 소송당사자인 원고뿐만 아니라 방어적 위치에 있는 피고도 소송사기의 주체가 될 수 있다. 11. 법원행시, 17. 경찰간부, 20. 해경승진, 24. 순경 1차
   - **실행의 착수시기** : 원고의 경우 ⇨ 소를 제기한 때, 피고의 경우 ⇨ 허위내용의 서류를 증거로 제출하거나 그러한 주장을 담은 답변서나 준비서면을 제출한 때 10. 법원행시, 14. 경찰승진, 15. 법원직
   - **기수시기** : 당해 소송의 판결이 확정된 때(대판 1997.7.11, 95도1874) 12. 법원직, 14. 수사경과
2. ① 소송사기는 피고인이 범행을 인정한 경우 외에는 소송절차나 조정절차에서 행한 주장이 사실과 다름이 객관적으로 명백하고 피고인이 그 주장이 명백히 거짓인 것을 인식하였거나 증거를 조작하려고 하였음이 인정되는 때와 같이 범죄가 성립하는 것이 명백한 경우가 아니면 이를 유죄로 인정하여서는 안 된다(대판 2024.1.25, 2020도10330). ② 소송당사자들은 조정절차를 통해 원만한 타협점을 찾는 과정에서 자신에게 유리한 결과를 얻기 위하여 노력하고, 그 과정에서 다소간의 허위나 과장이 섞인 언행을 하는 경우도 있다. 이러한 언행이 일반 거래관행과 신의칙에 비추어 허용될 수 있는 범위 내라면 사기죄에서 말하는 기망행위에 해당한다고 볼 수는 없다(대판 2024.1.25, 2020도10330). ③ 조정에 따른 이행의무를 부담하는 피고가 조정성립 이후 청구원인에 관한 주된 조정채무를 제때 이행하지 않았다는 사정만으로 원고에게 신의칙상 주의의무를 다하지 아니하였다거나 조정성립과 상당인과관계 있는 손해가 발생하였다고 쉽사리 단정하여서는 아니 된다(대판 2024.1.25, 2020도10330 ∴ 사기죄 ×).

관련판례

- **소송사기 ○ ⇨ 사기죄에 해당하는 경우**

1. 허위의 내용으로 지급명령을 신청하고(실행의 착수 ○) 신청한 지급명령이 그대로 확정된 경우(기수 ○)(대판 2004.6.24, 2002도4151) 15. 순경 1차, 20. 경찰간부, 23. 9급 검찰·마약수사

   ▶ **비교판례** : 기한 미도래의 채권을 소송에 의하여 청구함에 있어서 기한의 이익이 상실되었다는 허위의 증거를 조작하는 등의 적극적인 사술을 사용하지 아니한 채, 단지 즉시 지급을 구하는 취지의 지급명령신청은 기망행위에 해당하지 아니한다(대판 1982.7.27, 82도1160). 21. 경력채용, 23. 9급 검찰·마약수사

2. ① 부동산등기부상 소유자로 등기된 적이 있는 자가 자기 이후에 소유권이전등기를 경료한 등기명의인들 전부 또는 일부를 상대로 소유권이전등기의 말소등기청구소송을 제기한 경우 ⇨ 사기의 실행착수 ○(대판 2003.7.22, 2003도1951 ∵ 승소확정판결 ⇨ 등기명의인들의 등기말소 ⇨ 소송제기한 자의 등기명의가 회복됨 ⇨ 재산상 이익편취) 15. 변호사시험, 16. 순경 2차, 20. 경찰간부, 21. 해경승진, 22. 수사경과, 23. 9급 검찰·마약수사 ② 등기된 적이 없던 자가 등기명의인을 상대로 소유권이전등기말소소송을 제기한 경우(부동산을 매수한 일이 없음에도 매수한 것처럼 허위의 사실을 주장하여 부동산에 대한 소유권이전등기를 거친 사람을 상대로 그 이전등기의 원인무효를 내세워 그 이전등기의 말소를 구하는 소송을 제기한 경우) ⇨ 실행의 착수 ×(대판 1981.12.8, 81도1451 ; 대판 2009.4.9, 2009도128) 19. 순경 2차, 21. 수사경과·해경승진

   ▶ **비교판례** : 피고인 또는 그와 공모한 자가 자기 자신이 토지소유자라고 허위의 주장을 하면서 소유권보존등기 명의자를 상대로 그 보존등기의 말소를 구하는 소송을 제기한 경우 : 실행의 착수 × (대판 1983.10.25, 83도1566) —판례변경→ 실행의 착수 ○(대판 2006.4.7, 2005도9858 전원합의체 ∵ 승소확정판결(기수시기) ⇨ 상대방의 소유권보존등기 말소 ⇨ 자기 앞으로의 소유권보존등기 신청하여 등기 가능 ⇨ 재산상 이익취득) 18. 법원직, 20. 경찰간부, 23. 변호사시험

3. 소송사기는 소송에서 주장하는 권리가 존재하지 않는 사실을 알고 있으면서도 법원을 기망한다는 인식을 가지고 소를 제기하면 이로써 실행의 착수가 있고 소장의 유효한 송달을 요하지 아니한다(대판 2006.11.10, 2006도5811 ∴ 제소자가 상대방의 주소를 허위로 기재함으로써 그 허위주소로 소송서류가 송달되어 그로 인하여 소송상대방 아닌 다른 사람이 그 서류를 받아 소송이 진행된 경우 ⇨ 실행의 착수 ○). 16. 7급 검찰·철도경찰, 21. 경력채용, 22. 경찰승진·법원직, 23. 경찰간부

4. 자기에게 유리한 판결을 얻기 위하여 소송상의 주장이 사실과 다름이 객관적으로 명백하거나 증거가 조작되어 있다는 정을 인식하지 못하는 제3자를 이용하여 그로 하여금 소송의 당사자가 되게 하고 법원을 기망하여 소송 상대방의 재물 또는 재산상 이익을 취득하려 하였다면 간접정범의 형태에 의한 소송사기죄가 성립하게 된다(대판 2007.9.6, 2006도3591). 15. 법원직, 17. 경찰승진, 20. 해경승진, 23. 변호사시험, 24. 경위공채

5. 점유취득시효 완성 후 등기명의인을 상대로 점유취득시효 완성을 원인으로 한 소유권이전등기청구소송을 제기하면서 점유의 권원에 관한 증거를 위조하고 그 진정성립 등에 관한 위증을 교사하는 등 법원을 기망하여 승소판결을 받고, 등기까지 한 경우 사기죄를 구성한다(대판 1997.10.14, 96도1405). 09. 사시, 10. 순경·경찰승진·법원행시

   ▶ **유사판례**

   ① 피고인이 특정 권원에 기하여 민사소송을 진행하던 중 법원에 조작된 증거를 제출하면서 종전

에 주장하던 특정 권원과 별개의 허위의 권원을 추가로 주장하는 경우 ⇨ 소송사기의 실행의 착수 ○(대판 2004.6.25, 2003도7124 ∵ 소송사기에서 말하는 증거의 조작이란 처분문서 등을 거짓으로 만들어 내거나 증인의 허위증언을 유도하는 등으로 객관적·제3자적 증거를 조작하는 행위를 말한다.) 18. 경찰승진, 21. 해경간부

② 피고인이 피해자와 사이에 온천의 시공에 필요한 비용을 포함한 일체의 비용을 자신이 부담하기로 약정하였음에도 피해자를 상대로 공사대금청구의 소를 제기하면서 시공 외의 비용은 모두 피해자가 부담한다는 내용으로 변조한 인증합의서를 소장에 첨부하여 제출한 경우 ⇨ 소송사기의 실행의 착수 ○(대판 2005.3.24, 2003도2144) 06. 사시

③ 근저당권자의 대리인인 피고인이 채무자 겸 소유자인 피해자를 대리하여 경매개시결정 정본을 받을 권한이 없음에도, 경매개시결정 정본 등 서류의 수령을 피고인에게 위임한다는 내용의 피해자 명의의 위임장을 위조하여 법원에 제출하는 방법으로 경매개시결정 정본을 교부받은 행위는 사회통념상 도저히 용인될 수 없으므로 비록 근저당권이 유효하다고 하더라도 사기죄의 기망행위에 해당된다(대판 2009.7.9, 2009도295). 18. 법원행시, 22. 경찰간부

6. 甲주식회사의 경영자인 피고인이 甲회사와 乙주식회사 사이에 허위로 작성된 물품공급계약서에 따른 공급을 완료하였음을 전제로 乙회사를 상대로 물품대금 청구소송을 제기하면서 증거자료로 위 물품공급계약서를 제출하였다가 그 후 소송을 취하한 경우 ⇨ 사기미수죄(대판 2011.9.8, 2011도7262 ∵ 허위의 내용으로 소를 제기하여 법원을 기망한다는 고의가 있는 경우 반드시 허위의 증거를 이용하지 않더라도 당사자의 주장이 법원을 기망하기에 충분한 것이면 사기죄가 성립한다.) 15. 법원직, 20. 해경승진·순경 2차

7. ① 가계수표발행인이 허위의 분실사유로 공시최고신청을 하여 제권판결을 받거나(대판 1999.4.9, 99도364 ∵ 수표상의 채무를 면하여 그 수표금 상당의 재산상 이득을 취득) 10. 경찰승진, 12. 7급 검찰 ② 자기앞수표를 갈취당한 자가 이를 분실하였다고 허위로 공시최고신청을 하여 제권판결을 받은 경우(대판 2003.12.26, 2003도4914 ∵ 갈취한 자에 대해 수표교부의 원인이 된 의사표시를 취소한 뒤 수표반환을 청구할 수 있는 적법한 수단을 거치지 아니함) 11. 경찰승진, 15. 수사경과 ③ 약속어음의 발행인이 허위의 분실사유를 들어 공시최고신청을 하여 제권판결을 받은 경우(대판 1995.9.15, 94도3213) 09. 법원행시 ④ 주권을 교부한 자가 이를 분실하였다고 허위로 공시최고신청을 하여 제권판결을 받은 경우(대판 2007.5.31, 2006도8488 ∵ 주권을 소지하지 않고도 주권을 소지한 자로서의 권리를 행사할 수 있는 지위를 취득) 13. 7급 검찰, 15. 경찰승진, 22. 해경 2차

8. ① 채권이 소멸된 판결정본에 의해 강제집행을 하거나(대판 1992.12.22, 92도2218) 10. 경찰승진, 19. 수사경과 ② 원인관계가 소멸한 약속어음 공정증서에 의해 강제집행한 경우(대판 1999.12.10, 99도2213) ③ 채무자에 대하여 승소확정판결을 받은 후 대여금 전액을 변제받고서도 위 판결정본으로 채무자 소유의 동산에 압류집행한 경우(대판 1988.4.12, 87도2394)

9. 甲이 일제 강점기 사정(査定)받은 토지에 대하여 소유자 미복구를 원인으로 국가 명의의 소유권보존등기가 되어 있는 상태에서, 피고인이 甲의 상속인인 것처럼 조작하여 국가를 상대로 소유권보존등기 말소등기 청구소송을 제기하여 이를 인용하는 화해권고결정이 확정되었다면 사기죄가 성립한다(대판 2011.12.13, 2011도8873). 12. 법원행시

10. 甲과 乙이 공동소유하고 있던 부동산의 매각처분에 관하여 甲이 乙에게 그 권한을 위임하고 다시 변호사에게 그 취지를 확인하는 내용의 서면을 작성 교부함으로써 매매에 관하여 이의를 제기하지

아니하겠다고 다짐하였음에도 불구하고 甲이 법원에 乙이 아무런 권원없이 위 부동산을 불법매도하였다고 허위의 사실을 주장하여 소를 제기한 경우 ⇨ 사기미수죄 ○(대판 1987.5.12, 87도417) 09. 사시

• **소송사기 × ⇨ 사기죄에 해당하지 않는 경우**

1. ① 사망자를 상대로 한 소송의 제기(대판 1997.7.8, 97도632) ② 실재하지 않는 자(허무인)에 대한 소송(대판 1992.12.11, 92도743) ③ 소유권자가 아닌 자(타인소유의 부동산에 관하여 아무런 권한이 없는 사람)를 상대로 소를 제기하여 승소한 경우(대판 1985.10.8, 84도2642) ⇨ 사기죄 ×(∵ 판결의 효력은 소송당사자에게만 미치므로 제3자인 부동산소유자에게는 판결내용에 따른 효력발생 ×) 15. 변호사시험 · 법원직, 20. 해경승진, 22. 수사경과, 24. 법원행시
2. 허위의 채권으로 가압류나 가처분을 신청한 경우(대판 1982.10.26, 82도1529 ; 대판 1988.9.13, 88도65) ⇨ 사기죄 ×(∵ 강제집행의 보전절차를 신청함에 불과하고 그 기초가 되는 허위의 채권에 의하여 실지로 청구의 의사표시를 한 것 ×) 18. 법원직, 19. 변호사시험, 20. 경찰간부, 23. 9급 검찰 · 마약수사
3. 피고인이 타인과 공모하여 그 공모자를 상대로 제소하여 의제자백의 판결을 받아 이에 기하여 부동산의 소유권이전등기를 한 경우, 그 부동산의 진정한 소유자가 따로 있더라도 사기죄를 구성하지 않는다(대판 1997.12.23, 97도2430). 17. 경찰승진, 18. 경찰간부, 21. 해경간부 · 경력채용, 22. 법원직
4. 민사소송법상 소송비용의 청구는 소송비용액확정절차에 의하도록 규정하고 있으나, 소송비용을 편취할 의사로 위 절차에 의하지 아니하고 손해배상청구의 소를 제기한 경우 소의 이익이 없는 부적법한 소로서 허용 × ⇨ 객관적으로 소송비용의 청구방법에 관한 법률적 지식을 가진 일반인의 판단으로 보아 결과발생의 가능성이 없어 위험성 × ⇨ 불능미수 ×(대판 2005.12.8, 2005도8105 ∴ 불능범) 15. 변호사시험, 16. 사시, 17. 수사경과, 20. 경찰승진
5. 소송사기는 피고인이 범행을 인정한 경우 외에는 소송상의 주장이 사실과 다름이 객관적으로 명백하거나 피고인이 소송상의 주장이 명백히 허위인 것을 인식하였거나 증거를 조작하려고 한 흔적이 있는 등의 경우 외에는 이를 쉽사리 유죄로 인정하여서는 안 된다. 그리고 소송사기가 성립하기 위하여는 주장하는 채권이 존재하지 않는다는 것만으로는 부족하고 그 주장의 채권이 존재하지 않는 사실을 잘 알면서도 허위의 주장과 증명으로써 법원을 기망한다는 인식을 하고 있어야만 하고, 단순히 사실을 잘못 인식하였다거나 법률적 평가를 잘못하여 존재하지 않는 권리를 존재한다고 믿는 등의 행위로는 사기죄를 구성하지 않는다(대판 2022.5.26, 2022도1227). 14. 법원직, 21. 해경간부
6. A회사의 운영자 甲이 A회사의 피해자 B에 대한 채권이 존재하지 않는다는 사실을 알면서도 그 사실을 모르는 A회사의 채권자인 C로 하여금 A회사의 피해자 B에 대한 채권의 압류 및 전부명령을 신청하게 하여 그 명령을 받게 한 경우 ⇨ 사기죄 ×〔대판 2009.12.10, 2009도9982 ∵ 채권에 대한 압류 및 전부(추심)명령을 신청한 경우 피압류채권의 존부는 법원의 심사 대상이 아니므로 사안의 경우 법원을 기망하였다고 볼 수 없고, C가 B를 상대로 전부(추심)금 소송을 제기하지 않은 이상 소송사기의 실행에 착수×〕 15. 사시, 20. 경찰승진
7. 甲이 금융기관에 피고인 명의로 예금을 하면서 자신만이 이를 인출할 수 있게 해달라고 요청하여 금융기관 직원이 예금관련 전산시스템에 '甲이 예금, 인출 예정'이라고 입력하였고 피고인도 이의를 제기하지 않았는데, 그 후 피고인이 금융기관을 상대로 예금 지급을 구하는 소를 제기하였다가 금융기관의 변제공탁으로 패소한 경우 ⇨ 사기미수죄 ×(대판 2011.5.13, 2009도5386 ∵ 예금주는 여전히 피고인임) 16. 경찰간부, 17. 수사경과

8. 단순히 상대방에게 유리한 증거를 제출하지 않거나 상대방에게 유리한 사실을 진술하지 않은 경우(대판 2002.6.28, 2001도1610) 12. 법원행시, 22. 법원직
9. 공사대금채권과 대여금채권을 합산하여 임대차보증금반환채권으로 전환하기로 합의하여 임대차계약을 체결한 후 임차목적물에 거주하면서 주민등록전입신고를 하고 확정일자를 받은 경우, 그 후 건물이 경매되자 임차인이 배당신청을 하여 경매법원으로부터 배당을 받은 경우 ⇨ 무죄(대판 2004.7.22, 2003도6412 ∵ 편취의 범의 ×, 경매법원을 기망하여 배당금을 편취 ×) 10. 법원행시
   ▶ **유사판례** : 임대인과 임대차계약을 체결한 임차인이 임차건물에 거주하기는 하였으나 그의 처만이 전입신고를 마친 후에 경매절차에서 배당을 받기 위하여 임대차계약서상의 임차인 명의를 처로 변경하여 경매법원에 배당요구를 한 경우 ⇨ 사기죄의 불능범으로서 무죄(대판 2002.2.8, 2001도6669 ∵ 소액임대차보증금에 대한 우선변제권 행사로서 배당금을 수령할 권리 ○) 16. 법원직, 20. 법원행시
10. 피고인이 소송 제기에 앞서 그 명의로 피해자에 대한 일방적인 권리주장을 기재한 통고서 등을 작성하여 내용증명우편으로 발송한 다음, 이를 법원에 증거로 제출하였다 하더라도, 증거를 조작하였다고 볼 수는 없다(대판 2004.3.25, 2003도7700). 05. 법원직
11. 소송을 제기한 후 소송당사자가 허위의 권리관계를 가지고 소송상 화해를 한 경우(대판 1987.8.18, 87도1153) ⇨ 사기죄 ×(∵ 소송상 화해의 효력은 소송당사자들 사이에만 미치고 실제 소유자인 제3자에게는 미치지 ×), 재판상 화해의 내용이 실제법률내용과 상위한 경우라도 법원을 기망한 사기죄는 성립하지 아니한다(대판 1968.2.27, 67도1579).
12. 소유권을 원시취득한 미등기건물의 소유자가 있고 그에 대한 채권담보 등을 위하여 건축허가명의만을 가진 자가 따로 있는 상황에서, 건축허가명의자에 대한 채권자가 위 명의자와 공모하여 명의자를 상대로 위 건물에 관한 강제경매를 신청하여 법원의 경매개시결정이 내려지고, 그에 따라 위 명의자 앞으로 촉탁에 의한 소유권보존등기가 되고 나아가 그 경매절차에서 건물이 매각된 경우 ⇨ 사기죄 ×(대판 2013.11.28, 2013도459 ∵ 법원의 재판이나 법원의 촉탁에 의한 소유권보존등기의 효력은 그 재판의 당사자도 아닌 위 진정한 소유자에게는 미치지 ×) 23. 변호사시험
13. 허위 내용으로 법원을 기망하여 자기에게 유리한 소송비용액확정결정을 받는 행위는 사기죄를 구성할 수 있다. 이때 소송비용액확정결정을 신청하는 당사자가 소명자료 등을 조작하거나 허위의 소명자료 등을 제출함이 없이 단지 실제 사실과 다른 비용액에 관한 주장만 하는 경우에는 특별한 사정이 없는 한 법원을 기망하였다고 단정하기 어렵다〔대판 2024.6.27, 2021도2340 예 피고인 甲이 가처분사건에서 변호사를 선임한 적이 없음에도 소송비용액확정신청을 하면서 소송비용액계산서의 비용항목에 사실과 다르게 변호사비용을 기재하기는 하였으나 이와 관련하여 소명자료 등을 조작하거나 허위의 소명자료를 제출하지는 않았는바, 피고인 甲의 소송비용액확정신청이 객관적으로 법원을 기망하기에 충분하다고 보기는 어려우므로, 이를 사기죄의 기망행위라고 단정할 수 없다. ∴ 사기죄 ×(원칙)〕. 25. 변호사시험

• 소송사기죄의 실행의 착수시기 및 기수시기

1. 피담보채권인 공사대금 채권을 실제와 달리 허위로 크게 부풀려 유치권에 의한 경매를 신청할 경우 불능범에 해당한다고 볼 수 없고, 소송사기죄의 실행의 착수에 해당한다(대판 2012.11.15, 2012도9603). 15. 변호사시험·법원행시·순경 3차, 22. 경찰간부·법원직

▶ **비교판례** : 부동산 경매절차에서 피고인들이 허위의 공사대금채권을 근거로 유치권 신고를 한 경우, 소송사기의 실행의 착수가 있다고 볼 수 없다(대판 2009.9.2, 2009도5900 ∵ 사례의 경우 입찰물건 명세서에 '유치권신고 있음'이라는 사실만을 기재할 뿐, 법원의 판단대상이 아니므로, 법원을 기망한 것이 아님). 11. 경찰승진, 20. 경찰간부

2. 진정한 임차권자가 아니면서 허위의 임대차계약서를 법원에 제출하여 임차권등기명령을 신청하면 그로써 소송사기의 실행행위에 착수한 것으로 보아야 하고, 나아가 그 임차보증금 반환채권에 관하여 현실적으로 청구의 의사표시를 하여야만 사기죄의 실행의 착수가 있다고 볼 것은 아니다(대판 2012.5.24, 2010도12732). 15. 변호사시험, 16. 법원행시, 17. 수사경과
3. ① 강제집행절차를 통한 소송사기에서 실행의 착수 시기 ⇨ 집행절차의 개시신청을 한 때 또는 진행 중인 집행절차에 배당신청을 한 때, ② 부동산에 관한 소유권이전등기청구권에 대한 강제집행절차에서, 소송사기의 실행의 착수 시기 ⇨ 허위 채권에 기한 공정증서를 집행권원으로 하여 채무자의 소유권이전등기청구권에 대하여 압류신청을 한 때(대판 2015.2.12, 2014도10086) 18. 경찰간부·법원직·순경 3차, 19. 법원행시, 22. 순경 1차, 23. 변호사시험
4. 자신의 소송상 주장이 허위임을 잘 알면서도 이를 기초로 하여 상대방에게 금전 지급을 구하는 소를 제기한 경우라면 판결을 실제로 집행할 의사가 없었더라도 사기죄의 실행의 착수가 인정된다(대판 2008.4.17, 2004도4899 전원합의체). 16. 사시
5. 소송을 제기하였다가 법원으로부터 패소의 종국판결을 선고받고 그 판결이 확정되는 등 법원으로부터 유리한 판결을 받지 못하고 소송이 종료됨으로써 미수에 그친 경우에, 그러한 소송사기미수죄에 있어서 범죄행위의 종료시기는 위와 같이 소송이 종료된 때라고 할 것이다(대판 2000.2.11, 99도4459). 13. 경찰승진, 24. 해경순경
6. 타인의 토지소유권을 편취할 목적으로 하는 사기소송은 목적 토지에 대한 소유권이전등기 절차이행에 관한 승소의 확정판결을 받으면 이때 불법한 이익을 취득한 사기죄가 성립하고, 여기서 판결이 확정된 날이라 함은 그 판결에 대하여 확정적으로 다툴 수 없게 된 때를 의미하는 것은 아니다(대판 1980.4.22, 80도533). 21·22. 법원행시
7. 소송사기의 경우에는 당해 소송의 판결이 확정된 때에 범행이 기수에 이르는 것이므로, 신축 중인 다세대주택 4동의 건축주 명의변경을 목적으로 하는 사기소송을 제기하여 4동 전부에 대하여 승소판결을 선고받아 그 판결이 확정된 이상 승소판결을 받은 후 3동에 관하여만 건축주 명의변경이 이루어졌다 하더라도 4동 전부에 대하여 건축허가에 따른 재산상 이익을 취득한 사기죄의 기수에 이른 것으로 보아야 한다(대판 1997.7.11, 95도1874).

---

② **피기망자의 착오** : 사기죄가 성립하려면 행위자의 기망행위, 피기망자의 착오와 그에 따른 처분행위, 그리고 행위자 등의 재물이나 재산상 이익의 취득이 있고, 그 사이에 순차적인 인과관계가 존재하여야 한다(대판 2017.9.26, 2017도8449). 16. 법원행시, 17. 순경 2차, 18. 7급 검찰·수사경과
착오에 빠진 원인 중에 피기망자 측에 과실이 있는 경우에도 사기죄가 성립한다(대판 2009.6.23, 2008도1697). 15. 사시, 19. 수사경과

③ 처분행위

㉠ 형법상 절취란 타인이 점유하고 있는 자기 이외의 자의 소유물을 점유자의 의사에 반하여 점유를 배제하고 자기 또는 제3자의 점유로 옮기는 것을 말한다. 이에 반해 기망의 방법으로 타인으로 하여금 처분행위를 하도록 하여 재물 또는 재산상 이익을 취득한 경우에는 절도죄가 아니라 사기죄가 성립한다(대판 2022.12.29, 2022도12494). 23. 법원직, 24. 해경경장

㉡ 사기죄에서 처분행위는 행위자의 기망행위에 의한 피기망자의 착오와 행위자 등의 재물 또는 재산상 이익의 취득이라는 최종적 결과를 중간에서 매개·연결하는 한편, 착오에 빠진 피해자의 행위를 이용하여 재산을 취득하는 것을 본질적 특성으로 하는 사기죄와 피해자의 행위에 의하지 아니하고 행위자가 탈취의 방법으로 재물을 취득하는 절도죄를 구분하는 역할을 한다(대판 2022.12.29, 2022도12494). 23. 법원직, 24. 해경경장

㉢ 피기망자의 의사에 기초한 어떤 행위를 통해 행위자 등이 재물 또는 재산상의 이익을 취득하였다고 평가할 수 있는 경우라면, 사기죄에서 말하는 처분행위가 인정된다. 한편 사기죄가 성립되려면 피기망자가 착오에 빠져 어떠한 재산상의 처분행위를 하도록 유발하여 재산적 이득을 얻을 것을 요하고, 피기망자와 재산상의 피해자가 같은 사람이 아닌 경우에는 피기망자가 피해자를 위하여 그 재산을 처분할 수 있는 권능을 갖거나 그 지위에 있어야 한다(대판 2022.12.29, 2022도12494). 23. 법원직, 24. 해경경장

관련판례

1. 사기죄에서 피기망자의 처분의사는 착오에 빠진 피기망자가 어떤 행위(작위 또는 부작위)를 한다는 인식이 있으면 충분하고, 그 행위(작위 또는 부작위)가 가져오는 결과(처분행위의 의미나 내용)에 대한 인식까지 필요하다고 볼 것은 아니다(대판 2017.2.16, 2016도13362 전원합의체 예 이른바 '서명사취' 사기에서, 피기망자가 처분결과, 즉 문서의 구체적 내용과 법적 효과를 미처 인식하지 못하였더라도, 어떤 문서에 스스로 서명 또는 날인함으로써 처분문서에 서명 또는 날인하는 행위에 관한 인식이 있었던 이상 피기망자의 처분의사는 인정된다. ∴ 토지거래허가 등에 필요한 서류라고 매도인을 속여 근저당권설정계약서 등에 서명·날인하게 하고 인감증명서를 교부받아 근저당권을 타인에게 설정하여 돈을 차용·취득하였다면, 매도인이 근저당권설정계약서 등에 서명·날인한 행위를 처분행위로 볼 수 있고 처분의사 역시 인정되므로 사기죄가 성립한다). 18. 법원직, 19. 7급 검찰·수사경과, 20. 경찰간부, 21. 경력채용, 23. 경찰승진·경력채용, 24. 법원행시, 24·25. 변호사시험
2. 외관상 재물의 교부에 해당하는 행위가 있었다고 하더라도, 재물이 범인의 사실상의 지배 아래에 들어가 그의 자유로운 처분이 가능한 상태에 놓이지 않고 여전히 피해자의 지배 아래에 있는 것으로 평가된다면, 그 재물에 대한 처분행위가 있었다고 볼 수 없다〔대판 2018.8.1, 2018도7030 예 甲이 피해자 A로 하여금 A의 예금을 인출하게 하고, 그 인출한 현금을 A의 집에 보관하도록 기망하여 A가 그렇게 한 경우 ⇨ 사기죄 ×(대판 2017.4.28, 2017도1544 ∵ A로 하여금 현금을 타인에게 교부하거나 처분하는 행위를 하도록 한 것 ×)〕. 19. 7급 검찰, 20. 경찰간부, 22. 해경간부
3. 피해자 甲은 드라이버를 구매하기 위해 특정 매장에 방문하였다가 지갑을 떨어뜨렸는데, 10분쯤 후 피고인이 같은 매장에서 우산을 구매하고 계산을 마친 뒤, 지갑을 발견하여 습득한 매장 주인

乙로부터 "이 지갑이 선생님 지갑이 맞느냐?"라는 질문을 받자 "내 것이 맞다."라고 대답한 후 이를 교부받아 가지고 간 경우 ⇨ 절도죄 ×, 사기죄 ○(대판 2022.12.29, 2022도12494 ∵ 乙은 甲을 위하여 이를 처분할 수 있는 권능을 갖거나 그 지위에 있으므로, 乙의 행위는 사기죄에서 말하는 처분행위에 해당하고 피고인의 행위를 절취행위로 평가할 수 없다.) 23. 순경 2차, 24. 경찰승진

---

1. 배당이의소송의 제1심 판결에서 패소판결을 받고 항소한 원고가 피고의 기망에 의하여 그 항소를 취하하는 것(대판 2002.11.22, 2000도4419 ∴ 항소취하 즉시 제1심판결이 확정되고 상대방이 배당금을 수령할 수 있는 이익을 얻게 됨) ⇨ 재산적 처분행위 ○ 17. 경찰간부 · 경찰승진, 23. 해경승진
2. 법인이 임대주택용지 분양신청을 함에 있어서 분양신청자 중의 추첨대상자에 들기 위하여 법인의 대표이사 개인의 허위 건축실적증명을 첨부하였으나 마감시간이 지나도록 다른 업체로부터의 매수신청이 없어 위 법인의 대표이사에게 매수신청서를 제출하도록 하여 수의계약을 체결한 경우 ⇨ 사기죄 ×〔대판 1994.5.24, 93도1839 ∵ 기망행위와 처분행위(용지분양행위) 사이에 인과관계 ×)〕 11. 경찰승진

관련판례

1. 기망행위로 인하여 부동산가압류를 해제하였으나 사후에 피보전채권이 존재하지 않는 것으로 밝혀진 경우일지라도, 그 가압류해제행위는 사기죄의 처분행위에 해당한다(대판 2007.9.20, 2007도5507 ∵ 가압류를 해제하면 소유자는 가압류의 부담이 없는 부동산을 소유하는 이익을 얻게 됨). 15. 순경 3차, 16. 경찰간부, 19. 수사경과 · 경찰승진, 24. 법원행시
   ▶ **유사판례** : 기망에 의하여 소유권이전등기청구권 보전의 가등기를 말소한 경우 ⇨ 사기죄의 처분행위 ○(대판 2008.1.24, 2007도9417) 11. 경찰승진
2. 예금주인 피고인이 제3자에게 편취당한 송금의뢰인으로부터 자신의 은행계좌에 계좌송금된 돈을 출금한 경우, 피고인은 예금주로서 은행에 대하여 예금반환을 청구할 수 있는 권한을 가진 자이므로, 위 은행을 피해자로 한 사기죄가 성립하지 않는다(대판 2010.5.27, 2010도3498 ∵ 은행이 수취인에게 그 예금을 지급하는 행위는 계좌이체금액 상당의 예금계약의 성립 및 그 예금채권 취득에 따른 것으로서 은행이 착오에 빠져 처분행위를 한 것이라고 볼 수 없으므로). 17 · 19. 순경 1차 · 2차, 21. 7급 검찰
3. 출판사 경영자가 출고현황표를 조작하는 방법으로 실제 출판부수를 속여 작가에게 인세의 일부만을 지급한 경우 작가가 나머지 인세에 대한 청구권의 존재 자체를 알지 못하는 착오에 빠져 이를 행사하지 아니한 것은 사기죄에 있어 부작위에 의한 처분행위에 해당한다(대판 2007.7.12, 2005도9221). 17. 경찰간부, 21. 수사경과, 22. 경찰승진 · 해경 2차, 23. 순경 1차, 25. 변호사시험
4. 진실한 용도를 속이고(형질변경 및 건축허가를 받는 데 필요하다고 피해자를 속인 경우) 부동산이전등기 관련서류(부동산매도용 인감증명서 등)를 교부받아 피고인 명의로 소유권이전등기를 경료한 경우 ⇨ 사기죄 ×(대판 2001.7.13, 2001도1289 ∵ 피해자의 부동산에 관한 처분의사에 기한 처분행위 ×) 15. 순경 3차, 16. 법원직 · 수사경과, 20. 경찰승진
   ▶ **유사판례** : 토지의 일부만을 매수한 자가 그 부분만을 분할이전하겠다고 거짓말하여 소유자로부터 인장을 교부받아 토지 전부에 관하여 소유권이전등기를 필한 경우 ⇨ 사기죄 ×(대판 1982.3.9, 81도1732 ∵ 매수하지 아니한 부분에 관한 등기 ⇨ 소유자의 처분행위 ×, 등기공무원 ⇨ 처분권한 ×) 06. 법원행시, 07. 경찰승진
5. 사기죄의 피해자가 법인이나 단체인 경우에 기망행위로 인한 착오, 인과관계 등이 있었는지는 법인이나 단체의 대표 등 최종 의사결정권자 또는 내부적인 권한 위임 등에 따라 실질적으로 법인의

의사를 결정하고 처분을 할 권한을 가지고 있는 사람을 기준으로 판단하여야 한다(대판 2017.9.26, 2017도8449). 20. 경찰간부 · 법원행시

예 ① 피해자 법인이나 단체의 대표자 또는 실질적으로 의사결정을 하는 최종결재권자 등 기망의 상대방이 기망행위자와 동일인이거나 기망행위자와 공모하는 등 기망행위를 알고 있었던 경우 ⇨ 법인이나 단체에 대한 사기죄 ×(대판 2017.9.26, 2017도8449 ∵ 기망행위로 인한 착오 ×, 기망행위와 처분행위 사이에 인과관계 ×) 18. 법원행시, 19. 9급 검찰 · 마약수사 · 법원직, 20. 순경 2차, 21. 순경 1차, 22. 변호사시험 · 경찰승진, 24. 경찰간부 · 해경간부

② 피해자 법인이나 단체의 업무를 처리하는 실무자인 일반 직원이나 구성원 등이 기망행위임을 알고 있었더라도, 피해자 법인이나 단체의 대표자 또는 실질적으로 의사결정을 하는 최종결재권자 등이 기망행위임을 알지 못한 채 착오에 빠져 처분행위에 이른 경우 ⇨ 사기죄 ○(대판 2017.9.26, 2017도8449) 19. 법원직, 22. 해경승진

6. 피고인이 甲에게 사업자등록 명의를 빌려주면 세금이나 채무는 모두 자신이 변제하겠다고 속여 그로부터 명의를 대여받아 호텔을 운영하면서 甲으로 하여금 호텔에 관한 각종 세금 및 채무 등을 부담하게 한 경우 ⇨ 사기죄 ×(대판 2012.6.28, 2012도4773 ∴ 처분행위 ×) 18. 법원행시, 19. 7급 검찰, 20. 수사경과, 24. 해경간부
7. 용도를 속여 국민주택 건설자금을 대출받을 때 기금 대출사무를 위탁받은 은행의 일선 담당 직원이 대출금이 지정된 용도에 사용되지 않을 것이라는 점을 알고 있었다 하더라도, 대출 신청액이 일정한 금액을 초과하는 경우에는 은행장이 대출승인 여부를 결정할 권한이 있으므로, 은행장을 피기망자라고 보아 사기죄로 처벌할 수 있다(대판 2002.7.26, 2002도2620). 22. 경찰간부, 24. 해경간부
8. 채권자에게 채권을 추심하여 줄 것처럼 속여 채권의 추심승낙을 받아 그 채권을 추심하여 금전을 취득한 경우 ⇨ 사기죄 ○(대판 1983.10.25, 83도1520 ∵ 채권자의 착오에 기한 재산처분행위 ○) 09. 경찰승진, 18. 법원행시
9. 등기공무원을 기망하여 부동산에 대하여 소유권이전등기를 한 경우(대판 1981.7.28, 81도529) ⇨ 사기죄 ×(∵ 피해자의 처분행위 ×, 등기관에게 처분권한 ×) 09. 법원행시, 16. 법원직, 양도증서 등 특허 관련 명의변경 서류를 위조하여 일본국 특허청 공무원에게 제출함으로써 특허의 출원자를 자신의 명의로 변경한 경우(대판 2007.11.16, 2007도3475) ⇨ 사기죄 ×(∵ 피해자의 처분행위 ×, 일본국 특허청 공무원에게 처분권한 ×) 12. 경찰간부
10. 甲은 乙병원에서 그 처를 입원시켜 가료 중 치료를 다 받고 나서 乙에게 처와 함께 극장구경을 하고 돌아와서 치료비를 지급하고 퇴원하겠다고 거짓말을 하고 나간 후 그대로 도주한 경우 ⇨ 사기죄 ×(대판 1970.9.22, 70도1615 ∵ 병원 측의 처분행위 ×) 16. 수사경과
11. 피해자의 재산적 처분행위나 이러한 재산적 처분행위를 유발한 피고인의 행위가 피고인이 도모하는 어떠한 사업의 성패 내지 성과와 밀접한 관련 아래 이루어진 경우에는, 단순히 피고인의 재력이나 신용상태 등을 토대로 기망행위나 인과관계 존부를 판단할 수는 없고, 사정을 모두 종합하여 일반적 · 객관적으로 판단하여야 한다(대판 2011.10.13, 2011도8829). 18. 법원행시
12. 어린이집 운영자가 어린이집의 운영과 관련하여 허위로 지출을 증액한 내용으로 '재무회계규칙에 의한 회계'를 하고 그 결과를 보고하여 기본보육료를 지급받았더라도 그와 같이 회계보고에 허위가 개입되어 있다는 사정은 기본보육료의 지급에 관한 의사결정에 영향을 미쳤다고 볼 수 없으므로, 형법 제347조 제1항에 정한 사기죄에 해당한다고 볼 수 없다(대판 2016.12.29, 2015도3394).

④ **재산상 손해의 발생** : 사기죄는 타인을 기망하여 그로 인한 하자 있는 의사에 기하여 재물의 교부를 받거나 재산상의 이익을 취득함으로써 성립하는 범죄로서, 그 본질은 기망에 의한 재물이나 재산상 이익의 취득에 있고 이로써 상대방의 재산이 침해되는 것이므로, 상대방에게 현실적으로 재산상 손해가 발생하지 않았다 하더라도 사기죄의 성립에는 아무런 영향이 없는 것이다(대판 1994.10.21, 94도2048). 24. 경위공채

관련판례

1. 재물(금원) 편취를 내용으로 하는 사기죄에서는 기망으로 인한 재물(금원) 교부가 있으면 그 자체로써 피해자의 재산침해가 되어 바로 사기죄가 성립하고, 상당한 대가가 지급되었다거나 피해자의 전체 재산상에 손해가 없다 하여도 사기죄의 성립에는 영향이 없다. 그러므로 사기죄에서 그 대가가 일부 지급되거나 담보가 제공된 경우에도 편취액은 피해자로부터 교부된 재물의 가치(금원)로부터 그 대가 또는 담보 상당액을 공제한 차액이 아니라 교부받은 재물(금원) 전부라고 보아야 한다(대판 2017.12.22, 2017도12649). 18 · 19. 순경 2차, 20. 변호사시험, 21. 법원직 · 해경승진, 24. 경찰간부

   ▶ **유사판례** : 은행에 대출을 신청하면서 담보부동산의 매매계약서상 매매대금을 허위로 부풀려 기재한 매매계약서를 제출하고, 이 부풀린 금액이 정당한 매매대금임을 전제로 대출을 받은 경우 사기죄가 성립하며, 지급받은 대출금 전부가 사기죄의 이득액에 해당한다(대판 2019.4.3, 2018도19772 ∵ 사기죄의 이득액에서 담보물의 가액을 전제로 한 대출가능금액을 공제하는 것은 아님). 22. 7급 검찰, 23. 해경 3차, 24. 해경순경

2. 재물을 편취한 후 현실적인 자금의 수수 없이 형식적으로 기왕에 편취한 금원을 새로이 장부상으로만 재투자하는 것으로 처리한 경우, 그 재투자금액은 이를 편취액의 합산에서 제외하여야 한다(대판 2007.1.25, 2006도7470). 17. 순경 1차, 24. 법원행시

3. 사람을 기망하여 부동산의 소유권을 이전받거나 제3자로 하여금 이전받게 함으로써 이를 편취한 경우, 그 부동산에 근저당권설정등기가 경료되어 있거나 압류 또는 가압류 등이 이루어져 있는 때에는 그 부동산의 시가 상당액에서 근저당권의 채권최고액 범위 내에서의 피담보채권액, 압류에 걸린 집행채권액, 가압류에 걸린 청구금액 범위 내에서의 피보전채권액 등을 뺀 실제의 교환가치를 편취금액으로 보아야 한다(대판 2007.4.19, 2005도7288 전원합의체). 20. 법원직

4. 분식회계에 의한 재무제표 등으로 금융기관을 기망하여 대출을 받았다면 사기죄는 성립하고, 변제의사와 변제능력의 유무 그리고 충분한 담보가 제공되었다거나 피해자의 전체 재산상에 손해가 없고, 사후에 대출금이 상환되었다고 하더라도 사기죄의 성립에는 영향이 없다(대판 2005.4.29, 2002도7262). 10. 법원행시, 11. 경찰승진, 25. 변호사시험

5. 신용보증기금의 신용보증서 발급이 피고인의 기망행위에 의하여 이루어진 이상 그로써 곧 사기죄는 성립하고 그로 인하여 피고인이 취득한 재산상 이익은 신용보증금액 상당액이다(대판 2007.4.26, 2007도1274). 11. 법원행시

6. 수인의 피해자에 대하여 각별로 기망행위를 하여 각각 재물을 편취한 경우에 범의가 단일하고 범행방법이 동일하더라도 포괄일죄가 아니라 피해자별로 독립한 사기죄가 성립(경합범)되므로 피해자별로 이득액을 합산하는 것이 아니라 경합범으로 처벌될 수죄의 각 이득액이 5억원 이상이면 특정경제범죄 가중처벌 등에 관한 법률 제3조 제1항을 적용하여야 한다(대판 2000.7.7, 2000도1899 ∵ 특정경제범죄 가중처벌 등에 관한 법률 제3조에서 말하는 이득액은 단순일죄의 이득액이나 포괄일죄가

성립하는 경우의 이득액을 합산액을 의미하는 것이고, 경합범으로 처벌될 수죄의 각 이득액을 합한 금액을 의미하는 것이 아님). 22. 법원행시, 24. 해경순경

7. 사람을 기망하여 부동산의 소유권을 이전받거나 제3자로 하여금 이전받게 함으로써 이를 편취한 경우에 특정경제범죄 가중처벌 등에 관한 법률 제3조의 적용을 전제로 하여 그 부동산의 가액을 산정함에 있어서는, 그 부동산에 아무런 부담이 없는 때에는 그 부동산의 시가 상당액이 곧 그 가액이라고 볼 것이지만, 그 부동산에 근저당권설정등기가 경료되어 있거나 압류 또는 가압류 등이 이루어져 있는 때에는 특별한 사정이 없는 한 아무런 부담이 없는 상태에서의 그 부동산의 시가 상당액에서 근저당권의 채권최고액 범위 내에서의 피담보채권액, 압류에 걸린 집행채권액, 가압류에 걸린 청구금액 범위 내에서의 피보전채권액 등을 뺀 실제의 교환가치를 그 부동산의 가액으로 보아야 한다(대판 2007.4.19, 2005도7288 전원합의체). 24. 순경 1차
8. 사기로 편취한 재물 또는 재산상의 이익의 가액을 구체적으로 산정할 수 없는 경우에는 편취한 재물 또는 재산상 이익의 가액이 5억원 이상 또는 50억원 이상인 것이 범죄구성요건의 일부로 되어 있고 그 가액에 따라 그 죄에 대한 형벌도 가중하는 특정경제범죄 가중처벌 등에 관한 법률위반(사기)죄로 처벌할 수 없다(대판 2024.4.25, 2023도18971). 24. 순경 2차

---

⑤ 실행의 착수 및 기수시기

㉠ **실행의 착수** : 본죄의 실행의 착수시기는 기망행위를 개시한 때이다.

관련판례

타인의 사망을 보험사고로 하는 생명보험계약을 체결함에 있어 제3자가 피보험자인 것처럼 가장하여 체결하는 등으로 그 유효 요건이 갖추어지지 못한 경우에, 그와 같이 하자 있는 보험계약을 체결한 행위만으로 미필적으로라도 보험금을 편취하려는 의사에 의한 기망행위의 실행에 착수한 것으로 볼 것은 아니다(대판 2013.11.14, 2013도7494). 19. 경찰간부 · 철도경찰, 21. 법원직 · 해경간부, 22. 경찰승진

㉡ **기수시기** : 기망행위에 의하여 상대방이 착오에 빠지고 그 착오에 기하여 재산적 처분행위가 있고, 그 결과 재물의 교부 또는 이득의 취득으로 점유 또는 이익이 현실적으로 이전될 때 기수로 된다.

관련판례

사기죄에 있어서 '재물의 교부'란 범인의 기망에 따라 피해자가 착오로 재물에 대한 사실상의 지배를 범인에게 이전하는 것을 의미하는데, 재물의 교부가 있었다고 하기 위하여 반드시 재물의 현실의 인도가 필요한 것은 아니고 재물이 범인의 사실상의 지배 아래에 들어가 그의 자유로운 처분이 가능한 상태에 놓인 경우에도 재물의 교부가 있었다고 보아야 한다(대판 2003.5.16, 2001도1825). 16. 경찰승진 · 순경 1차, 21. 해경승진, 22. 경력채용

1. 타인의 명의를 빌려 예금계좌를 개설한 후 통장과 도장은 명의인에게 보관시키고 자신은 위 계좌의 현금인출카드를 소지한 채, 명의인을 기망하여 위 예금계좌로 돈을 송금하게 한 경우 ⇨ 사기죄 기수 (대판 2003.7.25, 2003도2252 ∵ 언제든지 카드로 금원인출이 가능하고 송금받은 돈을 자신의 지배하

에 두게 됨 ⇨ 기수 ∴ 이후 편취금을 인출하지 않고 있던 중 명의인이 이를 인출하여 갔더라도 이는 범죄성립 후의 사정일 뿐 사기죄의 성립에 영향 ×) 11. 법원직, 21. 9급 검찰 · 마약수사

2. 어음, 수표의 발행인이 그 지급기일에 결제되지 않으리라는 정을 예견하면서도 이를 발행하고, 거래 상대방을 속여 그 할인을 받거나 물품을 매수하였다면 위 발행인의 사기행위는 이로써 완성되는 것이고, 그 최후 소지인에 대한 관계에서 발행인의 행위를 사기죄로 의율할 수 없다(대판 1998.2.10, 97도3040). 08. 법원행시, 09. 경찰승진

3. 고의의 기망행위로 보험계약을 체결하고 위 보험사고가 발생하였다는 이유로 보험회사에 보험금을 청구하여 보험금을 지급받았을 때 사기죄는 기수에 이른다. 그 전에 보험회사의 해지권 또는 취소권이 소멸되었더라도 마찬가지이다(대판 2019.4.3, 2014도2754).

---

(4) 주관적 구성요건

관련판례

1. 민사상 금전대차관계에서 채무불이행 사실을 가지고 바로 차용금 편취의 고의를 인정할 수는 없으나, 피고인이 확실한 변제의 의사가 없거나 또는 차용시 약속한 변제기일 내에 변제할 능력이 없는데도 변제할 것처럼 가장하여 금원을 차용한 경우에는 편취의 고의를 인정할 수 있다(대판 2018.8.1, 2017도20682).

▶ **유사판례**

① 소비대차 거래에서 차주가 돈을 빌릴 당시에는 변제할 의사와 능력을 가지고 있었다면, 비록 그 후에 변제하지 않고 있더라도 이는 민사상 채무불이행에 불과하며 형사상 사기죄가 성립하지는 아니한다(대판 2016.4.28, 2012도14516 ∴ 대주가 차주의 신용 상태를 인식하고 있어 장래의 변제 지체 또는 변제불능에 대한 위험을 예상하고 있었던 경우에는, 다른 특별한 사정이 없는 한 차주가 제대로 변제하지 못하였다는 사정만으로 차주에게 편취의 범의가 있었다고 단정할 수 없다). 16. 순경 2차, 17 · 20. 법원행시 · 7급 검찰

② 설사 기업경영자가 파산에 의한 채무불이행의 가능성을 인식할 수 있었다고 하더라도 그러한 사태를 피할 수 있는 가능성이 있다고 믿었고, 계약이행을 위해 노력할 의사가 있었을 때에는 사기죄의 고의가 있었다고 단정하여서는 안 된다(대판 2017.1.25, 2016도18432).

2. 예고등기로 인한 경매대상 부동산의 경매가격 하락 등을 목적으로 허위의 채권을 주장하며 채권자 대위의 방식에 의한 원인무효로 인한 소유권보존등기 말소청구소송을 제기한 경우 ⇨ (소송)사기미수 ×(대판 2009.4.9, 2009도128 ∵ 말소청구소송을 통하여 승소판결을 받아 재산상의 이익을 취하려고 한 것 × ⇨ 고의 내지 불법영득의 의사 ×) 16. 사시, 21. 해경간부

3. 의사인 피고인이 전화를 이용하여 진찰한 것임에도 내원 진찰인 것처럼 가장하여 국민건강보험관리공단에 요양급여비용을 청구한 것은 기망행위로서 사기죄를 구성하고, 피고인의 불법이득의 의사 또한 인정된다(대판 2013.4.26, 2011도10797). 16. 수사경과, 19. 경찰간부

4. 쇼핑몰 상가 분양사업을 계획하면서 사채와 분양대금만으로 사업부지 매입 및 공사대금을 충당할 수 있다는 막연한 구상 외에 체계적인 사업계획 없이 무리하게 쇼핑몰 상가 분양을 강행한 경우 편취의 범의를 인정할 수 있다(대판 2005.4.29, 2005도741). 10. 경찰승진, 13. 수사경과

5. 어음의 발행인들이 각자 자력이 부족한 상태에서 자금을 편법으로 확보하기 위하여 서로 동액의 융통어음을 발행하여 교환한 경우 ⇨ 편취의 범의 ×(대판 2002.4.23, 2001도6570). 20. 경찰승진
6. 대출의 조건 및 용도가 임야매수자금으로 한정되어 있는 정책자금을 대출받음에 있어 임야매수자금을 실제보다 부풀린 허위의 계약서를 제출함으로써 대출취급기관을 기망하였다면, 피고인에게 대출받을 자금을 상환할 의사와 능력이 있었는지 여부를 불문하고 편취의 고의가 인정된다(대판 2007.4.27, 2006도7634). 11. 법원행시
7. 시세조종된 주식임을 잘 알면서도 이를 숨긴 채 담보로 제공하였다면 대출받을 당시 담보가치가 충분히 있었다고 하더라도 편취의 범의가 인정된다(대판 2004.5.28, 2004도1465). 10. 경찰승진
8. 도산이 불가피한 상황에서 신용과대조작, 재력과시 등의 방법으로 변제자력을 가장하여 대출을 받은 경우(대판 1997.2.14, 96도2904) ⇨ 고의 ○(편취의 범의) ⇨ 사기죄 ○ 07. 순경
9. 의료기관이, 보험회사가 진료수가를 삭감할 것을 미리 예상하고, 허위로 과다하게 진료수가를 청구하여 보험회사로부터 실제 발생하지 않은 진료비를 지급받았다면, 허위·과다청구 부분에 대한 편취의사 및 불법영득의사가 인정되어 사기죄가 성립한다(대판 2008.2.29, 2006도5945).
10. 가맹점주가 용역의 제공을 가장한 허위의 매출전표임을 고지하지 아니한 채 신용카드회사에게 제출하여 대금을 청구한 행위는 사기죄의 실행행위로서의 기망행위에 해당하고, 가맹점주에게 이러한 기망행위에 대한 범의가 있었다면, 비록 당시 그에게 신용카드 이용대금을 변제할 의사와 능력이 있었다고 하더라도 사기죄의 범의가 있었음을 인정할 수 있다(대판 1999.2.12, 98도3549). 22. 변호사시험
11. 피고인이 甲저축은행에 대출을 신청하여 심사를 받을 당시 동시에 다른 저축은행에 대출을 신청한 상태였는데도 甲저축은행으로부터 다른 금융회사에 동시에 진행 중인 대출이 있는지에 대하여 질문을 받자 '없다.'고 답변하였고, 甲저축은행으로부터 대출을 받은 지 약 6개월 후에 신용회복위원회에 대출 이후 증가한 채무를 포함하여 프리워크아웃을 신청한 경우 ⇨ 사기죄 ○(대판 2018.8.1, 2017도20682 ∵ 기망행위, 기망행위와 처분행위 사이의 인과관계와 편취의 고의가 인정된다.)
12. 연구책임자(의대 교수)가 처음부터 소속 학생연구원들에 대한 개별 지급의사 없이 공동관리계좌를 관리하면서 사실상 그 처분권을 가질 의도하에 이를 숨기고 산학협력단에 연구비를 신청하여 이를 지급받았다면 이는 산학협력단에 대한 관계에 있어 기망에 의한 편취행위에 해당한다. 다만, 연구책임자가 원래 용도에 부합하게 학생연구원들의 사실상 처분권 귀속하에 학생연구원들의 공동비용 충당 등을 위하여 학생연구원들의 자발적인 의사에 근거하여 공동관리계좌를 조성하고 실제로 그와 같이 운용한 경우라면, 비록 공동관리계좌의 조성 및 운영이 관련 법령이나 규정 등에 위반되더라도 그러한 사정만으로 불법영득의사가 추단되어 사기죄가 성립한다고 단정할 수 없다(대판 2021.9.9, 2021도8468).

5) 위법성

기망행위를 수단으로 한 권리행사의 경우 그 권리행사에 속하는 행위와 그 수단에 속하는 기망행위를 전체적으로 관찰하여 그와 같은 기망행위가 사회통념상 권리행사의 수단으로서 용인할 수 없는 정도라면 그 권리행사에 속하는 행위는 사기죄를 구성한다(대판 2018.4.12, 2017도21196). 20. 순경 2차

관련판례

- **사회통념상 권리행사의 수단·방법으로 용인할 수 없는 경우**(사회상규상 정당한 권리행사의 범위를 벗어난 경우) ⇨ **사기죄 ○**

1. 피고인이 보험사고에 해당할 수 있는 사고로 인하여 경미한 상해를 입었다고 하더라도 이를 기화로 보험금을 편취할 의사로 그 상해를 과장하여 병원에 장기간 입원하고 이를 이유로 실제 피해에 비하여 과다한 보험금을 지급받는 경우에는 그 보험금 전체에 대해 사기죄가 성립한다고 할 것이다(대판 2007.5.11, 2007도2134 ; 대판 2011.2.24, 2010도17512). 16. 사시·7급 검찰·철도경찰, 17. 순경 2차, 19. 순경 1차, 21. 수사경과, 22. 해경 2차
   ▶ **유사판례** : 환자들의 건강상태에 맞게 적정한 진료행위를 하지 않은 채 입원의 필요성이 적은 환자들에게까지 입원을 권유하고 퇴원을 만류하는 등으로 장기간의 입원을 유도하여 국민건강보험공단에 과다한 요양급여비를 청구한 행위는 비록 그중 일부 기간에 대하여 실제 입원치료가 필요하였다고 하더라도 그 부분을 포함한 당해 입원기간의 요양급여비 전체에 대하여 사기죄가 성립한다(대판 2009.5.28, 2008도4665). 13. 사시, 18. 법원행시
2. 부동산 소유권이전등기절차의 이행을 구하는 소를 제기하여 동시이행의 조건 없이 이행을 명하는 승소확정판결을 받은 甲이 그 판결에 기해 이전등기를 할 수 있었음에도 그렇게 하지 않고 乙에게 위 부동산 이전등기를 경료해 주면 매매잔금을 공탁해 줄 것처럼 거짓말하여 위 부동산 소유권을 임의로 이전받고 매매잔금을 공탁하지 않은 경우 ⇨ 사기죄 ○(대판 2011.3.10, 2010도14856 ∵ 사회통념상 권리행사의 수단으로서 용인할 수 있는 범위를 벗어난 것 ⇨ 사기의 기망행위 ○) 15. 사시, 19. 경찰승진
3. 피고인이 피해자에게 불행을 고지하거나 길흉화복에 관한 어떠한 결과를 약속하고 기도비 등의 명목으로 대가를 교부받은 경우에 전통적인 관습 또는 종교행위로서 허용될 수 있는 한계를 벗어났다면 사기죄에 해당한다(대판 2017.11.9, 2016도12460). 20. 법원행시, 24. 해경승진
4. 무효인 가등기여서 그 말소를 구할 권리를 가진 부동산소유자가 기망행위를 사용하여 가등기를 말소하게 한 경우(대판 2008.1.24, 2007도9417) 11. 경찰승진
5. 피고인이 공사현장에서 작업을 하는 도중 사고를 당해 부상을 입은 사실이 있고, 이에 따라 산업재해보상 보험급여를 지급받을 수 있는 지위에 있었다면, 그 실제 사고발생 일시·장소나 사고내용과 달리 산업재해보상보험 요양신청서나 목격자진술서 등을 허위로 작성·제출하여 산업재해보상 보험급여를 지급받는 경우(대판 2003.6.13, 2002도6410) 04. 법원행시

(6) 친족상도례

① 행위자와 피해자 사이에 친족관계가 존재해야 하므로 피기망자와 피해자가 다른 때에는 피기망자와 행위자 사이에 친족관계가 있을 것을 요하지 않는다(대판 1976.4.13, 75도781).

② 사기죄를 범하는 자가 금원을 편취하기 위한 수단으로 피해자와 혼인신고를 한 것이어서 그 혼인이 무효인 경우라면, 그러한 피해자에 대한 사기죄에서는 친족상도례를 적용할 수 없다고 할 것이다(대판 2015.12.10, 2014도11533). 18. 법원직, 21. 변호사시험·순경 1차, 23. 경찰간부

③ 법원을 기망하여 제3자로부터 재물을 편취한 경우에 피기망자인 법원은 피해자가 될 수 없고 재물을 편취당한 제3자가 피해자라고 할 것이므로 피해자인 제3자와 사기죄를 범한 자가 직계혈족의 관계에 있을 때에는 그 범인에 대하여 형법 제328조 제1항을 준용하여 형을 면제하여야 한다(대판 1976.4.13, 75도781). 18. 순경 1차, 19. 9급 검찰·마약수사·법원직·법원행시, 20. 경찰간부·해경 1차, 22. 해경 2차, 23. 변호사시험

(7) 죄수 및 타죄와의 관계

① 죄 수

관련판례

1. 피해자에게 근저당권을 설정해 주겠다고 기망하여 금원을 편취한 다음 목적 부동산에 대하여 제3자에게 근저당권을 설정하여 준 경우, 채무자를 채권자에 대한 관계에서 '타인의 사무를 처리하는 자'라고 할 수 없어 배임죄를 구성하지 않는다(대판 2020.6.18, 2019도14340 전원합의체). 16. 9급 검찰·마약수사, 17. 수사경과·경찰간부
2. 편취한 약속어음을 그와 같은 사실을 모르는 제3자에게 편취 사실을 숨기고 할인받은 행위는 당초의 어음 편취와는 별개로 새로운 사기죄를 구성한다(대판 2005.9.30, 2005도5236). 18. 경찰간부·법원행시
3. 단일한 범의와 동일한 범행방법으로 수인의 피해자에 대하여 각 피해자별로 기망행위를 하여 각각 재물을 편취한 경우 ⇨ 사기죄의 경합범(대판 2010.4.29, 2010도2810) 17. 법원행시, 18. 순경 2차
4. 피고인이 수개의 선거비용 항목을 허위기재한 하나의 선거비용 보전청구서를 제출하여 대한민국으로부터 선거비용을 과다 보전받아 이를 편취하였다면 이는 일죄로 평가되어야 하고, 각 선거비용 항목에 따라 별개의 사기죄가 성립하는 것은 아니다(대판 2017.5.30, 2016도21713). 17·20. 순경 2차, 19. 수사경과, 22. 7급 검찰
5. 사기죄에서 동일한 피해자에 대하여 수회에 걸쳐 기망행위를 하여 금원을 편취한 경우에 그 범의가 단일하고 범행 방법이 동일하다면 사기죄의 포괄일죄만이 성립한다(대판 2015.10.29, 2015도10948). 22. 수사경과

② 타죄와의 관계

㉠ **횡령죄와의 관계** : 자기가 점유하는 타인의 재물을 기망에 의하여 영득한 때에는 횡령죄만 성립하고 사기죄가 성립되지 않는다(대판 1980.12.9, 80도1177 ∵ 기망은 영득행위의 수단에 불과하고 상대방의 처분행위 ×). 15 수사경과, 16. 변호사시험, 19. 법원직

㉡ **배임죄와의 관계** : 타인의 사무를 처리한 자가 본인에 대하여 기망행위를 하여 재산상의 이익을 취득하고 본인에게 손해를 가한 경우 ⇨ 사기죄와 배임죄의 상상적 경합〔다수설·판례(대판 2002.7.18, 2002도669 전원합의체)〕 19. 법원직, 20. 해경승진

㉢ **도박죄와의 관계** : 피고인 등이 사기도박에 필요한 준비를 갖추고 그러한 의도로 피해자들에게 도박에 참가하도록 권유한 때 또는 늦어도 그 정을 알지 못하는 피해자들이 도박에 참가한 때에는 이미 사기죄의 실행에 착수하였다고 할 것이므로, 피고인 등이 그 후에 사기도박을 숨기기 위하여 얼마간 정상적인 도박을 하였더라도 이는 사기죄의 실행행위

에 포함되는 것이어서 피고인에 대하여는 피해자들에 대한 사기죄만이 성립하고 도박죄는 따로 성립하지 아니한다(대판 2011.1.13, 2010도9330). 15. 경찰간부, 17. 순경 2차 · 법원행시, 22. 변호사시험 · 수사경과

㉣ 사기죄에서 피해자에게 그 대가가 지급된 경우, 피해자를 기망하여 그가 보유하고 있는 그 대가를 다시 편취하거나 피해자로부터 그 대가를 위탁받아 보관 중 횡령하였다면, 이는 새로운 법익의 침해가 발생한 경우이므로, 기존에 성립한 사기죄와는 별도의 새로운 사기죄나 횡령죄가 성립한다(대판 2009.10.29, 2009도7052). 16. 사시 · 7급 검찰 · 철도경찰, 22. 변호사시험 · 수사경과, 23. 해경 3차, 24. 순경 1차

▶ **유사판례** : 대표이사가 회사의 상가분양 사업을 수행하면서 수분양자들을 기망하여 편취한 분양대금을 횡령한 경우 ⇨ 사기죄와 횡령죄의 경합범(대판 2005.4.29, 2005도741) 14. 법원행시

▶ **비교판례** : 전기통신금융사기(이른바 보이스피싱 범죄)의 범인이 피해자를 기망하여 피해자의 자금을 사기이용계좌로 송금 · 이체받으면 사기죄는 기수에 이르고, 그 후 범인이 사기이용계좌에서 현금을 인출한 경우 ⇨ 사기죄 ○, 별도의 횡령죄 ×(대판 2017.5.31, 2017도3894 ∵ 위탁관계나 신임관계 ×, 새로운 법익침해 × ※ 사기범행을 방조한 종범이 사기이용계좌로 송금된 피해자의 자금을 임의로 인출한 경우에도 마찬가지이다.) 18. 법원행시 · 법원직, 21. 변호사시험, 23. 경찰간부

㉤ 절취한 자기앞수표를 음식대금으로 교부하고 거스름돈을 환불 받은 행위는 별도의 사기죄를 구성하지 않고 선행한 절도죄의 불가벌적 사후행위가 성립한다(대판 1987.1.20, 86도1728). 13. 경찰간부, 16. 수사경과, 17. 법원직, 20. 순경 2차

㉥ 법원을 기망하여 승소판결을 받고 그 확정판결에 의하여 소유권이전등기를 경료한 경우 ⇨ 사기죄와 공정증서원본부실기재죄의 실체적 경합범(대판 1983.4.26, 83도188) 12. 경찰간부, 22. 수사경과

㉦ 피고인이 보이스피싱 사기 범죄단체에 가입한 후 사기범죄의 피해자들로부터 돈을 편취하는 등 그 구성원으로서 활동한 경우, 범죄단체 가입행위 또는 범죄단체 구성원으로서 활동하는 행위와 사기행위는 각각 별개의 범죄구성요건을 충족하는 독립된 행위이고 서로 보호법익도 달라 법조경합 관계로 목적된 범죄인 사기죄만 성립하는 것은 아니다(대판 2017.10.26, 2017도8600).

(8) 관련문제

① **불법원인급여와 사기죄의 성부** : 불법원인급여(민법 제746조)에 해당하여 급여자가 수익자에 대한 반환청구권을 행사할 수 없는 경우라도, 수익자가 기망을 통해 급여자로 하여금 불법원인급여에 해당하는 재물을 제공하게 하였다면 사기죄가 성립한다(통설, 대판 2006.11.23, 2006도6795). 14. 경찰간부, 22. 변호사시험, 23. 순경 1차

예 피고인이 피해자로부터 도박자금으로 사용하기 위하여 금원을 차용한 경우 13. 변호사시험

② 의사인 피고인이 입원치료를 받을 필요가 없는 환자들이 보험금 수령을 위하여 입원치료를 받으려고 하는 사실을 알면서도 입원을 허가하여 형식상으로 입원치료를 받도록 한 후 입원확인서를 발급하여 준 경우 의사에게는 사기방조죄가 성립한다(대판 2006.1.12, 2004도6557).

2 컴퓨터 등 사용사기죄

제347조의 2 컴퓨터 등 정보처리장치에 허위의 정보 또는 부정한 명령을 입력하거나 권한 없이 정보를 입력·변경하여 정보처리를 하게 함으로써 재산상의 이익을 취득하거나 제3자로 하여금 취득하게 한 자는 10년 이하의 징역 또는 2천만원 이하의 벌금에 처한다.

미수범 처벌(제352조), 상습범 가중처벌(제351조), 친족간 특례 적용(제354조)

① **허위정보 입력** : 허위의 정보를 입력한다는 것은 진실한 내용에 반하는 정보를 입력하는 것을 말한다.

예 입금되지 않았음에도 불구하고 은행컴퓨터에 허위의 입금데이터를 입력하여 예금파일의 예금잔고를 증액시키는 것(만일 이를 인출한 경우에도 본죄에 흡수)

② **부정한 명령의 입력**

관련판례

복권 인터넷사이트 가상계좌에서 복권 구매요청금과 동일한 액수의 가상 현금이 입금되는 프로그램 오류의 발생 현상을 이용하여 가상계좌에 전자복권 구매명령을 입력함으로써 재산상 이득을 취득한 행위는 형법상 컴퓨터 등 사용사기죄에 정한 '부정한 명령'의 입력 행위에 해당한다(대판 2013.11.14, 2011도4440 ∵ 당해 사무처리시스템의 프로그램을 구성하는 개개의 명령을 부정하게 변개·삭제하는 행위는 물론 프로그램 자체에서 발생하는 오류를 적극적으로 이용하여 그 사무처리의 목적에 비추어 정당하지 아니한 사무처리를 하게 하는 행위도 특별한 사정이 없는 한 위 '부정한 명령의 입력'에 해당한다).
15. 9급 검찰·마약수사, 19. 법원행시·경찰승진, 20. 7급 검찰, 22. 경찰간부·해경 2차·경력채용, 24. 법원직

③ **권한 없이 정보를 입력·변경** : 타인의 진정한 정보를 권한 없는 자가 그 타인의 승낙 없이 사용한 경우를 말한다.

관련판례

1. 타인 명의를 모용하여 발급받은 신용카드로 현금자동지급기에서 현금을 인출한 경우나 절취한 타인의 신용카드로 현금자동지급기에서 현금을 인출한 경우 ⇨ 본죄 ×, 절도죄 ○(대판 2002.7.12, 2002도2134 ; 대판 2003.5.13, 2003도1178 ∵ 본죄의 객체는 재물이 아닌 재산상의 이익에 한정되어 있고 현금인출행위는 재물에 관한 범죄임) 19. 변호사시험·법원행시, 20. 7급 검찰·해경 1차, 21. 경찰간부, 24. 해경순경
2. 사이버25C피씨방에서 손님이 농협현금카드로 2만원을 인출해오라고 부탁하자 위임받은 금액을 초과하여 현금(5만원)을 인출하는 방법으로 차액(3만원)을 취득한 때에는 차액 상당의 현금(전체 인출액 ×)에 대해 절도죄가 아닌 컴퓨터 등 사용사기죄가 성립한다(대판 2006.3.24, 2005도3516).
19. 변호사시험, 22. 경찰승진, 23. 법원행시·경력채용·순경 2차, 24. 9급 검찰·마약수사·해경순경
3. 타인의 명의를 모용하여 발급받은 신용카드의 번호와 그 비밀번호를 이용하여 ARS 전화서비스나 인터넷 등을 통하여 신용대출을 받는 방법으로 재산상 이익을 취득하는 행위는 컴퓨터 등 사용사기죄에 해당하고, 그 신용카드를 사용하여 현금자동지급기에서 현금대출을 받는 행위는 절도죄에 해당한다(대판 2006.7.27, 2006도3126). 16. 경찰승진, 18. 9급 검찰·법원직, 20. 경찰간부·해경승진, 21. 경력채용, 23. 법원행시, 24. 9급 검찰·마약수사·해경순경·경위공채

4. 금융기관 직원이 전산단말기를 이용하여 다른 공범들이 지정한 특정계좌에 돈이 입금된 것처럼 허위의 정보를 입력하는 방법으로 위 계좌로 입금되도록 한 경우, 컴퓨터 등 사용사기죄는 기수에 이르렀고, 그 후 그러한 입금이 취소되어 현실적으로 인출되지 못하였다고 하더라도 이미 성립한 컴퓨터 등 사용사기죄에 어떤 영향이 없다(대판 2006.9.14, 2006도4127). 16. 순경 1차, 20. 7급 검찰, 21. 해경승진, 23. 법원행시 · 경력채용, 24. 법원직
   - ▶ **유사판례** : 금융기관 직원이 범죄의 목적으로 전산단말기를 이용하여 다른 공범들이 지정한 특정계좌에 무자원 송금의 방식으로 거액을 입금한 것은 평상시 그 직원이 금융기관의 여 · 수신업무를 처리할 권한이 있었다 해도 컴퓨터사용사기죄가 성립한다(대판 2006.1.26, 2005도8507). 16. 사시, 18. 경력채용, 20. 경찰간부 · 순경 2차
5. 절취한 타인의 신용카드를 이용하여 현금지급기에서 자신의 계좌로 돈을 이체한 행위는 컴퓨터 등 사용사기죄에 해당함은 별론으로 하고 절도죄에 해당한다고 할 수는 없고, 이렇듯 계좌이체한 후 현금지급기에서 현금을 인출한 행위는 자신의 신용카드나 현금카드를 이용한 것이어서 이러한 현금인출이 현금지급기 관리자의 의사에 반한다고 볼 수 없으므로, 이 또한 절도죄에 해당하지 않는다(대판 2008.6.12, 2008도2440). 18. 9급 검찰 · 순경 2차, 20. 해경승진, 21 · 22. 변호사시험 따라서 그 인출된 현금은 재산범죄(절도죄나 사기죄)에 의하여 취득한 재물이 아니므로 장물이 될 수 없다(대판 2004.4.16, 2004도353). 18. 경력채용, 19 · 20 · 22. 변호사시험, 23. 7급 검찰, 24. 해경순경
6. 컴퓨터 등 사용사기죄에서 '정보처리'는 사기죄에서 피해자의 처분행위에 상응하므로 입력된 허위의 정보 등에 의하여 계산이나 데이터의 처리가 이루어짐으로써 직접적으로 재산처분의 결과를 초래하여야 하고, 행위자나 제3자의 '재산상 이익 취득'은 사람의 처분행위가 개재됨이 없이 컴퓨터 등에 의한 정보처리 과정에서 이루어져야 한다(대판 2014.3.13, 2013도16099 예 지방자치단체 컴퓨터시스템에 악성프로그램을 설치하여 낙찰 하한가를 미리 알아낸 다음 특정 건설사에 낙찰이 가능한 입찰금액을 알려주어 건설사가 낙찰받게 한 경우 ⇨ 컴퓨터 등 사용사기죄 또는 그 미수죄의 구성요건에 해당 ×, 무죄 ○) 17. 순경 1차, 18. 경력채용, 20. 경찰간부, 23. 법원행시, 24. 법원직
7. 손자가 할아버지 소유 농업협동조합 예금통장을 절취하여 이를 현금자동지급기에 넣고 조작하는 방법으로 예금 잔고를 자신의 거래 은행 계좌로 이체한 경우, 위 농업협동조합이 컴퓨터 등 사용사기 범행 부분의 피해자이므로 친족상도례를 적용할 수 없다(대판 2007.3.15, 2006도2704). 20. 경찰간부, 23. 법원행시 · 9급 검찰 · 마약수사
8. 휴대전화기의 통화버튼이나 인터넷접속버튼을 누르는 것만으로 사용자에 의한 정보 혹은 명령의 입력이 행하여졌다고 보기 어렵고, 따라서 휴대전화 또는 이동통신회사에 의하여 그 입력된 정보 혹은 명령에 따른 정보처리가 이루어진 것으로 보기도 어려우므로 컴퓨터 등 사용사기죄의 성립이 부정된다(대판 2010.9.9, 2008도128). 19. 법원행시
9. 타인의 인적 사항을 도용하여 타인명의로 발급받은 신용카드의 번호와 비밀번호를 인터넷사이트에 입력함으로써 재산상의 이익(신용정보조회 사용료 : 2천원)을 취득한 경우 ⇨ 본죄 ○(대판 2003.1.10, 2002도2363 ∵ 권한 없는 자에 의한 명령 입력행위를 '부정한 명령의 입력'으로 해석 ⇨ 유추해석 ×) 07. 경찰승진, 09. 법원행시
10. 권한 없이 회사(신진기획주식회사)의 아이디와 패스워드를 입력하여 인터넷뱅킹에 접속한 다음 위 회사의 예금계좌로부터 자신의 예금계좌로 돈을 이체시킨 경우 ⇨ 본죄 ○(대판 2004.4.16, 2004도353) 09. 법원행시

관련판례

• **신용카드와 현금카드에 관련된 범죄 총정리**

1. **자기신용카드**

① 대금결재의 의사나 능력이 없음에도 불구하고 이를 가장하여 카드회사를 기망하여 신용카드를 발급받은 다음 그 신용카드를 이용하여 현금자동지급기에서 현금을 인출하거나 카드가맹점에서 물품을 구입한 경우 ⇨ 사기죄의 포괄일죄(대판 1996.4.9, 95도2466 ∵ 카드회사가 피기망자이고 피해자임) 20. 해경승진, 21. 경찰간부·경력채용, 23. 7급 검찰, 24. 9급 검찰·마약수사

② 정상적으로 발급받은 신용카드를 소지한 카드회원이 일시적인 자금궁색 등의 이유로 그 채무를 일시적으로 이행하지 못하게 되는 상황이 아니라, 이미 과다한 부채의 누적 등으로 신용카드 사용으로 인한 대출금채무를 변제할 의사나 능력이 없는 상황에 처하였음에도 불구하고 신용카드를 사용하여 수회에 걸쳐 물품을 구입하거나 현금서비스를 받는 경우, 신용카드업자를 피해자로 하는 사기죄의 포괄일죄이다(대판 2005.8.19, 2004도6859). 18. 법원직, 23. 경찰간부, 24. 순경 1차

2. **타인신용카드와 현금카드**

① 현금카드 소유자를 공갈(협박)하여 예금인출승낙과 함께 카드를 교부받은 후 현금자동지급기에서 수차례(17회)에 걸쳐 예금을 인출한 경우 ⇨ 포괄하여 1개의 공갈죄(대판 1996.9.20, 95도1728 ∵ 현금카드를 교부받은 행위와 예금인출행위는 단일·계속된 범의에서 이루어진 일련의 행위임) 14. 사시, 15. 변호사시험, 21. 경찰간부·경력채용

▶ 예금주인 현금카드 소유자를 협박하여 그 카드를 갈취한 다음 피해자의 승낙에 의하여 현금카드를 사용할 권한을 부여받아 이를 이용하여 현금자동지급기에서 현금을 인출한 행위는 포괄하여 하나의 공갈죄를 구성하고, 강취한 현금카드를 사용하여 현금자동지급기에서 예금을 인출한 행위는 강도죄와는 별도로 절도죄를 구성한다(대판 2007.5.10, 2007도1375 ∵ 예금인출행위 ⇨ 피해자의 승낙 ×, 관리자의 의사에 반함 ⇨ 절도죄 ○). 19. 변호사시험, 21. 경찰간부, 23. 7급 검찰, 24. 순경 1차

▶ **유사판례** : 피고인이 현금카드의 소유자로부터 편취한 현금카드를 이용하여 현금자동지급기에서 예금을 여러번 인출한 경우 포괄하여 하나의 사기죄를 구성한다(대판 2005.9.30, 2005도5869 ∵ 피해자의 승낙에 의하여 사용권한 부여받음 ⇨ 예금인출 ⇨ 절도죄 ×). 24. 순경 1차

② 절취(강취)한 신용카드로 수개의 가맹점에서 매출전표에 서명·교부하고 물품을 구입한 경우 ⇨ 절도죄(강도죄)와 신용카드부정사용죄(포괄일죄, 사문서위조 및 동행사죄는 흡수됨 : 대판 1992.6.9, 92도77)와 사기죄의 경합범(대판 1996.7.12, 96도1181 대판 1997.1.21, 96도2715) 18. 순경 2차, 20. 해경승진·해경 1차, 22. 변호사시험

▶ **유사판례** : 신용카드를 절취한 사람이 대금을 결제하기 위하여 신용카드를 제시하고 카드회사의 승인까지 받았다고 하더라도 매출전표에 서명한 사실이 없고 도난카드임이 밝혀져 최종적으로 매출취소로 거래가 종결되었다면, 신용카드 부정사용의 미수행위에 불과하다(대판 2008.2.14, 2007도8767 ▶ **주의** : 신용카드부정사용죄의 미수처벌규정 ×). 16. 사시, 17. 순경 1차, 18. 9급 검찰·마약수사, 20. 해경승진, 22. 수사경과

③ 타인의 신용카드를 임의로 가져가 현금서비스를 받거나 현금을 인출한 다음 카드를 곧바로 반환한 경우 ⇨ 신용카드부정사용죄(여신전문금융업법 제70조 제1항 : 위조·변조 또는 도난·분실된 신용카드를 사용한 자 처벌)와 인출한 현금에 대한 절도죄의 실체적 경합〔대판 1995.7.28, 95도997

예 신용카드에 대한 절도죄 × ⇨ ∵ 불법영득의사 ×(현금카드와 동일)〕 16. 7급 검찰 · 철도경찰, 18. 순경 2차

④ 유흥주점 업주가 과다한 술값 청구에 항의하는 피해자들을 폭행 또는 협박하여 피해자들로부터 일정 금액을 지급받기로 합의한 다음, 피해자들이 결제하라고 건네준 신용카드로 합의에 따라 현금서비스를 받거나 물품을 구입한 경우 신용카드 부정사용에 해당하지 않는다(대판 2006.7.6, 2006도654). 07. 사시 · 법원행시, 10. 경찰승진

⑤ 신용카드의 소유자인 피해자를 기망하여 취득한 신용카드로 자신의 생활비 등 개인적인 용도로 결제한 경우 ⇨ 여신전문금융업법 위반(신용카드부정사용)죄 ○(대판 2022.12.16, 2022도10629)

⑥ 여신전문금융업법상 신용카드 부정사용죄와 관련하여, 동법 제70조 제1항 제4호의 '기망하거나 공갈하여 취득한 신용카드나 직불카드'는 '신용카드나 직불카드의 소유자 또는 점유자를 기망하거나 공갈하여 그들의 자유로운 의사에 의하지 않고 점유가 배제되어 그들로부터 사실상 처분권을 취득한 신용카드나 직불카드'라고 해석되어야 한다〔대판 2022.12.16, 2022도10629 예 신용카드의 소유자인 피해자를 기망하여 취득한 신용카드로 자신의 생활비 등 개인적인 용도로 결제한 경우 ⇨ 여신전문금융업법 위반(신용카드부정사용)죄 ○〕. 24. 순경 1차

3 준사기죄와 편의시설부정이용죄

제348조 【준사기죄】 ① 미성년자의 사리분별력 부족 또는 사람의 심신장애를 이용하여 재물을 교부받거나 재산상 이익을 취득한 자는 10년 이하의 징역 또는 2천만원 이하의 벌금에 처한다.
② 제1항의 방법으로 제3자로 하여금 재물을 교부받게 하거나 재산상 이익을 취득하게 한 경우에도 제1항의 형에 처한다.

제348조의 2 【편의시설부정이용죄】 부정한 방법으로 대가를 지급하지 아니하고 자동판매기, 공중전화, 기타 유료자동설비를 이용하여 재물 또는 재산상 이익을 취득한 자는 3년 이하의 징역, 500만원 이하의 벌금, 구류 또는 과료에 처한다.

1. 미수범 처벌(제352조), 친족상도례 적용(제354조), 상습범 가중처벌(제351조)
2. 甲이 피해자 A의 케이티전화카드(한국통신의 후불식 통신카드)를 절취하여 전화통화에 이용하였으나 A가 통신요금을 납부할 책임을 부담한다면 편의시설부정이용죄는 성립하지 않는다(대판 2001.9.25, 2001도3625). 17. 변호사시험

4 부당이득죄

제349조 제1항 사람의 곤궁하고 절박한 상태를 이용하여 현저하게 부당한 이익을 취득한 자는 3년 이하의 징역 또는 1천만원 이하의 벌금에 처한다.

제349조 제2항 제1항의 방법으로 제3자로 하여금 부당한 이익을 취득하게 한 경우에도 제1항의 형에 처한다.

친족간 특례(제354조), 상습범 가중처벌(제351조), 미수범 처벌규정 ×

① 궁박한 상태란 경제적인 것뿐만 아니라 생명 · 건강 · 명예 등에 관한 정신적 · 육체적 곤궁상태도 포함한다. 그리고 궁박한 상태에 이른 원인을 불문하므로 궁박한 상태를 피해자 스스로 곤궁상태를 초래한 경우에도 이를 이용하면 본죄에 해당한다. 06. 법원행시

② 현저하게 부당한 이익인지 여부는 단순히 시가와 이익과의 비율로만 판단해서는 안 되고 구체적 · 개별적 사안에 있어서 여러 상황을 구체적으로 판단하여 일반인의 사회통념에 따라 결정하여야 한다(대판 2009.1.15, 2008도8577). 06. 법원행시

관련판례

개발사업 등이 추진되는 사업부지 중 일부의 매매와 관련된 이른바 '알박기' 사건에서 피해자가 궁박한 상태에 빠지게 된 데에 피고인이 적극적으로 원인을 제공하였거나 상당한 책임을 부담하는 정도(추진상황을 미리 알고 매수하거나 협조할 듯 하다가 협조를 거부)에 이르지 않은 상태에서 단지 개발사업 등이 추진되기 오래 전부터 사업부지 내의 부동산을 소유하여 온 피고인이 이를 매도하라는 피해자의 제안을 거부하다가 수용하는 과정에서 큰 이득을 취하였다는 사정만으로 함부로 부당이득죄의 성립을 인정해서는 안 된다(대판 2009.1.15, 2008도8577). 06. 법원행시

예 아파트 건축사업이 추진되기 수년(약 15년) 전부터 사업부지 내 일부 부동산을 소유하여 온 피고인이 사업자의 매도 제안을 거부하다가 인근 토지 시가의 40배가 넘는 대금을 받고 매도한 경우 ⇨ 부당이득죄 ×(대판 2009.1.15, 2008도8577) 13. 사시

5 상습사기죄

제351조 상습으로 사기죄(제347조), 컴퓨터 등 사용사기죄(제347조의 2), 준사기죄(제348조), 편의시설부정이용죄(제348조의 2), 부당이득죄(제349조)를 범한 자는 그 죄에 정한 형의 2분의 1까지 가중한다.

미수범 처벌(제358조), 친족상도례 적용(제354조)

확인학습(다툼이 있는 경우 판례에 의함)

1 주유소 운영자가 농·어민 등에게 조례특례제한법에 정한 면세유를 공급한 것처럼 위조한 유류공급확인서로 정유회사를 기망하여 면세유를 공급받은 경우, 국가 또는 지방자치단체에 대한 사기죄가 성립하지 않는다. ( ) 17. 변호사시험·경찰간부, 19. 수사경과, 21. 경찰승진

2 담당 공무원을 기망하여 납부의무가 있는 농지보전부담금을 면제받아 재산상 이익을 취득하였다면, 부과권자의 직접적인 권력작용을 사기죄의 보호법익인 재산권과 동일하게 평가할 수 있어 사기죄가 성립한다. ( ) 21. 법원행시, 21·22. 순경 1차, 22. 경찰승진·7급 검찰

3 사기죄의 보호법익은 재산권이므로 도급계약이나 물품구매 조달 계약 체결 당시 관련 영업 또는 업무를 규제하는 행정법규나 입찰 참가자격, 계약절차 등에 관한 규정을 위반한 사정이 있더라도 그러한 사정만으로 도급계약을 체결한 행위가 기망행위에 해당한다고 단정해서는 안 된다. ( ) 21. 법원직, 23. 순경 2차·해경 3차

4 피해자에 대한 사기범행을 실현하는 수단으로서 타인을 기망하여 그를 피해자로부터 편취한 재물이나 재산상 이익을 전달하는 도구로서만 이용한 경우에는 편취의 대상인 재물 또는 재산상 이익에 관하여 피해자에 대한 사기죄가 성립하고, 도구로 이용된 타인에 대한 사기죄도 별도로 성립한다. ( ) 18·20. 변호사시험, 22. 경찰간부, 23. 순경 1차, 24. 해경간부

5 피고인이 피해자에게서 매수한 재개발아파트 수분양권을 이미 매도하였는데도 마치 자신이 피해자의 입주권을 정당하게 보유하고 있는 것처럼 피해자의 딸과 사위에게 거짓말하여 피해자 명의의 인감증명서를 교부받은 경우 사기죄가 성립한다. ( ) 15. 사시, 19. 법원직, 22. 경력채용

6 금품을 받을 것을 전제로 하여 성행위를 하고 부녀자를 기망하여 그 대가의 지급을 면하더라도 사기죄는 성립하지 아니한다. ( ) 17. 경찰간부, 18. 수사경과, 20. 변호사시험

7 채무자의 기망행위로 인해 채권자가 채무를 확정적으로 소멸 내지 면제시키는 특약 등 처분행위를 한 경우에는 채무의 면제라고 하는 재산상 이익에 관한 사기죄가 성립하지만 후에 그 재산상 처분행위가 사기를 이유로 민법에 따라 취소될 수 있는 경우라면 사기죄는 성립할 수 없다. ( ) 15. 사시, 18. 법원행시, 20. 경찰간부

8 비의료인이 개설한 의료기관이 의료법에 의하여 적법하게 개설된 요양기관인 것처럼 국민건강보험공단에 요양급여비용의 지급을 청구하여 지급받은 경우 사기죄가 성립한다. ( ) 17·20. 법원직, 21·23. 경찰승진, 23. 해경승진

9 중고차매매계약을 체결하면서 매도인이 할부금융회사 또는 보증보험회사에 할부금 채무가 남아있음을 매수인에게 고지하지 않은 경우, 판례에 의하면 사기죄가 성립하지 않는다. ( ) 16. 순경 1차·법원행시, 19. 경찰승진, 21. 해경승진·수사경과, 22. 해경 2차

Answer 1. ○ 2. × 3. ○ 4. × 5. ○ 6. × 7. × 8. ○ 9. ○

10 등기부에 경매개시결정이 기재된 여관건물을 타인에게 임대하면서 경매절차가 진행 중인 사실을 고지하지 않은 경우 사기죄가 성립한다. ( ) 17. 법원행시, 20. 법원직, 21. 해경 2차

11 피고인 등이 피해자 甲 등에게 자동차를 매도하겠다고 거짓말하고 자동차를 양도하면서 매매대금을 편취한 다음, 자동차에 미리 부착해 놓은 지피에스(GPS)로 위치를 추적하여 자동차를 절취한 경우 사기죄 및 특수절도죄가 성립한다. ( )

18. 변호사시험, 19. 경찰승진·7급 검찰, 20. 법원직, 23. 해경승진, 24. 해경간부

12 자동차(부동산)의 명의수탁자가 명의신탁 사실을 고지하지 않고, 나아가 자신 소유라는 말을 하면서 자동차(부동산)를 제3자에게 매도하고 이전등록(이전등기)까지 마쳐 준 경우, 매수인에 대하여 사기죄가 성립한다. ( ) 16. 법원행시, 17. 경찰승진, 18. 순경 2차, 20. 경찰간부·변호사시험, 22. 7급 검찰

13 피고인이 이동통신 판매대리점의 컴퓨터를 이용하여 이동통신회사들의 전산망에 접속한 다음 전산상으로 사용정지된 휴대전화를 사용할 수 있도록 하거나 유심칩 읽기를 통해 문자메시지 발송한도를 해제한 경우 사기죄가 성립하지 않는다. ( ) 16. 경찰간부, 17. 수사경과, 22. 경력채용

14 허위의 내용으로 신청한 지급명령이 그대로 확정된 경우에는 소송사기의 방법으로 승소 판결을 받아 확정된 경우와 마찬가지로 사기죄는 이미 기수에 이르렀다고 볼 것이다. ( )

15. 순경 1차, 20. 경찰간부, 23. 9급 검찰·마약수사

15 민사소송의 피고는 허위내용의 서류를 작성하여 이를 증거로 제출하거나 위증을 시키는 등의 적극적인 방법으로 법원을 기망하여 착오에 빠지게 하더라도 적극적 소송당사자가 아니므로 사기죄의 주체가 될 수 없다. ( ) 15. 법원직, 17. 경찰간부, 20. 해경승진

16 부동산등기부상 소유자로 등기된 적이 있는 자가 자기 이후에 소유권이전등기를 경료한 등기명의인들을 상대로 허위의 사실을 주장하면서 그들 명의의 소유권이전등기의 말소를 구하는 소송을 제기한 경우 말소등기청구 소송의 제기는 사기의 실행에 착수한 것이라고 보아야 한다. ( )

15. 변호사시험, 16. 순경 2차, 20. 경찰간부, 21. 해경승진, 23. 9급 검찰·마약수사

17 법원을 기망하여 자기에게 유리한 판결을 얻기 위하여 소를 제기하였더라도 소송사기죄의 실행의 착수를 인정하기 위해서는 소장이 소제기의 상대방에게 유효하게 송달되어야 한다. ( )

16. 7급 검찰·철도경찰, 21. 경력채용, 22. 경찰승진·법원직, 23. 경찰간부

18 허위 채권에 기하여 부동산에 대한 가압류를 한 경우, 판례에 의하면 사기죄에 해당하지 않는다. ( ) 18. 법원직, 19. 변호사시험, 20. 경찰간부, 23. 9급 검찰·마약수사

19 피고인이 타인과 공모하여 그 공모자를 상대로 제소하여 의제자백의 판결을 받아 이에 기하여 부동산의 소유권이전등기를 하였다면, 부동산의 진정한 소유자로부터 부동산을 편취한 것으로 볼 것이다. ( ) 17. 경찰승진, 18. 경찰간부, 20. 해경간부·경력채용, 22. 법원직

Answer 10. ○ 11. × 12. × 13. ○ 14. ○ 15. × 16. ○ 17. × 18. ○ 19. ×

20 사기죄는 타인을 기망하여 착오에 빠뜨리고 그 처분행위를 유발하여 재물을 교부받거나 재산상 이익을 얻음으로써 성립하는 것이고, 기망, 착오, 재산적 처분행위 사이에 인과관계를 필요로 하는 것은 아니다. ( )
14. 경찰간부, 16 · 17. 순경 2차, 18. 7급 검찰 · 수사경과

21 소유권이전등기청구권에 대한 압류는 당해 부동산에 대한 경매의 실시를 위한 사전 단계로서의 의미를 가지는 것에 불과하므로, 허위 채권에 기한 공정증서를 집행권원으로 하여 채무자의 소유권이전등기청구권에 대하여 압류신청을 하였더라도 소송사기의 실행에 착수하였다고 볼 수 없다. ( )
18. 경찰간부 · 법원직 · 순경 3차, 19. 법원행시, 22. 순경 1차, 23. 변호사시험

22 진실한 용도를 속이고 피해자로부터 부동산매도용 인감증명 및 등기의무자본인확인서면을 교부받아 이를 이용하여 피해자 소유의 부동산에 관하여 자기 명의로 소유권이전등기를 마친 경우 위 부동산에 관한 사기죄의 죄책을 면할 수 없다. ( )
15. 순경 3차, 16. 법원직, 20. 경찰승진

23 출판사 경영자가 출고현황표를 조작하는 방법으로 실제 출판부수를 속여 작가에게 인세의 일부만을 지급한 경우 사기죄가 성립하지 않는다. ( )
17. 경찰간부, 22. 경찰승진 · 해경 2차, 23. 순경 1차

24 부동산 가압류 결정을 받아 부동산에 관한 가압류집행까지 마친 자가 기망을 당하여 그 압류를 해제하였는데, 그 후 가압류의 피보전채권이 존재하지 않는 것으로 밝혀진 경우 사기죄가 성립한다. ( )
15. 순경 3차, 16. 경찰간부, 19. 경찰승진 · 수사경과

25 송금의뢰인과 수취인 사이에 계좌이체 등의 원인이 되는 법률관계가 존재하지 않음에도 계좌이체에 의하여 수취인이 이체금액 상당의 예금채권을 취득한 경우, 수취인이 은행에 예금반환을 청구하여 지급받는 행위는 은행을 피해자로 한 사기죄에 해당한다. ( )
16. 순경 1차, 17 · 19. 순경 2차, 21. 7급 검찰

26 사기행위에 있어 그 대가가 일부 지급된 경우, 편취액은 교부받은 재물 전부가 아니라 그 재물의 가치로부터 대가를 공제한 차액이라는 것이 판례의 입장이다. ( )
18 · 19. 순경 2차, 20. 변호사시험, 21. 해경승진 · 법원직, 24. 경찰간부

27 피담보채권인 공사대금 채권을 실제와 달리 허위로 부풀려 유치권에 의한 경매를 신청한 경우 소송사기죄의 실행의 착수에 해당한다. ( )
15. 변호사시험 · 순경 3차, 22. 경찰간부 · 법원직

28 사기죄의 처분행위라고 하는 것은 재산적 처분행위를 의미하고, 그것은 주관적으로 피기망자에게 처분의사, 즉 처분결과에 대한 인식이 있고, 객관적으로 이러한 의사에 지배된 행위가 있을 것을 요한다. ( )
18. 법원행시 · 법원직, 19. 7급 검찰, 20. 경찰간부, 23. 경찰승진 · 경력채용, 24. 변호사시험

29 사기죄의 피해자가 법인이나 단체인 경우에 법인이나 단체의 대표자 또는 실질적으로 의사결정을 하는 최종 결재권자 등이 기망행위자와 동일인이거나 기망행위자와 공모하는 등 기망행위임을 알고 있었던 경우, 법인이나 단체에 대한 사기죄가 성립한다. ( )
19. 법원직 · 9급 검찰, 20. 순경 2차, 21. 순경 1차, 22. 법원행시 · 경찰승진, 24. 경찰간부

Answer 20. × 21. × 22. × 23. × 24. ○ 25. × 26. × 27. ○ 28. × 29. ×

30 사기죄에서 그 대가가 일부 지급되거나 담보가 제공된 경우에도 편취액은 피해자로부터 교부된 금원으로부터 그 대가 또는 담보 상당액을 공제한 차액이 아니라 교부받은 금원 전부라고 보아야 한다. ( )
19. 순경 2차, 20. 변호사시험, 21. 법원직 · 해경승진, 24. 경찰간부

31 피해자에게 근저당권을 설정해 주겠다고 기망하여 금원을 편취한 다음 목적 부동산에 대하여 제3자에게 근저당권을 설정하여 준 행위는 배임죄를 구성하지 아니한다. ( )
16. 9급 검찰 · 마약수사, 16 · 17. 경찰간부

32 피고인이 보험사고에 해당할 수 있는 사고로 경미한 상해를 입었다고 하더라도 이를 기화로 보험금을 편취할 의사로 상해를 과장하여 병원에 장기간 입원하고 이를 이유로 실제 피해에 비하여 과다한 보험금을 지급받은 경우에는 보험금 전체에 대해 사기죄가 성립한다. ( )
16. 사시 · 7급 검찰 · 철도경찰, 17. 순경 2차, 19. 순경 1차, 21. 수사경과, 22. 해경 2차

33 자기가 점유하는 타인의 재물을 영득함에 있어서 기망의 수단을 사용한 경우 사기죄와 횡령죄의 상상적 경합범이 성립한다. ( )
15. 수사경과, 16. 변호사시험, 19. 법원직

34 피고인 등이 사기도박에 필요한 준비를 갖추고 그러한 의도로 피해자들에게 도박에 참가하도록 권유하여 사기도박을 숨기기 위해 얼마간 정상적인 도박을 한 이후 사기도박을 하였다면 사기죄 외에 별도로 도박죄도 성립하는 것으로 보아야 한다. ( )
15. 경찰간부, 17. 법원행시 · 순경 2차, 22. 변호사시험 · 수사경과

35 이른바 '보이스피싱' 범죄에 사용될 것임을 알고 자기 계좌의 통장을 양도한 다음, 그 계좌에 입금된 '보이스피싱' 피해금원을 인출한 경우 그 피해자에 대한 횡령죄가 성립한다. ( )
18. 법원행시 · 법원직, 21. 변호사시험, 23. 경찰간부

36 피고인이 A회사에서 운영하는 전자복권구매시스템에서 일정한 조건하에 복권 구매명령을 입력하면 가상계좌로 복권 구매 요청금과 동일 액수의 가상현금이 입금되는 프로그램 오류를 이용하여 복권 구매명령 입력 행위를 반복함으로써 자신의 가상계좌로 구매요청금 상당의 금액이 입금되게 하였다면 '부정한 명령의 입력'에 해당한다. ( )
15. 9급 검찰 · 마약수사, 19. 법원행시 · 경찰승진, 20. 7급 검찰, 22. 경찰간부 · 경력채용

37 타인의 명의를 모용하여 발급받은 신용카드를 사용하여 현금자동지급기에서 현금대출(현금서비스)을 받은 행위는 그 현금을 객체로 하는 절도죄가 성립한다. ( )
19. 변호사시험 · 법원행시, 20. 7급 검찰 · 해경승진 · 해경 1차, 21. 경찰간부

38 예금주인 현금카드 소유자로부터 일정액의 현금을 인출해 오라는 부탁과 함께 현금카드를 건네받아 현금자동지급기에서 그 위임받은 금액을 초과한 현금을 인출한 행위는 그 차액 상당에 관하여 절도죄에 해당한다는 것이 판례의 입장이다. ( )
16. 사시, 18. 법원직, 19. 변호사시험, 22. 경찰승진, 23. 법원행시 · 경력채용 · 순경 2차

Answer 30. ○ 31. ○ 32. ○ 33. × 34. × 35. × 36. ○ 37. ○ 38. ×

39 타인의 명의를 모용하여 발급받은 신용카드를 이용하여 현금자동지급기에서 현금을 인출한 행위와 ARS 전화서비스 등으로 신용대출을 받은 행위는 포괄적으로 카드회사에 대한 사기죄이다. ( ) 16. 경찰승진, 18. 9급 검찰 · 법원직, 20. 경찰간부 · 해경승진, 21. 경력채용, 23. 법원행시

40 금융기관 직원이 전산단말기를 이용하여 다른 공범들이 지정한 특정계좌에 돈이 입금된 것처럼 허위의 정보를 입력하여 위 계좌로 입금완료 되었다고 하더라도, 그 뒤 그러한 입금이 취소되어 현실적으로 재산상의 이익을 얻지 못하게 된 경우 컴퓨터 등 사용사기죄의 미수범에 해당한다는 것이 판례의 입장이다. ( ) 16. 순경 1차, 20. 변호사시험 · 7급 검찰, 21. 해경승진, 23. 법원행시 · 경력채용

41 금융기관 직원이 범죄의 목적으로 전산단말기를 이용하여 다른 공범들이 지정한 특정계좌에 무자원 송금의 방식으로 거액을 입금한 행위는 컴퓨터 등 사용사기죄에 해당한다. ( ) 16. 사시, 18. 경력채용, 20. 경찰간부 · 순경 2차

42 절취한 타인의 신용카드를 이용하여 현금자동지급기에서 자신의 예금계좌로 돈을 이체한 후 그 계좌에서 현금을 인출한 경우 현금인출행위는 절도죄를 구성한다. ( ) 18. 9급 검찰 · 순경 2차, 20. 해경승진, 22. 변호사시험

43 컴퓨터 등 사용사기죄에서 '정보처리'는 입력된 허위의 정보 등에 의하여 계산이나 데이터의 처리가 이루어짐으로써 직접적으로 재산처분의 결과를 초래하여야 하고, 행위자나 제3자의 '재산상 이익 취득'은 사람의 처분행위가 개재됨이 없이 컴퓨터 등에 의한 정보처리 과정에서 이루어져야 한다. ( ) 17. 순경 1차, 18. 경력채용, 20. 경찰간부 · 법원직, 23. 법원행시

44 예금주인 현금카드 소유자를 협박하여 그 카드를 갈취한 다음 피해자의 승낙에 의하여 현금카드를 사용할 권한을 부여받아 이를 이용하여 현금자동지급기에서 현금을 인출한 경우 공갈죄와 별도로 절도죄는 성립하지 않는다. ( ) 14. 사시, 15. 변호사시험, 21. 경찰간부 · 경력채용

45 강취한 현금카드를 사용하여 현금자동지급기에서 예금을 인출한 행위는 피해자의 승낙에 기한 것이라고 할 수 없으므로, 현금자동지급기 관리자의 의사에 반하여 그의 지배를 배제하고 그 현금을 자기의 지배하에 옮겨 놓는 것이 되어서 강도죄와는 별도로 절도죄를 구성한다. ( ) 19. 변호사시험, 21. 경찰간부 · 경력채용, 23. 7급 검찰

46 대금결제를 위하여 가맹점에 절취한 신용카드를 제시하고 매출전표에 서명하여 이를 교부한 경우, 신용카드부정사용죄가 성립하는 외에 사문서위조 및 동행사죄가 별도로 성립한다. ( ) 18. 순경 2차, 20. 해경승진 · 해경 1차, 22. 변호사시험

47 신용카드를 절취한 사람이 물품 대금의 결제를 위해 신용카드를 제시하고 카드회사의 승인까지 받았다면 매출전표에 서명한 사실이 없고 도난카드임이 밝혀져 최종적으로 매출취소로 거래가 종결되었다 하더라도 여신전문금융업법의 신용카드 부정사용죄의 기수범이 성립한다. ( ) 16. 사시, 17. 순경 1차, 18. 9급 검찰 · 마약수사, 20. 해경승진, 22. 수사경과

Answer 39. × 40. × 41. ○ 42. × 43. ○ 44. ○ 45. ○ 46. × 47. ×

기출문제

01 **다음 중 사기죄에 있어 부작위에 의한 기망행위와 관련하여 법률상 고지의무가 인정되는 것은 모두 몇 개인가?**(다툼이 있는 경우 판례에 의함) 17. 법원행시, 21. 해경 2차

> ㉠ 부동산의 이중매매에 있어서 제2의 매수인에게 제1의 매매계약을 일방적으로 해제할 수 없는 처지에 있다는 사실을 고지할 의무
> ㉡ 매매목적물에 관하여 매수인에게 이미 제3자의 신청에 의하여 처분금지가처분결정이 된 사실을 고지할 의무
> ㉢ 임대인이 임대차계약을 체결하면서 임차인에게 임대목적물이 경매진행 중인 사실을 고지할 의무
> ㉣ 매각 토지에 대하여 도시계획이 입안되어 있어 장차 협의매수되거나 수용될 것이라는 사정을 이를 잘 알지 못하는 매수인에게 고지할 의무

① 없 음 ② 1개 ③ 2개 ④ 3개 ⑤ 4개

해설 • **법률상 고지의무** ○ : ㉡ 대판 1991.12.24, 91도2698 ㉢ 대판 1998.12.8, 98도3263 ㉣ 대판 1993.7.13, 93도14
• **법률상 고지의무** × : ㉠ 대판 2008.5.8, 2008도1652

02 **사기죄와 관련된 다음 설명 중 가장 옳은 것은?**(다툼이 있는 경우 판례에 의함) 20. 경찰간부

① 토지를 매도함에 있어 채무담보를 위한 가등기와 근저당권설정등기가 경료되어 있는 사실을 숨겼다 할지라도 매수인은 등기부등본을 통해 얼마든지 사실을 확인할 수 있으므로 사기죄는 성립하지 않는다.
② 부동산의 명의수탁자가 부동산을 제3자에게 매도하고 매매를 원인으로 하는 소유권이전등기까지 마쳐 주었으나 명의신탁 사실을 알리지 아니한 경우에는 제3자에 대하여 사기죄가 성립한다.
③ 중고자동차 매매에 있어 매도인이 할부금융회사 또는 보증보험에 대한 할부금 채무의 존재를 매수인에게 고지하지 않았다면 채무의 승계 여부를 불문하고 사기죄가 성립한다.
④ 사기죄의 피해자가 법인이나 단체인 경우에 기망행위가 있었는지는 법인이나 단체의 대표 등 최종 의사결정권자 또는 내부적인 권한 위임 등에 따라 실질적으로 법인의 의사를 결정하고 처분을 할 권한을 가지고 있는 사람을 기준으로 판단하여야 한다.

해설 ① × : 사기죄 ○(대판 1981.8.20, 81도1638 ∵ 부작위에 의한 기망 ○)
② × : 사기죄 ×(대판 2007.1.11, 2006도4498 ∵ 수탁자에게 처분권한 ○, 제3자에게 재산상 손해 × ⇨ 신의칙상 고지의무 × ⇨ 부작위에 의한 기망 ×)
③ × : 사기죄 ×(대판 1998.4.14, 98도231 ∵ 할부금 채무가 당연히 승계 × ⇨ 부작위에 의한 기망 ×)
④ ○ : 대판 2017.9.26, 2017도8449

Answer 01. ④ 02. ④

03 소송사기에 대한 설명으로 옳지 않은 것은?(다툼이 있는 경우 판례에 의함) 23. 9급 검찰·마약수사

① 피고인이 허위의 채권을 피보전권리로 삼아 가압류를 하였다 하더라도 본안소송을 제기하지 아니한 채 가압류를 한 것만으로는 사기죄의 실행에 착수하였다고 할 수 없다.

② 피고인이 허위의 채권으로 법원에 지급명령을 신청하였으나 이에 대해 상대방이 이의신청을 하면 지급명령은 이의의 범위 안에서 그 효력을 잃게 되므로 사기죄의 실행의 착수는 인정되지 아니한다.

③ 피고인이 허위의 증거를 조작하는 등의 적극적인 사술을 사용하지 아니한 채 기한 미도래의 채권에 대해 단지 즉시 지급을 구하는 취지의 지급명령신청을 한 경우, 이는 법원에 대한 기망행위에 해당하지 아니한다.

④ 부동산등기부상 소유자로 등기된 적이 있는 자가 자기 이후 소유권이전등기를 경료한 등기명의인들을 상대로 허위 사실을 주장하면서 그들 명의의 소유권이전등기의 말소를 구하는 소송을 제기한 경우 사기죄의 실행의 착수가 인정된다.

해설 ① 대판 1982.10.26, 82도1529
② × : 허위의 증거를 이용하지 않은 채 허위의 내용을 기재하여 지급명령을 신청한 단계에서는 상대방의 이의신청으로 지급명령은 이의의 범위 안에서 그 효력을 잃게 되더라도 지급명령을 신청한 때 소를 제기한 것으로 보게 되므로 소송사기죄에 있어서 실행에 착수하였다고 볼 수 있다(대판 2004.6.24, 2002도4151).
③ 대판 1982.7.27, 82도1160 ④ 대판 2003.7.22, 2003도1951

04 소송사기에 관한 설명 중 옳지 않은 것을 모두 고른 것은?(다툼이 있는 경우 판례에 의함)

23. 변호사시험

㉠ 甲이 자신이 토지의 소유자라고 허위 주장을 하면서 소유권보존등기 명의자를 상대로 보존등기의 말소를 구하는 소송을 제기한 경우, 그 소송에서 위 토지가 甲의 소유임을 인정하여 보존등기 말소를 명하는 내용의 승소확정판결을 받는다면 甲에게 소송사기죄가 성립하고, 이 경우 기수시기는 위 판결이 확정된 때이다.

㉡ A가 자기의 비용과 노력으로 건물을 신축하여 소유권을 원시취득한 미등기건물의 소유자임에도, A에 대한 채권담보 등을 위하여 건축허가명의만을 가진 甲과 甲에 대한 채권자 乙이 공모하여 乙이 甲을 상대로 위 건물에 관한 강제경매를 신청하여 법원의 경매개시결정이 내려지고, 그에 따라 甲 앞으로 촉탁에 의한 소유권보존등기가 된 경우, 甲과 乙에게는 A에 대한 관계에서 사기죄의 공동정범이 성립한다.

㉢ 허위 채권에 기한 공정증서를 집행권원으로 하여 채무자의 소유권이전등기청구권에 대하여 압류신청을 한 것만으로는 소송사기의 실행에 착수하였다고 볼 수 없다.

㉣ 甲이 소송상의 주장이 사실과 다름이 객관적으로 명백하거나 증거가 조작되어 있다는 정을 인식하지 못하는 제3자를 이용하여 그로 하여금 소송의 당사자가 되게 하여 법원을 기망하였다면, 甲에게 간접정범의 형태에 의한 소송사기죄가 성립한다.

㉤ 甲이 법원을 기망하여 소송상대방인 직계혈족으로부터 재물을 편취하여 사기죄가 성립하는 경우, 甲에게는 친족상도례가 적용되므로 그 형을 면제하여야 한다.

Answer 03. ② 04. ③

① ㉠　② ㉠, ㉡　③ ㉡, ㉢　④ ㉢, ㉣　⑤ ㉢, ㉤

해설 ㉠ ○ : 대판 2006.4.7, 2005도9858 전원합의체
㉡ × : 사기죄의 공동정범 ×(대판 2013.11.28, 2013도459 ∵ 법원의 재판이나 법원의 촉탁에 의한 소유권보존등기의 효력은 그 재판의 당사자도 아닌 위 진정한 소유자에게는 미치지 ×)
㉢ × : ~ 볼 수 있다(대판 2015.2.12, 2014도10086).
㉣ ○ : 대판 2007.9.6, 2006도3591
㉤ ○ : 대판 1976.4.13, 75도781

05 절도와 사기의 구별에 관한 설명 중 가장 옳지 않은 것은?(다툼이 있는 경우 판례에 의함)

23. 법원직, 24. 해경경장

① 형법상 절취란 타인이 점유하고 있는 자기 이외의 자의 소유물을 점유자의 의사에 반하여 점유를 배제하고 자기 또는 제3자의 점유로 옮기는 것이므로, 기망의 방법으로 타인으로 하여금 처분행위를 하도록 하여 재물 또는 재산상 이익을 취득한 경우에는 절도죄가 아니라 사기죄가 성립한다.
② 사기죄에서 처분행위는 착오에 빠진 피해자의 행위를 이용하여 재산을 취득하는 것을 본질적 특성으로 하는 사기죄와 피해자의 행위에 의하지 아니하고 행위자가 탈취의 방법으로 재물을 취득하는 절도죄를 구분하는 역할을 한다.
③ 피기망자의 의사에 기초한 어떤 행위를 통해 행위자 등이 재물 또는 재산상의 이익을 취득하였다고 평가할 수 있는 경우라면, 사기죄에서 말하는 처분행위가 인정된다.
④ 사기죄가 성립되려면 피기망자가 착오에 빠져 어떠한 재산상의 처분행위를 하도록 유발하여 재산적 이득을 얻을 것을 요하나, 피기망자와 재산상의 피해자가 같은 사람이 아닌 경우에는 피기망자가 피해자를 위하여 그 재산을 처분할 수 있는 권능을 갖거나 그 지위에 있을 것을 요하지는 않는다.

해설 ①②③ 대판 2022.12.29, 2022도12494
④ × : ~ 있을 것을 요한다(대판 2022.12.29, 2022도12494).

06 사기죄에 관한 설명 중 가장 적절한 것은?(다툼이 있는 경우 판례에 의함)

17. 경찰승진

① 피고인이 타인과 공모하여 그를 상대로 자백간주 판결을 받아 소유권이전등기를 마친 경우에는 그 타인과 소송사기의 공동정범으로 처벌받는다.
② 배당이의 소송의 1심에서 패소판결을 받고 항소한 자가 그 항소를 취하하는 것만으로는 사기죄에서 말하는 재산적 처분행위가 있다고 할 수 없다.
③ 자기에게 유리한 판결을 얻기 위하여 소송상의 주장이 사실과 다름이 객관적으로 명백하거나 증거가 조작되어 있는 점을 인식하지 못하는 제3자를 이용하여 그로 하여금 소송의 당사자가 되게 하고 법원을 기망하여 소송 상대방의 재물 또는 재산상 이익을 취득하려고 하였다면 간접정범의 형태에 의한 소송사기죄가 성립한다.

Answer 05. ④ 06. ③

④ 자동차의 명의신탁관계에서 자동차의 명의수탁자가 명의신탁 사실을 고지하지 않고, 나아가 자신 소유라는 말을 하면서 자동차를 제3자(매수인)에게 매도하고 이전등록까지 마쳐준 경우, 제3자(매수인)에 대한 관계에서 사기죄가 성립한다.

해설 ① × : 소송사기죄 ×(대판 1997.12.23, 97도2430)
② × : 재산적 처분행위 ○(대판 2002.11.22, 2000도4419)
③ ○ : 대판 2007.9.6, 2006도3591
④ × : 사기죄 ×(대판 2007.1.11, 2006도4498)

07 **사기죄에 대한 설명으로 옳은 것은?**(다툼이 있는 경우 판례에 의함) 19. 7급 검찰

① 甲이 피해자 A에게 자동차를 매도하겠다고 거짓말하고 자동차를 양도하면서 소유권이전등록에 필요한 일체의 서류를 교부하여 매매대금을 수령한 다음, 자동차에 미리 부착해 놓은 지피에스(GPS)로 위치를 추적하여 자동차를 가져간 경우, 甲에게 사기죄가 성립한다.
② 甲이 A에게 사업자등록 명의를 빌려주면 세금이나 채무는 모두 자신이 변제하겠다고 속여 그로부터 명의를 대여받아 호텔을 운영한 경우, A가 명의를 대여하였다는 것만으로 사기죄의 처분행위가 있었다고 보기는 어렵다.
③ 甲이 토지의 소유자이자 매도인인 피해자 A에게 토지거래허가 등에 필요한 서류라고 속여 근저당권설정계약서 등에 서명·날인하게 하고 인감증명서를 교부받은 다음, 이를 이용하여 A 소유 토지에 甲을 채무자로 한 근저당권을 B에게 설정하여 주고 돈을 차용한 경우, A가 처분행위의 결과를 인식하지 못한 이상 A의 처분의사가 인정되지 않아 甲에게 사기죄가 성립하지 않는다.
④ 甲이 피해자 A로 하여금 A의 예금을 인출하게 하고, 그 인출한 현금을 A의 집에 보관하도록 거짓말을 한 경우, A의 처분행위가 인정되어 甲에게 사기죄가 성립한다.

해설 ① × : 사기죄 ×, 절도죄 ○(대판 2016.3.24, 2015도17452)
② ○ : 대판 2012.6.28, 2012도4773
③ × : 사기죄 ○(대판 2017.2.16, 2016도13362 전원합의체 ∵ 처분행위의 결과를 인식 × ⇨ 처분의사 ○)
④ × : 사기죄 ×(대판 2017.4.28, 2017도1544 ∵ A로 하여금 현금을 타인에게 교부하거나 처분하는 행위를 하도록 한 것 ×)

08 **사기죄에 관한 설명으로 가장 적절한 것은?**(다툼이 있는 경우 판례에 의함) 19. 순경 2차

① 상대방을 기망하여 재물을 교부받으면서 시가 상당의 대금을 지급하였다면, 피해자의 전체 재산상 손해가 발생한 바 없으므로 사기죄가 성립하지 않는다.
② 원인된 법률관계 없이 자신의 예금계좌로 잘못 이체된 돈을 인출한 경우, 은행에 대한 사기죄가 성립한다.

Answer 07. ② 08. ④

③ 아파트 입주권의 매매계약을 체결하면서 매수인이 입주권 가격에 대해 아무런 문의도 하지 않았다 하더라도 매도인인 부동산중개업자가 그 입주권을 2억 5,000만원에 확보하여 2억 9,500만원에 전매한다는 사실을 매수인에게 고지하지 않았다면, 이는 고지의무의 불이행으로서 부작위에 의한 사기죄가 성립한다.

④ 피고인이 부동산을 매수한 일이 없음에도 매수한 것처럼 허위의 사실을 주장하여 해당 부동산에 대한 소유권이전등기를 거친 사람을 상대로 그 이전등기의 말소를 구하는 소송을 제기하여 승소하였더라도, 법원을 기망하여 재물 또는 재산상 이익을 취득한 바가 없기 때문에 사기죄가 성립하지 않는다.

해설 ① ×: 기망으로 인한 재물교부가 있으면 그 자체로써 피해자의 재산침해가 되어 이로써 곧 사기죄가 성립하는 것이고, 상당한 대가가 지급되었다거나 피해자의 전체 재산상에 손해가 없다 하여도 사기죄의 성립에는 그 영향이 없다(대판 1995.3.24, 95도203).
② ×: 사기죄 ×(대판 2010.5.27, 2010도3498 ∵ 은행이 착오에 빠져 처분행위를 한 것이 아님)
③ ×: 사기죄 ×(대판 2011.1.27, 2010도5124 ∵ 매매로 인한 법률관계에 아무런 영향도 미칠 수 없는 것이어서 매수인의 권리의 실현에 장애가 되지 아니하는 사유까지 매도인이 매수인에게 고지할 의무가 있다고는 볼 수 없다.)
④ ○: 대판 1981.12.8, 81도1451

09 사기죄에 대한 설명으로 가장 적절하지 않은 것은?(다툼이 있는 경우 판례에 의함) 18. 경찰승진

① 사기죄의 처분행위라고 하는 것은 재산적 처분행위를 의미하고, 그것은 주관적으로 피기망자에게 처분의사, 즉 처분결과에 대한 인식이 있고, 객관적으로 이러한 의사에 지배된 행위가 있을 것을 요한다.

② A가 甲의 기망행위로 인하여 착오에 빠진 결과 내심의 의사와 다른 효과를 발생시키는 내용의 처분문서에 서명 또는 날인함으로써 처분문서의 내용에 따른 재산상 손해가 초래되었다면 그와 같은 처분문서에 서명 또는 날인한 A의 행위는 사기죄에서 말하는 처분행위에 해당한다.

③ 주유소 운영자가 농·어민 등에게 조례특례제한법에 정한 면세유를 공급한 것처럼 위조한 유류공급확인서로 정유회사를 기망하여 면세유를 공급받은 경우, 국가 또는 지방자치단체에 대한 사기죄가 성립하지 않는다.

④ 비의료인이 개설한 의료기관이 의료법에 의하여 적법하게 개설된 요양기관인 것처럼 국민건강보험공단에 요양급여비용의 지급을 청구하여 지급받은 경우 사기죄가 성립한다.

해설 ① ×: 사기죄에서 피기망자의 처분의사는 착오에 빠진 피기망자가 어떤 행위를 한다는 인식이 있으면 충분하고, 그 행위가 가져오는 결과에 대한 인식까지 필요하다고 볼 것은 아니다(대판 2017.2.16, 2016도13362 전원합의체).
② 대판 2017.2.16, 2016도13362 전원합의체
③ 대판 2008.11.27, 2008도7303
④ 대판 2015.7.9, 2014도11843

Answer 09. ①

10 사기죄와 관련된 설명 중 옳은 것은 모두 몇 개인가?(다툼이 있는 경우 판례에 의함) 20. 경찰간부

㉠ 피기망자가 기망당한 결과 자신의 작위 또는 부작위가 갖는 의미를 제대로 인식하지 못하여 그러한 행위가 초래하는 결과를 인식하지 못하였더라도 그와 같은 착오 상태에서 재산상 손해를 초래하는 행위를 하였다면 피기망자의 처분행위와 그에 상응하는 처분의사가 있다고 보아야 한다.
㉡ 위조된 약속어음을 진정한 약속어음인 것처럼 속여 기왕의 물품대금의 변제를 위해 채권자에게 교부한 경우에는 사기죄가 성립하지 않는다.
㉢ 통정허위표시로서 무효인 임대차계약에 기초하여 임차권 등기를 마침으로써 외형상 임차인으로서 취득하게 된 권리는 사기죄에서 말하는 재산상 이익에 해당한다.
㉣ 채무자의 기망행위로 인해 채권자가 채무를 확정적으로 소멸 내지 면제시키는 특약 등 처분행위를 한 경우에는 채무의 면제라고 하는 재산상 이익에 관한 사기죄가 성립하지만 후에 그 재산상 처분행위가 사기를 이유로 민법에 따라 취소될 수 있는 경우라면 사기죄는 성립할 수 없다.

① 1개 ② 2개 ③ 3개 ④ 4개

해설 ㉠ ○ : 대판 2017.2.16, 2016도13362 전원합의체 ㉡ ○ : 대판 1983.4.12, 82도2938
㉢ ○ : 대판 2012.5.24, 2010도12732 ㉣ × : ~ (2줄) 사기죄가 성립하고, 후에 ~ (3줄) 취소될 수 있는 경우라도 ~ 성립할 수 있다(대판 2012.4.13, 2012도1101).

11 사기의 죄에 대한 설명 중 가장 적절한 것은?(다툼이 있는 경우 판례에 의함) 20. 경찰승진

① A회사 운영자 甲이 'A회사의 B에 대한 채권'이 존재하지 않는다는 사실을 알면서 그 사실을 모르는 A회사에 대한 채권자 C에게 'A회사의 B에 대한 채권'의 압류 및 전부(추심)명령을 신청하게 하여 그 명령을 받게 하였으나, 아직 C가 B를 상대로 전부금 소송을 제기하지 않은 경우 소송사기의 실행에 착수하였다고 볼 수 없다.
② 어음의 발행인들이 각자 자력이 부족한 상태에서 자금을 편법으로 확보하기 위해 서로 동액의 융통어음을 발행하여 교환한 경우 자기가 발행한 어음이 그 지급기일에 결제되지 않으리라는 점을 예견하였다면 사기죄가 성립한다.
③ 상대방으로부터 소송비용 명목으로 일정한 금액을 이미 송금받았음에도 불구하고 상대방을 피고로 하여 소송비용 상당액의 지급을 구하는 손해배상금 청구의 소를 제기하였다가 판사의 권유에 따라 소를 취하한 경우 사기죄의 불능미수범으로 처벌된다.
④ 형질변경 및 건축허가를 받는 데 필요하다고 피해자를 속여 교부받은 인감증명서 등으로 등기소요서류를 작성하여 피해자 소유의 부동산에 관해 자기 명의로 소유권이전등기를 마친 경우 해당 부동산에 대한 사기죄가 성립한다.

해설 ① ○ : 대판 2009.12.10, 2009도9982
② × : 사기죄 ×(대판 2002.4.23, 2001도6570 ∵ 편취의 범의 ×)
③ × : 불능미수범 ×(대판 2005.12.8, 2005도8105 ∵ 위험성 × ⇨ 불능범 ○)
④ × : 사기죄 ×(대판 2001.7.13, 2001도1289 ∵ 처분의사에 기한 처분행위 ×)

Answer 10. ③ 11. ①

12 **사기의 죄에 대한 설명으로 가장 적절한 것은?**(다툼이 있는 경우 판례에 의함) 21. 순경 1차

① 민법 제746조의 불법원인급여에 해당하여 급여자가 수익자에 대한 반환청구권을 행사할 수 없다면, 설령 수익자가 기망을 통하여 급여자로 하여금 불법원인급여에 해당하는 재물을 제공하도록 하였더라도 사기죄는 성립하지 않는다.

② 담당 공무원을 기망하여 납부의무가 있는 농지보전부담금을 면제받아 재산상 이익을 취득하였다면, 부과권자의 직접적인 권력작용을 사기죄의 보호법익인 재산권과 동일하게 평가할 수 있어 사기죄가 성립한다.

③ 의료인으로서 자격과 면허를 보유한 사람이 의료법 제4조 제2항을 위반하여 다른 의료인의 명의로 의료기관을 개설 운영함으로써 요양급여비용을 지급받은 경우, 국민건강보험법상 요양급여비용을 적법하게 지급받을 수 있는 자격 내지 요건이 흠결되지 않더라도 국민건강보험공단을 피해자로 하는 사기죄를 구성한다.

④ 피해자 법인이나 단체의 대표자 또는 실질적으로 의사결정을 하는 최종결재권자 등 기망의 상대방이 기망행위자와 동일인이거나 기망행위자와 공모하는 등 기망행위를 알고 있었던 경우에는 기망의 상대방에게 기망행위로 인한 착오가 있다고 볼 수 없고, 기망의 상대방이 재물을 교부하는 등의 처분을 했더라도 기망행위와 인과관계가 있다고 보기 어렵다.

해설 ① ×: 불법원인급여(민법 제746조)에 해당하여 급여자가 수익자에 대한 반환청구권을 행사할 수 없는 경우라도, 수익자가 기망을 통해 급여자로 하여금 불법원인급여에 해당하는 재물을 제공하게 하였다면 사기죄가 성립한다(대판 2006.11.23, 2006도6795).

② ×: ~ 동일하게 평가할 수 없는 것이므로 사기죄가 성립할 수 없다(대판 2019.12.24, 2019도2003).

③ ×: ~ (3줄) 흠결되지 않는 한 국민건강보험공단을 피해자로 하는 사기죄를 구성한다고 할 수 없다(대판 2019.5.30, 2019도1839).

④ ○: 대판 2017.9.26, 2017도8449

13 **사기죄에 관한 설명 중 가장 적절한 것은?**(다툼이 있는 경우 판례에 의함) 23. 순경 1차

① 민법 제746조의 불법원인급여에 해당하여 급여자가 수익자에 대한 반환청구권을 행사할 수 없다면, 수익자가 기망을 통하여 급여자로 하여금 불법원인급여에 해당하는 재물을 제공하도록 하였더라도 사기죄를 구성하지 않는다.

② 甲이 A에 대한 사기범행을 실현하는 수단으로서 사기의 고의가 없는 B를 기망하여 그를 A로부터 편취한 재물이나 재산상 이익을 전달하는 도구로서만 이용한 경우, 편취의 대상인 재물 또는 재산상 이익에 관하여 A에 대한 사기죄가 성립할 뿐, 도구로 이용된 B에 대한 사기죄는 별도로 성립하지 않는다.

③ 사기죄가 성립하기 위해서는 적극적 기망행위가 있어야 하므로 부작위에 의한 기망은 있을 수 없다.

Answer 12. ④ 13. ②

④ 사기죄의 '처분행위'라 함은 재산적 처분행위로서 피해자가 자유의사로 직접 재산상 손해를 초래하는 작위에 나아가는 것을 말하므로, 피해자가 기망에 의하여 착오에 빠진 결과 채권의 존재를 알지 못하여 채권을 행사하지 아니한 것에 불과하다면 그와 같은 부작위는 재산의 처분행위에 해당하지 않는다.

해설 ① ×: 불법원인급여(민법 제746조)에 해당하여 급여자가 수익자에 대한 반환청구권을 행사할 수 없는 경우라도, 수익자가 기망을 통해 급여자로 하여금 불법원인급여에 해당하는 재물을 제공하게 하였다면 사기죄가 성립한다(대판 2006.11.23, 2006도6795).
② ○: 대판 2017.5.31, 2017도3894
③ ×: 사기죄의 요건으로서의 기망은 널리 재산상의 거래관계에 있어 서로 지켜야 할 신의와 성실의 의무를 저버리는 모든 적극적 또는 소극적 행위를 말하는 것이고, 이러한 소극적 행위로서의 부작위에 의한 기망은 법률상 고지의무 있는 자가 일정한 사실에 관하여 상대방이 착오에 빠져 있음을 알면서도 이를 고지하지 아니함을 말하는 것으로서, 일반거래의 경험칙상 상대방이 그 사실을 알았더라면 당해 법률행위를 하지 않았을 것이 명백한 경우에는 신의칙에 비추어 그 사실을 고지할 법률상 의무가 인정되는 것이다(대판 1998.12.8, 98도3263).
④ ×: ~ (2줄) 초래하는 작위에 나아가거나 또는 부작위에 이른 것을 말하므로, 피해자가 기망에 ~ (3줄) 채권을 행사하지 아니하였다면 그와 같은 부작위도 재산의 처분행위에 해당한다(대판 2007.7.12, 2005도9221).

14 사기죄에 관한 설명 중 가장 적절한 것은?(다툼이 있는 경우 판례에 의함) 19. 수사경과

① 민사판결의 주문에 표시된 채권을 변제받거나 상계하여 그 채권이 소멸되었음에도 불구하고, 판결정본을 소지하고 있음을 기화로 이를 근거로 하여 강제집행을 하였다면 사기죄는 성립하지 않는다.
② 피고인이 수개의 선거비용 항목을 허위기재한 하나의 선거비용보전청구서를 제출하여 대한민국으로부터 선거비용을 과다 보전받아 이를 편취하였다면 이는 일죄로 평가되어야 할 것이 아니라, 각 선거비용 항목에 따라 별개의 사기죄가 성립한다.
③ 출판사 경영자가 출고 현황표를 조작하는 방법으로 실제 출판부수를 속여 작가에게 인세의 일부만을 지급한 경우, 작가가 나머지 인세에 대한 청구권의 존재 자체를 알지 못하는 착오에 빠져 이를 행사하지 아니한 것은 사기죄에 있어 부작위에 의한 처분행위로 볼 수 없다.
④ 사기죄가 성립하기 위해서는 기망행위와 상대방의 착오 및 재물의 교부 또는 재산상의 이익의 공여와의 사이에 순차적인 인과관계가 있어야 하지만, 착오에 빠진 원인 중에 피기망자 측에 과실이 있는 경우에도 사기죄가 성립한다.

해설 ① ×: 사기죄 ○(대판 1992.12.22, 92도2218)
② ×: ~ (2줄) 일죄로 평가되어야 하고, 각 ~ 사기죄가 성립하는 것은 아니다(대판 2017.5.30, 2016도21713).
③ ×: ~ 볼 수 있다(대판 2007.7.12, 2005도9221).
④ ○: 대판 2009.6.23, 2008도1697

Answer 14. ④

15 **사기의 죄에 대한 설명으로 가장 적절하지 않은 것은?**(다툼이 있는 경우 판례에 의함) 22. 경찰승진

① 침해행정 영역에서 일반국민이 담당 공무원을 기망하여 권력작용에 의한 재산권 제한을 면하는 경우에는 사기죄가 성립할 수 없다.

② 사기죄의 '재산상의 이익'은 영속적 · 일시적 이익, 적극적 · 소극적 이익을 불문하며, 자기의 채권자에 대한 채무이행으로 존재하지 않는 채권을 양도한 경우에도 재산상의 이익을 취득한 것으로 볼 수 있다.

③ 사기죄의 요건으로서의 부작위에 의한 '기망'은 고지의무 있는 자가 일정한 사실에 관하여 상대방이 착오에 빠져 있음을 알면서도 이를 고지하지 않는 것을 말한다.

④ 피해자를 기망하여 착오를 일으키게 하고 피해자가 착오에 빠진 결과 채권의 존재를 알지 못하여 채권을 행사하지 않은 경우, 그와 같은 부작위는 사기죄에 있어서의 재산의 처분행위에 해당한다.

해설 ① 대판 2019.12.24, 2019도2003
② ×: ~ 볼 수 없다(대판 1985.3.12, 85도74 ∵ 기존채무가 소멸 × ⇨ 재산상 이익 취득 ×)
③ 대판 2004.5.27, 2003도4531 ④ 대판 2007.7.12, 2005도9221

16 **사기죄에 대한 설명으로 옳은 것은?**(다툼이 있는 경우 판례에 의함) 22. 7급 검찰

① 농민이 담당 공무원을 기망하여 납부의무가 있는 농지보전부담금을 면제받아 재산상 이익을 취득한 경우, 일반 국민의 재산권을 제한하는 침해행정 영역에서 담당 공무원을 기망하여 권력작용에 의한 재산권 제한을 면한 경우에 해당하므로 사기죄가 성립한다.

② 부동산의 명의수탁자가 명의신탁 사실을 숨기고 부동산을 자신의 소유라고 주장하면서 제3자에게 매도하고 매매를 원인으로 한 소유권이전등기까지 마친 경우, 제3자에 대한 사기죄가 성립한다.

③ 선거후보자가 여러 개의 선거비용 항목을 허위로 기재한 하나의 선거비용 보전청구서를 제출하여 국가로부터 선거비용을 과다 보전받아 이를 편취한 경우, 회계보고 허위기재로 인한 특별법위반죄 외에 각 선거비용 항목에 따라 별개의 사기죄가 성립한다.

④ 은행에 대출을 신청하면서 담보 부동산의 매매계약서상 매매대금을 허위로 부풀려 기재한 매매계약서를 제출하고, 이 부풀린 금액이 정당한 매매대금임을 전제로 하여 대출을 받은 경우, 사기죄가 성립하며 지급받은 대출금 전부가 사기죄의 이득액에 해당한다.

해설 ① ×: ~ (3줄) 면하는 경우에는 부과권자의 직접적인 권력작용(예 조세를 강제적으로 징수)을 사기죄의 보호법익인 재산권과 동일하게 평가할 수 없는 것이므로, 사기죄는 성립할 수 없다(대판 2019.12.24, 2019도2003).
② ×: 사기죄 ×(대판 2007.1.11, 2006도4498 ∵ 수탁자에게 처분권한 ○, 제3자에게 재산상 손해 × ⇨ 신의칙상 고지의무 × ⇨ 부작위에 의한 기망 ×)
③ ×: ~ (3줄) 외에 일죄로 평가되어야 하고, 각 선거비용 항목에 따라 별개의 사기죄가 성립하는 것은 아니다(대판 2017.5.30, 2016도21713). ④ ○: 대판 2019.4.3, 2018도19772

Answer 15. ② 16. ④

17 **컴퓨터 등 사용사기죄에 대한 설명으로 옳은 것은?**(다툼이 있는 경우 판례에 의함) 20. 7급 검찰

① 컴퓨터 등 사용사기죄에서 '부정한 명령의 입력'이란 당해 사무처리시스템의 프로그램을 구성하는 개개의 명령을 부정하게 변개 · 삭제하는 행위를 말하고, 프로그램 자체에서 발생하는 오류를 적극적으로 이용하여 그 사무처리의 목적에 비추어 정당하지 아니한 사무처리를 하게 하는 행위는 원칙적으로 '부정한 명령의 입력'에 해당하지 않는다.

② 컴퓨터 등 사용사기죄에서 '정보처리'는 입력된 허위의 정보 등에 의하여 계산이나 데이터의 처리가 이루어짐으로써 직접적으로 재산처분의 결과를 초래하여야 하고, 행위자나 제3자의 '재산상 이익 취득'은 사람의 처분행위가 개재됨이 없이 컴퓨터 등에 의한 정보처리 과정에서 이루어져야 한다.

③ 금융기관 직원이 전산단말기를 이용하여 다른 공범들이 지정한 특정계좌에 돈이 입금된 것처럼 허위의 정보를 입력하는 방법으로 위 계좌로 입금되도록 하였으나, 그 후 그러한 입금이 취소되어 현실적으로 현금을 인출하지 못하였다면 컴퓨터 등 사용사기죄의 미수에 해당한다.

④ 절취한 신용카드를 현금자동지급기에 투입하고 미리 알아둔 신용카드의 비밀번호를 권한 없이 입력하여 정보처리를 하게 함으로써 현금을 인출한 경우 컴퓨터 등 사용사기죄가 성립한다.

해설 ① × : ~ '부정한 명령의 입력'에 해당한다(대판 2013.11.14, 2011도4440).
② ○ : 대판 2014.3.13, 2013도16099
③ × : ~ 인출하지 못하였다고 하더라도 ~ 기수(미수 ×)에 해당한다(대판 2006.9.14, 2006도4127).
④ × : ~ 경우 절도죄(컴퓨터 등 사용사기죄 ×)가 성립한다(대판 2002.7.12, 2002도2134).

18 **카드사용 범죄에 대한 설명으로 가장 적절한 것은?**(다툼이 있는 경우 판례에 의함) 18. 순경 2차

① 타인명의의 현금카드 겸용 신용카드를 무단으로 이용하여 현금자동지급기에서 예금을 인출한 때에는 여신전문금융업법 위반죄와 절도죄가 성립한다.

② 타인명의의 신용카드를 무단으로 이용하여 현금자동지급기에서 단기카드대출로 현금을 인출한 때에는 여신전문금융업법 위반죄와 컴퓨터 등 사용사기죄가 성립한다.

③ 타인명의의 신용카드를 무단으로 이용하여 가맹점에서 물품을 구입한 때에는 여신전문금융업법 위반죄와 사문서위조 및 동 행사죄, 사기죄가 성립한다.

④ 타인명의의 현금카드를 무단으로 이용하여 현금자동지급기에서 피해자의 계좌로부터 자신의 계좌로 자금을 이체한 때에는 컴퓨터 등 사용사기죄가 성립한다.

해설 ① × : 여신전문금융업법 위반죄(신용카드부정사용죄) ×, 절도죄 ○(대판 2003.11.14, 2003도3977 ∵ 예금을 인출한 행위는 신용카드의 본래의 용법에 따라 사용하는 '부정사용'의 개념에 포함 ×)
② × : 여신전문금융업법 위반죄(신용카드부정사용죄 ∵ 카드대출로 현금을 인출한 행위는 신용카드의 본래의 용법에 따라 사용하는 '부정사용'의 개념에 포함 ○)와 절도죄(컴퓨터 등 사용사기죄 ×)의 실체적 경합(대판 1995.7.28, 95도997)
③ × : 여신전문금융업법 위반죄(신용카드부정사용죄)와 사기죄의 경합범(대판 1997.1.21, 96도2715 ∵ 사문서위조 및 동 행사죄는 신용카드부정사용죄에 흡수됨)
④ ○ : 대판 2008.6.12, 2008도2440

Answer 17. ② 18. ④

19 **신용카드범죄에 대한 설명으로 옳지 않은 것은?**(특별법의 적용은 논하지 않음) 23. 7급 검찰, 24. 해경간부

① 甲이 권한 없이 인터넷뱅킹으로 타인의 예금계좌에서 자신의 예금계좌로 돈을 이체한 후 그 중 일부를 인출하여 그 정을 아는 乙에게 교부한 경우, 甲이 컴퓨터 등 사용사기죄에 의하여 취득한 예금채권은 재물이 아니라 재산상 이익이므로, 그가 자신의 예금계좌에서 돈을 인출하였더라도 장물을 금융기관에 예치하였다가 인출한 것으로 볼 수 없으므로 乙은 장물취득죄가 성립하지 않는다.

② 강취한 현금카드를 사용하여 현금자동지급기에서 예금을 인출한 행위에 대해서는 강도죄와 별도로 현금에 대한 절도죄가 성립하지 않지만, 갈취한 현금카드를 사용하여 현금자동지급기에서 예금을 인출한 행위는 공갈죄와 별도로 절도죄를 구성한다.

③ 피고인이 카드사용으로 인한 대금결제의 의사와 능력이 없으면서도 있는 것 같이 가장하여 카드회사를 기망하고, 이에 기망당한 카드회사가 발급해 준 자기 명의의 카드를 사용하면서 현금자동지급기를 통한 현금대출도 받고, 가맹점을 통한 물품구입대금 대출도 받아 카드발급회사로 하여금 같은 액수 상당의 피해를 입게 한 경우, 그 피고인에게 사기의 포괄일죄가 성립한다.

④ 절취한 타인의 신용카드를 부정사용하여 현금자동지급기에서 현금을 인출하고 그 현금을 취득한 행위는 현금자동지급기 관리자의 의사에 반하여 그의 지배를 배제하고 그 현금을 자기의 지배하에 옮겨 놓는 것이므로, 그 행위자에게 컴퓨터 등 사용사기죄가 아닌 절도죄가 성립한다.

해설 ① 대판 2004.4.16, 2004도353
② ×: ~ (2줄) 절도죄가 성립하지만, 갈취한 현금카드를 사용하여 현금자동지급기에서 예금을 인출한 행위는 포괄하여 하나의 공갈죄를 구성한다(대판 2007.5.10, 2007도1375).
③ 대판 1996.4.9, 95도2466
④ 대판 2003.5.13, 2003도1178

20 **甲은 乙에게 乙의 삼촌인 A의 신용카드를 절취하도록 교사하고, 이에 따라 乙이 A의 신용카드를 절취하였다. 이에 관한 설명 중 옳은 것을 모두 고른 것은?**(다툼이 있는 경우 판례에 의함) 21. 변호사시험

> ㉠ 甲이 乙이 절취하여 온 A의 신용카드를 취득하였더라도 甲에게 장물취득죄는 성립하지 않는다.
> ㉡ 乙이 A와 동거하고 있다면, 乙의 절도죄는 형법상 친족상도례에 따라 A의 고소가 있어야 처벌할 수 있다.
> ㉢ 甲이 위 신용카드를 자신의 것인 양 속이고 옷가게에서 옷을 구입하고 신용카드로 결제하였다면, 사기죄와 신용카드부정사용죄(여신전문금융업법 제70조 제1항 제3호)가 성립하고 양죄는 실체적 경합관계이다.
> ㉣ 甲이 위 신용카드를 이용하여 현금지급기에서 계좌이체를 한다면 절도죄에 해당한다.

① ㉢　② ㉣　③ ㉠, ㉢　④ ㉡, ㉣　⑤ ㉢, ㉣

Answer 19. ② 20. ①

해설 ㉠ × : 甲에게는 절도교사죄와 장물취득죄의 실체적 경합범이 성립된다(대판 1969.6.24, 69도692 참고).
㉡ × : 동거친족 ⇨ 형 면제 ○(제328조 제1항), 친고죄 ×(제282조 제2항)
㉢ ○ : 대판 1996.7.12, 96도1181
㉣ × : ~ 한다면 컴퓨터 등 사용사기죄(절도죄 ×)에 해당한다(대판 2008.6.12, 2008도2440).

21 사기죄에 대한 설명으로 옳은 것은?(다툼이 있는 경우 판례에 의함) 23. 경찰간부

① 법원을 기망하여 자기에게 유리한 판결을 얻기 위하여 소를 제기하였더라도 소송사기죄의 실행의 착수를 인정하기 위해서는 소장이 소제기의 상대방에게 유효하게 송달되어야 한다.
② 수입쇠고기를 사용하는 식당 영업주가 한우만 취급한다는 취지의 상호를 사용하고 식단표 등에도 한우만 사용한다고 기재한 정도만으로는 사기죄의 기망행위에 해당하지 아니한다.
③ 카드사 회원이 카드이용대금에 대한 지불의사와 능력이 없게 되었음에도 기존에 정상적으로 발급받은 신용카드를 이용하여 A가맹점에서 양복을 구입하고 B가맹점에서 전자제품을 구입한 경우, 신용카드업자를 피해자로 하는 사기죄의 포괄일죄가 성립한다.
④ 교부자가 착오로 더 많은 거스름돈을 교부하는 것을 그 순간 수령자가 알면서도 수령하여 영득하였다면, 수령자에게 고지의무가 인정되므로 점유이탈물횡령죄가 성립한다.

해설 ① × : 소송사기는 법원을 기망한다는 고의를 가지고 소를 제기하면 이로써 실행의 착수가 있는 것이고, 소장의 유효한 송달까지 요하는 것은 아니다(대판 2006.11.10, 2006도5811).
② × : 기망행위 ○(대판 1997.9.9, 97도1561 ∴ 사기죄 ○)
③ ○ : 대판 2005.8.19, 2004도6859
④ × : ~ 고지의무가 인정되므로 사기죄가 성립되고, 사후에 알고 영득한 때에는 점유이탈물횡령죄가 성립한다(대판 2004.5.27, 2003도4531).

22 다음 중 사기죄에 대한 설명으로 가장 옳지 않은 것은?(다툼이 있는 경우 판례에 의함) 24. 해경순경

① 이득액의 산정에서 포괄일죄는 그 액수를 합산할 수 없으나 경합범은 그 액수를 합산한다.
② 회사사장이 회사를 고의로 부도내려고 준비한 사실 등을 숨긴 채 회사 명의로 대한주택보증주식회사와 임대보증금 보증약정을 체결해 보증서를 발급받은 경우, 사기죄가 성립한다.
③ 은행에 대출을 신청하면서 담보부동산의 매매계약서상 매매대금을 허위로 부풀려 기재한 매매계약서를 제출하고, 이 부풀린 금액이 정당한 매매대금임을 전제로 하여 대출을 받은 경우, 사기죄가 성립하며 지급받은 대출금 전부가 사기죄의 이득액에 해당한다.
④ 법원을 기망하여 유리한 판결을 얻어내고 이에 터잡아 상대방으로부터 재물이나 재산상 이익을 취득하려고 소송을 제기하였다가 법원으로부터 패소의 종국판결을 선고받고 그 판결이 확정되는 등 법원으로부터 유리한 판결을 받지 못하고 소송이 종료됨으로써 미수에 그친 경우, 그러한 소송사기미수죄에 있어서 범죄행위의 종료시기는 소송이 종료된 때이다.

Answer 21. ③ 22. ①

해설 ① ×: 특정경제범죄 가중처벌 등에 관한 법률 제3조에서 말하는 이득액은 단순일죄의 이득액이나 포괄일죄가 성립하는 경우의 이득액을 합산액을 의미하는 것이고, 경합범으로 처벌될 수죄의 각 이득액을 합한 금액을 의미하는 것이 아니다(대판 2000.7.7, 2000도1899).
② 대판 2013.11.28, 2011도7229
③ 대판 2019.4.3, 2018도19772
④ 대판 2000.2.11, 99도4459

23 **재산죄에 관한 설명으로 가장 적절한 것은?**(다툼이 있는 경우 판례에 의함) **24. 순경 2차**

① 형법 제333조 후단의 강도죄(이른바 강제이득죄)의 요건인 재산상의 이익이란 재물을 포함한 모든 재산상의 이익을 말하는 것으로서 적극적 이익(적극적인 재산의 증가)이든 소극적 이익(소극적인 부채의 감소)이든 묻지 않는다.
② 甲이 상대방으로부터 금품이나 재산상 이익을 받을 것을 약속하고 성행위를 하는 경우 그 행위의 대가는 사기죄의 객체인 경제적 이익에 해당하지 않는다.
③ 甲이 피해자를 폭행·협박하여 매출전표에 허위 서명하게 하고 이를 교부받아 소지한 경우 甲이 신용카드회사에 매출전표를 제출하여도 신용카드회사가 신용카드 가맹점 규약 또는 약관의 규정을 들어 그 금액의 지급을 거절할 수 있으므로 甲은 '재산상 이익'을 취득하였다고 볼 수 없다.
④ 사기로 편취한 재물 또는 재산상의 이익의 가액을 구체적으로 산정할 수 없는 경우에는 편취한 재물 또는 재산상 이익의 가액이 5억원 이상 또는 50억원 이상인 것이 범죄구성요건의 일부로 되어 있고 그 가액에 따라 그 죄에 대한 형벌도 가중하는 특정경제범죄 가중처벌 등에 관한 법률위반(사기)죄로 처벌할 수 없다.

해설 ① ×: 재산상의 이익이란 재물 이외의 재산상의 이익을 말하는 것으로서, 적극적 이익(적극적인 재산의 증가)이든 소극적 이익(소극적인 부채의 감소)이든 묻지 않는다(대판 1994.2.22, 93도428).
② ×: ~ 이익에 해당한다(대판 2001.10.23, 2001도2991).
③ ×: ~ (3줄) 지급을 거절할 가능성이 있더라도 甲은 '재산상 이익'을 취득하였다고 볼 수 있다〔대판 1997.2.25, 96도3411 ∵ 형법 제333조 후단의 강도죄(이른바 강제이득죄)의 요건이 되는 재산상의 이익은 사법상 유효한 재산상의 이득만이 아니고 외견상 재산상의 이득을 얻을 것이라고 인정할 수 있는 사실관계만 있으면 여기에 해당한다〕.
④ ○: 대판 2024.4.25, 2023도18971

Answer 23. ④

24 **사기죄에 관한 다음 설명 중 옳지 않은 것은 모두 몇 개인가?**(다툼이 있는 경우 판례에 의함)

24. 법원행시

㉠ 적법하게 개설되지 아니한 의료기관의 실질 개설·운영자가 적법하게 개설된 의료기관인 것처럼 의료급여비용 지급을 청구하여 이에 속은 국민건강보험공단으로부터 의료급여비용 명목의 금원을 지급받아 편취한 경우 국민건강보험공단을 피해자로 보아야 하고, 의료급여비용이 시·도에 설치된 의료급여기금을 재원으로 지급된다거나, 의료급여비용 편취 범행으로 인한 재산상 손해가 최종적으로 국민건강보험공단에 귀속되지 않는다고 하여 달리 볼 것은 아니다.
㉡ 재물을 편취한 후 현실적인 자금의 수수 없이 형식적으로 기왕에 편취한 금원을 새로이 장부상으로만 재투자하는 것으로 처리한 경우 그 재투자금액도 편취액의 합산에 포함시켜야 한다.
㉢ 기망행위에 의하여 조세를 포탈하거나 조세의 환급·공제를 받은 경우 조세범 처벌법 위반죄와 형법상 사기죄가 별개로 성립한다.
㉣ 도급계약에서 편취에 의한 사기죄의 성립 여부는 계약 당시를 기준으로 피고인에게 일을 완성할 의사나 능력이 없음에도 피해자에게 일을 완성할 것처럼 거짓말을 하여 피해자로부터 일의 대가 등을 편취할 고의가 있었는지 여부에 의하여 판단하여야 하고, 이때 법원으로서는 도급계약의 내용, 그 체결 경위 및 계약의 이행과정이나 그 결과 등을 종합하여 판단하여야 한다.
㉤ 피고인의 제소가 사망한 자를 상대로 한 것이라면 이와 같은 사망한 자에 대한 판결은 그 내용에 따른 효력이 생기지 아니하여 상속인에게 그 효력이 미치지 아니하므로, 사기죄를 구성한다고 할 수 없다.

① 없 음 ② 1개 ③ 2개
④ 3개 ⑤ 4개

해설 ㉠ ○ : 대판 2023.10.26, 2022도90
㉡ × : ~ (2줄) 그 재투자금액은 이를 편취액의 합산에서 제외하여야 한다(대판 2007.1.25, 2006도7470).
㉢ × : 조세범 처벌법 위반죄 ○, 사기죄 ×(대판 2008.11.27, 2008도7303)
㉣ ○ : 대판 2023.1.12, 2017도14104
㉤ ○ : 대판 1997.7.8, 97도632

Answer 24. ③

25 **사기죄에 관한 설명 중 옳은 것(○)과 옳지 않은 것(×)을 올바르게 조합한 것은?**(다툼이 있는 경우 판례에 의함)
25. 변호사시험

> ㉠ 사기죄에서 피해자에게 대가가 지급된 경우, 피해자를 기망하여 그가 보유하고 있는 그 대가를 다시 편취하거나 피해자로부터 그 대가를 위탁받아 보관 중 횡령하였다면, 이는 새로운 법익의 침해가 발생한 경우이므로, 기존에 성립한 사기죄와는 별도의 새로운 사기죄나 횡령죄가 성립한다.
> ㉡ 변호사를 선임한 바가 없음에도 소송비용액계산서의 비용항목에 실제 지출하지 않은 변호사 비용 500만원을 기재하여 법원에 가처분사건의 소송비용액확정결정신청을 한 행위는 이와 관련하여 소명자료를 조작하거나 허위의 소명자료를 제출하지 않더라도 법원에 대한 기망행위에 해당한다.
> ㉢ 분식회계에 의한 재무제표 등으로 금융기관을 기망하여 대출을 받았다면 사기죄는 성립하고, 변제의사와 변제능력의 유무 그리고 충분한 담보가 제공되었다거나 피해자의 전체 재산상에 손해가 없고 사후에 대출금이 상환되었다고 하더라도 사기죄의 성립에는 영향이 없다.
> ㉣ 출판사 경영자가 출고현황표를 조작하는 방법으로 실제 출판부수를 속여 작가에게 인세의 일부만을 지급한 경우, 작가가 나머지 인세에 대한 청구권의 존재 자체를 알지 못하여 이를 행사하지 아니한 것은 사기죄에 있어 부작위에 의한 재산의 처분행위에 해당한다.
> ㉤ 사기죄에서 말하는 처분행위가 인정되기 위해서는 처분결과에 대한 피기망자의 주관적인 인식이 필요하므로, '서명사취' 사안의 경우 피기망자에게는 자신이 서명 또는 날인하는 처분문서의 내용과 법적 효과에 대하여 아무런 인식이 없어 처분의사와 그에 기한 처분행위는 인정되지 않는다.

① ㉠(○), ㉡(×), ㉢(○), ㉣(○), ㉤(×)
② ㉠(×), ㉡(○), ㉢(○), ㉣(×), ㉤(○)
③ ㉠(○), ㉡(○), ㉢(×), ㉣(×), ㉤(○)
④ ㉠(×), ㉡(×), ㉢(○), ㉣(○), ㉤(×)
⑤ ㉠(○), ㉡(×), ㉢(×), ㉣(×), ㉤(○)

해설 ㉠ ○ : 대판 2009.10.29, 2009도7052
㉡ × : 허위 내용으로 법원을 기망하여 자기에게 유리한 소송비용액확정결정을 받는 행위는 사기죄를 구성할 수 있다. 이때 소송비용액확정결정을 신청하는 당사자가 소명자료 등을 조작하거나 허위의 소명자료 등을 제출함이 없이 단지 실제 사실과 다른 비용액에 관한 주장만 하는 경우에는 특별한 사정이 없는 한 법원을 기망하였다고 단정하기 어렵다(대판 2024.6.27, 2021도2340).
㉢ ○ : 대판 2005.4.29, 2002도7262
㉣ ○ : 대판 2007.7.12, 2005도9221
㉤ × : ~ (1줄) 피기망자의 주관적인 인식까지 필요하다고 볼 것은 아니므로, '서명사취' 사안의 경우 피기망자에게는 자신이 서명 또는 날인하는 처분문서의 내용과 법적 효과에 대하여 아무런 인식이 없더라도 처분의사와 그에 기한 처분행위는 인정된다(대판 2017.2.16, 2016도13362 전원합의체).

Answer 25. ①

제5절 공갈의 죄

1 공갈죄

제350조【공갈】 ① 사람을 공갈하여 재물의 교부를 받거나 재산상의 이익을 취득한 자는 10년 이하의 징역 또는 2천만원 이하의 벌금에 처한다.
② 전항의 방법으로 제3자로 하여금 재물의 교부를 받게 하거나 재산상의 이익을 취득하게 한 때에도 전항의 형과 같다.
제350조의 2【특수공갈】 단체 또는 다중의 위력을 보이거나 위험한 물건을 휴대하여 제350조의 죄를 범한 자는 1년 이상 15년 이하의 징역에 처한다.

상습범 가중처벌(제351조), 미수범 처벌(제352조), 친족상도례(제354조)

(1) 행위객체

타인이 점유하는 타인의 재물 또는 재산상의 이익이다. 재물 또는 재산상 이익의 개념은 사기죄에 있어서와 같다.

관련판례

1. 구체적으로 절취된 금전을 특정할 수 있어 객관적으로 다른 금전 등과 구분됨이 명백한 예외적인 경우에는 절도 피해자에 대한 관계에서 그 금전이 절도범인 타인의 재물이라고 할 수 없다(대판 2012.8.30, 2012도6157 예 절도범이 타인으로부터 절취한 금전을 다른 금전과 섞거나 교환하지 않고 쇼핑백에 넣어 자신의 집에 숨겨두었는데, 이를 안 그 타인의 지시를 받은 자가 절도범에게 겁을 주어 위 금전을 교부받은 경우 ⇨ 공갈죄 ×). 18. 변호사시험, 19. 수사경과, 20. 경찰승진, 22. 순경 1차, 24. 경찰간부 · 해경간부
2. 부녀와의 정교는 재산상 이익이라 할 수 없으므로 부녀를 공갈하여 정교한 경우는 강요죄는 성립할 수 있어도 공갈죄가 성립될 여지는 없다(대판 1983.2.8, 82도2714 예 기자행세를 하면서 나체쇼를 한 주점 접대부를 고발할 것처럼 여관으로 유인하여 겁에 질려 있는 접대부의 상태를 이용하여 동침하며 1회 성교한 경우 ⇨ 공갈죄 ×). 09. 사시, 13. 경찰승진

(2) 행 위 : 공갈

공갈이란 재물을 교부받거나 재산상의 이익을 취득하기 위하여 폭행 또는 협박을 가하여 상대방으로 하여금 공포심을 일으키게 하는 행위를 말한다.

① **폭행** : 폭행이란 사람에 대한 일체의 유형력의 행사를 말한다(광의의 폭행). 뿐만 아니라 재물에 대한 유형력의 행사라도 경우에 따라서는 폭행이 될 수 있다. 공갈죄는 하자 있는 의사에 의한 처분행위를 본질로 하므로 상대방의 의사결정과 의사활동에 영향을 주는 심리적 · 강제적 폭력에 한하고 상대방에게 의사형성을 전혀 불가능하게 한 절대적 · 물리적 폭력은 제외된다.

② **협박** : 공갈죄의 수단인 협박은 사람의 의사결정의 자유를 제한하거나 의사실행의 자유를 방해할 정도로 겁을 먹게 할 만한 해악을 고지하는 것을 말하는데(협의의 협박), 여기에서 고지된 해악의 실현은 반드시 그 자체가 위법한 것임을 요하지 않고(대판 2007.10.11, 2007도6406), 23. 7급

검찰 해악의 고지는 반드시 명시적인 방법이 아니더라도 말이나 행동을 통해서 상대방으로 하여금 어떠한 해악에 이르게 할 것이라는 인식을 갖게 하는 것이면 족하고, 피공갈자 이외의 제3자를 통해서 간접적으로 할 수도 있다(대판 2005.7.15, 2004도1565). 17. 경찰승진, 19. 법원직, 22. 법원행시

관련판례

① 지역신문의 발행인이 시정에 관한 비판기사·사설을 보도하고 관련 공무원에게 광고의뢰 및 직보배정을 타 신문사와 같은 수준으로 높게 해달라고 요청한 경우(대판 2002.12.10, 2001도7095) 17·23. 경찰승진, 24. 법원직 ② 가출자의 가족에 대해 가출자의 소재를 알려주는 조건으로 보험가입을 요구한 경우(대판 1976.4.27, 75도2818) 15. 경찰승진, 22. 해경간부, 24. 법원직 ③ 토지매도인이 매매대금을 지급받기 위해 매수인을 상대로 소유권이전등기말소청구소송을 제기하고 대금을 변제받지 못하면 위 소송을 취하거나 예고등기를 말소하지 않겠다고 한 경우(대판 1989.2.28, 87도690) 12. 순경 3차, 15. 법원직 ④ 甲은 소방도로를 무단점용하고 있어 자릿세를 지급받을 정당한 권원이 없음에도 불구하고 피해자 乙과 자릿세를 약정하고 이를 받아온 경우(대판 1985.5.14, 84도2289) 09. 경찰승진 ⑤ 피고인이 그 처와 처남 등 간의 상속재산분배과정에 끼어들어 불화끝에 처남을 고발·고소하고 다소 위협적인 언사를 사용한 경우(대판 1984.2.14, 81도3202) ⑥ 피고인이 게임머니 환전 사업에 필수적인 휴대전화와 장부 및 피고인 명의의 예금통장을 피해자가 가출하면서 몰래 가지고 간 행위를 따지는 한편 위 장부와 예금통장 등의 반환을 요구하는 내용의 문자를 보내거나 메모를 친정집에 붙이고, 피해자를 상대로 게임머니 환전 사업을 하면서 번 돈 중 절반의 지급을 구하는 민사소송을 제기한 후 그 소장 부본 수령을 재촉하면서 판결 결과에 따라 빨리 손해배상금을 정산할 것을 요구한 경우(대판 2013.9.13, 2013도6809) 14. 경찰간부
⇨ 본죄의 협박 ×

관련판례

① 방송기자가 건설회사의 아파트공사하자에 관해 계속 보도할 것 같은 태도를 보이거나(대판 1991.5.28, 91도80) 14. 경찰간부, 21. 해경간부 ② 공무원이 그 지휘·감독을 받는 공사수급인으로부터 금 30만원을 차용하여 달라고 요구하여 그 금액을 받은 것이 지휘·감독 여하에 따라 공사에 대하여 견제 또는 방해를 받을 처지에서 수급인이 교부한 경우(대판 1974.4.30, 73도2518) 10. 경찰승진 ③ 피고인이 고소인을 강간한 것이 아니라 피해자의 유혹으로 간통관계를 갖게 되었다 하더라도, 이를 미끼로 협박하여 금원을 교부받은 경우(대판 1984.5.9, 84도573) 10. 경찰승진 ④ 피해자들이 제작·투자한 영화의 소재로 삼은 폭력조직의 두목 또는 조직원이 피해자들에게 그 영화의 감독을 통해 조직폭력배의 불량한 성행, 경력 등을 이용하여 재물의 교부를 요구한 경우(대판 2005.7.15, 2004도1565) 13. 법원행시 ⑤ 신문사 사주나 광고국장이 부실공사관련 기사의 보도자제를 요청하는 건설회사 대표이사에게 기사가 계속될 것 같다는 기자들의 분위기를 전달하는 경우(대판 1997.2.14, 96도1959) 07. 경찰승진 ⑥ 자신이 조직폭력배 두목인 것처럼 위세를 보여 호텔이용료를 단념하게 한 경우(대판 2003.5.13, 2003도709) 14. 수사경과 ⑦ 종업원이 주인을 협박하여 업소에 취직한 다음 근로를 제공하지 아니하고 주인으로부터 월급 상당액을 교부받은 경우(대판 1991.10.11, 91도1755) ⑧ 피해자의 정신병원에서의 퇴원요구를 거절하면서 재산이전을 요구해 온 피해자의 배우자가 요구에 응하지 않으면 퇴원시켜 주지 않겠다는 말은 하지는 않았는데 겁을 먹은 피해자가 재산이전 요구에 응한 경우(대판 2001.2.23, 2000도4415 ∵ 암묵적 의사표시로서 해악을 고지한 경우임) ⇨ 본죄의 협박 ○(해악을 고지한 경우 ○)

☎ 해악에는 인위적인 것뿐만 아니라 천재지변 또는 신력이나 길흉화복에 관한 것도 포함될 수 있으나, 다만 천재지변 또는 신력이나 길흉화복을 해악으로 고지하는 경우에는 상대방으로 하여금 행위자 자신이 그 천재지변 또는 신력이나 길흉화복을 사실상 지배하거나 그에 영향을 미칠 수 있는 것으로 믿게 하는 명시적 또는 묵시적 행위가 있어야 공갈죄가 성립한다(예 조상천도제를 지내지 아니하면 좋지 않은 일이 생긴다는 취지의 해악의 고지 ⇨ 본죄의 협박 × : 대판 2002.2.8, 2000도3245 ∵ 행위자에 의하여 직접·간접적으로 좌우될 수 없음). 14. 경찰간부, 19. 수사경과, 21. 해경간부, 23. 경찰승진

③ **공갈의 상대방** : 공갈행위의 상대방(피공갈자)과 재산상의 피해자는 반드시 일치할 것을 요하지 않으나 피공갈자와 재산처분행위자는 동일인이어야 한다.

관련판례

공갈죄에 있어서 공갈의 상대방은 재산상의 피해자와 동일함을 요하지는 아니하나, 공갈의 목적이 된 재물 기타 재산상의 이익을 처분할 수 있는 사실상 또는 법률상의 권한을 갖거나 그러한 지위에 있음을 요한다(대판 2005.9.29, 2005도4738 예 주점의 종업원에게 신체에 위해를 가할 듯한 태도를 보여 이에 겁을 먹은 위 종업원으로부터 주류를 제공받은 경우에 있어 위 종업원은 주류에 대한 사실상의 처분권자로서 공갈죄의 피해자에 해당되므로 공갈죄가 성립한다). 15. 사시, 17. 경찰승진, 19. 법원직·경찰간부, 22. 법원행시·해경간부

④ **실행의 착수시기와 기수시기**

관련판례

1. 부동산에 대한 공갈죄에 있어서 소유권이전등기를 경료받거나 그 인도를 받은 때 기수가 되고, 단지 소유권이전등기에 필요한 서류만 교부를 받은 때에는 아직 기수가 되지 아니한다(대판 1992.9.14, 92도1506). 15. 사시·법원직, 19. 수사경과, 20. 경찰승진, 24. 경찰간부
2. 피해자들을 공갈하여 피해자들로 하여금 지정한 예금구좌에 돈을 입금케 한 이상, 위 돈은 범인이 자유로이 처분할 수 있는 상태에 놓인 것으로서 공갈죄는 이미 기수에 이르렀다 할 것이다(대판 1985.9.24, 85도1687). 15. 사시, 23. 변호사시험
3. 피해자의 고용인을 통하여 피해자에게 피해자가 경영하는 기업체의 탈세사실을 국세청이나 정보부에 고발한다는 말을 전하였다면 이는 공갈죄의 행위에 착수한 것이라 할 것이다(대판 1969.7.29, 69도984).
4. 자동차를 갈취하는 공갈죄에 있어서 자동차에 대한 소유권이전등록을 받기 전이라고 하더라도 자동차를 현실로 인도받은 때에 공갈죄의 기수가 된다(대판 2001.6.15, 2001도1884).

(3) 재산처분행위

공갈죄가 성립하기 위해서는 피공갈자가 재물을 교부하거나 재산상 이익을 제공하는 처분행위가 있어야 한다. 본죄의 재산처분행위는 사기죄에서 설명한 것과 같다.

☎ 처분행위는 작위·부작위 또는 묵인으로도 족하다.

예 1. 피공갈자의 처분행위는 반드시 작위에 한하지 않고 부작위로도 가능하여, 피공갈자가 외포심을 일으켜 묵인하고 있는 동안에 공갈자가 직접 재산상의 이익을 탈취한 경우 공갈죄가 성립할 수 있다(대판 1960.2.29, 4292형상997). 15. 사시, 20. 경찰승진, 23. 법원직, 24. 경찰승진

2. 피해자가 피고인에게 계속해서 택시요금의 지급을 요구하였으나 피고인이 이를 면하고자 피해자를 폭행하고 달아났을 뿐, 피해자가 폭행을 당하여 외포심을 일으켜 수동적·소극적으로라도 피고인이 택시요금 지급을 면하는 것을 용인하여 이익을 공여하는 처분행위를 하였다고 할 수 없는 경우에는 공갈죄가 성립하지 아니한다(대판 2012.1.27, 2011도16044). 14. 경찰승진, 19. 법원행시·경찰간부

(4) 재산상의 손해

공갈죄가 성립하기 위하여 공갈의 상대방이 재산상의 피해자와 같아야 할 필요는 없고, 피공갈자의 하자 있는 의사에 기하여 이루어지는 재물의 교부 자체가 공갈죄에서의 재산상 손해에 해당하므로, 반드시 피해자의 전체 재산의 감소가 요구되는 것도 아니다(대판 2013.4.11, 2010도13774). 17·21. 법원직, 19·22. 법원행시

(5) 위법성

해악의 고지가 비록 정당한 권리의 실현 수단으로 사용된 경우라 하여도 그 권리실현의 수단·방법이 사회통념상 허용되는 정도나 범위를 넘는다면 공갈죄의 실행에 착수한 것으로 보아야 한다(대판 2019.2.14, 2018도19493). 21. 법원직·순경 1차, 22. 해경간부

관련판례

- **권리실행의 수단·방법이 사회통념상 허용되는 범위를 넘는 경우**(위법성조각 ×) ⇨ **공갈죄** ○

1. 피고인이 피해자에 대하여 채권이 있다고 하더라도 그 권리행사를 빙자하여 사회통념상 용인되기 어려운 정도를 넘는 협박을 수단으로 상대방을 외포케 하여 재물의 교부 또는 재산상의 이익을 받았다면 공갈죄가 성립한다(대판 2000.2.25, 99도4305). 16. 법원행시, 17. 변호사시험·법원직·경찰승진
2. 교통사고피해자가 사고차량의 운전사가 실제운전자와 바뀐 것을 알고, 그 운전자의 사용자에게 과다한 금원을 요구하면서 이에 응하지 않으면 신고하겠다고 하여 금품을 받은 경우(대판 1990.3.27, 89도2036) 14. 경찰간부, 21. 해경간부
3. 피해자의 기망으로 부동산을 비싸게 매수한 자가 계약을 취소하지 않고 피해자를 협박하여 전매차액을 받아낸 경우(대판 1991.9.24, 91도1824) 16. 경찰승진, 19. 수사경과, 21. 해경간부
4. 소비자불매운동의 일환으로 이루어지는 것으로 볼 수 있는 표현이나 행동이 정치적 표현의 자유나 일반적 행동의 자유 등의 관점에서도 전체 법질서상 용인될 수 없을 정도로 사회적 상당성을 갖추지 못한 때에는 그 행위 자체가 강요죄나 공갈죄에서 말하는 협박의 개념에 포섭될 수 있다(대판 2013.4.11, 2010도1374 예 피고인이 甲주식회사가 특정 신문들에 광고를 편중했다는 이유로 기자회견을 열어 甲회사에 대하여 불매운동을 하겠다고 하면서 특정 신문들에 대한 광고를 중단할 것과 다른 신문들에 대해서도 동등하게 광고를 집행할 것을 요구하고 甲회사 인터넷 홈페이지에 그와 같은 내용의 팝업창을 띄우게 한 경우, 강요죄나 공갈죄의 수단으로서의 협박에 해당한다). 22. 법원행시, 24. 7급 검찰
5. 재정악화로 어려움을 겪는 회사라 할지라도 합법적인 방법으로 피해자 회사들과 갈등을 해결하려 하지 않고 유예기간 안에 돈을 지급하지 않으면 자동차 부품 생산라인을 중단하여 큰 손실을 입게 만들겠다는 태도를 보였다면 공갈죄가 성립한다(대판 2019.2.14, 2018도19493). 20. 경찰간부, 22. 해경간부
6. 자기 앞으로 허위의 소유권이전등기청구권보전의 가등기를 마친 자가 오래전의 채무를 변제받기 위해 소유권자에게 "허위의 매매계약서와 허위의 가등기가 사문서위조, 인감위조, 강제집행면탈죄에 해당한지 아느냐."고 말한 경우(대판 1993.9.14, 93도915)

• 권리실행의 수단 · 방법이 사회통념상 인정되는 범위 내인 경우(위법성조각 ○) ⇨ **공갈죄** ×

1. 공사한 건물의 대장상 평수보다 실제상의 평수가 많아 실제상의 평수에 따른 공사금의 지급을 요구하면서 그렇지 않으면 구청장에게 진정하여서라도 대장상의 건물평수가 부족함을 밝히겠다고 한 경우(대판 1979.10.30, 79도1660)
2. 국가안전기획부 직원이 아들의 담임선생님의 부탁을 받고 담임선생님의 채무자에게 채무변제를 독촉하는 과정에서 범법행위로 처벌받을 수 있다는 등 다소 위협적인 언사를 행사한 경우(대판 1993.12.24, 93도2339)
3. 피해자로부터 범인으로 오인되어 경찰에 끌려가 구타당하여 입원하게 되자 피해자에게 치료비를 요구하고 응하지 않으면 무고죄로 고소하겠다고 하여 치료비를 받은 경우(대판 1971.11.9, 71도1629)

(6) 타죄와의 관계

관련판례

1. 공무원이 직무집행의사 없이 또는 직무처리와 대가적 관계없이 타인을 공갈하여 재물을 교부하게 한 경우 ⇨ 공갈죄만 성립(수뢰죄 ×), 이때 재물의 교부자는 공갈죄의 피해자로 뇌물공여죄가 성립 ×(대판 1994.12.22, 94도2528) 15. 경찰간부 · 사시, 17. 변호사시험, 21. 해경간부, 24. 법원직
2. 현금카드 소유자를 공갈(협박)하여 예금인출승낙과 함께 카드를 교부받은 후 현금자동지급기에서 수차례(17회)에 걸쳐 예금을 인출한 경우 ⇨ 포괄하여 1개의 공갈죄(대판 1996.9.20, 95도1728 ∵ 피해자의 승낙 ⇨ 예금인출 ⇨ 절도죄 ×, 현금카드를 교부받은 행위와 예금인출행위는 단일 · 계속된 범의에서 이루어진 일련의 행위임) 16. 법원행시, 18. 변호사시험, 19. 경찰간부, 20. 경찰승진, 21. 법원직, 18 · 23. 순경 2차
3. 공갈죄의 수단으로서 한 협박은 공갈죄에 흡수될 뿐 별도로 협박죄를 구성하지 않으므로, 그 범죄사실에 대한 피해자의 고소는 결국 공갈죄에 대한 것이라 할 것이어서 그 후 고소가 취소되었다 하여 공갈죄로 처벌하는 데에 아무런 장애가 되지 아니한다(대판 1996.9.24, 96도2151). 18. 변호사시험, 21. 9급 검찰 · 마약수사
4. 예금통장과 인장을 갈취한 후 예금 인출에 관한 사문서를 위조한 후 이를 행사하여 예금을 인출한 행위는 공갈죄 외에 별도로 사문서위조, 동행사 및 사기죄가 성립한다(대판 1979.10.30, 79도489).
5. 공갈죄와 도박죄는 그 구성요건과 보호법익을 달리하고 있고, 공갈죄의 성립에 일반적 · 전형적으로 도박행위를 수반하는 것은 아니며, 도박행위가 공갈죄에 비하여 별도로 고려되지 않을 만큼 경미한 것이라고 할 수도 없으므로, 도박행위가 공갈죄의 수단이 되었다 하여 그 도박행위가 공갈죄에 흡수되어 별도의 범죄를 구성하지 않는다고 할 수 없다(대판 2014.3.13, 2014도212). 15. 법원행시, 25. 변호사시험

2 상습공갈죄

제351조 상습으로 공갈죄(제350조)를 범한 자는 그 죄에 정한 형의 2분의 1까지 가중한다.
제352조 본죄의 미수범은 처벌한다.
제354조 친족간 특례

CHAPTER 05

기출문제

01 공갈의 죄에 대한 설명 중 가장 옳지 않은 것은?(다툼이 있는 경우 판례에 의함) 19. 경찰간부

① 피고인이 예금주인 현금카드 소유자를 협박하여 그 카드를 갈취한 다음 피해자의 승낙에 의하여 현금카드를 사용할 권한을 부여받아 이를 이용하여 여러 차례 현금자동지급기에서 예금을 인출한 경우 포괄하여 하나의 공갈죄를 구성한다.

② 공갈죄에 있어서 공갈의 상대방은 재산상의 피해자와 동일함을 요하지는 않는다.

③ 공갈죄의 대상이 되는 재물은 타인의 재물을 의미하므로 사람을 공갈하여 자기의 재물을 교부받는 경우에는 공갈죄가 성립하지 아니한다.

④ 택시 승객이 택시요금을 면하기 위하여 택시운전사를 폭행하고 도주한 경우, 택시운전사의 처분행위가 없었더라도 재산상 이익실현의 장애가 발생하였다면 공갈죄의 기수범이 성립한다.

해설 ① 대판 1996.9.20, 95도1728
② 대판 2005.9.29, 2005도4738
③ 대판 2012.8.30, 2012도6157
④ ×: 공갈죄의 기수범 ×(대판 2012.1.27, 2011도16044)

02 공갈죄에 관한 설명 중 적절하지 않은 것은 모두 몇 개인가?(다툼이 있는 경우 판례에 의함) 15 · 16 · 17. 경찰승진

㉠ 공갈죄의 수단으로서 협박은 사람의 의사결정의 자유를 제한하거나 의사실행의 자유를 방해할 정도로 겁을 먹게 할 만한 해악을 고지하는 것을 말하고 해악의 고지는 반드시 명시의 방법에 의할 것을 요하지 아니한다.

㉡ 사회통념상 용인되기 어려운 정도를 넘는 협박을 수단으로 상대방을 외포케 하여 재물의 교부 또는 재산상의 이익을 받았다고 하더라도, 피고인이 피해자에 대하여 진정한 채권을 가지고 있다면 공갈죄는 성립하지 아니한다.

㉢ 지역신문의 발행인이 시정에 관한 비판기사 및 사설을 보도하고 관련 공무원에게 광고의뢰 및 직보배정을 타 신문사와 같은 수준으로 높게 해달라고 요청한 사실만으로는 공갈죄의 수단으로서 그 상대방을 협박하였다고 볼 수 없다.

㉣ 공갈죄에 있어서 공갈의 상대방은 재산상의 피해자와 동일함을 요하지는 아니하나, 공갈의 목적이 된 재물 기타 재산상의 이익을 처분할 수 있는 사실상 또는 법률상의 권한을 갖거나 그러한 지위에 있음을 요한다.

㉤ 조상천도제를 지내지 아니하면 좋지 않은 일이 생긴다는 취지의 해악의 고지는 협박으로 평가될 수 있어 공갈죄가 성립한다.

Answer 01. ④ 02. ①

ⓑ 부동산에 대한 공갈죄는 그 부동산에 관하여 소유권이전등기를 경료받거나 또는 인도를 받은 때에 기수로 되는 것이다.
ⓢ 피해자의 기망에 의하여 부동산을 비싸게 매수한 자가 그 계약을 취소하지 않고 등기를 자신의 앞으로 둔 채 피해자를 협박하여 전매차익을 받아낸 경우 공갈죄가 성립한다.
ⓞ 가출자의 가족에 대하여 그의 소재를 알려주는 조건으로 보험가입을 요구한 경우는 공갈죄에 있어서의 협박으로 볼 수 없다.

① 2개 ② 3개 ③ 4개 ④ 5개

해설 ㉠ ○ : 대판 2005.7.15, 2004도1565
㉡ × : 공갈죄 ○(대판 2000.2.25, 99도4305)
㉢ ○ : 대판 2002.12.10, 2001도7095
㉣ ○ : 대판 2005.9.29, 2005도4738
㉤ × : 공갈죄 ×(대판 2002.2.8, 2000도3245 ∵ 조상천도제를 지내지 아니하면 좋지 않은 일이 생긴다는 취지의 해악의 고지는 길흉화복이나 천재지변의 예고로서 행위자에 의하여 직접・간접적으로 좌우될 수 없는 것이고 가해자가 현실적으로 특정되어 있지도 않으며 해악의 발생가능성이 합리적으로 예견될 수 있는 것이 아니므로 협박으로 평가될 수 없다.)
㉥ ○ : 대판 1992.9.14, 92도1506(∵ 소유권이전등기에 필요한 서류를 교부받은 때 ⇨ 기수 ×)
㉦ ○ : 대판 1991.9.24, 91도1824(∵ 사회통념상 용인 ×)
㉧ ○ : 대판 1976.4.27, 75도2818(∵ 가족들에게 외포심을 일으키거나 더해진게 아님 ⇨ 협박 ×)

03 **공갈죄에 관한 다음 설명 중 가장 옳지 않은 것은?**(다툼이 있는 경우 판례에 의함) 19. 법원직

① 공갈죄에 있어서 공갈의 상대방은 재산상의 피해자와 동일함을 요하지는 아니하나, 공갈의 목적이 된 재물 기타 재산상의 이익을 처분할 수 있는 권한을 갖거나 그러한 지위에 있음을 요한다.
② 주점의 종업원에게 신체에 위해를 가할 듯한 태도를 보여 이에 겁을 먹은 위 종업원으로부터 주류를 제공받은 경우에 있어 위 종업원은 주류에 대한 처분권자가 아니므로 공갈죄가 성립할 수 없다.
③ 공갈죄의 해악의 내용이 실현가능해야만 하는 것은 아니다.
④ 공갈죄의 고지된 해악의 실현은 그 자체가 위법한 것임을 요하지 않는다.

해설 ① 대판 2005.9.29, 2005도4738
② × : 공갈죄 ○(대판 2005.9.29, 2005도4738 ∵ 종업원은 주류에 대한 사실상의 처분권자임)
③ 대판 2002.2.8, 2000도3245
④ 대판 2007.10.11, 2007도6406

Answer 03. ②

04 **다음 중 옳지 않은 것은 모두 몇 개인가?**(다툼이 있는 경우 판례에 의함) 21. 해경간부

> ㉠ 교통사고로 2주일간의 치료를 요하는 상해를 당하여 그로 인한 손해배상청구권이 있음을 기화로 사고차량의 운전사가 바뀐 것을 알고서 그 운전사의 사용자에게 과다한 금원을 요구하면서 이에 응하지 않으면 수사기관에 신고할 듯한 태도를 보여 이에 겁을 먹은 동인으로부터 금 3,500,000원을 교부받은 경우 공갈죄가 성립한다.
> ㉡ 피해자의 기망에 의하여 부동산을 비싸게 매수한 자가 그 계약을 취소하지 않고 등기를 자신의 앞으로 둔 채 피해자를 협박하여 전매차익을 받아낸 경우 공갈죄가 성립한다.
> ㉢ 조상천도제를 지내지 아니하면 피해자와 그의 가족의 생명과 신체 등에 어떤 위해가 발생할 것처럼 겁을 주고 이에 외포된 피해자로부터 예금계좌로 835,000원을 송금받은 경우 공갈죄가 성립한다.
> ㉣ 방송기자가 건설회사 경영주에게 그 회사가 건축한 아파트의 공사하자에 관하여 방송으로 계속 보도할 것 같은 태도를 보임으로써 회사의 신용훼손을 우려한 그로부터 속보무마비조로 돈 2,000,000원을 받은 경우 공갈죄가 성립한다.
> ㉤ 공무원이 직무행위 의사없이 또는 직무처리와 대가적 관계없이 타인을 공갈하여 재물을 교부하게 한 경우에는 공갈죄가 성립하고, 이러한 경우 재물의 교부자는 공갈자가 공무원이라는 사실을 알았으며 해악의 고지로 인하여 외포의 결과 금품을 제공한 것이어서 그는 공갈죄의 피해자임과 동시에 뇌물공여자가 된다.

① 1개 ② 2개 ③ 3개 ④ 4개

해설 ㉠ ○ : 대판 2005.2.25, 99도4305
㉡ ○ : 대판 1991.9.24, 91도1824
㉢ × : 공갈죄 ×(대판 2002.2.8, 2000도3245)
㉣ ○ : 대판 1991.5.28, 91도80
㉤ × : 공갈죄 ○, 뇌물공여죄 ×(대판 1994.12.22, 94도2528 ∵ 공갈죄의 피해자임)

05 **사기와 공갈의 죄에 관한 설명으로 옳은 것은 모두 몇 개인가?**(다툼이 있는 경우 판례에 의함) 24. 경찰간부

> ㉠ 부동산에 대한 공갈죄는 그 부동산에 관하여 소유권이전등기를 경료받거나 또는 인도를 받은 때에 기수로 되는 것이고, 소유권이전등기에 필요한 서류를 교부받은 때에 기수로 되어 그 범행이 완료되는 것은 아니다.
> ㉡ 피해자 법인이나 단체의 대표자 또는 실질적으로 의사결정을 하는 최종결재권자 등 기망의 상대방이 기망행위자와 동일인이거나 기망행위자와 공모하는 등 기망행위를 알고 있었던 경우에는 사기죄가 성립할 여지가 없다.
> ㉢ 사기죄에서 그 대가가 일부 지급되거나 담보가 제공된 경우에도 편취액은 피해자로부터 교부된 금원으로부터 그 대가 또는 담보 상당액을 공제한 차액이 아니라 교부받은 금원 전부라고 보아야 한다.

Answer 04. ② 05. ④

ⓔ A가 甲의 돈을 절취한 다음 다른 금전과 섞거나 교환하지 않고 쇼핑백에 넣어 자신의 집에 숨겨두었는데 乙이 甲의 지시를 받아 A에게 겁을 주어 쇼핑백에 들어 있던 절취된 돈을 교부받았다고 하더라도 乙에게 공갈죄가 성립하지 않는다.

① 1개 ② 2개 ③ 3개 ④ 4개

해설 ㉠ ○ : 대판 1992.9.14, 92도1506
㉡ ○ : 대판 2017.9.26, 2017도8449
㉢ ○ : 대판 2017.12.22, 2017도12649
㉣ ○ : 대판 2012.8.30, 2012도6157

06 **사기와 공갈의 죄에 관한 설명으로 옳은 것을 모두 고른 것은?**(다툼이 있는 경우 판례에 의함)

24. 경찰승진

㉠ 비트코인은 경제적인 가치를 디지털로 표상하여 전자적으로 이전, 저장과 거래가 가능하도록 한 가상자산의 일종으로 사기죄의 객체인 재산상 이익에 해당한다.
㉡ 피해자 A는 드라이버를 구매하기 위해 특정 매장에 방문하였다가 지갑을 떨어뜨렸는데, 10분쯤 후 甲이 같은 매장에서 우산을 구매하고 계산을 마친 뒤, 지갑을 발견하여 습득한 매장 주인 B로부터 "이 지갑이 선생님 지갑이 맞느냐?"라는 질문을 받자 "내 것이 맞다."라고 대답한 후 이를 교부받아 가지고 간 경우, 甲에게 사기죄가 아닌 절도죄가 성립한다.
㉢ 소송사기가 성립하기 위하여는 제소 당시에 그 주장과 같은 채권이 존재하지 아니한다는 것만으로는 부족하고 그 주장의 채권이 존재하지 아니하는 사실을 잘 알면서도 허위의 주장과 증명으로써 법원을 기망한다는 인식을 하고 있어야만 한다.
㉣ 재산상 이익의 취득으로 인한 공갈죄가 성립하려면 폭행 또는 협박과 같은 공갈행위로 인하여 피공갈자가 재산상 이익을 공여하는 처분행위가 있어야 하므로, 피공갈자가 외포심을 일으켜 묵인하고 있는 동안에 공갈자가 직접 재산상의 이익을 탈취한 경우에는 공갈죄가 성립할 수 없다.

① ㉠, ㉢ ② ㉠, ㉣ ③ ㉡, ㉢ ④ ㉢, ㉣

해설 ㉠ ○ : 대판 2021.11.11, 2021도9855
㉡ × : 절도죄 ×, 사기죄 ○(대판 2022.12.29, 2022도12494 ∵ 甲을 위하여 이를 처분할 수 있는 권능을 갖거나 그 지위에 있으므로, 乙의 행위는 사기죄에서 말하는 처분행위에 해당하고 피고인의 행위를 절취행위로 평가할 수 없다.)
㉢ ○ : 대판 2004.3.12, 2003도333
㉣ × : ~ (3줄) 탈취한 경우에도 공갈죄가 성립할 수 있다(대판 1960.2.29, 4292형상997 ∵ 처분행위는 반드시 작위에 한하지 않고 부작위로도 가능함).

Answer 06. ①

07 공갈죄에 관한 다음 설명 중 가장 옳지 않은 것은?(다툼이 있는 경우 판례에 의함) 24. 법원직

① 피고인이 가출자의 소재를 알고 있음을 기화로 가출자의 가족에 대하여 가출자의 소재를 알려주는 조건으로 보험가입을 요구한 경우 공갈죄에서의 협박에 해당한다.

② 공무원이 직무집행의 의사 없이 또는 직무처리와 대가적 관계 없이 타인을 공갈하여 재물을 교부하게 한 경우에는 공갈죄만이 성립하고, 이러한 경우 재물의 교부자가 공무원의 해악의 고지로 인하여 외포의 결과 금품을 제공한 것이라면 그는 공갈죄의 피해자가 될 것이고 뇌물공여죄는 성립될 수 없다.

③ 주간신문의 발행인 겸 편집자인 피고인이 여러 차례 시정(市政)에 관한 비판기사 및 사설을 보도한 후 시 관계자에게 구두, 공문으로, 또는 신문 지면을 통하여 당시 시로부터 받고 있는 광고의뢰 및 직보배정 수준을 다른 지역신문들의 수준과 같이 높여 줄 것을 요청한 경우 공갈죄의 수단으로서 그 상대방을 협박하였다고 볼 수 없어 공갈죄가 성립하지 않는다.

④ 타인을 공갈하여 재물 또는 재산상의 이익을 취득함에 있어 그 수단으로서 대가가 지급되었을 경우라도 이를 공제하지 아니한 그 전부가 갈취이득액이다.

해설 ① ×: ~ 협박으로 볼 수 없다(대판 1976.4.27, 75도2818 ∵ 도의상 비난할 수 있을지언정 가족들에게 새로운 외포심을 일으키거나 더해진 게 아님. ⇨ 공갈죄의 협박 ×).
② 대판 1994.12.22, 94도2528
③ 대판 2002.12.10, 2001도7095
④ 옳다.

Answer 07. ①

제6절 횡령의 죄

1 서 설

① **의의** : 횡령죄란 타인의 재물을 보관하는 자가 위탁이라는 신임관계에 반하여 그 재물을 횡령하거나 반환을 거부하는 것을 내용으로 하는 범죄이다.

횡령죄	절도 · 강도 · 사기 · 공갈죄
자기가 점유하는 타인의 재물을 영득	타인이 점유하는 타인의 재물을 영득

② **보호법익** : 횡령죄는 다른 사람의 재물에 관한 소유권 등 본권을 보호법익으로 하고 법익침해의 위험이 있으면 침해의 결과가 발생되지 아니하더라도 성립하는 위험범이다(대판 2009.2.12, 2008도10971). 17 · 22. 순경 2차

③ **횡령죄의 본질** : 월권행위설(위탁된 보관물에 대한 권한을 초월하는 행위를 함으로써 위탁에 기초한 신임관계를 깨뜨리는 데 횡령죄의 본질이 있다.)에 따르면 신임관계를 침해하는 월권행위만 있으면 횡령죄는 성립하고 불법영득의사를 요하지 않으나, 영득행위설(다수설 · 판례 : 위탁된 보관물을 불법하게 영득하는 데 횡령죄의 본질이 있다.)에 따르면 횡령죄의 성립에 불법영득의사가 있어야 한다. 12. 경찰간부, 22. 순경 2차, 24. 순경 1차

2 횡령죄

> **제355조 제1항** 타인의 재물을 보관하는 자가 그 재물을 횡령하거나 그 반환을 거부한 때에는 5년 이하의 징역 또는 1천 500만원 이하의 벌금에 처한다.

횡령액이 5억원 이상인 때에는 특정경제범죄가중처벌 등에 관한 법률에 의하여 가중처벌된다(동법 제3조). 미수범 처벌 ○(제359조), 상습범 가중처벌규정 ×, 친족상도례(제361조)

(1) 의 의

타인의 재물을 보관하는 자가 그 재물을 횡령하거나 반환을 거부함으로써 성립하는 범죄

(2) 주 체

① 위탁관계에 의하여 타인의 재물을 보관하는 자(진정신분범)

② **보관하는 자** : 여기서 보관이라 함은 위탁관계에 의하여 재물을 점유하는 것을 의미하므로, 결국 횡령죄가 성립하기 위하여는 그 재물의 보관자가 재물의 소유자(또는 기타의 본권자)와 사이에 법률상 또는 사실상의 위탁신임관계가 존재하여야 한다(대판 2010.6.24, 2009도9242). 17. 순경 2차, 21. 법원직

㉠ **부동산의 점유자**(보관자) : 부동산에 관한 횡령죄에 있어서 보관자의 지위는 점유를 기준으로 할 것이 아니라 그 부동산을 제3자에게 유효하게 처분할 수 있는 권능의 유무를 기준으로 결정하여야 하므로, 원인무효인 소유권이전등기의 명의자는 횡령죄의 주체인 타인의 재물을 보관하는 자에 해당한다고 할 수 없다(대판 2010.6.24, 2009도9242). 17. 경찰간부, 22. 법원행시·해경간부, 23. 해경승진, 24. 경위공채

관련판례

• **유효하게 처분할 수 있는 권능의 유무로 판단**

1. 원인무효인 소유권이전등기의 명의자로서 그 부동산을 법률상 유효하게 처분할 수 있는 지위에 있지 않는 자는 횡령죄의 주체에 해당하지 않는다(대판 1989.2.28, 88도1368). 임야의 진정한 소유자와는 전혀 무관한 신탁자로부터 임야의 지분을 명의신탁받아 원인무효인 소유권이전등기의 명의자인 사람이 신탁받은 지분을 임의로 처분한 행위는 신탁자뿐만 아니라 소유자와의 관계에서도 횡령죄가 성립하지 않는다(대판 2007.5.31, 2007도1082). 16. 법원직, 17. 경찰간부·경찰승진, 20. 수사경과
2. 부동산 공동상속인 중 1인이 부동산을 혼자 점유하던 중 다른 공동상속인의 상속지분을 임의로 처분한 경우 ⇨ 횡령죄 ×(대판 2000.4.11, 2000도565 ∵ 다른 상속인의 지분을 처분할 권능 ×) 18. 순경 1차, 19. 법원행시, 21. 순경 2차, 22. 해경간부·수사경과, 23. 변호사시험·7급 검찰, 24. 해경승진·경위공채
3. 빌딩의 공유자 중 1인이 구분소유자 전원의 공유에 속하는 공용부분인 지하주차장 일부를 독점임대하고 수령한 임차료를 임의로 소비한 경우 ⇨ 횡령죄 ×(대판 2004.5.27, 2003도6988 ∵ 유효하게 처분할 수 있는 권능 ×) 20. 법원직·순경 1차, 21. 법원행시·9급 검찰·마약수사·경찰승진, 23. 해경승진

   ▶ **유사판례** : 甲과 乙이 부동산을 공유하던 중, 甲이 乙의 지분을 임의로 처분한 경우 ⇨ 횡령죄 ×(대판 2000.4.11, 2000도565 ∵ 乙의 지분을 처분할 권능 ×) 13. 사시
4. 타인 소유의 토지에 대한 보관자의 지위에 있지 않은 사람이 허위 보증서나 확인서에 의해 마쳐진 것으로서 그 앞으로 원인무효의 소유권이전등기가 되어 있음을 이용하여 토지소유자에게 지급될 보상금을 수령하였더라도 보상금에 대한 점유 취득은 진정한 토지소유자의 위임에 따른 것이 아니므로 보상금에 대하여 어떠한 보관관계가 성립하지 않는다(대판 2021.6.30, 2018도18010 ∴ 횡령죄 ×). 22. 법원행시·해경간부, 24. 해경경위

미등기의 부동산 : 위탁관계에 의하여 현실로 부동산을 관리·지배하는 자가 보관자이다(판례).

관련판례

1. 미등기건물의 관리를 위임받아 보관하고 있던 자가 건물을 자신의 명의로 보존등기를 한(횡령죄 완성) 후 다시 근저당설정등기를 한 경우 ⇨ 횡령죄 ○(대판 1993.3.9, 92도2999 ∵ 근저당설정등기행위는 불가벌적 사후행위) 12. 순경 3차, 20. 수사경과
2. 소유권보존등기가 되어 있지 않는 건축허가명의를 수탁받은 자가 자신의 명의로 보존등기를 한 경우 ⇨ 횡령죄 ○(대판 1990.3.23, 89도1911)

㉡ 부동산명의신탁과 횡령죄

관련판례

1. **부동산명의신탁의 유형**

① **양(2)자간 명의신탁** : 부동산실명법에 위반한 양자간 명의신탁의 경우 명의수탁자가 신탁받은 부동산을 임의로 처분하여도 명의신탁자에 대한 관계에서 횡령죄가 성립하지 아니한다(대판 2021.2.18, 2016도18761 전원합의체 ∵ 부동산실명법에 위반하여 명의신탁자가 그 소유인 부동산의 등기명의를 명의수탁자에게 이전하는 이른바 양자간 명의신탁의 경우, 계약인 명의신탁약정과 그에 부수한 위임약정, 명의신탁약정을 전제로 한 명의신탁 부동산 및 그 처분대금 반환약정은 모두 무효이므로 명의신탁자와 명의수탁자 사이의 위탁관계라는 것은 형법상 보호할 만한 가치 있는 신임에 의한 것이라고 할 수 없다. 따라서 말소등기의무의 존재나 명의수탁자에 의한 유효한 처분가능성을 들어 명의수탁자가 명의신탁자에 대한 관계에서 '타인의 재물을 보관하는 자'의 지위에 있다고 볼 수 없고, 부동산 명의신탁이 부동산실명법 시행 전에 이루어졌으나, 같은 법이 정한 유예기간 이내에 실명등기를 하지 아니함으로써 그 명의신탁약정 및 이에 따라 행하여진 등기에 의한 물권변동이 무효로 된 후에 처분행위가 이루어진 경우에도, 명의수탁자가 명의신탁자에 대한 관계에서 여전히 '타인의 재물을 보관하는 자'의 지위에 있다고 볼 수도 없다). 21. 7급 검찰, 22. 변호사시험 · 경찰간부, 23. 경찰승진 · 법원직 · 경력채용

② **중간생략등기형 명의신탁** : 명의수탁자가 신탁부동산을 임의로 처분한 경우 ⇨ 횡령죄 ×〔대판 2016.5.19, 2014도6992 전원합의체 ∵ 명의신탁자(계약당사자)가 매수한 부동산에 관하여 부동산실명법을 위반하여 명의수탁자와 맺은 명의신탁약정에 따라 매도인에게서 바로 명의수탁자 명의로 소유권이전등기를 마친 이른바 중간생략등기형 명의신탁을 한 경우, 명의신탁자는 신탁부동산의 소유권을 가지지 아니하고, 명의신탁자와 명의수탁자 사이에 위탁신임관계를 인정할 수도 없다.〕 16. 7급 검찰, 18. 9급 검찰 · 변호사시험 · 법원행시 · 순경 1차, 20. 해경 3차 · 순경 2차, 23. 법원직

③ **계약명의신탁** : 신탁자(甲)와의 명의신탁약정에 따라 수탁자(乙)가 매매계약의 당사자가 되어 매도인(丙)과 매매계약을 체결하고 수탁자(乙) 앞으로 이전등기를 하는 형식

- 丙이 선의인 경우(명의신탁약정사실을 모르는 경우) : 乙이 부동산을 임의처분하는 경우 ⇨ 횡령죄 ×(대판 2000.3.24, 98도4347 ∵ 그 수탁자는 타인의 재물을 보관하는 자라고 볼 수 없다), 배임죄 ×(대판 2001.9.25, 2001도2722 ∵ 명의신탁약정은 무효이고 乙은 甲에 대해서도 소유권을 완전히 취득함 ⇨ 乙은 甲의 재산을 보전 · 관리하는 지위에 있는 자에 해당 ×) 15. 변호사시험 · 경찰간부, 18. 9급 검찰, 20. 해경 3차
- 丙이 악의인 경우(명의신탁약정사실을 알고 있는 경우) : 명의수탁자가 명의신탁자나 매도인에 대한 관계에서 '타인의 재물을 보관하는 자' 또는 '타인의 사무를 처리하는 자'의 지위에 있다고 볼 수 없다(대판 2012.11.29, 2011도7361 ∴ 명의수탁자가 임의처분하는 경우 명의신탁자나 매도인에 대한 횡령죄 ×, 배임죄 ×) 15. 9급 검찰 · 마약수사 · 법원직 · 순경 3차 · 경찰간부, 17. 경찰승진, 18. 순경 2차, 19. 법원행시, 20. 해경승진

2. ①종중으로부터 명의신탁받은 부동산을 승낙 없이 제3자에게 근저당권을 설정해 준(**횡령죄 완성**) 후에 다시 다른 자에게 근저당권을 설정하거나 매도한 경우 ⇨ **별도의 횡령죄** ○, 불가벌적 사후행위 ×(대판 2013.2.21, 2010도10500 전원합의체 예 피해자 甲종중으로부터 토지를 명의신탁받아

보관 중이던 피고인 乙이 개인 채무 변제에 사용할 돈을 차용하기 위해 위 토지에 근저당권을 설정하였는데, 그 후 피고인 乙, 丙이 공모하여 위 토지를 丁에게 매도한 사안에서, 피고인들의 토지 매도행위는 별도의 횡령죄를 구성한다.) 16 · 19. 변호사시험, 17. 법원행시 · 순경 2차, 18. 9급 검찰 · 순경 3차, 20. 경찰간부 · 해경 3차, 21. 경찰승진

② 부동산실명법에 위반한 양자간 명의신탁의 경우 부동산의 명의수탁자가 신탁자의 승낙 없이 甲 앞으로 근저당권설정등기를 하였다가 후에 그 말소등기를 신청함과 동시에 乙 앞으로 소유권이전등기를 신청함에 따라 甲명의의 근저당권말소등기와 乙명의로 소유권이전등기를 경료해 준 경우 ⇨ 甲 앞으로 근저당설정등기 경료(횡령죄 ×), 乙 명의의 소유권이전등기 경료(횡령죄 ×)(대판 2021.2.18, 2016도18761 전원합의체)

③ 중간생략등기형 명의신탁의 경우 명의수탁된 부동산에 대한 토지수용보상금의 일부를 소비하고(횡령죄 ×), 수용되지 않은 나머지 부동산 전체에 대한 반환을 거부한 경우(횡령죄 ×)(대판 2016.5.19, 2014도6992 전원합의체) 12. 변호사시험, 16. 사시

④ 구분소유하고 있는 특정 구분부분별로 독립한 필지로 분할되는 경우에는 특별한 사정이 없는 한 각 공유자 상호간에 상호명의신탁관계만이 존속하는 것이므로, 각 공유자는 나머지 각 필지 위에 전사된 자신 명의의 공유지분에 관하여 다른 공유자에 대한 관계에서 그 공유지분을 보관하는 자의 지위에 있다(대판 2014.12.24, 2011도11084). 23. 법원직

---

(3) **객 체** : 자기가 점유(보관)하는 타인(소유)의 재물

① **재물** : 동산, 부동산, 권리가 화체되어 있는 문서(채권증서, 약속어음)

1. 재산상의 이익, 사무적으로 관리가 가능한 채권이나 그 밖의 권리(재물 ×) ⇨ 횡령죄의 객체 ×(대판 1994.3.8, 93도2272) 17. 경찰간부, 22. 경력채용
2. 광업권 ⇨ 횡령죄의 객체 ×(대판 1994.3.8, 93도2272 예 사금채취 광업권을 명의신탁 받아 보관하던 중 반환요구를 거부한 경우 ⇨ 횡령죄 ×) 16. 변호사시험 · 순경 2차, 15 · 17. 경찰간부
3. 상법상 주식은 자본구성의 단위 또는 주주의 지위(주주권)를 의미하고, 주주권을 표창하는 유가증권인 주권과는 구분된다. 주권은 유가증권으로서 재물에 해당되므로 횡령죄의 객체가 될 수 있으나, 자본의 구성단위 또는 주주권을 의미하는 주식은 재물이 아니므로 횡령죄의 객체가 될 수 없다. 따라서 예탁결제원에 예탁되어 계좌 간 대체 기재의 방식에 의하여 양도되는 주권은 유가증권으로서 재물에 해당되므로 횡령죄의 객체가 될 수 있으나, 주권이 발행되지 않은 상태에서 주권불소지 제도, 일괄예탁 제도 등에 근거하여 예탁결제원에 예탁된 것으로 취급되어 계좌 간 대체 기재의 방식에 의하여 양도되는 주식은 재물이 아니므로 횡령죄의 객체가 될 수 없다(대판 2023.6.1, 2020도2884). 15. 경찰간부 · 순경 3차, 18. 경찰승진, 21. 해경승진, 22. 해경간부, 24. 법원행시

② **타인의 재물** : 타인(행위자 이외의 자연인, 법인, 법인격 없는 단체, 조합)에게 소유권이 있는 재물

행위자와 타인의 공동소유(공유, 합유, 총유)에 속하는 재물 ⇨ 타인의 재물 14. 수사경과

관련판례

1. 동업자 사이에 손익분배 정산이 되지 아니하였다면 동업자 한 사람이 임의로 동업자들의 합유에 속하는 동업재산을 처분할 권한이 없는 것이므로, 동업자 한 사람이 동업재산을 보관 중 임의로 횡령하였다면 지분비율에 관계없이 **횡령한 금액 전부에 대하여 횡령죄의 죄책을 부담한다**(대판 1996.3.22, 95도2824). 17. 수사경과, 21. 법원직 · 해경승진, 22. 경력채용, 23. 변호사시험, 24. 순경 2차

▶ **비교판례** : A와 甲이 당구장을 동업하기로 약정하였다가 공동으로 운영하지 못한채 A가 동업조건에 불만을 갖고 약정투자금의 일부만을 지급한 후 동업계약을 해지하고 탈퇴해버린 경우, 甲이 위 당구장을 단독처분하였다 하더라도 횡령죄를 구성하지 아니한다(대판 1983.2.22, 82도3236 ∵ 2인의 조합관계에 있어서 1인의 조합원이 탈퇴의 의사를 표시하였을 경우 조합관계는 그 성질상 종료되나 특별한 사정이 없는 한 조합은 해산되지 아니하며 따라서 청산도 개시되지 아니하고 조합원의 합유에 속하였던 조합재산은 탈퇴하지 않은 남은 조합원의 단독소유에 속하게 되어 탈퇴한 사람과 남은 사람 사이에는 탈퇴에 따른 투자금의 환급 등 계산만이 남기 때문). 23. 법원행시

2. 소유권의 취득에 등록이 필요한 타인 소유 차량을 인도받아 보관하고 있는 사람이 이를 사실상 처분한 경우, 보관 위임자나 보관자가 차량의 등록명의자가 아니라도 횡령죄가 성립한다〔대판 2015.6.25, 2015도1944 전원합의체 ∵ 이 경우에 타인의 재물을 보관하는 사람의 지위는 등록에 의하여 차량을 제3자에게 법률상 유효하게 처분할 수 있는 권능의 유무가 아니라 차량에 대한 점유 여부에 따라 결정하여야 한다. 예 지입회사(등록명의자 ×)에 소유권이 있는 차량에 대하여 지입회사에서 운행관리권을 위임받은 지입차주(등록명의자 ○)가 지입회사의 승낙 없이 보관 중인 차량을 사실상 처분한 경우 ⇨ 횡령죄 ○〕. 17. 법원행시 · 경찰간부, 19. 경찰승진 · 변호사시험 · 7급 검찰, 22. 법원직 · 순경 2차

3. 조합 또는 내적 조합과 달리 익명조합의 경우에는 익명조합원이 영업을 위하여 출자한 금전 기타의 재산은 상대편인 영업자의 재산이 되므로 영업자는 타인의 재물을 보관하는 자의 지위에 있지 않고, 따라서 영업자가 영업이익금을 임의로 소비하였더라도 횡령죄가 성립하지 아니한다(대판 1971.12.28, 71도2032). 18. 경찰간부, 19. 법원행시, 21. 해경승진 · 순경 2차, 23. 7급 검찰, 24. 해경순경

4. 가맹점계약(프랜차이즈계약)에 있어서 가맹점주가 물품판매대금을 본사에 송금하지 않고 임의소비한 경우 ⇨ 횡령죄 ×(대판 1998.4.14, 98도292 ∵ 물품판매대금은 가맹점주의 소유 ⇨ 임의소비는 계약상의 채무불이행에 불과) 16. 사시 · 변호사시험, 18. 9급 검찰, 19. 법원행시

5. 수인이 부동산경매절차에서 대금을 분담하되 그중 1인의 단독명의로 낙찰받기로 약정한 후 낙찰이 이루어진 후 그 명의자가 임의로 처분한 경우 ⇨ 횡령죄 ×(대판 2000.9.8, 2000도258 ∵ 입찰목적 부동산의 소유권은 그 명의인이 취득 ⇨ 타인의 재물 ×) 18. 9급 검찰, 19. 수사경과, 23. 변호사시험

6. 독립채산제로 운영하기로 한 감정평가법인 지사에서 근무하는 감정평가사들이 접대비 명목 등으로 임의로 나누어 사용할 목적으로 감정평가법인을 위하여 보관 중이던 돈의 일부를 비자금으로 조성한 경우 업무상 횡령죄에 해당한다〔대판 2010.5.13, 2009도1373 ∵ 지사의 자금이 감정평가법인(소유)의 자금임〕. 14. 순경 2차, 16. 경찰승진

▶ **유사판례** : 대한공인중개사협회(사단법인)의 지부(산하기관에 불과)의 임직원들이 지부가 보관하고 있는 자금을 임의로 사용한 경우 ⇨ 횡령죄 ○(대판 2012.1.27, 2010도10739)

7. 근로자가 운송회사로부터 일정액의 급여를 받으면서 당일 운송수입금을 전부 운송회사에 납입하되, 운송회사는 근로자가 납입한 운송수입금을 월 단위로 정산하기로 하는 약정이 체결되었는데 근로자가 운송수입금을 임의로 소비한 경우 ⇨ 횡령죄 ○(대판 2014.4.30, 2013도8799 ∵ 근로자가 애초 거둔 운송수입금 전액은 운송회사의 관리와 지배 아래 있음) 16 · 17. 경찰간부, 17. 7급 검찰

8. 학교법인이 아닌 사인(私人)이 설치 · 경영하는 학교에 있어서 학생 등이 납부한 수업료 등으로 조성된 교비는 특별한 사정이 없는 한 학교의 설치 · 경영자의 소유에 속하므로, 피고인이 학교의 설치 · 경영자와 공모하여 학생 등이 납부한 수업료 등을 교비회계 아닌 다른 회계에 임의로 사용하였더라도 사립학교법 위반죄 외에 따로 (학생이나 학부모에 대한) 횡령죄가 성립한다고 볼 수 없다(대판 2012.5.10, 2011도12408). 12. 순경 3차, 13. 순경 2차

9. 주식회사는 주주와 독립된 별개의 권리주체로서 그 이해가 반드시 일치하는 것은 아니므로, 회사 소유 재산을 주주나 대표이사가 제3자의 자금 조달을 위하여 담보로 제공하는 등 사적인 용도로 임의 처분하였다면 그 처분에 관하여 주주총회나 이사회의 결의가 있었는지 여부와는 관계없이 횡령죄의 죄책을 면할 수는 없다(대판 2012.6.28, 2012도2628). 19. 법원행시, 22. 9급 검찰·마약수사, 24. 해경간부·순경 1차
10. 채무자가 채권자에게 동산을 양도담보로 제공하고 점유개정 방법으로 점유하고 있는 상태에서 채무자가 양도담보 목적물을 제3자에게 처분하거나 담보로 제공하였더라도 횡령죄를 구성하지 아니한다(대판 2009.2.12, 2008도10971 ∵ 동산의 소유권은 채무자에게 유보되어 있음). 16. 7급 검찰·철도경찰, 17. 순경 1차, 21. 법원직, 23. 경찰간부 채무의 담보로 하기 위하여 매매의 형식을 취하여 동산을 담보로 제공하고 이를 계속 사용하고 있다가 채권자의 승낙을 받고 이를 매각한 후 그 매각대금을 채무자가 소비하였다 하더라도 횡령죄는 성립하지 아니한다(대판 1977.11.8, 77도1715 ∵ 매각대금은 채무자의 소유임). 23. 법원행시

▶ **비교판례**

① 타인에게 매도담보로 제공한 동산을 그대로 계속하여 점유하고 있는 경우에 그 동산을 임의로 처분하였다면 횡령죄가 되는 것이고 권리행사방해죄는 성립하지 않는다〔대판 1962.2.8, 4294형상479 ∵ 동산의 소유권은 타인(채권자)에게 있음 ⇨ 자기(채무자)가 점유하는 타인(채권자)의 재물〕. 19. 법원행시

② 채권의 담보를 목적으로 부동산의 소유권이전등기를 경료받은 채권자는 채무자가 변제기일까지 그 채무를 변제하면 채무자에게 그 소유명의를 환원하여 주기 위하여 그 소유권이전등기를 이행할 의무가 있으므로 그 변제기일 이전에 그 임무에 위배하여 이를 제3자에게 처분하였다면 변제기일까지 채무자의 변제가 없었다 하더라도 배임죄(횡령죄 ×)가 성립한다(대판 2007.1.25, 2005도7559). 21. 7급 검찰

11. 공유자 1인이 공유물의 매각대금을 임의로 소비한 경우 ⇨ 횡령죄 ○(대판 1983.8.23, 83도1600 ∵ 공동소유) 15. 경찰간부, 22. 해경간부
12. 횡령죄는 타인의 재물에 대한 재산범죄로서 재물의 소유권 등 본권을 보호법익으로 하는 범죄이다. 따라서 횡령죄의 객체가 타인의 재물에 속하는 이상 구체적으로 누구의 소유인지는 횡령죄의 성립 여부에 영향이 없다(대판 2019.12.24, 2019도9773). 21. 법원직, 22. 순경 1차
13. 甲이 극장 안에 비치된 일체의 비품 및 극장운영권을 공연장 허가명의자인 乙로부터 매수하고, 이를 인수받아 그 소유권을 선의취득하고 극장물품에 대한 당초 소유자 丙의 반환요구를 거절한 경우 ⇨ 횡령죄 ×(대판 1983.12.13, 83도2642 ∵ 극장물품을 선의취득 ⇨ 甲의 소유) 16. 변호사시험
14. 회사가 신주를 발행하여 실제로는 타인으로부터 제3자 명의로 자금을 빌려 자기의 계산으로 신주를 인수하였는데, 회사의 대표이사가 가지급금의 형식으로 회사의 자금을 인출하여 위 차용원리금 채무의 변제에 사용한 경우 ⇨ 업무상 횡령죄 ×(대판 2005.2.18, 2002도2822 ∵ 그 차용원리금의 상환의무는 회사가 부담함) 13. 사시, 14. 수사경과
15. 타인을 위하여 금전 등을 보관·관리하는 자가 개인적 용도로 사용할 자금을 마련하기 위하여, 적정한 금액보다 과다하게 부풀린 금액으로 공사계약을 체결하기로 공사업자 등과 사전에 약정하고 그에 따라 과다 지급된 공사대금 중의 일부를 공사업자로부터 되돌려 받는 행위는 그 타인에 대한 관계에서 과다하게 부풀려 지급된 공사대금 상당액의 횡령이 된다(대판 2015.12.10, 2013도13444). 19. 법원직

16. 수개의 회사소유 자금을 지분비율을 알 수 없는 상태로 구분 없이 함께 보관하던 사람이 그 자금 중 일부를 횡령한 경우, 수개의 회사는 횡령된 자금에 대하여 지분비율을 알 수 없는 공동소유자의 지위에 있다고 할 것이니 수개의 회사는 모두 횡령죄의 피해자에 해당한다(대판 2007.6.1, 2006도1813). 12. 경찰승진
17. 매도인이 물건납품을 위한 선매대금으로 교부받은 돈을 임의로 소비한 경우 ⇨ 횡령죄 ×(대판 1986.6.24, 86도631 ∵ 선매대금은 매도인의 소유) 08 · 11. 경찰승진

---

③ 타인(소유)의 재물 여부가 특별히 문제되는 경우

㉠ 위탁받은 대체물

관련판례

> 목적 · 용도를 정하여 위탁한 금전을 수탁자가 위탁의 취지에 반하여 다른 용도로 사용한 경우 ⇨ 횡령죄 ○(∵ 정해진 목적 · 용도에 사용할 때까지는 소유권이 위탁자에게 유보됨)

1. 주상복합상가의 매수인들로부터 우수상인 유치비 명목으로 금원을 납부받아 보관하던 중 그 용도와 무관하게 일반 경비로 사용한 경우(대판 2002.8.23, 2002도366), 집합건물(빌딩)의 관리회사가 입주자(구분소유자)들로부터 특별수선충당금 명목으로 금원을 납부받아 보관하던 중 이를 일반 경비로 사용한 경우(대판 2004.5.27, 2003도6988) ⇨ 횡령죄 ○ 16. 경찰승진, 18. 순경 1차, 19. 경찰간부, 22. 수사경과
2. 환전하여 달라는 부탁과 함께 교부받은 돈을 그 목적과 용도에 사용하지 않고 마음대로 위탁자에 대한 채권에 상계충당한 경우 ⇨ 횡령죄 ○(대판 1997.9.26, 97도1520) 09. 순경, 16. 법원직

   ▶ **유사판례**

   ① 공사감독자가 도급인인 교회로부터 레미콘 대금으로 지급하라는 명목으로 돈을 지급받고서 교회에 대한 자신의 채권과 상계처리한 경우 ⇨ 횡령죄 ○(대판 1989.1.31, 88도1992) 06. 순경, 10. 경찰승진
   ② 할인을 위하여 배서양도의 형식으로 교부받은 약속어음을 수탁자가 자신의 채무변제에 충당한 경우 ⇨ 횡령죄 ○(대판 1983.4.26, 82도3079) 14. 수사경과, 19. 순경 2차
   ③ 타인에 대한 채무의 변제를 위하여 위탁받은 금원을 함부로 자신의 위탁자에 대한 채권에 충당한 경우 ⇨ 횡령죄 ○(대판 1984.11.13, 84도1199) 13. 경찰승진, 20. 해경승진
3. 초 · 중등교육법에 정한 학교발전기금으로 기부한 금액은 관련 법령상 엄격히 제한된 용도 외에 학교운영에 필요한 특정한 공익적 용도로 수수한 것으로 볼 수 있는 예외적 경우가 아닌 한, 학교운영위원회에 귀속되어 법령에서 정한 사용 목적으로만 사용되어야 하고, 정해진 용도 외의 사용행위는 원칙적으로 횡령죄를 구성한다(대판 2010.7.22, 2007도4713). 21. 순경 2차
4. 용도나 목적이 특정되어 보관된 금전은 그 보관 도중에 특정의 용도나 목적이 소멸되었다고 하더라도 위탁자가 이를 반환받거나 그 임의소비를 승낙하기까지는 횡령죄의 적용에 있어서 여전히 위탁자의 소유물이라고 할 것이다(대판 2002.11.22, 2002도4291). 11. 법원행시

> 목적 · 용도를 정하여 위탁된 금전이나 그 특정성을 인정하기 어렵고, 위탁의 취지에 반하지 않고 필요한 시기에 다른 금전으로 대체시킬 수 있는 상태에서 일시사용한 경우 ⇨ 횡령죄 ×

골프회원권 매매중개업체를 운영하는 자가 매수의뢰와 함께 입금받아 보관하던 금원을 일시적으로 다른 회원권의 매입대금 등으로 임의로 소비한 경우 ⇨ 횡령죄 ×(대판 2008.3.14, 2007도7568) 16. 7급 검찰·철도경찰

금전의 수수를 수반하는 사무처리를 위임받은 사람이 그 행위에 기하여 위임자를 위하여 제3자로부터 수령한 금전은, 목적이나 용도를 한정하여 위탁된 금전과 마찬가지로, 달리 특별한 사정이 없는 한 그 수령과 동시에 위임자의 소유에 속하고, 위임을 받은 사람은 이를 위임자를 위하여 보관하는 관계에 있다고 보아야 한다. 따라서 위임을 받은 사람이 위 금전을 그 위임의 취지대로 사용하지 아니하고 마음대로 자신의 위임자에 대한 채권에 상계충당하는 것은 상계정산하기로 하였다는 특별한 약정이 없는 한 당초 위임한 취지에 반하므로 횡령죄를 구성한다(대판 2017.11.29, 2015도18253). 24. 순경 2차

1. **위탁매매** : 매각부탁을 받고 교부받은 다이아몬드를 판매한 대금을 임의소비하거나(대판 1990.8.28, 90도1019), 자동차를 처분하여 그 대금으로 다른 차량을 넘겨주기로 한 자가 매각대금을 임의소비한 때(대판 2003.6.24, 2003도1741), 금은방을 운영하는 피고인이, 甲이 맡긴 금을 시세에 따라 사고파는 방법으로 운용하여 매달 일정한 이익금을 지급하는 한편 甲의 요청이 있으면 언제든지 보관 중인 금과 현금을 반환하기로 甲과 약정하였는데, 그 후 경제사정이 악화되자 이를 자신의 개인채무 변제 등에 사용한 경우(대판 2013.3.28, 2012도16191) ⇨ 횡령죄 ○ 12. 변호사시험, 16. 경찰간부

   ▶ **비교판례** : 위탁판매인과 위탁자 간에 판매대금에서 각종 비용이나 수수료 등을 공제한 이익을 분배하기로 하는 등 그 대금처분에 관하여 특별한 약정이 있는 경우에는 위탁물을 판매하여 이를 소비하거나 인도를 거부하였다 하여 곧바로 횡령죄가 성립한다고는 할 수 없다(대판 1990.3.27, 89도813). 18. 법원직

2. 피고인이 종중의 회장으로부터 담보대출을 받아달라는 부탁과 함께 종중 소유의 임야를 이전 받은 다음 임야를 담보로 금원을 대출받아 임의로 사용하고 자신의 개인적인 대출금 채무를 담보하기 위하여 임야에 근저당권을 설정한 경우 ⇨ 횡령죄 ○(대판 2005.6.24, 2005도2413) 21. 9급 검찰·마약수사

• 기 타

1. 채무자가 기존의 금전채무를 담보하기 위하여 다른 금전채권을 채권자에게 양도한 후 제3채무자에게 채권양도 통지를 하지 않은 채 자신이 사용할 의도로 제3채무자로부터 변제금을 수령한 후 이를 임의로 소비한 경우 횡령죄가 성립하지 않는다(대판 2022.6.23, 2017도3829 전원합의체 ∵ 특별한 사정이 없는 한 금전의 소유권은 채권양수인이 아니라 채권양도인에게 귀속하고 채권양도인이 채권양수인을 위하여 양도 채권의 보전에 관한 사무를 처리하는 신임관계가 존재한다고 볼 수 없다. 따라서 채권양도인이 위와 같이 양도한 채권을 추심하여 수령한 금전에 관하여 채권양수인을 위해 보관하는 자의 지위에 있다고 볼 수 없다). 21. 7급 검찰, 22. 경력채용, 23. 경찰승진, 24. 법원행시

   예 ① 채권양도인이 양도 통지 전에 채무자로부터 채권을 추심하여 수령한 금전을 채권양수인의 승낙 없이 자신의 동생에게 빌려준 경우 ⇨ 횡령죄 ×

   ② 甲은 임대인 丙에 대한 임대차보증금반환채권을 乙에게 양도하였는데도 丙에게 채권양도 통지를 하지 않고 丙으로부터 남아 있던 임대차보증금을 반환받아 개인적인 용도로 사용한 경우 ⇨ 횡령죄 × 23. 경력채용, 24. 경찰간부·9급 검찰·마약수사·순경 1차, 25. 변호사시험

2. 보험을 유치하면서 보험회사로부터 지급받은 시책비 중 일부를 개인적인 용도로 사용한 행위는 횡령죄를 구성하지 않는다(대판 2006.3.29, 2003도6733 ∵ 시책비 ⇨ 통상적인 실적급여로서의 성격을 가짐으로 목적이나 용도가 특정되어 위탁된 금전 ×) 15. 경찰승진 · 순경 1차, 16. 수사경과
3. 사용자가 근로자의 임금에서 국민연금 보험료 중 근로자가 부담하는 기여금을 원천공제한 뒤 국민연금관리공단에 납부하지 않고 개인적 용도로 사용한 경우, 업무상 횡령죄의 책임을 면할 수 없다(대판 2011.2.10, 2010도13284). 13. 경찰승진, 20. 순경 1차 · 수사경과, 20 · 23. 해경승진
4. 부동산 매수인이 매매대금의 완납 전에 그 매매목적물을 담보로 하여 금전을 차용함에 있어 매도인의 승낙을 받는 한편 매도인과 사이에 그 차용금액의 일부는 매도인에게 매매대금으로 우선 교부하여 주기로 약정한 다음 금전을 차용하여 이를 전부 임의로 소비한 경우 ⇨ 횡령죄 ×(대판 2005.9.29, 2005도4809 ∵ 위의 약정은 매매잔대금의 지급방법의 하나를 정한 것에 불과함 ⇨ 매수인은 담보제공하여 차용한 금전을 보관하여야 하는 지위 × ⇨ 약정위반은 단순한 민사상의 채무불이행에 지나지 아니함) 21 · 23. 법원행시, 24. 해경경위
5. 양식어업면허권을 양도하고도 면허권이 자기 앞으로 되어 있음을 틈타 어업손실보상금을 수령하여 임의로 소비한 경우 ⇨ 횡령죄 ○(대판 1993.8.24, 93도1578) 16. 순경 2차, 19. 경찰간부

㉡ **은행예금 또는 유가증권**(창고증권 · 화물상환증 · 선하증권) **소지인** : 타인의 재물보관자 ⇨ 임의처분 ⇨ 횡령죄(통설 · 판례)

관련판례

1. 타인의 돈을 위탁받아 자기 이름으로 은행에 예금한 경우 수탁자가 은행예금을 인출하여 임의로 소비하거나 영득의사로 반환을 거부한 경우 ⇨ 횡령죄 ○(대판 2000.8.18, 2000도1856 ; 대판 2008.12.11, 2008도8279 ∵ 수탁자는 금전에 대한 보관자의 지위에 있음) 16. 사시 · 순경 1차, 17. 법원행시 · 경찰간부, 19. 수사경과, 21. 경찰승진
2. 채무자로부터 채권(차용금)의 지급담보를 위해 수표를 교부받아 소지하고 있는 채권자가 임의로 처분한 경우 ⇨ 횡령죄 ×(대판 2000.5.26, 99도2781 ∵ 수표상의 권리는 적법하게 채권자에게 귀속 ⇨ 타인의 재물보관자 ×) 12. 경찰간부, 19. 법원행시, 22. 수사경과
3. 액면의 보충 · 할인을 의뢰받아 액면백지인 약속어음을 교부받은 자가 보충권의 한도를 넘어 보충하여 자신의 채무변제조로 제3자에게 교부하여 임의로 사용한 경우 ⇨ 횡령죄 ×(대판 1995.1.19, 94도2760 ∵ 새로운 별개의 약속어음 ⇨ 발행인과의 관계에서 보관자의 지위에 있지 않음), 배임죄 ○(∵ 발행인으로 하여금 제3자에 대하여 어음상의 채무를 부담하는 손해를 입게 함) 18. 법원직, 21. 변호사시험

---

④ **위탁관계에 의한 보관** : 횡령죄의 보관은 위탁관계에 의한 것임을 요한다.

㉠ 횡령죄에서 보관이란 위탁관계에 의하여 재물을 점유하는 것을 뜻하므로 횡령죄가 성립하기 위하여는 재물의 보관자와 재물의 소유자(또는 기타의 본권자) 사이에 법률상 또는 사실상의 위탁관계가 존재하여야 한다. 이러한 위탁관계는 사용대차 · 임대차 · 위임 등의 계약에 의하여서뿐만 아니라 사무관리 · 관습 · 조리 · 신의칙 등에 의해서도 성립될 수 있으나, 횡령죄의 본질이 신임관계에 기초하여 위탁된 타인의 물건을 위법하게 영득하는

데 있음에 비추어 볼 때 위탁관계는 **횡령죄로** 보호할 만한 가치 있는 신임에 의한 것으로 한정함이 타당하다(대판 2021.2.18, 2016도18761 전원합의체). 21. 법원직·수사경과, 22. 경찰간부·순경 1차·2차, 23. 경력채용

위탁관계가 있는지는 재물의 보관자와 소유자 사이의 관계, 재물을 보관하게 된 경위 등에 비추어 볼 때 보관자에게 재물의 보관 상태를 그대로 유지해야 할 의무를 부과하여 그 보관 상태를 형사법적으로 보호할 필요가 있는지 등을 고려하여 규범적으로 판단해야 한다(대판 2022.6.30, 2017도21286).

위탁관계는 사실상의 관계이면 족하고 위탁자에게 유효한 처분을 할 권한이 있는지 또는 수탁자가 법률상 그 재물을 수탁할 권리가 있는지 여부를 불문하는 것이다(대판 2005.6.24, 2005도2413). 20. 수사경과

관련판례

1. 원칙적으로 위탁이라는 신임관계(위탁신임관계)가 있을 것을 요하나, 다음과 같은 일부 판례는 위탁관계에 의한 보관임을 요하지 않는다.
   ① 송금절차의 착오로 자기의 은행구좌에 입금된 금전을 소비한 경우, 자신 명의의 계좌에 착오로 송금된 돈(3억 2천만원)을 다른 계좌로 이체하는 등 임의로 사용한 경우, 甲이 D주식회사에 근무하는 직원의 착오로 甲명의의 홍콩상하이(HSBC)은행 계좌로 잘못 송금한 300만 홍콩달러(한화 약 3억 9,000만원 상당)를 임의로 인출하여 사용한 경우 ⇨ 횡령죄 ○(대판 1987.10.13, 87도1778 ; 대판 2005.10.28, 2005도5975 ; 대판 2010.12.9, 2010도891) 16. 7급 검찰·철도경찰, 18. 법원직, 19. 경찰간부, 20. 9급 검찰·마약수사, 22. 수사경과, 23. 경찰승진, 24. 법원행시
   ② 횡령죄에 있어서 타인을 위하여 재물을 보관하게 된 원인은 반드시 소유자의 위탁행위에 기인한 것임을 필요로 하지 않는다(대판 1985.9.10, 84도2644). 09. 법원직
2. 대판 2018.7.19, 2017도17494 전원합의체 판결
   ① 송금의뢰인이 다른 사람의 예금계좌에 자금을 송금·이체하여 송금의뢰인과 계좌명의인 사이에 송금·이체의 원인이 된 법률관계가 존재하지 않음에도 송금·이체에 의하여 계좌명의인이 그 금액 상당의 예금채권을 취득한 경우, 계좌명의인이 그와 같이 송금·이체된 돈을 그대로 보관하지 않고 영득할 의사로 인출하면 **횡령죄가 성립한다.** 19. 법원행시, 20. 법원직, 21. 7급 검찰, 21·23. 경찰간부, 24. 해경승진
   ② 계좌명의인이 개설한 예금계좌가 전기통신금융사기 범행에 이용되어 그 계좌에 피해자가 사기피해금을 송금·이체한 경우에도 계좌명의인이 그 돈을 영득할 의사로 인출하면 피해자에 대한 횡령죄가 성립한다. ▶ **주의** : 전기통신금융사기의 범인에 대한 관계에서는 횡령죄가 되지 않는다). 이때 계좌명의인이 사기의 공범이라면 사기죄 외에 별도로 횡령죄를 구성하지 않는다.
   예 피고인 甲과 乙이 공모하여, 피고인 甲명의로 개설된 예금계좌의 접근매체를 보이스피싱 조직원 丙에게 양도한 후, 사기피해자 丁이 丙에게 속아 위 계좌로 송금한 사기피해금 중 일부를 별도의 접근매체를 이용하여 임의로 인출한 경우 ⇨ ㉠ 甲과 乙이 위 계좌가 보이스피싱 범행에 이용될 것임을 인식하지 못한 경우(**사기방조죄** ×) : 丁(사기피해자)에 **대한 횡령죄** ○, 丙(전기통신금융사기범)에 **대한 횡령죄** × 19. 경력채용, 20. 경찰간부·경찰승진, 21. 7급 검찰, 22. 해경간부, 24. 법원직·순

경 2차, 25. 변호사시험 ㉡ 甲과 乙이 위 계좌가 보이스피싱 범행에 이용될 것임을 인식한 경우 : 사기방조죄 ○, 횡령죄 ×(∵ 불가벌적 사후행위 ○) 20. 경찰승진·법원직·해경 2차, 21. 변호사시험, 23. 경력채용·7급 검찰, 24. 순경 2차·해경순경

3. 채무자가 채무총액에 대한 지불각서를 써 줄 것으로 믿고 채권자가 채무자에게 액면금액을 확인할 수 있도록 가계수표를 건네주자 채무자가 그 일부를 찢어버린 경우 ⇨ 횡령죄 ○(대판 1996.5.14, 96도410 ∵ '조리에 의한 신임관계'를 위배한 것) 11. 경찰승진, 19. 경찰간부
4. 임차인이 이사하면서 그 소유 물건들을 임대인의 방해로 옮기지 못하고 임차공장 내에 그대로 두었는데 임대인이 이를 임의로 매각하거나 반환을 거부한 경우 ⇨ 횡령죄 ○(대판 1985.4.9, 84도300 ∵ 사무관리 또는 조리상 보관자의 지위) 13. 수사경과, 14. 순경 2차
5. 피고인이 甲주식회사의 경영권을 인수한 후 甲회사 소유의 예금을 인출하여 피고인의 甲회사 인수를 위한 대출금 변제에 사용한 경우 ⇨ 횡령죄(대판 2011.3.24, 2010도17396) 13. 경찰승진, 20. 해경승진
6. 피고인이 甲과 특정 토지를 매수하여 전매한 후 전매이익금을 정산하기로 약정(조합 또는 내적 조합 ×, 익명조합과 유사한 무명계약)한 다음 甲이 조달한 돈 등을 합하여 토지를 매수하고 소유권이전등기는 피고인 등의 명의로 마쳐 두었는데, 위 토지를 제3자에게 임의로 매도한 후 甲에게 전매이익금 반환을 거부한 경우 피고인에게 횡령죄가 성립하지 않는다(단, 甲은 토지의 매수 및 전매를 피고인에게 전적으로 일임하고 그 과정에 전혀 관여하지 않았음 : 대판 2011.11.24, 2010도5014 ∵ 타인의 재물을 보관하는 자의 지위 ×). 13. 순경 1차, 21. 변호사시험
7. 법인이 특정 사업의 명목상의 주체로 특수목적법인을 설립하여 그 명의로 자금 집행 등 사업진행을 하면서도 자금의 관리·처분에 관하여는 실질적 사업주체인 법인이 의사결정권한을 행사하면서 특수목적법인 명의로 보유한 자금에 대하여 현실적 지배를 하고 있는 경우에는, 사업주체인 법인의 대표자 등이 특수목적법인의 보유 자금을 정해진 목적과 용도 외에 임의로 사용하면 위탁자인 법인에 대하여 횡령죄가 성립할 수 있다(대판 2017.3.22, 2016도17465 ∵ 특수목적법인의 보유자금에 대하여 '보관자의 지위' 가짐). 17. 법원행시
8. 회사의 대표이사 혹은 그에 준하여 회사 자금의 보관이나 운용에 관한 사실상의 사무를 처리하여 온 자가 회사를 위한 지출 이외의 용도로 거액의 회사 자금을 가지급금 등의 명목으로 인출, 사용함에 있어서 이자나 변제기의 약정이 없음은 물론 이사회 결의 등 적법한 절차도 거치지 아니한 경우에는 횡령죄를 구성한다(대판 2017.4.13, 2017도953). 18. 법원행시, 22. 9급 검찰·마약수사, 24. 해경간부
9. 甲이 A에게 금전을 대여하면서 A로부터 그 담보로 동산을 교부받아 보관하고 있던 중 담보권의 범위를 벗어나서 그 동산 담보물을 처분한 경우 甲에게는 횡령죄가 성립한다〔대판 1989.4.11, 88도906 ∵ 동산의 양도담보에 있어서 채권자(甲)가 점유하게 된 담보물을 처분한 경우, 채권자는 타인(A) 소유의 물건을 보관하는 자로서 횡령죄의 주체가 될 수 있으므로 횡령죄 성립 ○〕. 18. 9급 검찰·마약수사, 20. 법원직
10. 주식을 매수하면서 당초 매도인과 협의된 가격보다 낮은 가격에 매수하고 그 차액을 피해회사에 전가함으로써 그 상당의 피해회사 자금을 피고인 개인을 위한 차명주식 취득대금으로 사용한 경우 ⇨ 횡령죄 ○(대판 2018.12.13, 2018도13689)
11. 재물의 위탁행위가 범죄의 실행행위나 준비행위 등과 같이 범죄 실현의 수단으로서 이루어진 경우 그 행위 자체가 처벌 대상인지와 상관없이 그러한 행위를 통해 형성된 위탁관계는 횡령죄로 보호할 만한 가치 있는 신임에 의한 것이 아니라고 봄이 타당하다(대판 2022.6.30, 2017도21286 예 의료기관

을 개설할 자격이 없는 甲·乙·丙이 공동투자하여 의료소비자생활협동조합을 설립한 다음 그 명의로 요양병원을 설립·운영하여 수익을 나누어 가지기로 약정하였다. 甲이 동업약정에 따라 노인요양병원 설립에 필요한 투자금 명목으로 乙로부터 3천만원을 송금받아 보관하던 중 이 금원을 개인채무 변제에 사용한 경우 ⇨ 횡령죄 × ∵ 의료기관을 개설할 자격이 없는 자의 의료기관 개설·운영이라는 범죄의 실현을 위해 교부되었으므로, 해당 금원에 관하여 피고인과 피해자 사이에 횡령죄로 보호할 만한 신임에 의한 위탁관계는 인정되지 않는다).

12. 甲의 모친 乙이 甲을 대리하여 甲소유의 차량을 매매약정(차량의 소유 명의를 추후 변경하되, 매매대금의 지급에 갈음하여 차량할부금의 납부의무를 승계하거나 실제로 지급하기로 한 약정)에 따라 丙에게 인도한 후 사용하도록 한 후, 甲이 丙에게 차량의 반환을 요구하였으나 丙이 거부한 경우 ⇨ 횡령죄 ×〔대판 2023.6.1, 2023도1096 ∵ 피고인(丙)은 이 사건 차량의 매수인 측으로서 이 사건 차량에 관한 매매약정에 따라 이 사건 차량을 사용할 정당한 법률상 지위·권리를 보유한 채 이를 사용한 것일 뿐 피해자(甲)의 위탁관계를 전제로 이 사건 차량을 보관하고 있었다고 보기는 어렵다.〕

ⓛ **불법원인급여와 횡령죄** : 불법원인급여라 함은 급여의 원인이나 목적이 불법하여 급여자가 목적물에 대하여 반환청구를 할 수 없는 경우를 말한다(민법 제746조 본문). 위탁관계가 불법하여 위탁자가 보관자에게 반환청구를 할 수 없는 경우(불법원인급여)에 보관자가 당해 재물을 영득하면 횡령죄가 성립하는지가 문제된다.

불법원인급여와 사기죄

불법원인급여에 해당하는 재물을 편취한 경우 ⇨ 사기죄 ○(통설, 대판 2004.5.14, 2004도677)

관련판례

1. 조합장이 조합으로부터 공무원에게 뇌물을 전달하여 달라는 부탁과 함께 교부받은 금원(100만원)을 임의로 소비한 경우 ⇨ 횡령죄 ×(대판 1988.9.20, 86도628) 18. 법원직·법원행시, 22. 9급 검찰·마약수사, 24. 해경간부
   - ▶ **유사판례** : 甲이 乙로부터 제3자에 대한 뇌물공여 또는 배임증재의 목적으로 전달하여 달라고 교부받은 금전을 임의로 소비한 경우 ⇨ 횡령죄 ×(대판 1999.6.11, 99도275) 13. 경찰승진, 19. 변호사시험·수사경과
2. 포주가 윤락녀가 받은 화대를 자신이 보관하였다가 절반씩 분배하기로 윤락녀와 약정하고도 보관 중인 화대를 전액 소비한 경우 ⇨ 횡령죄 ○(대판 1999.9.17, 98도2036 ∵ 포주의 불법성이 피해자 측(윤락녀)의 그것보다 현저하게 크다고 봄이 상당 ⇨ 민법 제746조 본문의 적용 배제 ⇨ 포주가 보관한 화대의 소유권은 윤락녀에게 귀속 ⇨ 윤락녀는 그 전부의 반환청구 가능 ⇨ 포주가 임의소비 ⇨ 횡령죄 ○) 18. 경찰승진, 19. 법원행시·변호사시험, 22. 수사경과
3. 병원에서 의약품 선정·구매업무를 담당하는 약국장이 병원을 대신하여 제약회사들로부터 의약품을 공급받는 대가로 제공받아 보관 중이던 기부금 명목의 금원을 개인적인 용도로 사용한 경우 업무상 횡령죄가 성립한다(대판 2008.10.9, 2007도2511 ∵ 위 돈은 병원이 약국장에게 불법원인급여를 한 것이 아니므로 반환청구권을 가짐). 16. 7급 검찰·철도경찰, 20. 순경 2차, 24. 경위공채

4. 피고인이 甲으로부터 수표를 현금으로 교환해 주면 대가를 주겠다는 제안을 받고 위 수표가 乙 등이 사기범행을 통해 취득한 범죄수익 등이라는 사실을 잘 알면서도 교부받아 그 일부를 현금으로 교환한 후 丙, 丁과 공모하여 아직 교환되지 못한 수표 및 교환된 현금을 임의로 사용한 경우 ⇨ 횡령죄 ×(대판 2017.4.26, 2016도18035 ∵ 범죄수익 은닉범행을 위해 교부받은 수표는 불법원인급여 물건 ○ ∴ 소유권은 피고인에게 귀속됨) 18. 법원행시
5. 성매매알선 등 행위에 관하여 동업계약을 체결한 당사자 일방이 상대방에게 그 동업계약에 따라 성매매의 권유·유인·강요의 수단으로 이용되는 선불금 등 명목으로 사업자금을 제공하였다면 그 사업자금 역시 불법원인급여에 해당하여 반환을 청구할 수 없다고 보아야 할 것이다(대판 2013.8.14, 2013도321).
6. 피고인 甲이 피고인 乙, 丙으로부터 丁 등의 금융다단계 상습사기 범죄수익 등인 400만 위안을 교부받아 자신의 은행계좌에 입금하여 보관하다가 임의로 출금·사용한 경우, 피고인 甲이 범죄수익 등의 은닉범행 등을 위해 교부받은 400만 위안은 불법의 원인으로 급여한 물건에 해당하여 소유권이 피고인 甲에게 귀속되므로 횡령죄가 성립하지 않는다(대판 2017.4.26, 2017도1270).
   ▶ **유사판례** : 피고인이, 甲 등이 금융다단계 사기 범행을 통하여 취득한 범죄수익 등인 무기명 양도성 예금증서를 乙로부터 건네받아 현금으로 교환한 후 임의로 소비한 경우 ⇨ 횡령죄 ×(대판 2017.10.26, 2017도9254) 23. 7급 검찰, 24. 경찰간부

---

(4) **행 위** : 횡령하거나 반환을 거부하는 것

① **횡령** : 횡령행위란 불법영득의사를 실현하는 일체의 행위를 말하는 것으로서 불법영득의사가 외부에 인식될 수 있는 객관적 행위가 있을 때 횡령죄가 성립한다(대판 2004.12.9, 2004도5904).

관련판례

다른 사람의 재물을 보관하는 사람이 그 사람의 동의 없이 함부로 이를 담보로 제공하는 행위는 불법영득의 의사를 표현하는 횡령행위로서, 사법(私法)상 그 담보제공행위가 무효이거나 그 재물에 대한 소유권이 침해되는 결과가 발생하는지 여부에 관계없이 횡령죄를 구성한다(대판 2009.2.12, 2008도10971). 12. 법원행시, 20. 순경 2차

---

② **반환거부** : 타인의 재물을 보관하는 자가 단순히 반환을 거부하는 사실만으로 횡령죄를 구성하는 것은 아니며 반환거부의 이유 및 주관적인 의사 등을 종합하여 반환거부행위가 영득의사의 표출로서 횡령행위와 같다고 볼 수 있을 정도이어야만 횡령죄가 성립한다(대판 2008.12.11 2008도8279). 22·24. 9급 검찰·마약수사, 24. 해경간부 따라서 영득의사가 없이 반환할 수 없는 사정이거나 반환을 거부할 수 있는 때에는 반환거부만으로 횡령죄가 성립할 수 없다(판례).

관련판례

1. 보관자의 지위에 있는 등기명의자가 명의이전을 거부하면서 부동산의 진정한 소유자가 밝혀진 후에 명의이전을 하겠다는 의사를 표시하였다면 불법영득의 의사를 가지고 그 반환을 거부한 것이라고 단정할 수 없다(대판 2002.9.4, 2000도637). 16. 사시

2. 임차인이 임차목적물인 점포를 나가면서 놓아둔 물건들을 임대인인 피고인이 보관하면서 연체차임을 지급받기 전까지 반환을 거부한 경우 ⇨ 횡령죄 ×(대판 1992.11.27, 92도2079)

③ **횡령죄의 미수 · 기수** : 현행법상 횡령죄의 미수범처벌규정이 있다.

관련판례

임차토지에 동업계약에 기해 식재되어 있는 수목을 관리 · 보관하던 동업자 일방이 다른 동업자의 허락을 받지 않고 함부로 제3자에게 수목을 매도하기로 계약을 체결한 후 계약금을 수령 · 소비하였으나, 다른 동업자의 저지로 계약의 추가적인 이행이 진행되지 아니한 경우 횡령죄 미수가 성립한다(대판 2012.8.17, 2011도9113). 14. 변호사시험, 15. 사시, 18. 수사경과, 24. 해경경위

(5) 주관적 구성요건

고의＋불법영득의사(타인의 재물을 자기의 소유인 것과 같이 사실상 · 법률상 처분하는 의사)

① **일시 유용의 경우** : 보관자가 일시 사용 목적으로 권한을 넘어 보관물을 유용한 경우는 불법영득의사가 없다(횡령죄 ×).

② **항목유용의 경우** : 타인으로부터 용도가 엄격히 제한된 자금을 위탁받아 집행하면서 그 제한된 용도 이외의 목적으로 자금을 사용하는 것은, 그 사용이 개인적인 목적에서 비롯된 경우는 물론 결과적으로 자금을 위탁한 본인을 위하는 면이 있더라도, 그 사용행위 자체로서 불법영득의 의사를 실현한 것이 되어 횡령죄가 성립한다(대판 1999.7.9, 98도4088). 09. 법원행시, 12 · 22. 변호사시험

관련판례

1. 상호신용금고의 경영자가 장부상 직원들의 봉급을 인상한 것처럼 하고 실제는 종전과 동일액수를 지급하면서 그 차액으로 회사의 외부부채를 변제한 경우 ⇨ 횡령죄 ×(대판 1986.6.24, 86도1000 ∵ 횡령의 범의 ×)
2. 법인의 대표자가 법인의 예비비를 전용하여 기관운영판공비, 회의비 등으로 사용한 경우(이사회에서 사전에 예비비의 전용결의가 이루어지지 않았음) ⇨ 횡령죄 ×(대판 2002.2.5, 2001도5439) 07. 순경
3. 업무집행조합원이 조합규약 및 조합원들의 의사에 반함을 알면서도 업무집행조합원의 지위에서 보관 중이던 조합자산을 처분하였다면 횡령의 범의를 인정할 수 있다(대판 2008.10.23, 2007도6463). 10. 법원행시
4. 예산을 불법지출하여 법적 근거 없는 상사의 출장여비 보조비, 직원들에 대한 후생비, 접대비 등으로 소비한 경우에는 그 지출이 공무행정을 위하여 필요한 것이 아닌 한 불법영득의사가 있다고 보아야 한다(대판 2002.11.26, 2002도5130).
5. 보조금을 집행할 직책에 있는 자가 자기 자신의 이익을 위한 것이 아니고 경비부족을 메우기 위하여 보조금을 전용한 것이라 하더라도, 그 보조금의 용도가 엄격하게 제한되어 있는 이상 불법영득의 의사를 부인할 수는 없다(대판 2018.10.4, 2016도16388).

관련판례

• **불법영득의사를 인정한 경우 ⇨ (업무상) 횡령죄 ○**

횡령죄에 있어서 불법영득의 의사라 함은 자기 또는 제3자의 이익을 꾀할 목적으로 임무에 위배하여 보관하는 타인의 재물을 자기의 소유인 경우와 같이 처분을 하는 의사를 말하고, 사후에 이를 반환하거나 변상·보전하는 의사가 있다 하더라도 불법영득의 의사를 인정함에는 지장이 없으며, 20. 경찰간부, 21. 7급 검찰 그와 같이 사후에 변상하거나 보전한 금액을 횡령금액에서 공제해야 하는 것도 아니다(대판 2012.1.27, 2011도14247). 횡령의 범행을 한 자가 물건의 소유자에 대하여 별도의 금전채권을 가지고 있었다고 하더라도 횡령 범행 전에 상계 정산하였다는 등 특별한 사정이 없는 한 그러한 사유만으로 이미 성립한 업무상 횡령죄에 영향을 미칠 수는 없다(대판 2014.5.16, 2013도15895).

1. 타인으로부터 용도가 엄격히 제한된 자금을 위탁받아 집행하면서 그 제한된 용도 이외의 목적으로 자금을 사용하는 것은 그 사용이 개인적인 목적에서 비롯된 경우는 물론 결과적으로 자금을 위탁한 본인을 위하는 면이 있더라도 그 사용행위 자체로서 불법영득의 의사를 실현한 것이 되어 (업무상) 횡령죄가 성립한다(대판 2008.2.29, 2007도9755). 17. 법원직, 19. 경찰승진, 22. 변호사시험·해경 2차·해경간부

   예 ① 마을 이장인 피고인이 경로당 화장실 개·보수공사를 위하여 업무상 보관 중이던 공사비를 그 용도 외에 다른 용도로 사용한 이상 횡령죄는 성립하고, 피고인이 과거 마을을 위하여 개인 돈을 지출하였다고 하여 이에 충당할 수는 없다(대판 2010.9.30, 2010도7012). 15. 경찰간부, 22. 해경간부

   ② A대학의 학장인 甲이 사립학교의 교비회계에 속하는 수입을 적법한 교비회계의 세출에 포함되는 용도, 즉 당해 학교의 교육에 직접 필요한 용도가 아닌 다른 용도에 사용한 경우(대판 2008.2.29, 2007도9755), 학교법인 이사장인 피고인이, 학교법인이 설치·운영하는 대학 산학협력단이 용도를 특정하여 교부받은 보조금 중 3억원을 대학 교비계좌로 송금하여 교직원 급여 등으로 사용한 경우(대판 2011.10.13, 2009도13751) 13. 사시, 17. 경찰간부, 18. 9급 검찰·법원행시, 21·23. 경찰승진, 24. 해경승진

   ③ 입장료에 포함된 문화예술진흥기금을 받은 극장 경영자가 이를 별도 관리하지 않고 자신의 예금통장에 혼합보관하면서 임의로 소비한 경우 ⇨ 업무상 횡령죄 ○(대판 1997.3.28, 96도3155)

   ④ 지방자치단체 조례상 용도가 엄격히 제한된 사회단체 보조금을 집행할 직책에 있는 甲이 자기 자신의 이익을 위한 것이 아니고 경비부족을 메우기 위하여 보조금을 전용한 경우 ⇨ 횡령죄(대판 2010.9.30, 2010도987 ∵ 불법영득의사 ○) 18. 7급 검찰, 21. 해경승진

2. 회사이사가 보관 중인 회사재산을 처분하여 타인의 선거자금(정치자금)으로 지원(기부)한 경우 그것이 회사의 이익을 도모할 목적으로 합리적인 범위 내에서 이루어졌다면 그 이사에게 횡령죄에 있어서 요구되는 불법영득의 의사가 있다고 할 수 없을 것이나, 그것이 회사의 이익보다는 후보자 개인의 이익을 도모할 목적이나 기타 다른 목적으로 행해졌다면 횡령죄가 성립된다(대판 1999.6.25, 99도1141 ; 대판 2005.5.26, 2003도5519). 12. 경찰승진, 13. 사시, 22. 경력채용

3. 수개의 학교법인을 운영하는 자가 각 학교법인의 금원을 다른 학교법인을 위하여 사용한 경우 ⇨ 업무상 횡령죄 ○(대판 2000.12.8, 99도214 ∵ 각 학교법인은 별개의 법인격을 가진 소유의 주체 ⇨ 단순한 예산항목유용이나 장부상의 분식·이동에 불과하다고 볼 수 없음 ⇨ 불법영득의사 ○), 학교법인 산하 대학교총장 등에 대한 형사재판의 변호사비용을 법인회계자금 및 교비회계자금에서 지출한 경우도 동일하다(대판 2003.5.30, 2003도1174). 07. 사시·순경, 14. 법원행시

4. 주식회사의 대표이사가 회사의 금원을 인출하여 사용하였는데 그 사용처에 관한 증빙자료를 제시하지 못하고 있고 그 인출사유와 금원의 사용처에 관하여 납득할 만한 합리적인 설명을 하지 못하고 있다면, 불법영득의 의사로 회사의 금원을 인출하여 개인적 용도로 사용한 것으로 추단할 수 있다(대판 2008.3.27, 2007도9250). 11. 법원직, 17. 경찰승진, 23. 해경승진

▶ **유사판례**

① 피고인이 자신이 위탁받아 보관하고 있던 용도가 특정된 돈이 없어졌을 때 그 행방이나 사용처를 제대로 설명하지 못한다면 피고인이 이를 임의소비하여 횡령한 것이라고 추단할 수 있다(대판 2001.9.4, 2000도1743). 21·22. 법원행시, 22. 해경간부, 23. 해경 3차

② 甲이 보관·관리하고 있던 회사의 비자금이 인출·사용되었음에도 甲이 주장하는 사용처에 비자금이 사용되었다는 점을 인정할 수 있는 자료가 부족하고 오히려 甲이 비자금을 개인적인 용도에 사용하였다는 점에 대한 신빙성 있는 자료가 많은 경우에는 甲이 비자금을 불법영득의 의사로써 횡령한 것이라고 추단할 수 있다(대판 2012.8.23, 2011도14045). 16. 변호사시험, 17. 수사경과

③ 법인의 운영자나 관리자가 보관·관리하던 비자금을 인출·사용하였음에도 그 자금의 행방이나 사용처를 제대로 설명하지 못하거나 당사자가 주장하는 사용처에 그 비자금이 사용되었다고 볼 수 있는 자료는 현저히 부족한 경우에는 비자금의 사용행위가 불법영득의 의사에 의한 횡령에 해당하는 것으로 추단할 수 있을 것이다(대판 2017.5.30, 2016도9027).

▶ **비교판례** : 법인이나 단체에서 임직원에게 업무를 수행하는데에 드는 비용으로 지급되는 실비변상적 급여의 성질을 가진 판공비 또는 업무추진비를 불법영득의 의사로 횡령한 것으로 인정하려면, 판공비 등이 업무와 관련 없이 개인적인 이익을 위하여 지출되었다거나 또는 업무와 관련되더라도 합리적인 범위를 넘어 지나치게 과다하게 지출되었다는 점이 증명되어야 할 것이고, 단지 그 행방이나 사용처를 제대로 설명하지 못하거나 사후적으로 그 사용에 관한 증빙자료를 제출하지 못하고 있다고 하여 함부로 불법영득의 의사로 이를 횡령하였다고 추단하여서는 아니 된다(대판 2010.6.24, 2007도5899). 16. 경찰간부, 17. 7급 검찰, 23. 해경승진

5. 함께 복권을 나누어 당첨 여부를 확인한 자들 사이에는 당첨금을 공유하기로 하는 묵시적 합의가 있었다고 할 것이므로, 그 복권의 당첨금 수령인이 당첨금 중 타인 몫의 반환을 거부하면 불법영득의사가 인정되어 횡령죄가 성립된다(대판 2000.11.10, 2000도3013).

6. 소개인인 甲이 매매잔대금조로 교부받아 보관하던 약속어음을 현금으로 할인한 자체가 불법영득의사의 실현인 경우, 횡령액은 어음을 할인한 현금액이 아니라 횡령한 약속어음의 액면금 상당액인 것이다(대판 1983.11.8, 83도2346). 23. 법원행시, 24. 해경경위

• **불법영득의사를 부정한 경우 ⇨ (업무상) 횡령죄 ×**

횡령죄에서 불법영득의 의사는 타인의 재물을 보관하는 자가 위탁의 취지에 반하여 자기 또는 제3자의 이익을 위하여 권한 없이 재물을 자기의 소유인 것처럼 사실상 또는 법률상 처분하는 의사를 의미하므로, 보관자가 자기 또는 제3자의 이익을 위한 것이 아니라 소유자의 이익을 위하여 이를 처분한 경우에는 특별한 사정이 없는 한 불법영득의 의사를 인정할 수 없다(대판 2017.2.15, 2013도14777). 17. 법원직, 21. 법원행시, 22. 순경 1차, 24. 해경순경, 25. 변호사시험

1. • 대표이사가 이사회의 승인 등의 절차 없이 자기가 보관 중인 회사자금으로 회사에 대한 채권을 변제한 경우 ⇨ 횡령죄 ×(∵ 불법영득의사 ×)
   • 회사에 대하여 개인적인 채권을 가지고 있는 대표이사가 이사회의 승인 등의 절차 없이 자기가 보관 중인 회사자금으로 자신의 채권의 변제에 충당한 경우 ⇨ 횡령죄 ×(대판 1999.2.23, 98도2296 ∵ 불법영득의사 ×) 16. 법원직, 19. 법원행시 · 경찰간부, 21. 경찰승진, 22. 수사경과 · 7급 검찰
2. 주식회사의 설립업무 · 증자업무를 담당한 자가 주금납입취급은행 이외의 제3자로부터 납입금에 해당하는 금액을 차용하여 주금을 납입하고 취급은행으로부터 납입금보관증서를 교부받아 설립등기절차 또는 증자등기절차를 마친 후 이를 인출하여 위 차용금채무의 변제에 사용한 경우 ⇨ 업무상 횡령죄 ×(상법상의 납입가장죄, 공정증서원본부실기재죄 및 동행사죄 ○ : 대판 2004.6.17, 2003도7645 전원합의체 ; 대판 2009.6.25, 2008도10096 ∵ 불법영득의사 ×) 17. 경찰간부 · 경찰승진, 18. 법원행시
3. 사립학교에 있어서 학교교육에 직접 필요한 시설, 설비를 위한 경비 등과 같이 원래 교비회계에 속하는 자금으로 지출할 수 있는 항목에 관한 차입금을 상환하기 위하여 교비회계자금을 지출한 경우 ⇨ 횡령죄 ×(대판 2006.4.28, 2005도4085 ∵ 불법영득의사 ×) 15. 경찰승진, 16. 순경 1차
4. 단체의 비용으로 지출할 수 있는 변호사 선임료는 단체 자체가 소송당사자가 된 경우에 한하므로 단체의 대표자 개인이 당사자가 된 민 · 형사사건의 변호사 비용은 단체의 비용으로 지출할 수 없는 것이 원칙이다. 다만, 예외적으로 분쟁에 대한 실질적인 이해관계는 단체에게 있으나 법적인 이유로 그 대표자의 지위에 있는 개인이 소송 기타 법적 절차의 당사자가 되었다거나 대표자로서 단체를 위해 적법하게 행한 직무행위 또는 대표자의 지위에 있음으로 말미암아 의무적으로 행한 행위 등과 관련하여 분쟁이 발생한 경우와 같이, 당해 법적 분쟁이 단체와 업무적인 관련이 깊고 당시의 여러 사정에 비추어 단체의 이익을 위하여 소송을 수행하거나 고소에 대응하여야 할 특별한 필요성이 있는 경우에는 단체의 비용으로 변호사 선임료를 지출할 수 있다(대판 2009.2.12, 2008다74895). 13. 사시, 22. 법원행시 · 해경간부, 23. 해경승진 · 해경 3차

▶ 법인(단체)의 대표자 개인이 소송당사자가 된 경우

• 원칙 : 법인(단체)의 비용으로 지출 불가 —지출→ (업무상) 횡령죄 ○(주주총회나 이사회 결의 유무와 관계 없음)

예 ① 재건축조합장이 개인 명의의 손해배상청구소송을 위하여 변호사를 소송대리인으로 선임하고 그 선임료를 재건축조합의 비용으로 지출한 경우 ⇨ 업무상 횡령죄 ○(대판 2006.10.26, 2004도6280) 07. 사시

② 법인의 구성원이 업무수행에 있어 관계법령을 위반함으로써 형사재판을 받게 되었다 하더라도 그의 개인적인 변호사비용을 법인자금으로 지급하는 것은 횡령죄에 해당한다(대판 2003.5.30, 2002도235). 19. 법원행시

• 예외 : 법인(단체)의 비용으로 지출 가능 —지출→ (업무상) 횡령죄 ×

예 ① 법인의 대표자가 소송비용(이사직무집행정지가처분신청 사건의 피고신청인인 이사의 소송비용) 등 법인의 업무수행에 필요한 비용을 지급한 경우 ⇨ 횡령죄 ×(대판 2009.3.12, 2008도10826), 10. 법원행시 · 경찰승진, 16. 7급 검찰 · 철도경찰 상가관리운영위원회의 운영위원장이 그에 대하여 제기된 직무집행정지가처분 신청에 대응하기 위하여 선임한 변호사의 선임료를 상가 관리비에서 지급한 경우 ⇨ 횡령죄 ×(대판 2019.5.30, 2016도5816)

② 집합건물 입주자대표회의의 회장과 대표자인 피고인들이 다른 입주자대표들의 자격, 기존의 입주자대표회의가 처리해 온 업무의 효력 등과 연관되어 있는 자신들의 형사사건 변호사 선임비용을 입주자대표회의비로 지출한 경우 ⇨ 업무상 횡령죄 ×(대판 2011.9.29, 2011도4677)

③ 甲아파트의 입주자대표회의 회장인 피고인이, 일반 관리비와 별도로 입주자대표회의 명의 계좌에 적립·관리되는 특별수선충당금을 아파트 구조진단 견적비 및 시공사인 乙주식회사에 대한 손해배상청구소송의 변호사 선임료로 사용한 경우 ⇨ 업무상 횡령죄 ×(대판 2017.2.15, 2013도14777 ∵ 위탁의 취지에 부합하는 용도에 사용 ○ ⇨ 불법영득의사 ×) 20. 순경 1차, 22. 법원행시·수사경과·해경간부, 23. 해경승진·해경 3차

5. 법인의 운영자 또는 관리자가 법인의 자금을 이용하여 비자금을 조성하였다고 하더라도 그것이 당해 비자금의 소유자인 법인 이외의 제3자가 이를 발견하기 곤란하게 하기 위한 장부상의 분식에 불과하거나 법인의 운영에 필요한 자금을 조달하는 수단으로 인정되는 경우에는 불법영득의 의사를 인정하기 어렵다(대판 2010.12.9, 2010도11015). 19. 변호사시험, 21. 법원행시

예 ① 대학교 산학협력단의 운영자가 산학협력단의 자금을 이용하여 비자금을 조성하였다고 하더라도 그것이 단지 당해 비자금의 소유자인 법인 이외의 제3자가 이를 발견하기 곤란하게 하기 위한 목적으로 장부상의 분식을 한 경우라면 불법영득의사가 인정되지 아니한다(대판 2015.2.26, 2014도15182). 17. 7급 검찰

② 법인의 임직원이 법인의 운영에 필요한 자금을 조달하기 위하여 법인의 무자료 거래를 통해 비자금을 조성한 경우 ⇨ 횡령죄 ×(대판 2016.8.30, 2013도658 ∵ 불법영득의사 ×) 21. 9급 검찰·마약수사

③ 새마을금고의 임원인 피고인 등이 위 금고의 직원들로 하여금 고객들이 맡긴 정기예탁금을 정상거래시스템이 아닌 부외거래시스템에 입금하게 하는 경우 ⇨ 횡령죄 ×(대판 2010.12.9, 2010도11015 ∵ 금고의 공식적인 자금에서 벗어난 별도의 비자금 조성 ×)

▶ **비교판례** : 다만, 법인의 운영자 또는 관리자가 법인을 위한 목적이 아니라 법인과는 아무런 관련이 없거나 개인적인 용도로 착복할 목적으로 법인의 자금을 빼내어 별도로 비자금을 조성하였다면 그 조성행위 자체로써 불법영득의 의사가 실현된 것으로 볼 수 있다(대판 2010.12.9, 2010도11015). 16. 사시, 22. 7급 검찰·해경 2차·해경간부 예 甲이 법인의 회계장부에 올리지 않고 법인의 운영자나 관리자가 회계로부터 분리시켜 별도로 관리하는 이른바 비자금을 법인을 위한 목적이 아니라 법인의 자금을 빼내어 착복할 목적으로 조성한 경우 ⇨ 횡령죄(대판 2017.5.30, 2016도9027 ∵ 불법영득의사 ○) 18. 7급 검찰

6. 보관자의 지위에 있는 공동명의 예금채권자가 피해자 조합원들이 제기한 소송으로 인하여 조합이 입게 되는 손해에 대한 구상금 채권의 집행 확보를 위하여 피해자 조합원들에 대하여 예금계좌에 초과로 입금된 개발부담금의 반환을 거부한 경우 ⇨ 횡령죄 ×(대판 2008.12.11, 2008도8279 ∵ 구상금 채권의 집행 확보를 위한 것에 불과하고, 개발부담금을 영득하기 위한 것이 아님 ∴ 불법영득의사 ×) 20. 순경 1차, 23. 해경승진

7. 횡령죄에서 불법영득의 의사는 타인의 재물을 보관하는 자가 그 취지에 반하여 정당한 권원 없이 스스로 소유권자와 같이 이를 처분하는 의사를 말하므로 비록 반환을 거부하였더라도 반환거부에 정당한 이유가 있다면 불법영득의 의사가 있다고 할 수 없다(대판 2022.12.29, 2021도2088 예 주류업체 甲주식회사의 사내이사인 피고인이 피해자를 상대로 주류대금 청구소송을 제기한 민사 분쟁 중

피해자의 착오로 甲회사 명의 계좌로 송금된 금원 중 甲회사의 피해자에 대한 채권액에 상응하는 부분에 관하여 반환을 거부한 행위는 정당한 상계권의 행사로 볼 여지가 있으므로, 피고인의 반환 거부행위가 횡령행위와 같다고 보아 불법영득의사를 인정할 수 없다. ∴ 횡령죄 ×). 23. 순경 2차, 24. 변호사시험 · 해경순경

8. 피고인이 甲과 함께 소주방에서 술을 마시다가 서로 몸싸움을 하는 과정에서 甲이 떨어뜨리고 간 휴대전화를 소주방 업주로부터 건네받아 보관하던 중 甲의 휴대전화를 임의로 사용하는 등 횡령하였다는 내용으로 기소된 경우, 피고인은 조리상 甲을 위하여 휴대전화를 보관하는 지위에 있으나, 甲의 휴대전화를 임의로 사용한 것만으로는 불법영득의사가 있었다고 단정하기 어렵다(대판 2014.3.13, 2012도5346). 25. 변호사시험

(6) 공 범

관련판례

1. 주식회사의 재산을 임의로 처분하려는 대표이사의 횡령행위를 주선하고 그 처분행위를 적극적으로 종용한 경우에는 대표이사의 횡령행위에 가담한 공동정범의 죄책을 면할 수 없다(대판 2005.8.19, 2005도3045).
   ▶ **비교판례** : 채권자가 채무자로부터 채권확보를 위해 담보물을 제공받을 때 그 물건이 채무자가 보관 중인 다른 사람의 물건임을 알았다고 하여도 채권자는 채무자의 횡령행위(불법영득행위)에 공모가담한 것이라 할 수 없다(대판 1992.9.8, 92도1396). 20. 경찰간부
2. 보관자도 업무자도 아닌 甲이 위탁받은 재물의 보관자인 동시에 업무자인 乙의 업무상 횡령죄를 방조한 경우, 甲에게는 업무상 횡령죄의 방조범이 성립한다〔대판 1965.8.24, 65도493 ∵ 甲에게는 형법 제33조 본문에 의하여 업무상 횡령죄의 방조범이 성립하고, 형법 제33조 단서에 의하여 (단순) 횡령죄의 방조범으로 처벌된다〕. 18. 9급 검찰 · 철도경찰 · 순경 3차, 23. 해경승진, 24. 순경 1차

(7) 죄수 및 타죄와의 관계

① 죄 수

관련판례

1. 공동상속인 중 1인이 상속재산인 임야를 보관 중 다른 상속인들로부터 매도 후 분배 또는 소유권이전등기를 요구받고도 그 반환을 거부한 경우 이때 이미 횡령죄가 성립하고, 그 후 그 임야에 관하여 다시 제3자 앞으로 근저당권설정등기를 경료해 준 행위는 불가벌적 사후행위로서 별도의 횡령죄를 구성하지 않는다(대판 2010.2.25, 2010도93).
2. 여러 개의 위탁관계에 의하여 보관하던 여러 개의 재물을 1개의 행위에 의하여 횡령한 경우 위탁관계별로 수개의 횡령죄가 성립하고, 그 사이에는 상상적 경합의 관계가 있는 것으로 보아야 한다(대판 2013.10.31, 2013도10020).
3. 甲종친회 회장인 피고인이 위조한 종친회 규약 등을 공탁관에게 제출하는 방법으로 甲종친회를 피공탁자로 하여 공탁된 수용보상금을 출급받아 편취하고, 이를 종친회를 위하여 업무상 보관하던 중

반환을 거부한 경우 ⇨ 사문서위조죄 및 동행사죄, 사기죄(반환을 거부한 행위는 불가벌적 사후행위 ○ ⇨ 별도의 횡령죄 × ; 대판 2015.9.10, 2015도8592) 20. 순경 2차

---

② 타죄와의 관계

㉠ 사기죄와의 관계

관련판례

1. 사기죄는 타인이 점유하는 재물을 그의 처분행위에 의하여 취득함으로써 성립하는 죄이므로 자기가 점유하는 타인의 재물에 대하여는 이것을 영득함에 기망행위를 한다 하여도 사기죄는 성립하지 아니하고 횡령죄만을 구성한다(대판 1987.12.22, 87도2168 ∵ 피기망자의 처분행위 × ⇨ 사기죄 ×). 16·17. 변호사시험, 20. 경찰간부·해경승진
2. 주식회사의 대표이사가 타인을 기망하여 회사가 발행하는 신주를 인수하게 한 다음 그로부터 납입받은 신주인수대금을 보관하던 중 횡령한 행위는 사기죄와는 전혀 다른 새로운 보호법익을 침해하는 행위로서 횡령죄를 구성한다(대판 2006.10.27, 2004도6503). 10. 사시, 12. 법원직

㉡ **장물보관과 처분행위** : 장물보관을 위탁받은 자가 이를 임의처분한 경우에 장물보관죄가 성립하는 때에는 이미 소유자의 추구권을 침해하였으므로 그 후의 횡령행위는 불가벌적 사후행위에 불과하다(횡령죄 × : 대판 1976.11.23, 76도3067). 18. 순경 3차, 22. 수사경과, 23. 순경 2차

▶ **유사판례** : 甲이 업무상 과실로 장물을 보관함으로써 甲에게 업무상 과실장물보관죄가 성립한다면, 그 후 甲이 위 장물을 임의로 처분하더라도 이러한 행위는 업무상 과실장물보관죄의 가벌적 평가에 포함되어 별도로 횡령죄를 구성하지 않는다(대판 2004.4.9, 2003도8219). 14. 순경 1차, 19. 법원직, 21·23. 변호사시험

㉢ **강제집행면탈죄와의 관계** : 횡령죄가 성립하는 경우에 채권자들의 강제집행을 면탈하는 결과를 가져온다 하더라도 별도로 강제집행면탈죄 성립 ×(대판 2000.9.8, 2000도258) 10. 사시

▶ **유사판례** : 회사 대표가 계열회사들 소유 자금 중 일부를 임의로 빼돌려 자기소유 자금과 구분 없이 거주지 안방에 보관한 행위는 계열회사들에 대한 횡령행위의 일부를 구성하는 것일 뿐이고 나아가 이를 일률적으로 회사 대표 개인의 채권자들에 대한 강제집행면탈행위로서의 은닉행위로 평가할 수는 없다(대판 2007.6.1, 2006도1813). 12. 경찰승진

㉣ 수의계약을 체결하는 공무원이 해당 공사업자와 적정한 금액 이상으로 계약금액을 부풀려서 계약하고 부풀린 금액을 자신이 되돌려 받기로 사전에 약정한 다음 그에 따라 수수한 돈은 성격상 뇌물이 아니고 횡령금에 해당한다(대판 2007.10.12, 2005도7112). 15. 순경 3차, 17. 경찰간부, 20. 경찰승진, 22. 수사경과, 23. 해경 3차

㉤ 甲주식회사 대표이사인 피고인이 자신의 채권자 乙에게 차용금에 대한 담보로 甲회사 명의 정기예금에 질권을 설정하여 주었는데, 그 후 乙이 피고인의 동의하에 정기예금 계좌에 입금되어 있던 甲회사 자금을 전액 인출하였다면, 위와 같은 예금인출동의행위는 이미 배임행위로써 이루어진 질권설정행위의 불가벌적 사후행위에 해당하므로, 배임죄와 별도

로 횡령죄까지 성립한다고 볼 수 없다(대판 2012.11.29, 2012도10980). 17. 법원행시, 18. 순경 1차, 20. 경찰승진

ⓗ 회사의 이사 등이 보관 중인 회사의 자금으로 뇌물을 공여하였다면 이는 오로지 회사의 이익을 도모할 목적이라기 보다는 뇌물공여 상대방의 이익을 도모할 목적이나 기타 다른 목적으로 행하여진 것으로 봄이 상당하므로 그 이사 등은 회사에 대하여 업무상 횡령죄의 죄책을 면하지 못한다(∴ 뇌물공여죄와 업무상 횡령죄 성립). 14. 경찰승진, 21. 법원행시, 24. 경위공채 그리고 특별한 사정이 없는 한 이러한 법리는 회사의 이사 등이 회사의 자금으로 부정한 청탁을 하고 배임증재를 한 경우에도 마찬가지로 적용된다(대판 2013.4.25, 2011도9238). 19. 변호사시험

ⓢ 전기통신금융사기(이른바 보이스피싱 범죄)의 범인이 피해자를 기망하여 피해자의 자금을 사기이용계좌로 송금·이체받으면 사기죄는 기수에 이르고, 그 후 범인이 사기이용계좌에서 현금을 인출한 경우 ⇨ 사기죄 ○, 별도의 횡령죄 ×(대판 2017.5.31, 2017도3894 ∵ 위탁관계나 신임관계 ×, 새로운 법익침해 × ※ 사기범행을 방조한 종범이 사기이용계좌로 송금된 피해자의 자금을 임의로 인출한 경우에도 마찬가지이다.) 18. 법원행시, 23. 해경승진, 24. 법원직

ⓞ 횡령 범행으로 취득한 돈을 공범자끼리 수수한 행위가 공동정범들 사이의 범행에 의하여 취득한 돈을 공모에 따라 내부적으로 분배한 것에 지나지 않는다면 별도로 그 돈의 수수행위에 관하여 뇌물죄가 성립하는 것은 아니다(대판 2019.11.28, 2019도11766). 20·21. 법원행시, 21. 법원직

3 점유이탈물횡령죄

제360조 제1항 유실물, 표류물 또는 타인의 점유를 이탈한 재물을 횡령한 자는 1년 이하의 징역이나 300만원 이하의 벌금 또는 과료에 처한다.

미수범 처벌규정 ×, 친족상도례(제361조)

관련판례

다른 사람의 유실물인 줄 알면서 당국에 신고하거나 피해자의 숙소에 운반하지 아니하고 자기 친구 집에 운반한 사실만으로는 점유이탈물횡령죄의 범의를 인정하기 어렵다(대판 1969.8.19, 69도1078). 22. 9급 검찰·마약수사

기출지문

확인학습(다툼이 있는 경우 판례에 의함)

1 횡령죄에서 말하는 보관자의 지위는 부동산의 경우, 점유를 기준으로 할 것이 아니라 그 부동산을 제3자에게 유효하게 처분할 수 있는 권능의 유무를 기준으로 결정하여야 하므로 원인무효인 소유권이전등기의 명의자는 타인의 재물을 보관하는 자에 해당한다고 할 수 없다. ( )

16. 법원직, 17. 경찰간부 · 경찰승진, 22. 법원행시 · 해경간부, 23. 해경승진

2 공동상속인 중 1인이 상속부동산을 혼자 점유하던 중 다른 공동상속인의 상속지분을 임의로 처분한 경우 횡령죄가 성립한다. ( )

17. 법원행시 · 경찰승진, 18. 순경 1차, 21. 순경 2차, 22. 해경간부 · 수사경과, 23. 변호사시험 · 7급 검찰

3 구분소유자 전원의 공유에 속하는 공용부분인 지하주차장 일부를 그중 1인이 독점 임대하고 수령한 임차료를 임의로 소비한 경우 횡령죄가 성립한다. ( )

20. 법원직 · 순경 1차, 21. 9급 검찰 · 마약수사 · 경찰승진, 23. 해경승진

4 부동산 실권리자 명의등기에 관한 법률을 위반하여 부동산을 소유자로부터 명의신탁받아 소유권이전등기를 경료한 후(양자간 명의신탁) 명의수탁자가 이를 임의처분하면 명의신탁자에 대한 횡령죄가 성립한다. ( ) 21. 7급 검찰, 22. 경찰간부, 23. 경찰승진 · 법원직 · 경력채용

5 종중의 부동산을 명의신탁 받아 보관 중인 자가 개인 채무변제에 사용할 돈을 차용하기 위해 위 토지에 근저당권을 설정하여 횡령죄가 성립한 후, 같은 부동산을 다른 사람에게 매도하면 위 선행처분행위와는 별도로 횡령죄를 구성한다. ( )

16. 변호사시험, 17. 법원행시 · 순경 2차, 18. 9급 검찰 · 순경 3차, 20. 경찰간부, 21. 경찰승진

6 중간생략등기형 명의신탁의 수탁자가 자기 명의로 신탁된 부동산을 임의처분한 경우 신탁자에 대한 횡령죄가 성립한다. ( )

18. 변호사시험 · 9급 검찰 · 마약수사 · 순경 1차, 19. 법원행시, 20. 순경 2차 · 해경 3차, 23. 법원직

7 이른바 계약명의신탁 방식으로 명의수탁자가 당사자가 되어 명의신탁약정이 있다는 사실을 알고 있거나 모르고 있는 소유자로부터 부동산을 매수하려는 계약을 체결한 후 명의수탁자 앞으로 소유권이전등기가 행하여진 경우 그 명의수탁자가 제3자에게 그 부동산을 처분한 때에는 횡령죄가 성립한다. ( ) 15. 법원직 · 경찰간부, 17. 경찰승진, 18. 9급 검찰 · 순경 2차 · 순경 3차, 20. 해경승진 · 해경 3차

8 주권은 유가증권으로서 재물에 해당하지 않으므로 횡령죄의 객체가 될 수 없지만, 자본의 구성단위 또는 주주권을 의미하는 주식은 재물에 해당하므로 횡령죄의 객체가 될 수 있다. ( )

15. 경찰간부 · 순경 3차, 18. 경찰승진, 21. 해경승진, 22. 해경간부, 23. 법원직

9 광업권의 명의수탁자가 명의수탁사실을 부인하면서 명의신탁자의 반환요구를 거절하는 행위는 횡령죄에 해당한다. ( ) 16. 변호사시험 · 순경 2차, 15 · 17. 경찰간부

Answer 1. ○ 2. × 3. × 4. × 5. ○ 6. × 7. × 8. × 9. ×

10 동업자 사이에 손익분배의 정산이 되지 아니하였다면 동업자의 한 사람이 임의로 동업자들의 합유에 속하는 동업재산을 처분할 권한이 없는 것이므로, 동업자의 한 사람이 동업재산을 보관 중 임의로 횡령하였다면 지분비율에 관계없이 임의로 횡령한 금액 전부에 대하여 횡령죄의 죄책을 부담한다. ( )
16. 순경 2차, 21. 법원직 · 해경승진, 22. 경력채용, 23. 변호사시험

11 본사(本社)와 가맹점(프랜차이즈)계약을 맺은 가맹점 주인인 피고인이 판매하여 보관 중인 물품 판매 대금을 임의로 소비한 경우 횡령죄가 성립한다. ( )
16. 사시 · 변호사시험, 18. 9급 검찰, 19. 법원행시

12 소유권 취득에 등록이 필요한 다른 사람 소유 차량을 인도받아 보관받고 있는 사람이 이를 사실상 처분한 경우 보관 위임자나 보관자가 차량의 등록명의자가 아니라면 횡령죄가 성립하지 않는다. ( )
16. 사시, 17. 경찰간부, 19. 변호사시험 · 경찰승진 · 7급 검찰, 22. 순경 2차 · 법원직

13 익명조합의 경우에는 익명조합원이 영업을 위하여 출자한 금전 기타의 재산은 상대편인 영업자의 재산이 되므로 영업자는 타인의 재물을 보관하는 자의 지위에 있지 않아 영업자가 영업이익금 등을 임의로 소비하였더라도 횡령죄가 성립하지 아니한다. ( )
15. 법원직, 17. 수사경과, 18. 경찰간부, 21. 순경 2차 · 해경승진, 23. 7급 검찰

14 주상복합상가의 매수인들로부터 우수상인 유치비 명목으로 금원을 납부받아 보관하던 중 그 용도와 무관하게 일반경비로 사용한 경우 횡령죄가 성립한다. ( )
16. 경찰승진, 18. 순경 1차, 19. 경찰간부, 22. 수사경과

15 건물의 임차인 甲이 임대인 A에 대한 임대차 보증금반환채권을 B에게 양도하고, 이를 A에게 통지하지 않고, A로부터 남아있던 임대차보증금을 반환받아 甲이 소비한 경우 횡령죄가 성립하지 않는다. ( )
23. 경력채용, 24. 경찰간부

16 타인의 금전을 위탁받아 보관하는 자가 보관방법으로 금융기관에 자신의 명의로 예치한 후 이를 함부로 인출하여 소비한 경우 횡령죄가 성립한다. ( )
16. 사시 · 순경 1차, 17. 법원행시 · 경찰간부, 21. 경찰승진

17 송금절차의 착오로 인하여 자신의 은행계좌에 잘못 입금된 돈을 자신의 다른 계좌로 이체하는 등 임의로 사용한 경우 횡령죄가 성립한다. ( )
16. 법원직 · 7급 검찰, 19. 경찰간부, 20. 9급 검찰 · 마약수사, 22. 수사경과, 23. 경찰승진

18 甲, 乙이 공모하여 甲 명의로 개설된 예금계좌의 접근매체를 보이스피싱 조직원 丙에게 양도하고, 丁이 丙에게 속아 위 계좌로 송금한 사기피해금 중 일부를 甲, 乙이 임의로 인출한 경우, 甲, 乙에게 사기죄가 성립하지 않는 이상 丙에 대한 횡령죄를 구성한다. ( )
19. 경력채용, 20. 경찰간부 · 경찰승진 · 순경 2차, 21. 7급 검찰, 22. 해경간부

19 전기통신금융사기의 공범인 계좌명의인이 개설한 예금계좌로 피해자가 송금 · 이체한 사기피해금을 계좌명의인이 영득할 의사로 인출하면 피해자에 대한 횡령죄가 성립한다. ( )
19. 변호사시험, 20. 경찰승진 · 법원직 · 해경 2차, 21 · 23. 7급 · 9급 검찰 · 순경 2차

Answer 10. ○ 11. × 12. × 13. ○ 14. ○ 15. ○ 16. ○ 17. ○ 18. × 19. ×

20 이른바 '착오송금'의 법리는 계좌명의인이 개설한 예금계좌가 전기통신금융사기 범행에 이용되어 그 계좌에 피해자가 사기피해금을 송금·이체한 경우에도 마찬가지로 적용된다. 계좌명의인은 아무런 법률관계 없이 송금·이체된 사기피해금을 보관하는 지위에 있고, 만약 그 돈을 영득할 의사로 인출하면 피해자에 대한 횡령죄가 성립한다. ( )

19. 법원행시, 20. 법원직, 21. 7급 검찰, 21·23. 경찰간부, 24. 해경승진

21 제3자에 대한 뇌물공여의 목적으로 전달하여 달라고 교부받은 돈을 전달하지 않고 임의로 소비하였다고 하더라도 횡령죄가 성립하지 않는다. ( ) 18. 법원행시·법원직, 19. 변호사시험, 22. 9급 검찰

22 甲이 범죄수익 등의 은닉을 위해 乙로부터 교부받은 무기명 양도성예금증서를 현금으로 교환하여 임의로 소비하였다면 횡령죄가 성립한다. ( ) 23. 7급 검찰, 24. 경찰간부

23 포주가 윤락녀와 사이에 윤락녀가 받은 화대를 포주가 보관하였다가 분배하기로 약정하고도 보관 중인 화대를 임의로 소비한 경우 횡령죄가 성립하지 않는다. ( )

18. 경찰승진·수사경과, 19. 변호사시험·법원행시, 22. 수사경과

24 회사에 대하여 개인적인 채권을 가지고 있는 대표이사가 회사를 위하여 보관하고 있는 회사소유의 금전으로 자신의 채권변제에 충당한 경우 횡령죄가 성립한다. ( )

16. 법원직, 19. 법원행시·경찰간부, 21. 경찰승진, 22. 수사경과·7급 검찰

25 사립학교의 교비회계에 속하는 수입을 적법한 교비회계의 세출에 포함되는 용도가 아닌 다른 용도에 사용하는 행위는 그 자체로써 횡령죄가 성립한다. ( )

17. 경찰간부, 18. 9급 검찰·법원행시, 21·23. 경찰승진, 24. 해경승진

26 피고인이 자신이 위탁받아 보관하고 있던 돈이 모두 없어졌는데도 그 행방이나 사용처를 제대로 설명하지 못한다면 일응 피고인이 이를 임의소비하여 횡령한 것이라고 추단할 수 있다. ( )

21·22. 법원행시, 22. 경찰간부, 23. 해경 3차

27 자기가 점유하는 타인의 재물을 횡령하기 위하여 기망한 경우에는 횡령죄와 사기죄의 상상적 경합범이 된다. ( ) 16·17. 변호사시험, 20. 경찰간부·해경승진

28 수의계약을 체결하는 공무원이 해당 공사업자와 적정한 금액 이상으로 계약금액을 부풀려서 계약하고 부풀린 금액을 자신이 되돌려 받기로 사전에 약정한 다음 그에 따라 수수한 돈은 성격상 뇌물이 아니고 횡령금에 해당한다. ( ) 15. 순경 3차, 17. 경찰간부, 20. 경찰승진, 23. 해경 3차

29 甲주식회사 대표이사인 피고인이 자신의 채권자 乙에게 차용금에 대한 담보로 甲회사 명의 정기예금에 질권을 설정하여 주었는데, 그 후 乙이 차용금과 정기예금의 변제기가 모두 도래한 이후 피고인의 동의하에 정기예금 계좌에 입금되어 있던 甲회사 자금을 전액 인출하였다면 배임죄와 별도로 횡령죄까지 성립한다. ( ) 17. 법원행시, 18. 순경 1차, 20. 경찰승진

Answer 20. ○ 21. ○ 22. × 23. × 24. × 25. ○ 26. ○ 27. × 28. ○ 29. ×

CHAPTER 05

기출문제

01 횡령의 죄에 관한 설명 중 가장 적절한 것은?(다툼이 있는 경우 판례에 의함) 22. 순경 2차

① 횡령죄의 본질에 관한 학설 중 월권행위설에 따르면 본죄가 성립하기 위하여는 불법영득의사가 있어야 한다.

② 횡령죄에 있어서 재물의 보관이란 재물에 대한 사실상 또는 법률상 지배력이 있는 상태를 의미하며, 그것은 반드시 사용대차, 임대차, 위임 등이 계약에 의해 설정될 필요는 없고, 사무관리, 관습, 조리, 신의칙에 의해서도 성립한다.

③ 소유권의 취득에 등록이 필요한 차량에 대한 횡령죄에서는 타인의 재물을 보관하는 사람의 지위는 등록에 의하여 차량을 제3자에게 법률상 유효하게 처분할 수 있는 권능 유무에 따라 결정된다.

④ 횡령죄는 타인의 재물에 관한 소유권 등 본권을 보호법익으로 하는 범죄이므로 본권 침해의 결과가 발생하였을 때 성립하는 이른바 침해범이다.

해설 ① ×: 월권행위설(위탁된 보관물에 대한 권한을 초월하는 행위를 함으로써 위탁에 기초한 신임관계를 깨뜨리는 데 횡령죄의 본질이 있다.)에 따르면 신임관계를 침해하는 월권행위만 있으면 횡령죄는 성립하고 불법영득의사를 요하지 않으나, 영득행위설(다수설 · 판례 : 위탁된 보관물을 불법하게 영득하는 데 횡령죄의 본질이 있다.)에 따르면 횡령죄의 성립에 불법영득의사가 있어야 한다.

② ○: 대판 2021.2.18, 2016도18761 전원합의체

③ ×: ~ (2줄) 처분할 수 있는 권능의 유무가 아니라 차량에 대한 점유 여부에 따라 결정하여야 한다(대판 2015.6.25, 2015도1944 전원합의체).

④ ×: 횡령죄는 다른 사람의 재물에 관한 소유권 등 본권을 보호법익으로 하고 법익침해의 위험이 있으면 침해의 결과가 발생되지 아니하더라도 성립하는 위험범이다(대판 2009.2.12, 2008도10971).

02 부동산 명의신탁에 관한 설명 중 가장 옳지 않은 것은?(다툼이 있는 경우 판례에 의함) 23. 법원직

① 명의신탁자와 명의수탁자 사이에 무효인 명의신탁약정 등에 기초하여 존재한다고 주장될 수 있는 사실상의 위탁관계라는 것은 부동산실명법에 반하여 범죄를 구성하는 불법적인 관계에 지나지 아니할 뿐 이를 형법상 보호할 만한 가치 있는 신임에 의한 것이라고 할 수 없다.

② 명의신탁자가 매수한 부동산에 관하여 부동산실명법을 위반하여 명의수탁자와 맺은 명의신탁약정에 따라 매도인에게서 바로 명의수탁자 명의로 소유권이전등기를 마친 이른바 중간생략등기형 명의신탁을 한 경우, 명의신탁자는 신탁부동산의 소유권을 가지지 아니하고, 명의신탁자와 명의수탁자 사이에 위탁신임관계를 인정할 수도 없다.

Answer 01. ② 02. ③

③ 부동산 명의신탁이 부동산실명법 시행 전에 이루어졌으나, 같은 법이 정한 유예기간 이내에 실명등기를 하지 아니함으로써 그 명의신탁약정 및 이에 따라 행하여진 등기에 의한 물권변동이 무효로 된 후에 처분행위가 이루어졌다면, 명의수탁자가 명의신탁자에 대한 관계에서 여전히 '타인의 재물을 보관하는 자'의 지위에 있다고 보아야 한다.

④ 구분소유하고 있는 특정 구분부분별로 독립한 필지로 분할되는 경우에는 특별한 사정이 없는 한 각 공유자 상호간에 상호명의신탁관계만이 존속하는 것이므로, 각 공유자는 나머지 각 필지 위에 전사된 자신 명의의 공유지분에 관하여 다른 공유자에 대한 관계에서 그 공유지분을 보관하는 자의 지위에 있다.

해설 ① 대판 2021.2.18, 2016도18761 전원합의체
② 대판 2016.5.19, 2014도6992 전원합의체
③ ×: ~ (3줄) 처분행위가 이루어진 경우에도, 명의수탁자가 명의신탁자에 대한 관계에서 여전히 '타인의 재물을 보관하는 자'의 지위에 있다고 볼 수 없다(대판 2021.2.18, 2016도18761 전원합의체).
④ 대판 2014.12.24, 2011도11084

03 **횡령죄에 대한 설명으로 옳은 것만을 모두 고르면?**(다툼이 있는 경우 판례에 의함) 21. 7급 검찰

㉠ 지입회사에 소유권이 있는 차량에 대하여 지입회사에서 운행관리권을 위임받은 지입차주가 지입회사의 승낙 없이 보관 중인 차량을 사실상 처분한 경우에는 횡령죄가 성립하지만, 지입차주에게서 차량 보관을 위임받은 사람이 지입차주의 승낙 없이 보관 중인 차량을 사실상 처분한 경우에는 보관을 위임받은 사람을 타인의 재물을 보관한 자로 볼 수 없으므로 횡령죄가 성립하지 않는다.
㉡ 부동산 실권리자명의 등기에 관한 법률을 위반하여 명의신탁자 甲이 그 소유인 부동산의 등기명의를 명의수탁자 乙에게 이전하는 이른바 양자간 명의신탁의 경우, 이때 乙이 신탁받은 부동산을 임의로 처분하면 甲에 대한 관계에서 횡령죄가 성립하지 않는다.
㉢ 채무자가 기존 금전채무를 담보하기 위하여 다른 금전채권을 채권자에게 양도한 후 제3채무자에게 채권양도 통지를 하지 않은 채 자신이 사용할 의도로 제3채무자로부터 변제를 받아 변제금을 수령한 후 채무자가 이를 임의로 소비한 경우, 횡령죄가 성립하지 않는다.
㉣ 채권의 담보를 목적으로 부동산의 소유권이전등기를 마친 양도담보권자인 채권자 甲이 목적물을 점유하다가 임의로 그 변제기일 이전에 제3자에게 근저당권을 경료하여 준 경우, 채무자 소유인 타인의 부동산을 불법영득한 것이므로 횡령죄가 성립한다.
㉤ 내적 조합의 조합원 중 한 사람이 조합재산 처분으로 얻은 대금을 임의로 소비한 경우 횡령죄는 성립하지만, 익명조합의 익명조합원이 영업을 위하여 출자한 금전 기타 재산에 대하여 상대편인 영업자가 영업이익금을 임의로 소비한 경우 횡령죄는 성립하지 않는다.

① ㉠, ㉢　　② ㉡, ㉣
③ ㉡, ㉢, ㉤　　④ ㉡, ㉣, ㉤

Answer 03. ③

해설 ㉠ × : 지입회사(등록명의자 ×)에 소유권이 있는 차량에 대하여 지입회사에서 운행관리권을 위임받은 지입차주(등록명의자 ○)가 지입회사의 승낙 없이 보관 중인 차량을 사실상 처분하거나 그 차량의 보관을 지입차주로부터 위임받은 사람이 지입차주의 승낙 없이 그 보관 중인 차량을 사실상 처분한 경우 ⇨ 횡령죄 ○(대판 2015.6.25, 2015도1944 전원합의체)
㉡ ○ : 대판 2021.2.18, 2016도18761 전원합의체(∵ 명의수탁자가 명의신탁자에 대한 관계에서 '타인의 재물을 보관하는 자'의 지위 ×)
㉢ ○ : 대판 2021.2.25, 2020도12927(∵ 단순한 민사상 채무불이행 ○, 채무자가 채권자와의 위탁신임관계에 의하여 채권자를 위하여 위 변제금을 보관하는 지위 ×)
㉣ × : 채권의 담보를 목적으로 부동산의 소유권이전등기를 경료받은 채권자는 채무자가 변제기일까지 그 채무를 변제하면 채무자에게 그 소유명의를 환원하여 주기 위하여 그 소유권이전등기를 이행할 의무가 있으므로 그 변제기일 이전에 그 임무에 위배하여 이를 제3자에게 처분하였다면 변제기일까지 채무자의 변제가 없었다 하더라도 배임죄가 성립한다(대판 2007.1.25, 2005도7559).
㉤ ○ : 대판 1971.12.28, 71도2032

04 횡령죄에 관한 설명 중 옳은 것은 모두 몇 개인가?(다툼이 있는 경우 판례에 의함) 23. 법원행시

㉠ A와 甲이 당구장을 동업하기로 약정하였다가 공동으로 운영하지 못한채 A가 동업조건에 불만을 갖고 약정투자금의 일부만을 지급한 후 동업계약을 해지하고 탈퇴해버린 경우, 甲이 위 당구장을 단독처분하였다 하더라도 횡령죄를 구성하지 아니한다.
㉡ 채무의 담보로 하기 위하여 매매의 형식을 취하여 동산을 담보로 제공하고 이를 계속 사용하고 있다가 채권자의 승낙을 받고 이를 매각한 후 그 매각대금을 채무자가 소비하였다 하더라도 횡령죄는 성립하지 아니한다.
㉢ 부동산 입찰절차에서 수인이 대금을 분담하되 그중 1인 명의로 낙찰받기로 약정하고 그에 따라 낙찰이 이루어진 경우, 이후 명의인이 이를 임의로 처분하였다면 횡령죄를 구성한다.
㉣ 소개인인 甲이 매매잔대금조로 교부받아 보관하던 약속어음을 현금으로 할인한 자체가 불법영득의사의 실현인 경우, 횡령액은 횡령한 약속어음의 액면금 상당액이 아니라 어음을 할인한 현금액이다.
㉤ 부동산 매수인이 매매대금의 완납 전에 그 매매목적물을 담보로 하여 금전을 차용함에 있어 매도인의 승낙을 받는 한편 매도인과 사이에 그 차용금액의 일부는 매도인에게 매매대금으로 우선 교부하여 주기로 약정한 다음, 금전을 차용하여 이를 전부 임의로 소비한 경우라 하더라도 횡령죄는 성립하지 아니한다.

① 1개 ② 2개 ③ 3개 ④ 4개 ⑤ 5개

해설 ㉠ ○ : 대판 1983.2.22, 82도3236(∵ 2인의 조합관계에 있어서 1인의 조합원이 탈퇴의 의사를 표시하였을 경우 조합관계는 그 성질상 종료되나 특별한 사정이 없는 한 조합은 해산되지 아니하며 따라서 청산도 개시되지 아니하고 조합원의 합유에 속하였던 조합재산은 탈퇴하지 않은 남은 조합원의 단독소유에 속하게 되어 탈퇴한 사람과 남은 사람 사이에는 탈퇴에 따른 투자금의 환급 등 계산만이 남기 때문)
㉡ ○ : 대판 1977.11.8, 77도1715(∵ 매각대금은 채무자의 소유임)
㉢ × : 횡령죄 ×(대판 2000.9.8, 2000도258 ∵ 입찰목적 부동산의 소유권은 그 명의인이 취득 ⇨ 타인의 재물 ×)

Answer 04. ③

㉣ ×：~ (2줄) 경우, 횡령액은 어음을 할인한 현금액이 아니라 횡령한 약속어음의 액면금 상당액인 것이다(대판 1983.11.8, 83도2346).
㉤ ○：대판 2005.9.29, 2005도4809(∵ 위의 약정은 매매잔대금의 지급방법의 하나를 정한 것에 불과함 ⇨ 매수인은 담보제공하여 차용한 금전을 보관하여야 하는 지위 × ⇨ 약정위반은 단순한 민사상의 채무불이행에 지나지 아니함)

05 **횡령의 죄에 대한 설명으로 옳지 않은 것은?**(다툼이 있는 경우 판례에 의함)

22. 9급 검찰·마약수사, 24. 해경간부

① 회사의 대표이사 혹은 그에 준하여 회사 자금의 보관이나 운용에 관한 사실상의 사무를 처리하여 온 자가 이자나 변제기의 약정과 이사회 결의 등 적법한 절차 없이 회사를 위한 지출 이외의 용도로 거액의 회사 자금을 가지급금 등의 명목으로 인출, 사용한 행위는 횡령죄를 구성한다.
② 다른 사람의 유실물인 줄 알면서 당국에 신고하거나 피해자의 숙소에 운반하지 아니하고 자기 친구 집에 운반한 사실만으로는 점유이탈물횡령죄의 범의를 인정하기 어렵다.
③ 타인의 재물을 보관하는 자가 단순히 반환을 거부한 사실만으로는 횡령죄를 구성하는 것은 아니며, 반환거부의 이유 및 주관적인 의사 등을 종합하여 반환거부행위가 횡령행위와 같다고 볼 수 있을 정도이어야만 횡령죄가 성립한다.
④ 주식회사는 주주와 독립된 별개의 권리주체로서 이해가 반드시 일치하는 것은 아니므로, 주주나 대표이사 또는 그에 준하여 회사 자금의 보관이나 운용에 관한 사실상의 사무를 처리하는 자가 회사 소유 재산을 제3자의 자금 조달을 위하여 담보로 제공하는 등 사적인 용도로 임의처분하였고 그 처분에 관하여 주주총회나 이사회의 결의가 있었던 경우에는 횡령죄의 죄책을 면할 수 있다.

해설 ① 대판 2017.4.13, 2017도953 ② 대판 1969.8.19, 69도1078 ③ 대판 2008.12.11, 2008도8279
④ ×：~ (4줄) 임의처분하였다면, 그 처분에 관하여 주주총회나 이사회의 결의가 있었는지 여부와는 관계없이 횡령죄의 죄책을 면할 수 없다(대판 2012.6.28, 2012도2628).

06 **다음 사례에 대한 설명으로 옳지 않은 것은?**(다툼이 있는 경우 판례에 의함) 21. 7급 검찰, 23. 해경 3차

> 甲이 자신의 명의로 개설된 예금계좌가 보이스피싱 범행에 이용될 것임을 인식하지 못하고 그 접근매체를 보이스피싱 조직원 乙에게 양도한 후 피해자 A가 乙에게 속아 위 계좌로 피해금 1,000만원을 송금하였다. 이후 甲은 1,000만원 중 500만원을 별도의 접근매체를 이용하여 임의로 인출하였다.

① 甲이 자신 명의 계좌에 입금된 사실을 알고 이를 인출한 경우 은행에 대한 사기죄는 성립하지 않는다.
② 甲이 자신 명의 계좌에 입금된 사실을 알고 이를 인출한 경우 보이스피싱 조직원 乙에 대한 횡령죄가 성립한다.

Answer 05. ④ 06. ②

③ 甲은 피해자 A와의 사이에 아무런 법률관계 없이 송금 이체된 금원에 대하여 A에게 반환하여야 하므로 A를 위하여 피해금을 보관하는 지위에 있다.
④ 만약 甲이 자신의 예금계좌가 보이스피싱 범행에 이용될 것임을 인식하고 乙과 공모한 것이 인정되면 甲의 출금행위는 사기죄 이외에 별도로 횡령죄가 성립하지 않는다.

해설 ① 대판 2010.5.27, 2010도3498
② ×: 甲(피해자)에 대한 횡령죄 ○, 乙에 대한 횡령죄 ×(대판 2018.7.19, 2017도17494 전원합의체)
③ 대판 2018.7.19, 2017도17494 전원합의체 ④ 대판 2018.7.19, 2017도17494 전원합의체

07 다음 중 〈사례〉에 관한 설명으로 가장 옳은 것은?(다툼이 있는 경우 판례에 의함) 22. 해경 2차

> 전기통신금융사기(이른바 보이스피싱 범죄)를 계획한 甲이 순진해 보이는 乙에게 은행 계좌를 개설하여 현금인출카드를 주면 50만원을 주겠다고 하자 乙은 甲이 범죄에 사용할 수도 있다는 것을 알면서도 돈을 벌 생각으로 자신의 계좌번호, 현금 인출카드를 건네주었다. 甲의 계획대로 기망당한 다수의 피해자들은 현금을 乙의 계좌로 송금하였다. 한편 乙은 자신이 통장과 도장을 보관하고 있는 것을 이용하여 甲의 승낙없이 위 계좌에서 500만원을 인출하여 사용하였다.

① 乙은 甲에 대하여도 횡령죄가 성립한다.
② 乙은 사기방조죄 외에 장물취득죄도 성립한다.
③ 乙은 사기방조죄 외에 사기 피해자들에 대한 횡령죄도 성립한다.
④ 만약 乙이 사기죄의 방조가 아니라면 사기 피해자들에 대한 횡령죄가 성립한다.

해설 ① ×: 乙(피해자)에 대한 횡령죄 ○, 甲(보이스피싱 범인)에 대한 횡령죄 ×(대판 2018.7.19, 2017도17494 전원합의체)
② ×: 사기방조죄 ○, 장물취득죄 ×(대판 2010.12.9, 2010도6256)
③ ×: 사기죄의 방조범 ○, 횡령죄 ×(대판 2018.7.19, 2017도17494 전원합의체 ∵ 불가벌적 사후행위)
④ ○: 대판 2018.7.19, 2017도17494 전원합의체

08 다음 사례에서 (업무상) 횡령죄가 성립하는 경우는?(다툼이 있는 경우 판례에 의함)

21. 9급 검찰·마약수사

① 적법한 종중총회의 결의가 없는 상태에서 종중의 회장으로부터 담보 대출을 받아달라는 부탁과 함께 종중 소유의 임야를 이전받은 자가 임야를 담보로 금원을 대출받아 임의로 사용한 경우(종중에 대한 관계에서)
② 법인의 임직원이 법인의 운영에 필요한 자금을 조달하기 위하여 법인의 무자료 거래를 통해 비자금을 조성한 경우(법인에 대한 관계에서)
③ 전기통신금융사기 공범인 계좌명의인이 자신이 개설한 예금계좌에 사기 피해자가 사기 피해금을 송금·이체하자 그 돈을 영득할 의사로 인출한 경우(전기통신금융사기의 범인에 대한 관계에서)

Answer 07. ④ 08. ①

④ 부동산의 공유자 중 1인이 구분소유자 전원의 공유에 속하는 공용부분인 지하주차장 일부를 독점 임대하고 임차료를 수령한 경우(다른 공유자에 대한 관계에서)

해설 • (업무상) **횡령죄** ○ : ① 대판 2005.6.24, 2005도2413(∵ 피고인은 임야나 위 대출금에 관하여 사실상 종중의 위탁에 따라 이를 보관하는 지위에 있음.)
• (업무상) **횡령죄** × : ② 대판 2016.8.30, 2013도658(∵ 불법영득의사 ×) ③ 사기죄의 공범(사기방조죄) ○, 횡령죄 ×(대판 2018.7.19, 2017도17494 전원합의체 ∵ 불가벌적 사후행위 ○) ④ 대판 2004.5.27, 2003도6988(∵ 다른 공유자의 지분을 유효하게 처분할 수 있는 권능 ×)

09 횡령죄에 대한 설명으로 옳지 않은 것은?(다툼이 있는 경우 판례에 의함) **23. 7급 검찰**

① 익명조합의 경우에는 익명조합원이 영업을 위하여 출자한 금전 기타의 재산은 상대편인 영업자의 재산이 되므로, 그 영업자는 타인의 재물을 보관하는 자의 지위에 있지 않아 영업이익금 등을 임의로 소비하였더라도 횡령죄가 성립하지 않는다.

② 사기범행에 이용되리라는 사정을 알고서 자신 명의 계좌의 접근매체를 양도함으로써 사기범행을 방조한 종범이 사기이용계좌로 송금된 피해자의 자금을 임의로 인출한 경우, 그 종범에게 횡령죄가 성립한다.

③ 乙이 범죄수익 등의 은닉을 위해 甲에게 교부한 무기명 양도성예금증서가 불법원인급여물에 해당한다면, 甲이 이를 현금으로 교환하여 임의로 소비한 행위에 대해서는 횡령죄가 성립하지 않는다.

④ 부동산을 공동으로 상속한 자들 중 1인이 부동산을 혼자 점유하다가 다른 공동상속인의 상속지분을 임의로 처분하여도 그에게는 그 처분권능이 없어 횡령죄가 성립하지 않는다.

해설 ① 대판 1971.12.28, 71도2032 ② × : 사기죄의 종범 ○, 횡령죄 ×(대판 2017.5.31, 2017도3894) ③ 대판 2017.10.26, 2017도9254 ④ 대판 2000.4.11, 2000도565

10 재산범죄의 불법영득의사에 대한 설명으로 옳은 것은?(다툼이 있는 경우 판례에 의함) **22. 7급 검찰**

① 피해자의 영업점 내에 있는 피해자 소유의 휴대전화를 허락 없이 가지고 나와 사용한 다음 약 1~2시간 후 위 영업점 정문 옆 화분에 놓아두고 간 경우, 절도죄의 불법영득의사가 인정되지 않는다.

② 피해자의 가방에서 은행직불카드를 몰래 꺼내어 가 그 직불카드를 이용하여 피해자의 예금계좌에서 자기의 예금계좌로 돈을 이체시킨 후 3시간 가량 지난 무렵에 피해자에게 그 사실을 전화로 말하고 나서 만난 즉시 직불카드를 반환한 경우, 그 직불카드에 대한 절도죄의 불법영득의사가 인정된다.

③ 법인의 운영자나 관리자가 회계로부터 분리해 별도로 관리하는 비자금이 법인을 위한 목적이 아니라 법인의 자금을 빼내어 착복할 목적으로 조성한 것임이 명백히 밝혀진 경우, 비자금 조성행위 자체만으로는 횡령죄의 불법영득의사가 인정되지 않는다.

Answer 09. ② 10. ④

④ 회사에 대하여 개인적인 채권을 가지고 있는 대표이사가 회사를 위하여 보관하고 있는 회사 소유의 금전으로 이사회의 승인 등의 절차 없이 변제기가 도래한 자신의 채권 변제에 충당한 경우, 이는 자신의 권한 내에서 한 회사 채무의 이행행위로서 유효하므로 횡령죄의 불법영득 의사가 인정되지 않는다.

해설 ① ×: ~ 불법영득의사가 인정된다(대판 2012.7.12, 2012도1132).
② ×: ~ 불법영득의사가 인정되지 않는다(대판 2006.3.9, 2005도7819).
③ ×: ~ 비자금 조성행위 자체로써 불법영득의사가 인정된다(대판 2010.12.9, 2010도11015).
④ ○: 대판 1999.2.23, 98도2296

11 **횡령죄의 불법영득의사에 관한 설명 중 가장 옳지 않은 것은?**(다툼이 있는 경우 판례에 의함)

22. 법원행시 · 해경간부

① 피고인이 자신이 위탁받아 보관하고 있던 돈이 모두 없어졌는데도 그 행방이나 사용처를 제대로 설명하지 못한다면 일응 피고인이 이를 임의소비하여 횡령한 것이라고 추단할 수 있다.
② 아파트의 입주자대표회의 회장인 피고인이 일반 관리비와 별도로 적립 · 관리되는 특별수선충당금을 아파트 구조진단 견적비 및 시공사에 대한 손해배상청구소송의 변호사 선임료로 사용함으로써 아파트 관리규약에 의하여 정하여진 용도 외에 사용한 경우, 피고인이 특별수선충당금을 위와 같이 지출한 것이 위탁 취지에 반하여 자기 또는 제3자의 이익을 위하여 자기의 소유인 것처럼 처분하였다고 단정하기 어렵다.
③ 횡령죄가 성립하기 위해서는 우선 타인의 재물을 보관하는 자의 지위에 있어야 하고, 부동산에 대한 보관자의 지위는 부동산에 대한 점유가 아니라 부동산을 제3자에게 유효하게 처분할 수 있는 권능의 유무를 기준으로 결정해야 한다.
④ 타인 소유의 토지에 관하여 허위의 보증서와 확인서를 발급받아 부동산소유권 이전등기 등에 관한 특별조치법에 따른 소유권이전등기를 임의로 마친 사람은 그 원인무효 등기에 따라 토지에 대한 처분권능이 새로이 발생하는 것이 아니므로 토지에 대한 '보관자의 지위'에 있다고 할 수 없다.
⑤ 단체의 비용으로 지출할 수 있는 변호사 선임료는 단체 자체가 소송당사자가 된 경우에 한하므로, 단체의 대표자 개인이 당사자가 된 민 · 형사사건의 변호사 비용은 단체의 비용으로 지출할 수 없다. 따라서 비록 분쟁에 대한 실질적인 이해관계는 단체에 있으나 법적인 이유로 그 대표자의 지위에 있는 개인이 소송 기타 법적 절차의 당사자가 된 경우에는 단체의 비용으로 변호사 선임료를 지출할 수는 없다.

해설 ① 대판 2001.9.4, 2000도1743 ② 대판 2017.2.15, 2013도14777
③ 대판 2010.6.24, 2009도9242 ④ 대판 2021.6.30, 2018도18010
⑤ ×: ~ (3줄) 지출할 수 없다(원칙). 다만, 예외적으로 분쟁에 대한 ~ 선임료를 지출할 수 있다(대판 2009.2.12, 2008다74895).

Answer 11. ⑤

12 **횡령죄에 관한 설명 중 가장 적절하지 않은 것은?**(다툼이 있는 경우 판례에 의함) 15. 경찰승진

① 포주가 윤락녀와 사이에 윤락녀가 받은 화대를 포주가 보관하였다가 분배하기로 약정하고도 보관 중인 화대를 임의로 소비한 경우 불법원인급여이므로 횡령죄가 성립하지 않는다.
② 주상복합상가의 매수인들로부터 우수상인 유치비 명목으로 금원을 납부받아 보관하던 중 그 용도와 무관하게 일반경비로 사용한 경우 횡령죄가 성립한다.
③ 보험을 유치하면서 특별이익 제공과는 무관한 통상적인 실적급여로서의 시책비를 지급받아 그중 일부를 개인적인 용도로 사용한 경우 횡령죄가 성립하지 않는다.
④ 사립학교에 있어서 학교교육에 직접 필요한 시설, 설비를 위한 경비 등과 같이 원래 교비회계에 속하는 자금으로 지출할 수 있는 항목에 관한 차입금을 상환하기 위하여 교비회계자금을 지출한 경우 횡령죄가 성립하지 않는다.

해설 ① ×: 횡령죄 ○(대판 1999.9.17, 98도2036)
② 대판 2002.8.23, 2002도366
③ 대판 2006.3.29, 2003도6733
④ 대판 2006.4.28, 2005도4085

13 (업무상) **횡령죄에 대한 설명으로 옳지 않은 것은?**(다툼이 있는 경우 판례에 의함) 18. 9급 검찰·마약수사

① 부동산 입찰절차에서 甲, 乙, 丙이 대금을 분담하되 그중 1인인 甲명의로 낙찰받기로 약정하고 낙찰을 받은 후 甲이 그 부동산을 임의로 처분한 경우 甲에게는 (업무상) 횡령죄가 성립한다.
② 학교법인을 운영하는 甲이 A사립학교의 교비회계자금을 같은 학교법인에 속하는 B사립학교의 교비회계에 사용한 경우 甲에게는 (업무상) 횡령죄가 성립한다.
③ 甲이 A에게 금전을 대여하면서 A로부터 그 담보로 동산을 교부받아 보관하고 있던 중 담보권의 범위를 벗어나서 그 동산 담보물을 처분한 경우 甲에게는 횡령죄가 성립한다.
④ 프랜차이즈 계약을 맺은 가맹점주 甲이 물품판매대금의 일부를 본사로 송금하지 않고 임의로 소비한 경우 甲에게는 (업무상) 횡령죄가 성립하지 않는다.

해설 ① ×: 횡령죄 ×(대판 2000.9.8, 2000도258 ∵ 입찰목적 부동산의 소유권은 그 명의인이 취득 ⇨ 타인의 재물 ×)
② 대판 2002.5.10, 2001도1779
③ 대판 1985.4.11, 88도906〔∵ 동산의 양도담보에 있어서 채권자(甲)가 점유하게 된 담보물을 처분한 경우, 채권자는 타인(A) 소유의 물건을 보관하는 자로서 횡령죄의 주체가 될 수 있으므로 횡령죄 성립 ○〕
④ 대판 1998.4.14, 98도292

Answer 12. ① 13. ①

14 **횡령죄에 대한 설명이다. 아래 ㉠부터 ㉣까지의 설명 중 적절하지 않은 것을 모두 고른 것은?**(다툼이 있는 경우 판례에 의함)

21. 경찰승진

> ㉠ 사립학교의 교비회계에 속하는 수입을 적법한 교비회계의 세출에 포함되는 용도가 아닌 다른 용도에 사용하는 행위는 그 자체로써 횡령죄가 성립한다.
> ㉡ 회사에 대하여 개인적인 채권을 가지고 있는 대표이사가 회사를 위하여 보관하고 있는 회사 소유의 금전으로 이사회의 승인 등의 절차 없이 자신의 채권 변제에 충당하는 행위는 횡령죄에 해당한다.
> ㉢ 타인의 금전을 위탁받아 보관하는 자가 보관방법으로 금융기관에 자신의 명의로 예치한 후 이를 함부로 인출하여 소비하거나 위탁자에게서 반환요구를 받았음에도 영득의 의사로 반환을 거부하는 경우 횡령죄는 성립하지 않는다.
> ㉣ 피해자 甲 종중으로부터 토지를 명의신탁받아 보관 중이던 피고인 乙이 개인 채무 변제에 사용할 돈을 차용하기 위해 위 토지에 근저당권을 설정하였는데, 그 후 피고인 乙이 丙과 공모하여 위 토지를 丁에게 매도한 경우 후행의 매도행위는 별도의 횡령죄를 구성한다.

① ㉠, ㉡　　② ㉠, ㉣　　③ ㉡, ㉢　　④ ㉢, ㉣

해설 ㉠ ○ : 대판 2008.2.29, 2007도9755
㉡ × : 횡령죄 ×(대판 1999.2.23, 98도2296 ∵ 불법영득의사 ×)
㉢ × : 횡령죄 ○(대판 2000.8.18, 2000도1856) ㉣ ○ : 대판 2013.2.21, 2010도10500 전원합의체

15 **다음 사례에서** (업무상) **횡령죄가 성립하는 경우는?**(다툼이 있는 경우 판례에 의함)

21. 9급 검찰 · 마약수사

① 적법한 종중총회의 결의가 없는 상태에서 종중의 회장으로부터 담보 대출을 받아달라는 부탁과 함께 종중 소유의 임야를 이전받은 자가 임야를 담보로 금원을 대출받아 임의로 사용한 경우(종중에 대한 관계에서)
② 법인의 임직원이 법인의 운영에 필요한 자금을 조달하기 위하여 법인의 무자료 거래를 통해 비자금을 조성한 경우(법인에 대한 관계에서)
③ 전기통신금융사기 공범인 계좌명의인이 자신이 개설한 예금계좌에 사기 피해자가 사기 피해금을 송금 · 이체하자 그 돈을 영득할 의사로 인출한 경우(전기통신금융사기의 범인에 대한 관계에서)
④ 부동산의 공유자 중 1인이 구분소유자 전원의 공유에 속하는 공용부분인 지하주차장 일부를 독점 임대하고 임차료를 수령한 경우(다른 공유자에 대한 관계에서)

해설
- (업무상) **횡령죄** ○ : ① 대판 2005.6.24, 2005도2413(∵ 피고인은 임야나 위 대출금에 관하여 사실상 종중의 위탁에 따라 이를 보관하는 지위에 있음.)
- (업무상) **횡령죄** × : ② 대판 2016.8.30, 2013도658(∵ 불법영득의사 ×) ③ 사기죄의 공범(사기방조죄) ○, 횡령죄 ×(대판 2018.7.19, 2017도17494 전원합의체 ∵ 불가벌적 사후행위 ○) ④ 대판 2004.5.27, 2003도6988(∵ 다른 공유자의 지분을 유효하게 처분할 수 있는 권능 ×)

Answer 14. ③ 15. ①

16 **횡령죄에 대한 설명 중 옳은 것을 모두 고른 것은?**(다툼이 있는 경우 판례에 의함) **23. 경찰승진**

> ㉠ 사립학교의 교비회계에 속하는 수입을 적법한 교비회계의 세출에 포함되는 용도가 아닌 다른 용도로 사용한 경우 횡령죄가 성립한다.
> ㉡ 송금절차의 착오로 인하여 자기 명의의 은행 계좌에 입금된 금전을 영득할 의사로 인출하여 소비한 경우 횡령죄가 성립한다.
> ㉢ 부동산 실권리자명의 등기에 관한 법률을 위반한 양자간 명의신탁의 경우 명의수탁자가 신탁받은 부동산을 임의로 처분하여도 명의신탁자에 대한 관계에서 횡령죄가 성립하지 않는다.
> ㉣ 채무자가 기존의 금전채무를 담보하기 위하여 다른 금전채권을 채권자에게 양도한 후 제3채무자에게 채권양도 통지를 하지 않은 채 자신이 사용할 의도로 제3채무자로부터 변제금을 수령한 후 이를 임의로 소비한 경우 횡령죄가 성립하지 않는다.

① ㉠, ㉡ ② ㉠, ㉡, ㉢ ③ ㉡, ㉢, ㉣ ④ ㉠, ㉡, ㉢, ㉣

해설 ㉠ ○ : 대판 2008.2.29, 2007도9755
㉡ ○ : 대판 1987.10.13, 87도1778
㉢ ○ : 대판 2021.2.18, 2016도18761 전원합의체
㉣ ○ : 대판 2022.6.23, 2017도3829 전원합의체

17 **횡령죄에 관한 설명 중 옳은 것을 모두 고른 것은?**(다툼이 있는 경우 판례에 의함) **23. 변호사시험**

> ㉠ 동업자 사이에 손익분배의 정산이 되지 아니한 상태에서 동업자 중 한 사람이 동업재산을 보관하다가 임의로 횡령하였다면, 지분비율에 관계없이 임의로 횡령한 금액 전부에 대하여 횡령죄가 성립한다.
> ㉡ 부동산 입찰절차에서 수인이 대금을 분담하되 그중 1인인 甲 명의로 낙찰받기로 약정하여 그에 따라 낙찰이 이루어진 경우, 甲이 낙찰받은 부동산을 임의로 처분하더라도 횡령죄를 구성하지 않는다.
> ㉢ 부동산을 공동으로 상속한 자들 중 1인이 부동산을 혼자 점유하다가 다른 공동상속인의 상속지분을 임의로 처분하여도 횡령죄가 성립하지 않는다.
> ㉣ 甲이 업무상 과실로 장물을 보관함으로써 甲에게 업무상 과실장물보관죄가 성립한다면, 그 후 甲이 위 장물을 임의로 처분하더라도 이러한 행위는 업무상 과실장물보관죄의 가벌적 평가에 포함되어 별도로 횡령죄를 구성하지 않는다.

① ㉠ ② ㉠, ㉡ ③ ㉠, ㉡, ㉢
④ ㉡, ㉢, ㉣ ⑤ ㉠, ㉡, ㉢, ㉣

해설 ㉠ ○ : 대판 1996.3.22, 95도2824
㉡ ○ : 대판 2000.9.8, 2000도258
㉢ ○ : 대판 2000.4.11, 2000도565
㉣ ○ : 대판 2004.4.9, 2003도8219

Answer 16. ④ 17. ⑤

18 횡령의 죄에 관한 설명으로 가장 적절하지 않은 것은?(다툼이 있는 경우 판례에 의함) 24. 순경 1차

① 횡령죄의 본질에 관한 영득행위설에 따르면, 보관하는 재물을 위탁의 취지에 반하여 일시사용·손괴·은닉의 목적으로 처분하는 등 불법영득의 의사가 없는 경우, 횡령죄가 성립하지 않는다.

② 보관자도 업무자도 아닌 甲이 위탁받은 재물의 보관자인 동시에 업무자인 乙의 업무상 횡령죄를 방조한 경우, 甲에게는 업무상 횡령죄의 방조범이 성립한다.

③ 주주나 대표이사 또는 그에 준하여 회사 자금의 보관이나 운용에 관한 사실상의 사무를 처리하는 자가 회사 소유 재산을 제3자의 자금조달을 위하여 담보로 제공하는 등 사적인 용도로 임의 처분한 경우 횡령죄가 성립하지만, 그 처분에 관하여 주주총회나 이사회의 결의가 있었다면 횡령죄가 성립하지 않는다.

④ 건물의 임차인 甲이 임대인 A에 대한 임대차보증금반환채권을 B에게 양도하였는데도 A에게 채권양도 통지를 하지 않고 A로부터 남아 있던 임대차보증금을 반환받아 보관하던 중 개인적인 용도로 사용한 경우, 별도의 약정이나 그 밖의 특별한 사정이 인정되지 않는 한 甲에게는 횡령죄가 성립하지 않는다.

해설 ① 옳다.
② 대판 1965.8.24, 65도493〔甲에게는 형법 제33조 본문에 의하여 업무상 횡령죄의 방조범이 성립하고, 형법 제33조 단서에 의하여 (단순) 횡령죄의 방조범으로 처벌된다.〕
③ ×: ~ (3줄) 용도로 임의처분하였다면, 그 처분에 관하여 주주총회나 이사회의 결의가 있었는지 여부와는 관계없이 횡령죄의 죄책을 면할 수 없다(대판 2012.6.28, 2012도2628).
④ 대판 2022.6.23, 2017도3829 전원합의체

19 횡령의 죄에 관한 설명으로 가장 적절하지 않은 것은?(다툼이 있는 경우 판례에 의함) 24. 순경 2차

① 동업재산은 동업자의 합유에 속하는 것이므로 동업관계가 존속하는 한 동업자의 한 사람이 동업재산을 보관 중 임의로 횡령한 경우에는 지분비율에 따라 임의로 횡령한 금액 중 자신의 지분 비율을 초과한 부분에 대하여 횡령죄의 죄책을 부담한다.

② 사기범행의 공범이 아닌 계좌명의인이 개설한 예금계좌가 전기통신금융사기 범행에 이용되어 그 계좌에 피해자가 사기피해금을 송금·이체한 경우에는 계좌명의인은 피해자를 위하여 사기피해금을 보관하는 지위에 있다고 보아야 하므로, 계좌명의인이 그 돈을 영득할 의사로 인출하면 피해자에 대한 횡령죄가 성립한다.

③ 사기범행에 이용되리라는 사정을 알고서도 자신 명의 계좌의 접근매체를 양도함으로써 사기범행을 방조한 종범이 사기이용 계좌로 송금된 피해자의 돈을 임의로 인출한 경우 사기의 피해자에 대하여 별도의 횡령죄를 구성하지 않는다.

④ 금전의 수수를 수반하는 사무처리를 위임받은 사람이 그 행위에 기하여 위임자를 위하여 제3자로부터 수령한 금전은, 위임을 받은 사람이 위 금전을 그 위임의 취지대로 사용하지 아니하고 마음대로 자신의 위임자에 대한 채권에 상계충당하는 것은 상계정산 하기로 하였다는 특별한 약정이 없는 한 당초 위임한 취지에 반하므로 횡령죄를 구성한다.

Answer 18. ③ 19. ①

해설 ① × : 동업자 사이에 손익분배 정산이 되지 아니하였다면 동업자 한 사람이 임의로 동업자들의 합유에 속하는 동업재산을 처분할 권한이 없는 것이므로, 동업자 한 사람이 동업재산을 보관 중 임의로 횡령하였다면 지분비율에 관계없이 횡령한 금액 전부에 대하여 횡령죄의 죄책을 부담한다(대판 1996.3.22, 95도2824).
② 대판 2018.7.19, 2017도17494 전원합의체
③ 대판 2018.7.19, 2017도17494 전원합의체
④ 대판 2017.11.29, 2015도18253

20 **횡령죄에 대한 설명 중 가장 옳지 않은 것은?**(다툼이 있는 경우 판례에 의함) 24. 해경경위

① 부동산매매 소개인이 매매잔대금조로 교부받아 보관하던 약속어음을 현금으로 할인한 자체가 불법영득의사의 실현인 경우, 횡령액은 횡령한 약속어음의 액면금 상당액이 아니라 어음을 할인한 현금액이다.

② 부동산 매수인이 매매대금의 완납 전에 그 매매 목적물을 담보로 하여 금전을 차용함에 있어 매도인의 승낙을 받는 한편, 매도인과 사이에 그 차용금액의 일부는 매도인에게 매매대금으로 우선 교부하여 주기로 약정한 다음, 금전을 차용하여 이를 전부 임의로 소비한 경우, 횡령죄는 성립하지 아니한다.

③ 타인 소유의 토지에 관하여 허위의 보증서와 확인서를 발급받아 부동산소유권 이전등기 등에 관한 특별조치법에 따른 소유권이전등기를 임의로 마친 사람은 그 원인무효등기에 따라 토지에 대한 처분권능이 새로이 발생하는 것이 아니므로 토지에 대한 '보관자의 지위'에 있다고 할 수 없다.

④ 동업계약에 의해 식재된 합유물인 수목에 관하여 다른 합유자의 동의를 얻지 아니한 채 제3자에게 매도하는 계약을 체결하고, 제3자로부터 계약금을 수령한 상태에서 다른 동업자의 저지로 계약의 추가적인 이행이 진행되지 아니한 경우, 횡령미수에 해당한다.

해설 ① × : ~ (2줄) 횡령액은 어음을 할인한 금액이 아니라 횡령한 약속어음의 액면금 상당액이다(대판 1983.11.8, 83도2346).
② 대판 2005.9.29, 2005도4809
③ 대판 2021.6.30, 2018도18010
④ 대판 2012.8.17, 2011도9113

Answer 20. ①

공편저자 약력·저서

조충환

- 중앙대학교 법학박사(형사법전공)

現 • 박문각 경찰승진 형사소송법 대표교수

前 • 중앙대·울산대 출강
- 노량진 남부경찰학원 대표강사
- 노량진 남부행정고시학원 대표강사
- 노량진 한교경찰학원 대표강사
- 노량진 베리타스경찰학원 대표강사
- 법무부 출간 교정지 출제위원
- 경찰청 인터넷방송 초빙교수

주요저서

- SPA 형법
- SPA 형사소송법
- 객관식 테마 형법
- 객관식 테마 형사소송법
- ALL THAT 올댓 형사법 형법 총론
- ALL THAT 올댓 형사법 형법 각론
- ALL THAT 올댓 형사법 수사·증거
- 수사경과 대비 형사법능력평가
- COPSPA 경찰 형법
- COPSPA 경찰 형사소송법
- 3+3 형법
- 3+3 형사소송법
- 논문 다수

상 훈

- 중앙대 강의평가 우수강사 총장 표창(3회)
- 모범강사 전국학원연합회 회장표창

양 건

現 • 박문각 경찰승진 형법 대표교수
- 공무원저널 형사법 판례교실 집필위원
- 법률저널 경찰·교정직 집필위원

前 • 조이에듀경찰학원 형법 대표강사
- 신림동 태학관 법정연구회 강의
- 종로행정고시학원 경찰승진 형법 대표강사
- 중앙경찰고시학원 형법 대표강사
- 경찰승진특강
- 노량진 한교경찰학원 대표강사(형법)
- 노량진 베리타스경찰학원 대표강사(형법)

주요저서

- SPA 형법
- SPA 형사소송법
- 객관식 테마 형법
- 객관식 테마 형사소송법
- ALL THAT 올댓 형사법 형법 총론
- ALL THAT 올댓 형사법 형법 각론
- ALL THAT 올댓 형사법 수사·증거
- 수사경과 대비 형사법능력평가
- COPSPA 경찰 형법
- COPSPA 경찰 형사소송법
- 3+3 형법
- 3+3 형사소송법

SPA

2026 판례·기출 증보판

조충환·양건

형법각론 Ⅰ

초판인쇄 : 2025년 2월 10일
초판발행 : 2025년 2월 15일
편 저 : 조충환·양건
발 행 인 : 박 용
발 행 처 : (주)박문각출판
등 록 : 2015. 4. 29. 제2019-000137호
주 소 : 06654 서울시 서초구 효령로 283 서경 B/D
전 화 : (02) 6466-7202
팩 스 : (02) 584-2927

저자와의 협의하에 인지생략

정가 40,000원

ISBN 979-11-7262-540-5
ISBN 979-11-7262-539-9(각론세트)